# LE BESCHERELLE 2

# l'orthographe pour tous

## LES PIÈGES DE L'ORTHOGRAPHE
## LES HOMONYMES
## ÉTYMOLOGIE
## LEXIQUE DE 18 000 MOTS

**ÉDITIONS HURTUBISE HMH Ltée - Tél. 364-0323**

7360 boul. Newman, Ville LaSalle, Québec H8N 1 × 2

© HURTUBISE HMH MAI 1987

ISBN 2-89045-821-0

# AVANT-PROPOS

## Le Bescherelle 2, pour quoi faire ?

Le Bescherelle 2 répond à deux difficultés majeures dans l'apprentissage et l'utilisation de la langue française : la prononciation et l'orthographe :

1. A un même son correspond bien souvent plusieurs graphies :
   [s]→ s, ss, c(e), ç, sc...

2. Une même lettre peut se prononcer de façons différentes :
   « s » → [s] - [z]
   voire, ne pas se prononcer du tout :
   *Exemple :* le dos.

Ainsi, le **Bescherelle 2** part de la prononciation des sons pour amener l'utilisateur aux différentes façons de les écrire.

## Que trouverez-vous dans le Bescherelle 2 ?

1. Les pièges de l'orthographe.
2. Les homonymes.
3. L'étymologie des mots français.
4. Un lexique.

**1. Les pièges de l'orthographe en 32 « fiches »** (chapitre 1).

• Les 25 premières fiches présentent toutes les graphies possibles pour un son donné. Elles sont classées en partant des plus simples et des plus fréquentes pour aller aux plus complexes et aux plus rares (A. B. et C.).

*Exemple :* Fiche 14 (cf. p. 28), consacrée au son [K], vous trouverez :
- dans la partie A : la lettre **c** (cacao)
- dans la partie B : les lettres **qu** et **cc** (quai, accord)
- dans la partie C : les lettres **k, ch, ck, cqu** et **kh** (képi, chorale, bifteck, acquis, khôl).

Chaque exemple se présente en fonction de la position occupée par la graphie dans le mot : initiale, médiane, devant un **e** muet final et finale.

• Les fiches 26, 27, 28 et 29 traitent des problèmes du **e** muet, des consonnes muettes, des alternances et du rôle joué par le **h** et le tréma.

• Les 3 dernières fiches sont consacrées aux variations liées au genre et au nombre.

**2. Les homonymes** (chapitre 2).

De nombreux mots de la langue française se prononcent de la même façon mais diffèrent par l'orthographe. Vous les trouverez inscrits dans une phrase, pour que le sens en apparaisse clairement.

**3. Étymologie : les principales racines grecques et latines** (chapitre 3).

De nombreux mots sont formés à partir des racines grecques ou latines. Les plus fréquentes sont présentées avec leur signification.
*Exemple :* hémi- (gr) : demi ; exemple : hémicycle, hémisphère.
                cycle (gr) : cercle ; exemple : bicyclette, cyclothymique.

**4. Un lexique** de plus de 18 000 mots (dont 1 500 mots composés) et plus de 100 mots (ou locutions) invariables.

# Le Bescherelle 2, mode d'emploi

## • Vous hésitez sur l'orthographe d'un mot ?

Consultez le lexique final. Vous trouvez le mot suivi d'un chiffre rouge qui vous renvoie au chapitre des homonymes.

*Exemple :* coq........ **14** 14.B      le **coq** du poulailler
                                      le **coke** de la chaufferie
                                      la **coque** du navire

## • Sans avoir étudié le latin ni le grec, vous désirez découvrir la composition de certains mots ?

Consultez la partie « étymologie ».

*Exemple :* hypoglycémie     hypo (gr) « sous, dessous »
                                          glycémie (gr) « sucre ».

## • Vous désirez en savoir plus sur l'orthographe du mot ?

Le chiffre et la lettre noire qui suivent le mot vous indiquent à quelle fiche et à quelle partie de la fiche vous devez vous reporter.

*Exemple :* ablation......... 25.A
                chlore........... 14.C

# LES PIÈGES DE L'ORTHOGRAPHE

## 1 [a]
**A.** a
**B.** â - à
**C.** e (mm) - ao - as - at

## 2 [ɛ]
**A.** ê - è
**B.** ai - ei - et - êt - aî
**C.** e (ll - ss - rr - tt) e (s - x - c - m - n) ey - ay

## 3 [e]
**A.** é
**B.** ée - er
**C.** ed - ez - ef - es - oe e (cc - ll - ss)

## 7 [œ]
**A.** eu
**B.** œu - uei
**C.** er - u - i

## 8 [ɛ̃] - [œ̃]
**A.** in - en - un
**B.** im - ain - ein aint - eint - um
**C.** inct - yn - ym - unt

## 9 [ã]
**A.** an - en
**B.** ant - ent - am - em
**C.** anc - and - ang - aon - end

## 13 [t] - [d]
**A.** t - d
**B.** tt - dd
**C.** th

## 14 [k]
**A.** c
**B.** qu - cc
**C.** k - ch - cqu - ck - kh

## 15 [g]
**A.** g
**B.** gu
**C.** gg

## 19 [z]
**A.** s - z
**B.** x
**C.** zz

## 20 [ʃ]
**A.** ch
**B.** sch - sh

## 21 [ʒ]
**A.** j - g
**B.** ge (+ voyelle)
**C.** gg - j

## 25 [sj]
**A.** tion - sion - ssion - xion
**B.** cieux - tieux - ssieux
**C.** tiel - ciel
**D.** ciaire - tiaire - cière - ssière
**E.** cien - tien - ssien

## 26 «e» muet
**A.** « e »
**B.** r(e)
**C.** bl(e) cr(e) gl(e) pl(e) tr(e) etc.

## 27 Consonnes muettes
**A.** s    **E.** p
**B.** t    **F.** c
**C.** x    **G.** g - b
**D.** d    **H.** h

## 4 [i]
**A.** i
**B.** y - ie - î - ï
is - it - id
**C.** ea - ee

## 5 [o]
**A.** o
**B.** au - eau - ô - ot -
oc - op - aud - os -
aut
**C.** oa - oo - um

## 6 [ø]
**A.** eu
**B.** eux
**C.** eue - œu - ö

## 10 [ɔ̃]
**A.** on
**B.** om
**C.** ond - ont - onc -
omb

## 11 [j] - [ɲ]
**A.** i - y
**B.** il - ill(e)
**C.** gn - ni

## 12 [p] - [b]
**A.** p - b
**B.** pp - bb
**C.** b(s) - b(t)

## 16 [m] - [n]
**A.** m - n
**B.** mm - nn
**C.** mn

## 17 [f]
**A.** f
**B.** ff
**C.** ph

## 18 [s]
**A.** s - c - ç
**B.** ss - c(e)
**C.** ss - cc - t(i) - x

## 22 [l]
**A.** l
**B.** ll

## 23 [R]
**A.** r
**B.** rr
**C.** rh - r (d - t - s)

## 24 [wa] -[wɛ̃]
**A.** oi
**B.** oi (s-t-d-e)-oî
**C.** wa          **D.** oin
**E.** ouin - oint
oing - ouen

## 28 Alternances
**A.** â/a - ô/o - ê/é
**B.** è/é
**C.** ê/es - ô/os - î/is
m/mm - n/nn

## 29 h et tréma
**A.** h (de coupe)
**B.** anticoagulants
(h, tréma)
**C.** rencontres de
voyelles

## 30 Masculin/
féminin

## 31 Pluriel

## 32 pluriel des mots
composés

# SOMMAIRE

LES PIÈGES DE L'ORTHOGRAPHE . . . . . . . . . . . . . .   7

| | |
|---|---|
| **1** : [a] | **13** : [t] [d] |
| **2** : [ɛ] | **14** : [k] |
| **3** : [e] | **15** : [g] |
| **4** : [i] | **16** : [m] [n] |
| **5** : [ɔ] [o] | **17** : [f] |
| **6** : [ø] | **18** : [s] |
| **7** : [œ] | **19** : [z] |
| **8** : [ɛ̃] [œ̃] | **20** : [ʃ] |
| **9** : [ã] | **21** : [ʒ] |
| **10** : [ɔ̃] | **22** : [l] |
| **11** : [j] - [ɲ] | **23** : [R] |
| **12** : [p] [b] | |

graphies des
« sons simples »
du français

**24** : [wa] [wɛ̃]
**25** : [sj]

graphies des
« sons complexes »
du français

**26** : Le **e** muet
**27** : Les consonnes muettes
**28** : â/a - ê/é - ô/o, etc.
**29** : h et tréma

lettres muettes
et alternance

**30** : Le féminin des adjectifs
**31** : Le pluriel des noms et adjectifs
**32** : Le pluriel des mots composés

genre et nombre

LES HOMONYMES . . . . . . . . . . . . . . . . . . . . . . . . . .   61
Découpage et homophonie

ÉTYMOLOGIE . . . . . . . . . . . . . . . . . . . . . . . . . . . .   93
Principales racines grecques et latines
Préfixes d'origine savante

LES MOTS INVARIABLES . . . . . . . . . . . . . . . . . . . .  100

LEXIQUE ( + mots composés). . . . . . . . . . . . . . . . . . . .  101
Renvoi aux fiches de 1 à 32
        A : graphie simple et fréquente.
        B : graphie complexe mais fréquente.
        C : graphie particulière et rare.

ALPHABET PHONÉTIQUE. . . . . . . . . . . . . . . . . . . .  224

# LES PIÈGES
# DE L'ORTHOGRAPHE

# 1 [a] ➤ a â à  e(mm)  ao(nn)

**A**  Le son [a] peut s'écrire **a**.
A un **son** entendu correspond un signe graphique, une **lettre**.

| INITIALE | MÉDIANE | FINALE | |
|---|---|---|---|
| abri | baccara | acacia | colza |
| absent | bar | agenda | delta |
| accès | car | alinéa | extra |
| acteur | cauchemar | boa | gala |
| affaire | gare | camélia | mimosa |
| agile | guitare | caméra | opéra |
| ami | mare | choléra | panorama |
| analyse | phare | cinéma | tapioca |
| argent | square | cobra | tombola |
| assez | | | véranda |

▶  Bien que la distinction [a] (patte)/[ɑ] (pâte) existe pour de nombreux francophones, nous avons préféré ne pas en tenir compte dans ce premier chapitre. Elle ne sera retenue que pour les **homonymes**, afin d'opposer : acre /âcre
mal /mâle
tache/tâche

**B**  Le son [a] peut s'écrire **â** ou **à**.
Alors que la graphie **â** n'apparaît qu'à l'initiale et entre voyelles ou consonnes, le **à**, lui, n'apparaît qu'en finale.

| INITIALE | MÉDIANE | | | FINALE |
|---|---|---|---|---|
| âcre | acariâtre | châssis | mâchefer | à |
| âme | albâtre | châtain | mâle | au-delà |
| âne | bâbord | château | pâture | celui-là |
| âpre | bâillement | crâne | râle | celle-là |
| âtre | bâtiment | débâcle | râteau | ceux-là |
| | bâton | gâche | relâche | déjà |
| | blâme | grâce | saumâtre | holà |
| | câble | hâte | tâche | là |
| | câpre | infâme | théâtre | par-delà |
| | | | | voilà |

⚠ On notera que, contrairement à **théâtre** ou **acariâtre**, les composés du grec -**iatre** (qui signifie médecin) ne prennent pas d'accent.
Ex. : pédiatre, psychiatre.

8

**C**  Le son [a] pourra s'écrire **-e(mm)** dans les adverbes du type **fréquemment** dérivés d'un adjectif se terminant par **-ent** (fréquent), et, cas isolé, pour le nom **femme**.

| | | |
|---|---|---|
| ardent | ⟶ | ardemment |
| conscient | ⟶ | consciemment |
| décent | ⟶ | décemment |
| différent | ⟶ | différemment |
| éminent | ⟶ | éminemment |
| fréquent | ⟶ | fréquemment |
| impudent | ⟶ | impudemment |
| imprudent | ⟶ | imprudemment |
| indifférent | ⟶ | indifféremment |
| pertinent | ⟶ | pertinemment |
| prudent | ⟶ | prudemment |
| récent | ⟶ | récemment |
| violent | ⟶ | violemment |
| | | sciemment |

⚠ Lorsqu'un adverbe en **-ment** sera dérivé d'un adjectif terminé par **-ant**, il s'écrira **-amment**.

| | | |
|---|---|---|
| abondant | ⟶ | abondamment |
| brillant | ⟶ | brillamment |
| bruyant | ⟶ | bruyamment |
| complaisant | ⟶ | complaisamment |
| constant | ⟶ | constamment |
| courant | ⟶ | couramment |
| galant | ⟶ | galamment |
| incessant | ⟶ | incessamment |
| indépendant | ⟶ | indépendamment |
| savant | ⟶ | savamment |
| suffisant | ⟶ | suffisamment |
| vaillant | ⟶ | vaillamment |

*Cas isolé :* paonne.

▶ On se reportera également à la fiche 27, sur les **consonnes muettes** en finale.

| | |
|---|---|
| bras | achat |
| cas | climat |
| repas | résultat |

# 2 [ɛ]

**è ê et ai aî ei êt ey ay**
**e + double consonne - e devant consonne**

**A**   Le son [ɛ] peut s'écrire **è** ou **ê**. C'est le cas le plus simple. Pour un son entendu, nous n'aurons qu'à écrire une **lettre** et un **accent**.
En dehors du mot **être**, les graphies **ê** et **è**, n'apparaissent jamais à l'**initiale** ni en **finale**.

**è**

| | | | | |
|---|---|---|---|---|
| algèbre | clientèle | flèche | obscène | stèle |
| anathème | crèche | gangrène | oxygène | stratagème |
| arène | crème | glèbe | pièce | système |
| artère | dièse | homogène | piège | théorème |
| ascète | ébène | hygiène | pinède | tiède |
| bibliothèque | emblème | liège | plèbe | zèle |
| blasphème | éphèbe | mèche | poème | |
| brèche | espèce | mélèze | remède | |
| cèdre | fève | modèle | siège | |
| chèque | fidèle | nièce | solfège | |

⚠ Devant **s** final prononcé : alo**ès**, cacato**ès**.
Devant **s** muet final : abc**ès**, acc**ès**, déc**ès**, exc**ès**, proc**ès**, succ**ès**.

**ê**

| | | | | |
|---|---|---|---|---|
| alêne | bête | enquête | frêle | pêche |
| ancêtre | carême | extrême | grêle | rêve |
| arête | champêtre | fêlure | guêpe | revêche |
| baptême | chêne | fenêtre | hêtre | salpêtre |
| bêche | conquête | fête | honnête | trêve |

**B**   Le son [ɛ] pourra s'écrire également : **ai**, **ei**, **et**, **êt**.

**ai**   INITIALE     MÉDIANE     FINALE

| | | | | |
|---|---|---|---|---|
| aide | araignée | fraise | migraine | bai |
| aigle | aubaine | gaine | mortaise | balai |
| aigre | braise | glaise | raide | délai |
| aile | cimaise | glaive | rengaine | essai |
| aine | falaise | maigre | vingtaine | gai |
| aise | fontaine | malaise | | geai |

**ei**   Cette graphie n'apparaît ni à l'initiale, ni en finale.

| | | | |
|---|---|---|---|
| baleine | haleine | peine | veine |
| beige | neige | reine | seize |
| enseigne | peigne | seigle | treize |

**et**   FINALE

| | | | | |
|---|---|---|---|---|
| alphabet | chevet | filet | juillet | secret |
| bouquet | complet | guet | met | sujet |
| budget | couplet | guichet | muguet | volet |
| cabinet | effet | jet | projet | |

10

**êt** FINALE

| apprêt | benêt | genêt |
|--------|-------|-------|
| arrêt  | forêt | intérêt |

**aî** MÉDIANE

| chaîne | chaînon |
|--------|---------|
| chaînette | |

▶ On se reportera à la fiche 27 sur les consonnes muettes finales, où l'on trouvera de nombreux exemples : **-ais**, **-ait**, **-aix**, **-aid**.

| bordelais | bienfait | parfait | paix | plaid |
|-----------|----------|---------|------|-------|
| charentais | fait | souhait | Roubaix | |
| irlandais | lait | | | |

⚠ La graphie **-ai** pourra également apparaître devant un **e** muet final :
baie, futaie, haie, pagaie.

**C** Non moins fréquente, mais plus complexe, la réalisation du son [ɛ] pourra être obtenue par **-e** suivi d'une **double consonne** : **-e(lle)**, **-e(tte)**, **-e(nne)**, **-e(sse)**, **-e(mme)**.

| **-e(lle)** | **-e(tte)** | **-e(nne)** | **-e(sse)** | **-e(mme)** |
|-------------|-------------|-------------|-------------|-------------|
| aisselle | baguette | antenne | faiblesse | dilemme |
| chapelle | brouette | benne | forteresse | flemme |
| dentelle | raquette | méditerranéenne | princesse | gemme |
| vaisselle | squelette | parisienne | sécheresse | |

On notera que la finale **-enne** est très productive, pour obtenir le féminin des noms et adjectifs désignant les habitants d'une ville ou d'un pays.
Ex. : algérienne, ukrainienne.

A l'**initiale**, on trouvera **e** devant certaines consonnes :

| escabeau | esclave | examen | excursion | eczéma |
|----------|---------|--------|-----------|--------|
| escalier | escrime | excellent | exemple | ennemi |
| escargot | espace | excessif | exercice | ethnie |

Devant consonne, en position **médiane**, le son [ɛ] est souvent obtenu par la seule présence du **e** :

| **-e(c)** : sec | **-e(p)** : cep |
|-----------------|-----------------|
| **-e(ck)** : teck | **-e(pt)** : sept |
| **-e(f)** : bief, chef, nef | **-e(r)** : cancer, concert, dessert, mer |
| **-e(l)** : actuel, auquel, ciel, hôtel | **-e(s)** : est, ouest, test, zeste |
| **-e(m)** : requiem, totem | **-e(x)** : sexe, texte |
| **-e(n)** : abdomen, spécimen | **-e(z)** : Rodez, Suez |

Enfin, en position **finale**, on trouvera la graphie **-ey** (empruntée à l'anglais), ainsi que **-ay**.

| **-ey** | **-ay** |
|---------|---------|
| hockey | poney | Bombay | Épernay | Paraguay |
| jockey | volley | Du Bellay | Uruguay | Tokay |

▶ On se reportera au Bescherelle 1 pour les terminaisons verbales en **-ai**, **-ais**, **-ait**, **-aient**, **-aie** : je chanterai (futur), tu chantais (imparfait), elles allaient.

# 3 [e]

é  ée  er  ez  ed  oe  ef
e(cc)  e(ff)  e(ll)  e(ss)

**A**  Le son [e] peut s'écrire **é**.

| INITIALE | MÉDIANE |
|---|---|
| écho | célébrité |
| éclat | déréglé |
| éclipse | désespéré |
| électrique | déshérité |
| émission | généralité |
| épreuve | récépissé |
| équipe | téléspectateur |
| été | témérité |
| éveil | véracité |

FINALE

| masculin | féminin |
|---|---|
| aparté | acidité |
| comité | acné |
| côté | beauté |
| pâté | communauté |
| pavé | faculté |
| pré | gaîté |
| thé | pitié |
| traité | quantité |

**B**  Un certain nombre de noms se terminent par **-ée**. Ils sont le plus souvent féminins, parfois masculins.

FÉMININS

| bouchée | épée | orchidée |
|---|---|---|
| bouée | fée | pâtée |
| buée | fusée | plongée |
| chaussée | idée | risée |
| durée | marée | traversée |

MASCULINS

| apogée | musée |
|---|---|
| caducée | périgée |
| coryphée | périnée |
| lycée | pygmée |
| mausolée | scarabée |

**En position finale**, le son [e] est très souvent rendu par **-er**, aussi bien pour l'infinitif des verbes (chanter, aller), pour le masculin de certains adjectifs (dernier, premier), que pour un grand nombre de **noms** notamment de métiers.

| acier | cendrier | dîner | luthier | plâtrier |
|---|---|---|---|---|
| atelier | chantier | droitier | mobilier | premier |
| banquier | charcutier | entier | ouvrier | singulier |
| boulanger | charpentier | escalier | palier | sommier |
| cahier | chevalier | février | passager | souper |
| calendrier | coucher | infirmier | petit déjeuner | voilier |

**C**  On trouve encore quelques graphies rares et plus complexes.

**-ed, -ez, -ef, -oe**

| pied | chez | clef (ou clé) |
|---|---|---|
| assez | nez | phoenix |

**e** devant double consonne initiale

| ecchymose | effarant | effort | ellipse | essence |
|---|---|---|---|---|
| ecclésiastique | effet | effroi | essai | essentiel |
| effaçable | efficace | effusion | essaim | essor |

⚠ **Sauf** : errance, erreur, erroné, prononcés [ɛ]

**A**    Le son [i] peut s'écrire **i**, en toutes positions.

| INITIALE | MÉDIANE | | FINALE | |
|---|---|---|---|---|
| ici | actrice | cime | abri | fourmi |
| icône | alpiniste | comestible | ainsi | jeudi |
| idéal | arithmétique | épique | apprenti | oui |
| idée | auditif | fils | appui | parmi |
| illettré | banquise | girafe | canari | qui |
| ironique | biche | humide | épi | tri |
| islam | cantine | liste | étui | voici |

**B**    Cas fréquent, mais plus complexe, le son [i] peut s'écrire :
**î, ï, y, ie, is** et **it**.

**î, ï en médiane :**

| abîme | huître | alcaloïde | maïs |
|---|---|---|---|
| dîme | île | cycloïde | naïf |
| dîner | presqu'île | exiguïté | ouïe |
| épître | puîné | héroïque | stoïque |
| gîte | | inouï | |

La graphie **y** se trouve le plus souvent dans des mots d'**origine grecque**,
en position **médiane**.

| ankylose | cycle | hypoténuse | mythe | psychose |
|---|---|---|---|---|
| apocalypse | ecchymose | hypothèque | onyx | style |
| apocryphe | gypse | larynx | oxyde | xylophone |
| bombyx | hydravion | lycée | paroxysme | |
| cataclysme | hydrogène | martyr | polygone | |
| collyre | hyperbole | myrrhe | pseudonyme | |

**Origine anglaise :** derby - hobby - penalty - rugby.

⚠ abbaye, pays, puy.

**i** + voyelle ou consonne muette (nous renvoyons le lecteur aux fiches 26
et 27 consacrées exclusivement à ces problèmes).

allergie - avis - appétit - nid

**C**    Certaines graphies beaucoup plus rares, indiquent une **origine
anglaise**, parfois même **allemande** (ex. : lieder).

jean - leader - sweater    sweepstake - tweed - yankee

▶ Les cas où la lettre **i** se prononce [j] (racial, génial) sont traités dans la fiche 11
consacrée exclusivement à toutes les réalisations graphiques de ce son (**y, i, ill**).

# 5 [ɔ][o] 🖊 o  au  eau  ô  ot  oc  os  op
-aux  -aut  -aud

**A**   A l'exception des noms **Paul** (masculin), **saur** et de quelques mots d'origine latine (album, etc.), le son [ɔ] s'écrit toujours **o**.

| INITIALE | MÉDIANE | |
|---|---|---|
| oasis | abord | gorge |
| obéissance | accord | loterie |
| objet | amorce | moderne |
| océan | azote | mort |
| odeur | bord | politique |
| officiel | cloche | poterie |
| opéra | coca | tort |
| ordre | drogue | tortue |
| oxygène | forêt | vaporisation |

Le son [o] peut s'écrire **o**. Il apparaît sous cette forme presque exclusivement en position **finale**.

| cargo | domino | écho | loto | scénario |
|---|---|---|---|---|
| casino | duo | lavabo | piano | |

⚠ MÉDIANE (uniquement devant **-se**)

| cellulose | dose | glucose | pose |
|---|---|---|---|
| chose | glose | ecchymose | rose |

On le trouve également à l'intérieur de mots. Il marque alors la **fin** du préfixe (ex. : mon**o**-, pseud**o**-) ou du premier nom d'une composition (ex. : soci**o**-, psych**o**-, therm**o**-).

| agro-alimentaire | monologue | oxydo-réduction | sociolinguistique |
|---|---|---|---|
| audiovisuel | neurochirurgie | psychothérapie | vidéocassette |

**B**   Graphies complexes, mais fréquentes : **au** et **eau**.

| INITIALE | MÉDIANE | FINALE | | |
|---|---|---|---|---|
| aubade | astronaute | boyau | anneau | hameau |
| aube | chaude | étau | bateau | lionceau |
| audace | émeraude | joyau | caniveau | pinceau |
| audiovisuel | épaule | landau | cerceau | rideau |
| auprès | faute | sarrau | ciseau | traîneau |
| autocollant | gaufre | tuyau | eau | trousseau |
| autonome | haute | | escabeau | vaisseau |
| autoroute | jaune | | | |
| | pause | | | |
| | taupe | | | |

On notera que la graphie **eau** n'apparaît qu'en **finale**.

14

Le son [o] peut également s'écrire **ô**. On le trouve essentiellement en position **médiane** ou devant des consonnes muettes (exception : allô !).

| | | | | |
|---|---|---|---|---|
| apôtre | contrôle | geôle | monôme | rôle |
| arôme | côte | hôte | pôle | rôti |
| chômage | enjôleur | icône | pylône | symptôme |
| clôture | fantôme | môle | rôdeur | tôle |
| cône | | | | |

Dans quelques mots, on trouve la graphie **-ôt** en **finale**.

dépôt - entrepôt - impôt - suppôt
aussitôt - bientôt - plutôt - sitôt - tantôt - tôt

En position finale, on trouvera fréquemment **o** ou **au** suivis d'une consonne muette : **t, c, p, s, d** (cf. fiche 27).

**-ot**

| | | | |
|---|---|---|---|
| argot | ergot | goulot | pavot |
| chariot | escargot | hublot | sabot |
| coquelicot | haricot | javelot | trot |

**-oc**

accroc
croc

**-op**

galop
sirop
trop

**-os**

dos
tournedos
repos

**-au + t, d, x**

| | | |
|---|---|---|
| artichaut | badaud | chaux |
| défaut | crapaud | taux |
| héraut | réchaud | |
| saut | | |

## C  Graphies très rares

Origine anglaise : goal, crawl
Origine arabe : alcool
Origine latine : album, aquarium, maximum, opium

# 6 [ø]  eu   eu(x)   -œu   -eue   ö

**Précision** : Nous ne traiterons pas ici le cas du [ə] du français, qui s'écrit **e**. On le trouve dans des mots aussi fréquents que : **je**, **me**, **te**, **le**, **ce**, **se** ou dans de nombreux noms tels que **cheval**, **regard**. A l'oral, il peut être supprimé sans gêner la compréhension (ex. : boul(e)vard, lot(e)rie, bib(e)ron). Il est prononcé plus « ouvert » que le son [ø] ce qui permet d'opposer : **je** et **jeu**.

**A**   Le son [ø] peut s'écrire **eu**.

| INITIALE | MÉDIANE | FINALE | |
|---|---|---|---|
| eucalyptus | baladeuse | adieu | feu |
| eucharistie | berceuse | aveu | hébreu |
| euclidien | chanteuse | bleu | jeu |
| eunuque | chauffeuse | chef-lieu | lieu |
| euphémisme | danseuse | cheveu | milieu |
| euphonie | lessiveuse | désaveu | moyeu |
| euphorique | monstrueuse | dieu | neveu |
| eurasien | morveuse | enjeu | non-lieu |
| euristique | nerveuse | épieu | peu |
| européen | placeuse | essieu | pieu |
| euthanasie | pulpeuse | | |
| eux | religieuse | | |

**B**   La graphie **-eux** sert à former de nombreux adjectifs masculins qui s'écrivent **-eux** au singulier et au pluriel.

| | | | | |
|---|---|---|---|---|
| ambitieux | épineux | honteux | moelleux | rigoureux |
| belliqueux | fougueux | ingénieux | nerveux | rugueux |
| boiteux | glorieux | majestueux | nuageux | sinueux |
| chanceux | grincheux | merveilleux | paresseux | veineux |
| courageux | hasardeux | mieux | périlleux | vieux |
| douloureux | herbeux | | | |

On trouvera quelques noms se terminant également par **-eux** (pluriels particuliers) : ciel / cieux - œil / yeux

**C**   Dans quelques cas le son [ø] s'écrit **-eue** : banl**ieue** - l**ieue** - qu**eue**.

Quelques mots (souvent au pluriel) s'écrivent **œu**, suivi d'une ou plusieurs consonnes muettes.

bœufs - nœuds - œufs - vœux

La graphie **-ö**, indique une origine étrangère : angström - maelström.

16

**A**    Le son [œ] s'écrit le plus souvent **eu**. Il n'apparaît jamais à **l'initiale** ni en **finale**.

On le rencontre essentiellement devant les consonnes : **r** (le cas le plus fréquent), mais aussi **l**, **f**, **v**, ainsi que les groupes **bl**, **gl**, **pl** et **vr**.

| -eu(r) | -eu(l) | -eu(f) | -eu(ble) | -eu(ple) |
|---|---|---|---|---|
| admirateur | aïeul | neuf | immeuble | peuple |
| amplificateur | filleul | veuf | meuble | **-eu(vre)** |
| auditeur | glaïeul | **-eu(ve)** | **-eu(gle)** | couleuvre |
| chanteur | gueule | épreuve | aveugle | pieuvre |
| compositeur | linceul | fleuve | | |
| éditeur | seul | preuve | | |
| imitateur | tilleul | | | |

**B**    On trouve la graphie **œu** dans les mots suivants :

bœuf
cœur (et ses composés)
œuf
œuvre (et ses composés : chef-d'œuvre, main-d'œuvre)

⚠ Un certain nombre de mots de finale [œj] ont une graphie très particulière en raison de la consonne qui précède et qui impose la présence d'un **u**.

accueil - cercueil - écueil - orgueil - recueil

**C**    Dans quelques mots **empruntés à l'anglais**, le son [œ] peut s'écrire **u**, **e** ou **i**.

| -e(r) | | u | i |
|---|---|---|---|
| bookmaker | manager | bluff | flirt |
| clipper | quaker | trust | |
| computer | speaker | | |
| flipper | | | |

# 8 [ɛ̃][œ̃]

in   en   im   ain   ein   aint   eint
aim   inct   ym   yn   un   unt   um

---

**A**   Les deux graphies les plus fréquentes du son [ɛ̃] sont, en français,
**in** et **en**.

Le son [ɛ̃] s'écrit **in** :

INITIALE

| | | FINALE | |
|---|---|---|---|
| incorrect | insecte | brin | jardin |
| indigne | intérêt | butin | matin |
| individuel | intervalle | colin | raisin |
| infinitif | inventeur | déclin | ravin |
| influence | | enfin | vilebrequin |
| | | engin | |

Le son [ɛ̃] s'écrit **en**, uniquement en **finale**.

| | | | | |
|---|---|---|---|---|
| académicien | citoyen | magicien | | européen |
| aérien | collégien | mitoyen | | lycéen |
| ancien | combien | moyen | | méditerranéen |
| aryen | doyen | musicien | | pyrénéen |
| bien | égyptien | norvégien | | vendéen |
| chien | électricien | parisien | | |
| chirurgien | lien | physicien | | |
| chrétien | luthérien | rien | | |

⚠ Benjamin.

On remarquera que la graphie **en** est très utilisée pour produire des noms
de **métiers** et d'**habitants** (ville, région, ou pays).

On notera également que l'on trouve toujours :

**-in**   après une consonne. Ex. : raisin, marin.
**-en**   après les voyelles **i**, **y** et **é**. Ex. ancien, lycéen. **Sauf** : examen.

**B**   Plus complexe et moins fréquentes, nous trouvons les graphies :
**ain, ein, aint, eint.**
Signalons également la graphie **im** devant les consonnes **p** et **b**.
(Pour **im** + **m**, cf. fiche 16.)

| INITIALE | MÉDIANE | | FINALE | |
|---|---|---|---|---|
| imbattable | limpide | contrainte | bain | frein |
| imbécile | pimpant | maintenant | gain | plein |
| impact | simple | plainte | levain | rein |
| impair | simplicité | peinture | main | sein |
| imparfait | timbale | teinture | nain | |
| impatient | timbre | | quatrain | contraint |
| impérial | | | sain | maint |
| important | | | souterrain | saint |
| impôt | | | terrain | éteint |
| imprudent | | | train | peint |
| | | | | teint |

**C**   Les graphies les plus rares sont : **inct, yn, ym, aim.**

| MÉDIANE | | | FINALE | | |
|---|---|---|---|---|---|
| cymbale | larynx | pharynx | thym | distinct | daim |
| lymphe | lynchage | syncope | | indistinct | essaim |
| symphonie | lynx | | | instinct | faim |

Les sons [ɛ̃] et [œ̃] sont **de moins en moins différenciés.** On peut
cependant opposer :

| [ɛ̃] | [ œ̃ ] |
|---|---|
| brin | / brun |
| empreinte | /emprunte |

Le son [œ̃] s'écrit le plus souvent **un.**

| aucun | commun | opportun |
|---|---|---|
| brun | embrun | quelqu'un |
| chacun | jeun (à) | tribun |
| | | un |

Il peut aussi s'écrire :

| **unt** | **um** |
|---|---|
| dé**funt** | par**fum** |
| emprunt | |

# 9 [ã]

| an | en | am | em | ent | ant |
|----|----|----|----|-----|-----|
| end | and | ang | anc | aon | |

**A** Les deux graphies les plus simples du son [ã] sont : **an** et **en**.

| INITIALE | MÉDIANE | FINALE | | INITIALE | MÉDIANE |
|----------|---------|--------|--|----------|---------|
| ancien | avalanche | artisan | | enchanteur | attention |
| ancre | banque | cadran | | encre | calendrier |
| anglais | langage | cardan | | endroit | cendre |
| angle | manche | divan | | enfant | centre |
| angoisse | manque | écran | | enfin | commentaire |
| antenne | rançon | océan | | enjeu | menthe |
| antérieur | scaphandre | ruban | | ennui | tendre |
| antique | tranquille | slogan | | enquête | tension |
| | | volcan | | | |

On remarquera que la graphie **en** du son [ã] n'apparaît **jamais** en position finale.

Il n'existe pas de règle permettant de prévoir la graphie du son [ã] devant une consonne prononcée. Observez les listes suivantes :

| **ande** | **ende** | **ante** | **ente** |
|----------|----------|----------|----------|
| commande | commende | amiante | attente |
| contrebande | dividende | brocante | charpente |
| demande | légende | dilettante | descente |
| guirlande | prébende | épouvante | entente |
| offrande | provende | jante | fente |
| | | soixante | trente |

| **ance** | **ence** | **anse** | **ense** |
|----------|----------|----------|----------|
| abondance | absence | danse | dense |
| alliance | adhérence | ganse | dépense |
| ambiance | affluence | panse | immense |
| assistance | concurrence | transe | intense |
| circonstance | contingence | | |
| croissance | décence | | |
| distance | différence | | |
| finance | évidence | | |
| nuance | indigence | | |
| substance | influence | | |
| tolérance | urgence | | |

⚠ On trouvera **em** ou **am** devant les consonnes **p**, **b** et **m** :
ambre, ample, alambic ;
camp ;
ensemble, tempe, temps.

**B**   On trouve, en position finale, d'autres graphies fréquentes.

| -ent | | -ant |
|---|---|---|
| absent | insolent | aimant |
| aliment | licenciement | auparavant |
| argent | régiment | carburant |
| arpent | sentiment | croissant |
| bâtiment | supplément | fabricant |
| dent | urgent | piquant |
| divergent | vêtement | stimulant |
| équivalent | violent | volant |
| expédient | | |

**adverbes en -ment**

| | |
|---|---|
| gentiment | précisément |
| modérément | spontanément, etc. |

**participes présents en -mant**

| | |
|---|---|
| aimant | fumant |
| dormant | ramant, etc. |

**C**   Graphies rares et « pièges » :

**-and** : chaland - flamand - marchand - goéland

**-ang** : étang - rang - sang

**-anc** : banc - blanc

**-aon** : paon - taon

On ne confondra pas :

— différend (nom)
— différent (adjectif)
— différant (participe présent)

ou encore :

— résident (nom)
— résidant (participe présent) (Cf. Homonymes, p. 71)

21

# 10 [ɔ̃] ▷ on on + consonnes muettes (d, t, c)
om om + consonnes muettes (p, b)

**A** En règle générale, le son [ɔ̃] s'écrit **on**.

| INITIALE | MÉDIANE | | FINALE | |
|---|---|---|---|---|
| oncle | bonjour | condition | accordéon | jambon |
| onde | bonsoir | confiserie | balcon | nourrisson |
| ondée | bonté | congrès | béton | saucisson |
| ondulatoire | concert | conseil | carton | torchon |
| ongle | concurrent | contraire | faucon | |
| ontogénèse | | | | |
| onze | | | | |

▶ On se reportera à la fiche 25, consacrée aux finales particulières : **-tion**, **-sion**, **-ssion**, **-cion**, où le son [ɔ̃] apparaît très fréquemment.

**B** Lorsqu'il est suivi des consonnes **p** ou **b**, le son s'écrit **om**, à l'exception des mots : b**on**bon, b**on**bonne, b**on**bonnière, et emb**on**point.

| INITIALE | MÉDIANE | | | FINALE (devant consonne muette) |
|---|---|---|---|---|
| ombre | bombe | compagnon | comptable | aplomb |
| | combat | compétition | comptant | coulomb |
| | combien | complet | compte | plomb |
| | comble | complice | compteur | surplomb |
| | compact | comptabilité | comptine | prompt |
| | compagnie | | | |

▶ **Exceptions** : comte - comté - comtesse - surnom - nom, prénom, pronom, renom.

**C** On trouve enfin la graphie **on** devant certaines consonnes muettes : **d**, **t**, **c**, (ainsi que **s**, dans la conjugaison des verbes).

| FINALE **-ond** | | | FINALE **-ont** | FINALE **-onc** |
|---|---|---|---|---|
| bas-fond | gond | profond | dont | ajonc |
| bond | haut-fond | pudibond | entrepont | jonc |
| faux-bond | moribond | second | fonts | |
| fécond | nauséabond | tréfond | pont | |
| fond | plafond | vagabond | | ⚠ long |

On pourra parfois trouver la consonne muette, en cherchant un mot de la même famille.

bond / bondir
fécond / fécondation
fond / fondation
profond / profondeur

second / secondaire
vagabond / vagabonder
pont / appontement

**A**  Les deux graphies les plus simples du son [j] sont : **y** et **i**.

| INITIALE | | MÉDIANE | | | |
|---|---|---|---|---|---|
| yacht | yoga | attrayant | balayeur | débrayage | crayon |
| yack | yog(h)ourt | bruyant | employeur | essayage | doyen |
| yankee | yougoslave | clairvoyant | frayeur | nettoyage | maya |
| yaourt | | effrayant | mareyeur | voyage | moyen |
| yeti | | non-voyant | nettoyeur | | moyeu |
| yeux | | payant | payeur | ennuyeux | rayon |
| yiddish | | seyant | | joyeux | |
| | | | | soyeux | |

| INITIALE | | MÉDIANE | | | |
|---|---|---|---|---|---|
| iode | | alliance | antérieur | commercial | bijoutier |
| ion | | confiance | extérieur | glacial | cahier |
| ionien | | défiance | inférieur | racial | cellier |
| ionique | | insouciance | ingénieur | social | luthier |
| iota | | méfiance | supérieur | spécial | papier |

On aura remarqué que les graphies **y** et **i** sont très rares en début de mot et qu'elles n'apparaissent jamais en finale pour traduire le son [j].

**B**  Complexes, mais fréquentes, nous trouvons : **il** et **ill**.

| MÉDIANE | | DEVANT -**e** MUET FINAL | | | |
|---|---|---|---|---|---|
| aiguillage | bataillon | bille | bataille | abeille | chèvrefeuille |
| coquillage | brouillon | brindille | faille | corneille | feuille |
| feuillage | carillon | chenille | taille | groseille | millefeuille |
| grillage | échantillon | fille | volaille | oreille | |
| outillage | oreillons | faucille | | | |
| pillage | réveillon | famille | | | |
| | | pupille | | | |

FINALE

| | | | |
|---|---|---|---|
| ail | appareil | cerfeuil | accueil |
| bail | éveil | chevreuil | cercueil |
| bétail | orteil | fauteuil | écueil |
| soupirail | pareil | seuil | orgueil |
| ⚠ œil | | treuil | recueil |

⚠ On notera que quelques mots comportant la même graphie **ille** se prononcent [il]

| | | |
|---|---|---|
| bacille | mille | tranquille |
| codicille | pupille | ville (et ses composés). |
| Lille | | |

La graphie **-ill** apparaît également très fréquemment dans les finales **-iller** et **-illier** (notamment pour l'infinitif des verbes en **iller**).

| | | |
|---|---|---|
| conseiller | groseillier | marguillier |
| poulailler | joaillier | quincaillier |

⚠ On pourra ainsi opposer :

| **verbe** | **nom** (métier) |
|---|---|
| aiguiller | aiguillier |
| coquiller | coquillier |
| écailler | écaillier |
| pailler | paillier |
| fusiller | fusillier |

## C    Le son [ɲ] peut s'écrire : **gn** ou **ni**.

Les deux graphies n'apparaissent que **rarement** à l'initiale et **jamais** en finale.

| **gn** | **ni** |
|---|---|
| gnangnan | niais |
| gnocchi | nièce |
| gnon | nielle |

Devant **e** muet final, on ne peut trouver que **gn** :

campagne - champagne - compagne - Espagne - montagne - pagne.

C'est en position **médiane** qu'on rencontre le plus souvent **gn** et **ni** :

| **gn** | | **ni** | |
|---|---|---|---|
| agneau | égratignure | aluminium | harmonieux |
| araignée | espagnol | ammoniac | inconvénient |
| assignable | gagnant | arménien | magasinier |
| baigneur | montagnard | bananier | manioc |
| campagnard | Perpignan | bannière | millionième |
| champignon | poignée | colonial | opiniâtre |
| Cognac | rognure | communiant | opinion |
| compagnie | seigneur | dernière | panier |
| compagnon | signal | douanier | pécuniaire |
| dédaigneux | vignoble | grenier | réunion |

- Attention : châtaignier.

- A ces deux listes il faut ajouter la conjugaison :
— des verbes en **-nier** (communier) ;
— des verbes en **-gner** (accompagner) ;
— des verbes en **-aindre** (craignant) ;
— des verbes en **-eindre** (feignant) ;
— des verbes en **-oindre** (joignant).
  cf. Bescherelle 1 (Verbes).

**A**    Le choix entre **p** et **pp** est souvent facilité par la connaissance de l'étymologie. On se reportera au chapitre qui lui est entièrement consacré, p. 93. Ex. : a-praxie, apo-logie, épi-démie, hypo-crite, sup-pôt, ap-pétit, hippo-potame.

La graphie **p** apparaît en toutes positions. Les voyelles **é** et **i** sont **toujours** suivies de **p**, ainsi que **am-** et **im-** (en début de mot).

| INITIALE | MÉDIANE | | DEVANT -**e** MUET FINAL | FINALE |
|---|---|---|---|---|
| page | amplificateur | impact | antilope | cap |
| pain | ampoule | impair | cape | cep |
| pape | apanage | imparfait | coupe | clip |
| parachute | apéritif | imperméable | dupe | croup |
| pipe | apiculture | lapin | écope | handicap |
| poule | apothéose | lapon | étape | ketchup |
| précis | épargne | opaque | principe | scalp |
| preuve | épée | opéra | soupe | vamp |
| province | épi | opinion | syncope | |
| publicité | épineux | superbe | type | |

Devant des mots commençant par une voyelle ou un **h**, le **p** final de **trop** et **beaucoup** s'entend dans la liaison : trop heureux - beaucoup appris.

**B**    La graphie **pp**, n'apparaît ni à l'initiale, ni en finale.

| MÉDIANE | | | DEVANT -**e** MUET FINAL | |
|---|---|---|---|---|
| appareil | approbation | mappemonde | échoppe | houppe |
| appartement | approche | nappe | enveloppe | lippe |
| appât | appui | opposition | frappe | nippe |
| appétit | hippique | oppression | grappe | steppe |
| apport | hippodrome | supplice | grippe | trappe |
| apprenti | hippopotame | uppercut | | |

La graphie du son [b] pose moins de problèmes : **bb** est en effet très rare (elle concerne certains termes **religieux**). De plus, elle n'apparaît, tout comme **pp**, ni à l'initiale, ni en finale.

abbaye - abbé - dribble - rabbin - sabbat - sabbatique

Le **b** est très rare en finale : il dénote le plus souvent des mots d'origine étrangère.
club - job - nabab - snob - toubib - tub.

**C**    Dans certains cas, on écrit **b**, mais la consonne qui suit nous conduit à prononcer [p].

| | | | |
|---|---|---|---|
| absent | obscur | obsidienne | obtus |
| absolu | obsession | obtention | |

# 13 [t][d]

t    tt    th
d   dd

## Le son [t].

On entend le même son [t] pour **t** et **tt**. Le **t** final est très fréquemment muet : agen**t**, debou**t**, écar**t**, file**t**, odora**t**, mangeai**t**. (Cf. les adverbes en -**ment** ; les verbes conjugués dans le Bescherelle 1.)

▶ On se reportera à la fiche 25, relative au son composé [sj] qui peut s'écrire **ti**. Ex. : -**tion**, -**tiel**, -**tieux**, -**tiaire**, dans na**ti**on, par**ti**el, ambi**ti**eux, ter**ti**aire.

**A**    La graphie la plus simple est **t**. Elle apparaît en toutes positions.

| INITIALE | MÉDIANE | DEVANT -**e** MUET FINAL | FINALE |
|---|---|---|---|
| tabac | atavisme | acolyte | accessit |
| table | atelier | aromate | août |
| technique | atonal | culbute | bit |
| téléphone | butoir | dispute | but |
| terrain | étanche | faillite | coït |
| tissu | étymologie | gargote | déficit |
| trésor | italique | note | granit |
| type | itinéraire | pelote | huit |
| tzigane | otage | savate | mat |
| | otite | strate | mazout |
| | utopie | | scorbut |
| | | | scout |
| | | | transit |

Le **t** est prononcé en position finale, souvent associé à une autre consonne (**c**, **p** ou **s**).

| | | | |
|---|---|---|---|
| abject | distinct | abrupt | ballast |
| compact | exact | concept | compost |
| contact | impact | rapt | est |
| correct | intact | transept | ouest |
| direct | intellect | | test |
| | strict | | toast |
| | | | trust |

⚠ Le **t** est muet dans :

| | | |
|---|---|---|
| aspect | irrespect | respect |
| exempt | prompt | suspect |

**B**    La graphie complexe **tt** se trouve exclusivement entre deux voyelles, en médiane ou, devant un **e** muet final. Ex. : biscotte.

MÉDIANE

| | | |
|---|---|---|
| acquittement | balottage | quittance |
| attachant | buttoir | sottise |
| attaque | confetti | égouttoir |
| atteinte | flatterie | flottaison |
| attente | guetteur | guttural |
| attitude | lettre | lutteur |
| attraction | littéral | netteté |
| attribut | nettoyage | pittoresque |

DEVANT -**e** MUET FINAL

| | |
|---|---|
| biscotte | assiette |
| butte | baguette |
| carotte | banquette |
| chatte | clarinette |
| crotte | cueillette |
| culotte | galette |
| flotte | omelette |
| natte | toilette |

⚠️  **En finale** (origine anglaise) : watt.

**C**    La graphie **th** est souvent l'indice d'un mot d'**origine grecque** où apparaissait la lettre θ.
Elle peut se trouver à l'**initiale**, en position **médiane**, plus rarement en **finale**.

INITIALE

| | |
|---|---|
| thalamus | thermal |
| thalassothérapie | thermique |
| théâtre | thermomètre |
| thème | thèse |
| théologie | thorax |
| théorème | thym |
| théorie | thymus |
| thérapeute | thyroïde |

MÉDIANE

| | |
|---|---|
| antipathie | mythique |
| arithmétique | mythologie |
| arthrite | orthographe |
| athée | synthétique |
| authentique | |
| esthétique | |
| kinésithérapie | |
| mathématique | |

FINALE

| |
|---|
| luth |
| math |
| zénith |

# Le son [d]

**A**    En ce qui concerne le son [d], la graphie **d** est de très loin la plus fréquente mais, en **finale**, on ne trouve guère que :
caïd, celluloïd, rhodoïd, fjord, lad, barmaid, raid, stand, tweed,
ainsi que certains noms propres d'origine étrangère :
Bagdad, Conrad, Mohamed, Carlsbad, etc.

Dans tous les autres cas, on trouvera la présence d'un **e** muet.
acid(e), cupide, humide, aide, bipède, raide, ambassade, cascade, etc.

**B**    La graphie **dd** est rare en français.
addition, adduction, haddock, paddock, pudding, reddition.

**C**    On trouve **dh** dans quelques mots d'origine étrangère.
bouddha - bouddhisme.

# 14 [k] ▷ c qu k cc ch ck cqu

**A**   Le son [k] peut s'écrire **c**.

| INITIALE | MÉDIANE | FINALE |
|---|---|---|
| cabine | acabit | avec |
| cacao | acacia | chic |
| cadeau | acajou | choc |
| capitale | acoustique | fisc |
| coca | bicorne | foc |
| colère | écorce | lac |
| combat | oculaire | pic |
| cube | sacoche | plastic |
| culotte | vacarme | trafic |

**B**   Très fréquemment, le son [k] s'écrit **qu**. On notera que la lettre **q** est toujours suivie de **u**, sauf en finale. Ex. : co**q**, cin**q**.

| INITIALE | MÉDIANE | DEVANT **-e** MUET FINAL |
|---|---|---|
| quai | antiquaire | bibliothèque |
| qualité | attaquant | coque |
| quand | briquet | discothèque |
| question | délinquant | disque |
| qui | mousquetaire | évêque |
| quoi | paquet | laque |
| quotidien | piquant | phoque |
| quotient | remarquable | pique |
| quelque | trafiquant | plastique |

La double consonne **cc** n'apparaît qu'à l'intérieur du mot.
Elle peut être suivie de **a**, **o**, **u**, **l**, **r**.

| | | | |
|---|---|---|---|
| accablement | accusation | occasion | saccade |
| accord | baccalauréat | occlusive | succursale |
| accra | | | |

Le groupe **cc** suivi des voyelles **i**, **é**, **è** se décompose en [**k + s**].

| | |
|---|---|
| accent | succédané |
| accès | succès |
| coccinelle | succinct |
| | vaccin |

**C** On trouve la lettre **k** dans un nombre restreint de mots d'**origine étrangère**.

| INITIALE | | MÉDIANE | FINALE |
|---|---|---|---|
| kaki | kilo | ankylose | anorak |
| kangourou | kimono | moka | batik |
| képi | kiosque | | look |
| kermesse | kyste | | souk |

La graphie **ch** est souvent l'indice de l'**origine grecque** d'un mot.

| INITIALE | | MÉDIANE | FINALE (origine anglaise) |
|---|---|---|---|
| chaos | chorale | archange | krach |
| chlore | chrome | écho | loch |
| choléra | chrysalide | orchestre | mach |
| cholestérol | chrysanthème | orchidée | |
| | | psychiatre | |

 Cas rares :
- acquet - acquit - acquisition - acquittement
- bacchanale - bacchante

- Le groupe **ck** indique une **origine anglaise**.

| MÉDIANE | | FINALE |
|---|---|---|
| cocker | nickel | bifteck |
| cockpit | teckel | bock |
| cocktail | ticket | stick |
| jockey | | stock |
| | | teck |

# 15 [g] ▶ g gu gg

**A** Le son [g] peut s'écrire avec la seule lettre **g** devant **a, o, u, l, r**.

| INITIALE | | MÉDIANE | FINALE (très rare) |
|---|---|---|---|
| gadget | glace | agrandissement | dog |
| gai | glaive | agrégat | gag |
| ganglion | glu | agrégé | legs |
| garage | gras | agression | smog |
| goal | grave | bagage | |
| goût | grotte | bagarre | |
| gouvernement | | cargo | |
| guttural | | congrès | |

**B** La graphie complexe **gu** apparaît devant **e, ê, é, è, i, y**.

INITIALE

| | | | |
|---|---|---|---|
| gué | guérilla | gui | guimbarde |
| guenille | guérison | guichet | guingois |
| guépard | guerre | guide | guirlande |
| guêpe | gueule | guidon | guise |
| guère | gueux | guignol | guitare |

Alors que **g** seul est rare en finale (cf. A), on trouve fréquemment **-gue**, dans laquelle le **e** est rarement prononcé. Ex. : bague [bag] algue [alg].

| analogue | dingue | drogue | figue | ligue | sociologue |
|---|---|---|---|---|---|
| bègue | drague | fatigue | langue | seringue | vague |

On se reportera à la fiche 29, page 54 pour les oppositions :

aigu / aiguë                    contigu / contiguë / contiguïté
ambigu / ambiguë / ambiguïté    exigu / exiguë / exiguïté

On opposera : bagage / baguage (action de baguer).

⚠️

| part. présent | adj. qualificatif |
|---|---|
| extravaguant | extravagant |
| fatiguant | fatigant |
| naviguant | navigant |

**C** La graphie double **gg** est fort rare.

agglomération    aggravation
agglutiné        buggy (origine anglaise, prononcé [bygi] ou [bœgi])

⚠️ **-ing** : camp**ing** - caravaning - jogging.

**A**    Bien que les quatre formes soient aussi fréquentes, nous signalons en premier lieu les graphies **les plus simples**.

| INITIALE | MÉDIANE | DEVANT -e MUET FINAL |
|---|---|---|
| magasin | ami | amertume |
| mai | coma | axiome |
| maillot | comestible | brume |
| main | comité | centime |
| malheur | émanation | costume |
| mélange | hématie | crime |
| miracle | hémisphère | drame |
| modèle | image | écume |
| musique | imitation | escrime |
| mystère | séminaire | madame |

| INITIALE | MÉDIANE | DEVANT -e MUET FINAL |
|---|---|---|
| nage | anodin | angine |
| naïf | anomalie | arcane |
| naissance | banal | avoine |
| nappe | canal | cabine |
| natif | énergie | carbone |
| néant | énormité | douane |
| négociant | finance | fortune |
| neuf | romanesque | prune |
| nid | volcanique | trombone |
| nouveau | zénith | zone |

**En finale**, les exemples sont plus rares.

| -m | | |
|---|---|---|
| idem | islam | pogrom |
| item | macadam | |
| requiem | | album |
| tandem | | ultimatum |

| -n | | |
|---|---|---|
| abdomen | epsilon | foehn |
| amen | omicron | |
| dolmen | upsilon | |
| hymen | | |
| spécimen | | |

*Suite de la fiche 16 au verso* ▶

31

**B**   Les consonnes doubles **mm** et **nn** sont fréquentes à l'intérieur des mots, et devant un **e** muet final. Elles n'apparaissent **jamais à l'initiale, ni en finale.**

| MÉDIANE | DEVANT -**e** MUET FINAL | MÉDIANE | DEVANT -**e** MUET FINAL |
|---|---|---|---|
| commandement | bonhomme | abonnement | antenne |
| commentaire | dilemme | anneau | antienne |
| commère | gemme | année | bonne |
| commis | gentilhomme | annexe | canne |
| commissaire | gramme | anniversaire | colonne |
| commissure | homme | annonce | donne |
| commission | pomme | annulation | maldonne |
| commode | prud'homme | bonnet | panne |
| dommage | somme | connaissance | penne |
| emménagement | | connexion | |
| hammam | | connivence | |
| immanence | | ennemi | |
| immédiat | | fennec | |
| immergé | | finnois | |
| immeuble | | honni | |
| immigration | | inné | |
| immobile | | innocent | |
| mammaire | | innombrable | |
| mammifère | | mannequin | |
| | | tennis | |

A cette liste on ajoutera les féminins des adjectifs et noms en -**enne** (parisienne) et -**onne** (patronne).

**C**   Attention au mot **automne**, dont le **m** n'est pas prononcé, alors qu'on l'entend dans l'adjectif **automnal**.

▶ On se reportera également à la fiche 28, consacrée aux pièges de l'alternance :

homme / homicide      donneur / donation
renommée / nomination      honneur / honorable

**A**     La graphie simple **f** peut se trouver en toutes positions.

| INITIALE | | MÉDIANE | | DEVANT -**e** MUET FINAL | FINALE | |
|---|---|---|---|---|---|---|
| fantassin | femme | africain | gifle | agrafe | apéritif | œuf |
| fantastique | fifre | balafre | infâme | carafe | bœuf | relief |
| fantôme | filtre | défaite | plafond | esbroufe | chef | soif |
| farine | fin | défunt | profond | girafe | massif | tarif |
| félin | fou | gaufre | rafle | parafe | neuf | veuf |

On la trouve, en finale, dans de nombreux adjectifs en -**tif**.

auditif - définitif - fugitif - positif, etc.

**B**     La graphie double **ff** n'apparaît **jamais** à l'**initiale**, et très **rarement** en **finale** (dans quelques mots d'origine anglaise).

| MÉDIANE | | | DEVANT -**e** MUET FINAL | FINALE |
|---|---|---|---|---|
| affaire | chiffre | office | bouffe | bluff |
| affection | coffre | souffle | chauffe | skiff |
| affluent | diffus | souffrance | coiffe | staff |
| affreux | effacement | suffisant | étoffe | |
| affût | effet | | gaffe | |
| buffle | effort | | griffe | |
| chauffage | gouffre | | touffe | |
| chiffon | offense | | truffe | |

**C**     La graphie **ph** provient de la lettre grecque $\varphi$, et apparaît dans de nombreux mots d'origine savante (cf. Racines grecques et latines page 94).

| INITIALE | MÉDIANE | DEVANT -**e** MUET FINAL |
|---|---|---|
| phalange | amphibie | amorphe |
| pharmacie | amphore | apocryphe |
| phase | aphone | catastrophe |
| phénomène | bibliographie | géographe |
| philanthrope | doryphore | orthographe |
| philatélie | emphase | paragraphe |
| philosophie | morphologie | paraphe |
| phonétique | ophtalmie | strophe |
| physique | siphon | triomphe |
| phrase | typhon | |

A noter qu'on admet les deux orthographes : fantasme ou phantasme.

# 18 [s] 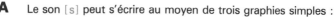 s c ç ss sc x t

**A**   Le son [s] peut s'écrire au moyen de trois graphies simples :
— **s** à l'initiale en médiane ou devant **-e** muet final après une consonne (**n, l, r, b**), et dans certains cas entre deux voyelles, lorsqu'il marque une coupe dans le mot (a**s**ocial).
— **c** devant les voyelles **e, i** et **y**.
— **ç** devant les autres voyelles (**a, o, u**).

| INITIALE | MÉDIANE | | DEVANT **-e** MUET FINAL | |
|---|---|---|---|---|
| salade | absolu | aseptique | bourse | offense |
| sale | boursier | contresens | course | panse |
| soleil | chanson | cosinus | dépense | réponse |
| soupçon | obstacle | parasol | | |
| sourd | | vraisemblable | | |

FINALE (se prononce toujours **s**)

| as | campus | métis | palmarès | sens |
|---|---|---|---|---|
| bus | fœtus | myosotis | processus | sinus |
| cactus | maïs | os | pubis | stimulus |

| INITIALE | | MÉDIANE | | | |
|---|---|---|---|---|---|
| ceci | cycle | concert | océan | façade | maçon |
| cédille | cygne | farci | social | façon | tronçon |
| cigare | cymbale | merci | | leçon | |

⚠ A signaler : **dix** et **six** dont le **x** se prononce [s] lorsqu'ils ne sont pas suivis d'un mot.

di**x** enfants (prononcé [z])
si**x** œufs (prononcé [z])

**B** Le son [s] peut également s'écrire **ss**. On trouve cette graphie en position médiane (boisson) mais rarement en finale (loess, stress, gauss). Devant un -e muet final, elle s'oppose fréquemment à la graphie **ce**.

MÉDIANE

| | | |
|---|---|---|
| boisson | issue | tissu |
| esseulé | osseux | tressaillement |
| essor | | |

DEVANT -**e** MUET FINAL : -**ce** / -**sse**.

| | | | |
|---|---|---|---|
| audace | bécasse | appendice | écrevisse |
| efficace | bonasse | bénéfice | esquisse |
| préface | brasse | caprice | pelisse |
| race | crevasse | indice | saucisse |
| sagace | impasse | notice | |
| vorace | liasse | préjudice | |

| | | | | |
|---|---|---|---|---|
| atroce | brosse | Grèce | baisse | adresse |
| féroce | colosse | Lucrèce | bouillabaisse | détresse |
| négoce | cosse | nièce | encaisse | gentillesse |
| précoce | | | graisse | |

| | | | |
|---|---|---|---|
| douce | brousse | astuce | russe |
| pouce | pousse | puce | |
| | secousse | | |
| | trousse | once | absconse |
| | | ponce | réponse |
| sauce | fausse | | |
| | | pince | |

**C** Le son [s] peut également s'écrire **sc** et **t** + **i**.

MÉDIANE

| | | | |
|---|---|---|---|
| adolescent | faisceau | argutie | facétie |
| conscient | fascicule | aristocratie | idiotie |
| convalescent | irascible | calvitie | inertie |
| descendance | piscine | démocratie | minutie |
| discipline | plébiscite | diplomatie | péripétie |

⚠️ La combinaison [ks] peut s'écrire **cc**, **xc**, **cs**, **x**.

| | | |
|---|---|---|
| accès | excellent | apoplexie |
| buccin | excès | galaxie |
| succès | | orthodoxie |
| succinct | tocsin | prophylaxie |
| vaccin | | saxon |
| | | vexant |

▶ On se reportera également à la fiche 25 consacrée aux finales -**tion**, -**tiel**, -**tieux**.

# 19 [z] ✒ z s zz x

**A** Au son [z] correspondent deux graphies simples :
— **z** en toutes positions.
— **s** entre deux voyelles, en médiane ou devant **-e** muet final.

| INITIALE | MÉDIANE | | | DEVANT -e MUET FINAL | FINALE |
|---|---|---|---|---|---|
| zèbre | alizé | byzantin | lézard | bronze | gaz |
| zénith | amazone | colza | luzerne | douze | Booz |
| zéro | azote | dizaine | rizière | gaze | Berlioz |
| zone | azur | gazelle | | onze | Fez |
| zoo | bazar | gazon | | quatorze | Suez |
| zoom | bizarre | horizon | | quinze | |
| | | | | seize | |

| MÉDIANE | | DEVANT -e MUET FINAL |
|---|---|---|
| blasé | poison | bise |
| busard | raison | buse |
| cousette | risible | ruse |
| cousin | saison | |
| disette | visage | |
| paysage | musée | |

On signalera la grande fréquence d'apparition de cette graphie dans les féminins (noms et adjectifs) se terminant par **-euse**.

| | | | | |
|---|---|---|---|---|
| amoureuse | courageuse | laiteuse | prometteuse | trieuse |
| belliqueuse | heureuse | moqueuse | pulpeuse | trompeuse |
| chanteuse | juteuse | piteuse | tondeuse | vendeuse |

⚠ Dans certains cas, **s** entre deux voyelles se prononce [s].
a / septique - para / sol (Cf. chapitre 18 et Racines, p. 93.)

**B** Le son [z] peut parfois être rendu par **x**.

| | | |
|---|---|---|
| deuxième | dix-huit | **dans les liaisons** |
| dixième | dix-neuf | dix‿ans |
| sixième | | deux‿hommes |

⚠ di**x**-sept se prononce [s].

**C** La consonne double **zz** est très rare.

| | |
|---|---|
| grizzli | jazz |
| lazzi | |
| razzia | |

**A**   Le son [ʃ] est le plus souvent écrit **ch**.

| INITIALE | MÉDIANE | DEVANT -**e** MUET FINAL | | FINALE |
|---|---|---|---|---|
| chacun | achat | bâche | mèche | Foch |
| chagrin | acheteur | biche | miche | lunch |
| chaîne | achèvement | bouche | moche | Marrakech |
| chaise | bachelier | branche | moustache | match |
| chambre | bouchon | broche | panache | ranch |
| champion | colchique | bûche | pêche | sandwich |
| chaud | couchette | crèche | quiche | |
| chef | déchet | embûche | reproche | |
| cher | fâcheux | flèche | sèche | |
| chez | jachère | fraîche | tache | |
| chiffon | machine | friche | | |
| chirurgie | mâchoire | gouache | | |
| chocolat | méchant | hache | | |
| chuintement | sécheresse | louche | | |

⚠ Devant les lettres **l** et **r**, on prononce le plus souvent [k]. Ex. : chlore, chrome.

▶ Voir également la fiche 14, pour les mots d'origine grecque où le **ch** se prononce [k]. Ex. : chœur, chorale, orchestre.

**B**   Le son [ʃ] peut être écrit au moyen de deux autres graphies complexes.

— **sch** indique une origine grecque (schéma) ou allemande (schnaps).
— **sh** indique une origine anglaise (shérif, show).

| INITIALE | FINALE | INITIALE | FINALE |
|---|---|---|---|
| schéma | kirsch | shampooing | flash |
| schème | haschisch | shérif | flush |
| schilling | putsch | sherpa | rush |
| schisme | | shetland | smash |
| schiste | | shilling | |
| schisteux | | shoot | |
| schlitte | | shop (sex-) | |
| schuss | | short | |
| | | show | |

# 21 [ʒ] 📝 j  g(e)  g(i)  gg

**A**  Le son [ʒ] peut être écrit soit **j** soit **g** devant **e** ou **i**. Ces deux graphies sont presque aussi fréquentes l'une que l'autre.

| INITIALE | MÉDIANE | | INITIALE | MÉDIANE | |
|---|---|---|---|---|---|
| jade | abject | | géant | angine | aborigène |
| jadis | adjectif | | gêne | aubergine | hétérogène |
| jaloux | adjoint | | gendarme | frangine | homogène |
| jambon | bijou | | gentil | origine | hydrogène |
| japonais | conjonction | | gibet | misogyne | indigène |
| jaune | conjuration | | gibier | | oxygène |
| jésuite | enjeu | | gifle | | pathogène |
| jeu | injection | | gigot | | sans-gêne |
| jeune | injure | | gilet | | |
| jockey | objet | | gitan | | |
| joie | sujet | | gîte | | |
| | | | givre | | |

DEVANT **-e** MUET FINAL

| | | | |
|---|---|---|---|
| arpège | cortège | personnage | solfège |
| badinage | dépannage | piège | stratège |
| beige | espionnage | prestige | tige |
| carnage | lainage | privilège | vertige |
| chasse-neige | litige | siège | voisinage |
| collège | manège | | |

**B**  Pour obtenir le son [ʒ] devant les voyelles **a**, **o**, **u**, la lettre **g** doit être suivie de **e**.

geai    geôlier    bourgeon    pigeon    gageure
geôle   bougeoir   esturgeon   plongeon

⚠️ **part. présent**      **adjectif**

convergeant       convergent
divergeant        divergent
négligeant        négligent

**C**  Dans la plupart des mots d'**origine anglaise**, **j** se prononce souvent [dʒ]. Ex. : jean.

jack   jean   jerk   jingle    jumping
jazz   jeep   jet    jogging

**g** se prononce [dʒ] dans gin.

⚠️ La double consonne **gg** se prononce [gʒ] :
suggestif - suggestion - suggestivité

38

**A**    On trouve la graphie simple **l** à l'initiale, en médiane et en finale.

| INITIALE | MÉDIANE | DEVANT -**e** MUET FINAL | FINALE |
|----------|---------|--------------------------|--------|
| là-bas | balai | alvéole | alcool |
| laine | coloris | cymbale | bol |
| lait | couleur | domicile | calcul |
| langage | douleur | fiole | cil |
| langue | hélas | fossile | civil |
| lecture | molaire | gaule | cumul |
| léger | olive | pétale | égal |
| lettre | palissade | rafale | journal |
| liberté | palier | stérile | légal |
| lieu | pelure | timbale | naturel |
| ligne | relation | ustensile | pluriel |

**B**    La graphie double **ll** n'apparaît qu'à l'intérieur des mots et en finale, dans de rares mots d'**origine étrangère**.

| INITIALE | DEVANT -**e** MUET FINAL | FINALE |
|----------|--------------------------|--------|
| alliance | balle | atoll |
| allitération | bulle | basket-ball |
| allô ! | colle | football |
| belliqueux | corolle | hall |
| cellier | dalle | music-hall |
| cellule | halle | pull |
| collation | idylle | troll |
| colloque | intervalle | volley-ball |
| fallacieux | malle | |
| pellicule | pupille (de la nation) | |
| pollution | stalle | |
| sollicitation | tranquille | |
| tellurique | vaudeville | |
| | ville | |

- Très rare à l'initiale : lloyd (origine galloise), llanos (origine espagnole).

- La plupart des mots en -**ille**, se prononcent [ij] (cf. fiche 11).
bille - fille - guérilla - pupille (de l'œil)

**A**    On trouve la graphie simple **r** en toutes positions.

| INITIALE | | MÉDIANE | | DEVANT -e MUET FINAL |
|---|---|---|---|---|
| rabais | récolte | béret | ironie | avare |
| racine | risque | carotte | parole | anaphore |
| radio | rivage | direct | sourire | augure |
| rail | roue | féroce | zéro | bordure |
| rang | rue | hérédité | | carnivore |
| récit | rythme | intérêt | | empire |
| | | | | heure |

▶ Cf. fiches 25 et 26 pour les mots en **-re, -aire, -oire**.

● **Finales en -r**

| | | | | | | | |
|---|---|---|---|---|---|---|---|
| avatar | amer | désir | chair | butor | saur | azur | mûr |
| bar | cancer | loisir | clair | castor | | fémur | sûr |
| bazar | cher | plaisir | éclair | corridor | contour | futur | |
| car | enfer | soupir | flair | décor | détour | mur | |
| cauchemar | éther | tir | impair | essor | four | obscur | |
| caviar | fier | | pair | major | labour | sur | |
| hangar | hier | | vair | quatuor | pourtour | | |
| millibar | hiver | | | stentor | séjour | | |
| nectar | mer | | | ténor | tambour | | |
| nénuphar | reporter | | | toréador | vautour | | |
| | revolver | | | trésor | | | |
| | ver | | | | | | |

● **Finales en -eur et -oir**

● A l'exception des mots : **heure, demeure, beurre, leurre** et **prieure** tous les noms (masculins ou féminins) terminés par le son [r] s'écrivent **-eur**.

| noms masculins | | noms féminins | | adjectifs |
|---|---|---|---|---|
| ajusteur | percepteur | fraîcheur | odeur | antérieur(e) |
| assureur | radiateur | frayeur | pesanteur | extérieur(e) |
| auteur | remorqueur | fureur | peur | inférieur(e) |
| bonheur | sauveur | grosseur | primeur | majeur(e) |
| compteur | sculpteur | horreur | rigueur | mineur(e) |
| échangeur | tailleur | lenteur | stupeur | postérieur(e) |
| écouteur | tourneur | lueur | vigueur | supérieur(e) |
| malheur | vecteur | | | |

| | |
|---|---|
| chœur | rancœur |
| cœur | sœur |

▶ On consultera le Bescherelle 1 à propos des verbes en **-eurer**, **-eurrer**, **-œurer**, ainsi que pour **mourir**. Ex. : je pleure, il demeure, que je meure.

• La plupart des noms masculins terminés par le son [r] s'écrivent **-oir**.

| | | | |
|---|---|---|---|
| arrosoir | dépotoir | espoir | peignoir |
| couloir | entonnoir | miroir | trottoir |

⚠ Attention cependant à la finale **-toire**, qu'on trouve aussi pour des noms masculins.

| | | | |
|---|---|---|---|
| auditoire | laboratoire | purgatoire | répertoire |
| conservatoire | observatoire | réfectoire | territoire |

**B**    La graphie **rr** apparaît à l'intérieur des mots et devant le **-e** muet final.

MÉDIANE

DEVANT **-e** MUET FINAL

| | | | |
|---|---|---|---|
| amarrage | embarras | perruche | amarre |
| arrangement | erreur | sierra | bagarre |
| arrière | ferraille | surrénal | beurre |
| arrosoir | fourré | terrible | bizarre |
| carrière | fourrure | torrent | bourre |
| correct | horrible | torride | escarre |
| corrélatif | irrespect | verrou | leurre |
| corrida | irritable | | serre |
| débarras | lorrain | | tintamarre |
| derrière | narration | | |

**C**    Les graphies **rh** et **rrh** fort rares, indiquent une **origine grecque**.

INITIALE

MÉDIANE    DEVANT **-e** MUET FINAL

| | | | | |
|---|---|---|---|---|
| rhapsodie | rhinite | rhubarbe | cirrhose | catarrhe |
| rhénan | rhinocéros | rhum | | |
| rhéostat | rhizome | rhumatisme | | |
| rhésus | rhodanien | rhume | | |
| rhétorique | rhododendron | | | |

▶ On se reportera également à la fiche 27 consacrée aux consonnes muettes finales.

| **-r(d)** | **-r(t)** | **-r(s)** |
|---|---|---|
| accord | art | alors |
| brouillard | concert | divers |
| lourd | confort | discours |

# 24 [wa]

oi oy wa oî
ois oit oix oie oid

**A** Le son [wa] s'écrit le plus souvent **oi** en français.

| INITIALE | MÉDIANE | FINALE |
|---|---|---|
| oiseau | boisson | loi |
| oiseleur | boîte | moi |
| oisif | poignée | quoi |
| oisillon | soirée | toi |

A l'**intérieur** d'un mot, le son [wa] peut également s'écrire **oy**.

MÉDIANE

| | | |
|---|---|---|
| mitoyen | royal | voyage |
| moyen | royaume | voyageur |
| noyade | royauté | |

**oy** est toujours suivi d'une voyelle.
On remarquera, qu'en plus du son [wa], on entend [j].

**B** En **finale**, le son [wa] est souvent écrit **oi** suivi de la voyelle **e** ou d'une consonne muette.

**-ois**

| | | | | |
|---|---|---|---|---|
| autrefois | bourgeois | fois | minois | quelquefois |
| bois | chamois | gaulois | mois | trois |

Cette finale est très « productive » avec les noms et adjectifs dérivés d'une localité ou d'une région : lill**ois**, luxembourge**ois**, gall**ois**.

| **-oit** | **-oix** | **-oie** | **-oid** | **-oids** |
|---|---|---|---|---|
| adroit | croix | foie | froid | contre-poids |
| détroit | noix | joie | | poids |
| endroit | poix | oie | | |
| étroit | voix | voie | | |
| exploit | | | | |
| toit | | | | |

⚠ MÉDIANE

boîte - boîtier

**C** Quelques mots d'**origine anglaise** s'écrivent avec la graphie **wa**.

water (w.-c.)
watt
\* walkman (cf. baladeur) se prononce [wokman] ou [wakman].

Il existe plusieurs façons d'écrire le son complexe [wɛ̃]

**D**   **-oin**

besoin
coin
foin
groin
loin
témoin

**E**   **-ouin**        **-oint**          **-oing**

baragouin     adjoint        coing
bédouin       appoint        poing
marsouin      conjoint
pingouin      contrepoint
              disjoint
              embonpoint
              joint
              oint
              point

 Rare : Saint-Ouen.

▶ A ces listes, il faut ajouter les verbes conjugués aux trois premières personnes (ex. : joindre : je j**oins**, il rej**oint**) et au participe passé masculin : disj**oint** (cf. Bescherelle 1).

# 25 [sjõ]  -tion  -sion  -ssion  -cion

**A** La finale [sjõ] se transcrit -**sion** derrière une consonne (ex. : pul-**sion**), -**ssion** après une voyelle (ex. : pa**ssion**), ou encore -**tion** après une voyelle ou une consonne (ex. : na**tion**), men**tion**).

Aucune règle ne permet d'établir un choix par avance, toutefois :

— après **l** : toujours -**sion** (convul**sion**).
— après **p, c** : toujours -**tion** (op**tion**, ac**tion**).
— après **o, au** : toujours -**tion** (no**tion**, cau**tion**).

| -(l)sion | -(p)tion | -(c)tion | -(o)tion | -(au)tion |
|---|---|---|---|---|
| convulsion | absorption | action | lotion | caution |
| émulsion | inscription | inaction | notion | précaution |
| expulsion | option | perfection | | |
| pulsion | perception | section | | |

Il faut savoir cependant que -**tion** est dix fois plus fréquent que -**(s)sion**.

| -(a)tion | | -(a)ssion | -(é)tion | -(e)ssion |
|---|---|---|---|---|
| aération | imagination | passion | concrétion | agression |
| alimentation | libération | compassion | discrétion | digression |
| argumentation | nation | | indiscrétion | impression |
| éducation | ségrégation | | sécrétion | obsession |
| explication | | | | procession |
| fondation | | | | sécession |

| -(i)tion | -(i)ssion | | -(u)tion | -(u)ssion |
|---|---|---|---|---|
| addition | admission | | destitution | concussion |
| condition | commission | | diminution | discussion |
| position | émission | | exécution | percussion |
| punition | mission | | locution | répercussion |
| supposition | scission | | solution | |
| tradition | soumission | | | |

| -(en)tion | -(en)sion | | (r)tion | -(r)sion |
|---|---|---|---|---|
| attention | ascension | | assertion | aversion |
| convention | dimension | | désertion | contorsion |
| intention | extension | | insertion | conversion |
| mention | pension | | portion | excursion |
| prétention | recension | | proportion | version |
| prévention | tension | | | |

⚠ -**xion** : annexion - connexion - flexion - fluxion - inflexion - réflexion.
⚠ -**cion** : suspicion.    -**(c)cion** : succion.

▶ A ces listes, il convient d'ajouter la première personne du pluriel des verbes en -**cier** : nous remer**cions**, nous appré**cions** (cf. Bescherelle 1).

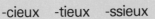
**B**   La graphie **-cieux** correspondant au son [sjø] sert à former des adjectifs à partir de noms se terminant par **-ce** ou **-ci** (rare).

astuce / astucieux
audace / audacieux
avarice / avaricieux
conscience / consciencieux
délice / délicieux
disgrâce / disgracieux
espace / spacieux
licence / licencieux
malice / malicieux

office / officieux
prix / précieux
révérence / révérencieux
sentence / sentencieux
silence / silencieux
souci / soucieux
vice / vicieux

judicieux
pernicieux

⚠ le **ciel** / les **cieux**.

Dans les autres cas, l'adjectif s'écrit **-tieux**, sauf **anxieux**.

| ambitieux | facétieux | infectieux | prétentieux | superstitieux |
| contentieux | factieux | minutieux | séditieux | |

⚠ **-ssieu** : essieu.
⚠ **-ssieux** : chassieux.
  **-sieur(s)** : monsieur, messieurs.

 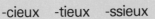
**C**   Le son [sjɛl] peut s'écrire de deux façons.

**-tiel** après **en**

concurrentiel     pestilentiel
confidentiel      potentiel
démentiel         préférentiel
différentiel      présidentiel
essentiel         providentiel
existentiel       séquentiel
exponentiel
fréquentiel       partiel
inférentiel

**-ciel** après **i** et **an**

actanciel
circonstanciel

didacticiel
indiciel
logiciel
ludiciel
progiciel
superficiel

⚠ **exceptions** : interstitiel, substantiel.

# 25 [sjɛr]  -ciaire  -tiaire  -cière  -ssière

**D** Les noms et les adjectifs terminés par le son [sjɛr] peuvent s'écrire :

**-ciaire** après **a, i, u**

bénéficiaire
fiduciaire
glaciaire
judiciaire

**-tiaire** après **en, é, er**

pénitentiaire
plénipotentiaire
rétiaire
tertiaire

⚠ La forme est identique au masculin et au féminin.
Ex. : le système péniten**tiaire** / la condition péniten**tiaire**.

Les noms et les adjectifs féminins terminés par le son [sjɛr] peuvent s'écrire :

**-cière**

| épicière | mercière | saucière |
| financière | nourricière | sorcière |
| foncière | policière | souricière |
| gibecière | romancière | tenancière |
| glacière | | |

**-(s)sière**

| boursière | glissière |
| brassière | pâtissière |
| cache-poussière | poussière |
| caissière | traversière |

# [sjɛ̃] -cien  -tien  -ssien  -sien

**E** La finale la plus fréquente correspondant au son [sjɛ̃] est **-cien**.

| académicien | électricien | mécanicien | pharmacien | praticien |
| alsacien | languedocien | métaphysicien | phénicien | rhétoricien |
| ancien | logicien | milicien | physicien | statisticien |
| batracien | Lucien | musicien | platonicien | stoïcien |
| cistercien | magicien | opticien | politicien | technicien |
| dialecticien | mathématicien | patricien | polytechnicien | théoricien |

La finale en **-tien** provient de noms propres terminés par **t**.

| capétien (Capet) | helvétien (Helvétie) | tahitien (Tahiti) |
| égyptien (Égypte) | liliputien (liliput) | vénitien (Vénétie) |
| haïtien (Haïti) | | |

⚠ martien.

**-(s)sien**

| métatarsien | prussien |
| parnassien | sien |
| paroissien | tarsien |

**A**   On trouve le plus souvent le **e** muet en **finale**. On le rencontre également à l'**intérieur** de noms.

Il s'agit de noms dérivés d'un verbe terminé par :
— **ier :**   liciencier / licenciement.
— **yer :**   aboyer / aboiement.
— **uer :**   tuer / tuerie.
— **ouer :** dénouer / dénouement.

| -ier / -ie | -yer / -ie | -uer / -ue | -ouer / -oue |
|---|---|---|---|
| balbutiement | aboiement | dénuement | dénouement |
| licenciement | bégaiement | éternuement | dévouement |
| ralliement | déblaiement | remuement | engouement |
| remerciement | déploiement | tuerie | rouerie |
| scierie | paiement | | |
| | rudoiement | | |

⚠ On ne prononce pas toujours le **e**, entre consonnes : boul(e)vard, sûr(e)té, dur(e)té.

### -e muet en finale

| -aie | -ue | -oie | -oue |
|---|---|---|---|
| baie | avenue | courroie | bajoue |
| craie | berlue | joie | gadoue |
| futaie | bienvenue | oie | houe |
| ivraie | cohue | proie | joue |
| monnaie | déconvenue | soie | moue |
| pagaie | étendue | voie | proue |
| plaie | fondue | | |
| raie | mue | **-eue** | |
| roseraie | retenue | banlieue | |
| sagaie | tenue | lieue | |
| taie | verrue | queue | |

C'est la finale **-ie** qui fournit la plus grande quantité de **noms féminins** terminés par **-e** muet.

| | | | | |
|---|---|---|---|---|
| accalmie | autocratie | écurie | lubie | plaidoirie |
| aciérie | autopsie | effigie | minutie | poulie |
| agonie | avanie | euphorie | modestie | prairie |
| allergie | biopsie | facétie | névralgie | superficie |
| amnésie | bougie | galaxie | nostalgie | tautologie |
| apoplexie | bureaucratie | ineptie | ortie | théorie |
| aporie | calvitie | inertie | panoplie | toupie |
| argutie | catalepsie | jalousie | pénurie | vigie |
| aseptie | chiromancie | librairie | pharmacie | zizanie |
| autarcie | éclaircie | loterie | phobie | |

**B** Les mots terminés en **-re** sont aussi bien **féminins** que **masculins**.

| noms masculins | | | noms féminins | |
|---|---|---|---|---|
| auditoire | laboratoire | anniversaire | baignoire | molaire |
| déboire | pourboire | émissaire | balançoire | |
| directoire | réfectoire | estuaire | échappatoire | |
| exutoire | territoire | faussaire | écritoire | |
| grimoire | | lapidaire | nageoire | |
| interrogatoire | | ovaire | préhistoire | |
| ivoire | | salaire | victoire | |

⚠️ Les adjectifs terminés par **-oire** et **-aire**, s'écrivent de la même façon, au masculin et au féminin.
Ex. : un combat illusoire / une défense illusoire
un essai nucléaire / une centrale nucléaire

| **-oire** | | **-aire** | |
|---|---|---|---|
| illusoire | ostentatoire | alimentaire | pénitentiaire |
| libératoire | probatoire | anniversaire | polaire |
| méritoire | provisoire | dentaire | solaire |
| opératoire | respiratoire | nucléaire | volontaire |

## Autres finales en -re

| **-(u)re** | | **-(o)re** | | **-(i)re** |
|---|---|---|---|---|
| augure | murmure | acore | météore | cachemire |
| bordure | nervure | anaphore | omnivore | empire |
| capture | ordure | bore | passiflore | hégire |
| carbure | parjure | carnivore | phosphore | lire |
| chlorure | pelure | chlore | sémaphore | mire |
| coiffure | rognure | commodore | | navire |
| épure | saumure | flore | **-au(re)** | pire |
| gageure | sciure | folklore | | rire |
| gerçure | sinécure | incolore | centaure | satire |
| levure | soudure | insonore | dinosaure | sourire |
| mercure | sulfure | matamore | taure | tirelire |
| mesure | | métaphore | | vampire |

| **-(a)re** | | |
|---|---|---|
| are | guitare | square |
| cithare | isobare | sudoripare |
| curare | mare | vivipare |
| fanfare | phare | |
| gare | rare | |

⚠️ **Graphies rares** : catarrhe - cirrhe ou cirre.

**C**   Dans de nombreux cas le -**e** muet final joue un rôle de « révélateur de consonne ». On pourra ainsi opposer phonétiquement : rein / rei**ne**, frais / frai**se**, chant / chan**te**.

▶ Cf. également le chapitre consacré au féminin des adjectifs : japonais / japonai**se**, premier / premiè**re**.

La présence d'un -**e** muet final peut entraîner une prononciation différente de la consonne.

    fac / face
    lac / lace
    suc / suce
    trac / trace

▶ Cf. finales en -**ge** : barrage, garage, page, virage, fiche 21.

Certains groupes de lettres ne peuvent apparaître en fin de mot qu'avec un -**e** muet final.

**-ble** : aimable, possible, table.
**-bre** : arbre, octobre, sobre.
**-che** : affiche, fiche, moche, tache.
**-cle** : boucle, socle, spectacle.
**-cre** : âcre, ocre, nacre.
**-dre** : ordre, cèdre, cidre.
**-gle** : aigle, ongle, sigle.
**-gre** : ogre, pègre.
**-gue** : bague, figue, psychologue.
**-phe** : apocryphe, autographe, strophe.
**-ple** : ample, souple.
**-pre** : câpre, lèpre.
**-que** : brique, géométrique, phonothèque.
**-rre** : amarre, bagarre, beurre, bizarre, serre.
**-tre** : chapitre, huître, plâtre.

Précisons que, s'il nous semble raisonnable de parler de -**e** muet en finale, il n'en reste pas moins vrai que dans des domaines comme la poésie, le théâtre ou la chanson, ils peuvent fort bien être prononcés.

**A** C'est **généralement en fin de mot** qu'on trouve les consonnes muettes : **s, t, x, d, p, c, g, b, h**. En dehors de **brebis**, **fois** et **souris**, la grande majorité des mots terminés par un **-s** muet sont **masculins**.

| | | | | | |
|---|---|---|---|---|---|
| bras | anchois | appentis | lavis | anglais | abus |
| cabas | autrefois | avis | logis | biais | inclus |
| canevas | bourgeois | brebis | mépris | dais | intrus |
| chas | chamois | buis | paradis | désormais | jus |
| choucas | fois | cambouis | parvis | engrais | obtus |
| contrebas | minois | colis | permis | jais | obus |
| coutelas | mois | coloris | pilotis | jamais | pus |
| débarras | quelquefois | compromis | puis | laquais | refus |
| fatras | toutefois | coulis | radis | mais | talus |
| fracas | | devis | roulis | marais | |
| frimas | dos | éboulis | rubis | niais | |
| galetas | enclos | frottis | semis | rabais | |
| lilas | héros | hachis | souris | relais | |
| matelas | propos | huis | sursis | | |
| repas | repos | | | | |
| taffetas | tournedos | | | | |
| trépas | | | | | |

⚠ Dans un petit nombre de mots, le **-s** muet final peut apparaître après une autre consonne : aurochs ; corps ; fonds ; legs ; poids ; temps ; divers ; velours.

**B** On trouve également un grand nombre de noms **masculins** ayant un **-t** muet en finale. (Exception : la **nuit**, *féminin*.)

| | | | | |
|---|---|---|---|---|
| achat | acabit | argot | artichaut | adroit |
| candidat | appétit | complot | assaut | détroit |
| carat | circuit | escargot | défaut | endroit |
| climat | conflit | lingot | saut | exploit |
| format | crédit | matelot | soubresaut | toit |
| lauréat | débit | rabot | sursaut | |
| magistrat | délit | sabot | | affront |
| magnat | édit | tricot | bout | amont |
| odorat | fortuit | | debout | entrepont |
| plagiat | fruit | chahut | égout | front |
| plat | gabarit | début | embout | |
| reliquat | lit | institut | faitout | défunt |
| résultat | nuit | raffut | partout | emprunt |
| syndicat | produit | statut | surtout | |
| thermostat | profit | tribut | tout | |

Le **-t** muet apparaîtra à la fin des adverbes en **-ment**.

ardemment - assurément - carrément - couramment - gentiment.

⚠ Le -t peut également suivre une autre consonne muette (c et p).

aspect - irrespect - respect - suspect - exempt - prompt.

Enfin, on peut le trouver après r.

| art | plupart | désert | confort | tort |
|---|---|---|---|---|
| départ | rempart | dessert | effort | |
| écart | concert | transfert | support | |


**C** Généralement, le -x en **finale** ne se prononce pas, sauf dans quelques mots : **furax, index, latex.**

| afflux | deux | faux | influx | perdrix | queux | taux |
|---|---|---|---|---|---|---|
| choix | époux | flux | noix | poix | redoux | toux |
| croix | . faix | houx | paix | prix | saindoux | voix |

⚠ Tous ces mots, terminés par -x au singulier, sont **invariables** :
un époux / les époux  -  une noix / les noix

▶ On se reportera également aux pluriels en **-aux**.
un vitrail / des vitraux  -  un animal / des animaux

**D** Bien que **moins fréquent**, on trouve cependant -d en finale, aussi bien après voyelle que consonne (n et r).

| **-nd** | | | **-rd** | | | |
|---|---|---|---|---|---|---|
| bond | friand | nœud | accord | canard | hasard | record |
| crapaud | gond | pied | bord | dossard | lézard | sourd |
| différend | nid | réchaud | brouillard | épinard | lourd | standard |

**E** Un -p muet final apparaît dans les mots suivants :

| beaucoup | champ | coup | drap | loup | sirop | trop |
|---|---|---|---|---|---|---|

On notera que **beaucoup** et **trop**, suivis d'un mot commençant par une voyelle retrouvent un **p** sonore dans la liaison.

Ex. : J'ai beaucoup‿appris.  -  Nous avions trop‿aimé son premier film.

**F** On trouve également **quelques mots** se terminant par un **c** muet.

banc   blanc   flanc   franc

**G** Enfin, -g et -b sont fort **rares** en finale.

coing   poing   aplomb   plomb   surplomb

**H** A cette liste, il convient d'ajouter le **h**, à l'initiale.

habitude   haricot   héritage   homme

On le rencontre également dans les mots d'origine grecque. (Cf. Racines.)

| hématome | hippodrome | hydraulique | hypothèse |
|---|---|---|---|
| hétérogène | homologue | hypnose | hystérique |

▶ On pensera aussi au rôle important à l'écrit, des consonnes muettes **s, t, d, nt** dans la conjugaison des verbes. Cf. Bescherelle 1. Ex. : tu chantes - il finit.

**A** Nous présentons ici des phénomènes d'alternance relatifs à des mots issus d'une même famille. Pour l'expliquer, nous sommes obligés de faire intervenir l'opposition :

— syllabe ouverte (à l'oral) : **coteau** [ko-to] : 2 syllabes ouvertes.
— syllabe fermée (à l'oral) : **côt(e)** [kot] : 1 syllabe fermée (par une consonne).

La **syllabe** est dite **ouverte** si elle ne comprend qu'une consonne suivie d'une voyelle. Elle est dite **fermée** si elle se compose d'une suite : consonne + voyelle + consonne.

On constate que l'accent circonflexe se trouve sur la syllabe **fermée** (cons.-voy.-cons.) alors que la syllabe **ouverte** (cons.-voy.) ne comporte que la voyelle seule (**a, o, u**), ou **é**.

### â / a

âcre / acrimonie
câble / encablure
grâce / gracieux
infâme / infamie

### û / u

sûr / assurance

### ô / o

arôme / aromatique
cône / conique
côte / coteau
diplôme / diplomatique
drôle / drolatique
fantôme / fantomatique
pôle / polaire
symptôme / symptomatique
trône / intronisation

### ê / é

bête / bétail
crêpe / crépu
conquête / conquérant
extrême / extrémité
mêlée / mélange
tempête / tempétueux

### eû / eu

jeûne / déjeuner

**B** La régularité de cette opposition est encore plus forte lorsqu'il s'agit d'opposer **è** et **é**.

Ex. : **ar-tèr(e)** / **ar-té-riel** (décomposition à l'oral)
     **al-gèbr(e)** / **al-gé-bri-que**

### è / é

algèbre / algébrique
allègre / allégrement
artère / artériel
ascète / ascétique
athlète / athlétique
bibliothèque / bibliothécaire
brèche / ébréché
célèbre / célébrité
cep / cépage
chèque / chéquier

chimère / chimérique
crème / écrémé
diabète / diabétique
fidèle / fidélité
fièvre / fiévreux
gène / génétique
grève / gréviste
homogène / homogénéité
hygiène / hygiénique
intègre / intégrité

lèpre / lépreux
lièvre / lévrier*
mèche / éméché
modèle / modélisation
mystère / mystérieux
obèse / obésité
obscène / obscénité
oxygène / oxygéné
phénomène / phénoménal
pièce / rapiécé
plèbe / plébéien
poème / poésie

poète / poétesse
prophète / prophétique
règle / réglage
scène / scénique
sèche / sécheresse
siècle / séculier*
sincère / sincérité
synthèse / synthétique
système / systématique
zèbre / zébré
zèle / zélé

* A propos de **lévrier** et **séculier**, on rappellera que le premier est un chien employé pour chasser le lièvre, et que le second caractérisait le clergé vivant dans le **siècle** (monde).

**C** Certains mots de la même famille présentent une alternance portant sur le doublement d'une consonne. Ex. : fe**mm**e / fé**m**inin.

## m / mm

bonhomie / bonhomme
homicide / homme
nomination / renommée

## n / nn

cantonal / cantonnier
consonance / consonne
donation / donneur
honorable / honnête
honoraire / honneur
millionième / millionnaire
monétaire / monnaie
patronat / patronnesse
rationalité / rationnel
sonore / sonnerie

Un dernier type d'alternance nous indique l'ancienne prononciation de certains mots. C'est le cas des anciennes syllabes en **es**, **os**, **is**, dans lesquelles on trouve un **ê**, **ô**, **î**, à présent.

ancêtre / ancestral
arrêt / arrestation
bâton / bastonnade
bête / bestial
épître / épistolaire
fenêtre / défenestration

fête / festivité
forêt / forestier
hôpital / hospitalité
hôtel / hostellerie
tête / détester
vêtement / vestimentaire

**avec changement de la voyelle :**

goût / gustatif

# 29 | h et tréma (¨)

On ne trouvera pas dans ce chapitre le groupe **th**, indice d'une origine grecque θ. Il a été traité à la fiche 13, consacré au son [t].

**A** La présence d'un **h** intérieur est souvent l'indice d'une **coupe** dans le mot. On trouve en général un adjectif ou un préfixe en composition avec un nom (parfois un adjectif) commençant par **h**.

Ex. : **dés-honneur, in-habituel, mal-habile**.

| | | | | |
|---|---|---|---|---|
| bonheur | gentilhomme | inhibition | malheur | préhistoire |
| exhalaison | inhabité | inhospitalier | malhonnête | prohibition |
| exhibition | inhabituel | inhumain | menhir | réhabilitation |
| exhortation | inhérent | malhabile | posthume | transhumance |

- **silhouette** est à l'origine un nom propre (ministre de Louis XV).
- **dahlia** est également à l'origine un nom propre.

**B** Lorsque l'on veut éviter la rencontre de deux voyelles, le français dispose de deux procédés pour empêcher cette **« coagulation »** : la présence d'un **h** ou celle d'un tréma (¨).

**h** Ex. : **ahuri** (risque d'être prononcé : « auri »).
**trahison** (risque d'être prononcé : « traison »).

| | | | | |
|---|---|---|---|---|
| ahan | cahot | cohue | méhari | trahison |
| ahuri | cahute | déhiscient | préhensible | véhément |
| appréhension | cohérent | ébahi | répréhensible | véhicule |
| bohème | cohorte | envahi | | |

**Tréma** Ex. : **maïs** (risque de confusion : « mais »).
**naïf** (risque d'être prononcé : « naif »).

La présence du tréma empêche la fusion de **o** et **in** en **oin**, de **a** et **i** en **ai**, de **gu** et **e** en **gue**.

| | | | | |
|---|---|---|---|---|
| aïeul | coïncidence | glaïeul | laïcité | noël |
| ambiguïté | cycloïde | haïssable | maïs | ouïe |
| capharnaüm | exiguïté | héroïque | mosaïque | païen |
| ciguë | faïence | inouï | naïf | stoïque |

- **féminins de quelques adjectifs :**

aigu / aiguë - ambigu / ambiguë - contigu / contiguë - exigu / exiguë

**C** On trouve cependant quelques « rencontres » de voyelles.

| | | | | |
|---|---|---|---|---|
| accordéon | aréopage | chaotique | immuable | poésie |
| aérophagie | auréole | cruel | méandre | préambule |
| annuaire | baobab | déontologie | néant | prouesse |
| aorte | bioxyde | européen | néon | truand |
| archéologie | cacao | fluide | pléonasme | |

54

## A

| ADJECTIFS | | RÈGLES | CHANGEMENT | |
| Masculin | Féminin | | A l'écrit | A l'oral |
|---|---|---|---|---|
| petit<br>abondant<br>grand<br>joli | petite<br>abondante<br>grande<br>jolie | On forme le plus souvent le féminin des adjectifs en ajoutant simplement un **e**. | oui | oui si le masculin se termine par une consonne |
| idiot<br>sot | idiote<br>sotte | Les adjectifs terminés par **-ot** ont un féminin en **-ote** sauf **pâlot, vieillot, sot**... qui se terminent par **-otte**. | oui | oui |
| joli<br>vrai<br>pointu | jolie<br>vraie<br>pointue | Les adjectifs se terminant par les voyelles **-i**, **-ai**, **-u**, etc., prennent un **e** au féminin | oui | non |
| gris<br>bas | grise<br>basse | Les adjectifs terminés par **-s** ont un féminin en **-se** sauf **bas, épais**... qui forment le féminin en **-sse** ; **frais** qui devient **fraîche**, etc. | oui | oui |

ardent / ardente
bigot / bigote
brun / brune
décimal / décimale
dévot / dévote
droit / droite
gai / gaie
gaulois / gauloise

gris / grise
huguenot / huguenote
idiot / idiote
latin / latine
lourd / lourde
majeur / majeure
mormon / mormone
nu / nue

plein / pleine
poli / polie
ras / rase
roman / romane
sain / saine
seul / seule
subtil / subtile
volatil / volatile

**B**

| ADJECTIFS | | RÈGLES | CHANGEMENT | |
|---|---|---|---|---|
| Masculin | Féminin | | A l'écrit | A l'oral |
| bon<br>ancien | bonne<br>ancienne | Les adjectifs se terminant par -**on** et -**ien** doublent leur consonne finale au féminin. | oui | oui |
| cruel<br>nul<br>pareil | cruelle<br>nulle<br>pareille | Les adjectifs se terminant par -**el**, -**ul** et -**eil** doublent leur consonne au féminin. | oui | non |
| coquet<br>complet | coquette<br>complète | Les adjectifs terminés par -**et** doublent leur consonne finale au féminin sauf **complet, désuet, discret, inquiet**... qui se terminent par -**ète**. | oui | oui |

ancien / ancienne
annuel / annuelle
bas / basse
bel / belle
bon / bonne
épais / épaisse

fol / folle
gentil / gentille
gros / grosse
métis / métisse
muet / muette
net / nette

nul / nulle
pâlot / pâlotte
pareil / pareille
sot / sotte
vieil / vieille

| ADJECTIFS | | RÈGLES | CHANGEMENT | |
|---|---|---|---|---|
| Masculin | Féminin | | A l'écrit | A l'oral |
| aimable<br>pâle | aimable<br>pâle | Les adjectifs se terminant par un -**e** ne changent pas au féminin. | non | non |

⚠️ aimable    fossile    rude      tertiaire
   calme     morne   troisième  vivace

▶ Cf. adjectifs terminés par -**oire**, -**ore**, -**aire** (fiche 26).

Ex. : un animal carniv**ore** / une plante carniv**ore**.

# C

| ADJECTIFS | | RÈGLES | CHANGEMENT | |
|---|---|---|---|---|
| Masculin | Féminin | | A l'écrit | A l'oral |
| léger | lég**ère** | Les adjectifs terminés par -**er** forment leur féminin en -**ère**. | oui | oui |
| neuf | neu**ve** | Les adjectifs terminés par -**f** forment leur féminin en -**ve**. | oui | oui |
| nerveux doux | nerveu**se** dou**ce** | Les adjectifs terminés par -**x** font leur féminin en -**se** sauf doux, faux, roux... **douce, fausse, rousse.** | oui | oui |
| franc blanc | fran**che** blan**che** | Les adjectifs terminés par -**c** font souvent leur féminin en -**che**, ou -**que**. | oui | oui |
| grec caduc | grec**que** cadu**que** | | oui | non |

## -er / -ère

amer/am**ère**
dernier/dern**ière**
étranger/étrang**ère**

## -et / -ète

inquiet/inqui**ète**

## -f / -ve

explosif/explosi**ve**
naïf/naï**ve**
neuf/neu**ve**
sauf/sau**ve**

## -u / -uë

aigu/aig**uë**
ambigu/ambig**uë**
exigu/exig**uë**

## -c / -que

ammoniac/ammonia**que**
caduc/cadu**que**
franc/fran**que**
public/publi**que**

## -c / -che

blanc/blan**che**
franc/fran**che**
sec/sè**che**

## -g / -gue

long/lon**gue**

## -c / -cque

grec/grec**que**

## -x / -se

heureux/heureu**se**
jaloux/jalou**se**

## -x / -sse

faux/fau**sse**
roux/rou**sse**

## -x / -ce

doux/dou**ce**

## -ou / -ouse

andalou/andal**ouse**

Les masculins en -**eur** peuvent former des féminins en :

## -eur / -euse

menteur / ment**euse**
trompeur / trompeuse

## -teur / -trice

séducteur / séduc**trice**
instituteur / institutrice

## -eur / -eresse

chasseur / chass**eresse**
vengeur / vengeresse

⚠️ On notera quelques féminins à variation plus forte, par rapport à la forme masculine.

beau / be**lle**
fou / fo**lle**

vieux / vie**ille**
bénin / béni**gne**

malin / mali**gne**
favori / favori**te**

tiers / tier**ce**
frais / fraî**che**

57

## A

| Le pluriel des noms | Exemples | Exceptions |
|---|---|---|
| La plupart des noms forment leur pluriel en ajoutant un **s**. | Il a de nouveaux **amis**. | |
| Les noms en -**ou** forment leur pluriel en ajoutant un **s**. | Tous ces **trous** sont des marques de **clous**. | **bijou, caillou, chou genou, hibou, joujou, pou** forment leur pluriel en ajoutant un **x** : Elle a de magnifiques **bijoux**. |
| Les noms en -**eu** forment leur pluriel en ajoutant un **x**. | A 22 h tous les **feux** étaient éteints. | **bleu** et **pneu** prennent un **s** : On avait crevé les quatre **pneus**. |
| Les noms en -**(e)au** forment leur pluriel en ajoutant un **x**. | Il a évidemment reçu beaucoup de **cadeaux**. | **landau** et **sarrau** prennent un **s** : Pour ses jumeaux, elle a acheté deux **landaus**. |

⚠ Les **noms** ou **adjectifs** qui se terminent par **s**, **x** et **z** au singulier, ne prennent **pas de marque de pluriel**.

Ex. : Les **prix** augmentent toujours.
      Des bois **précieux**.

**noms**

| | | |
|---|---|---|
| avis | choix | ersatz |
| bois | cortex | gaz |
| bras | époux | herz |
| enclos | flux | nez |
| fils | lux | riz |
| minois | lynx | |
| prospectus | poix | |
| radis | prix | |
| secours | télex | |
| succès | thorax | |
| talus | | |
| univers | | |
| velours | | |
| vers | | |

**adjectifs**

| | |
|---|---|
| abscons | chanceux |
| bas | crasseux |
| clos | doux |
| confus | ennuyeux |
| dispos | épineux |
| divers | fameux |
| exprès | faux |
| gros | hargneux |
| niais | harmonieux |
| métis | minutieux |
| précis | noueux |
| ras | orageux |
| tors | précieux |
| | roux |
| | savonneux |

**B**  1. Les **noms** en -ail : bail, corail, émail, fermail, soupirail, travail, vantail, vitrail, forment leur pluriel en **-aux.**

Ex. : Des travaux pénibles.
    Il signa les baux.

⚠ • **Exceptions** : attirail, chandail, détail, épouvantail, éventail, gouvernail, poitrail, portail, sérail, prennent un **s** au pluriel.
Ex. : Les détails de l'affaire.

• On notera que **bercail** s'emploie toujours au **singulier.**

2. Les **noms** en **-al** forment leur pluriel en **-aux.**

Ex. : Elle lit plusieurs journaux.

⚠ **Exceptions** : bal, carnaval, chacal, festival, régal, ont leur pluriel en **s.**
Ex. : Les bals du samedi soir.
    Les festivals de l'été.

3. Les **adjectifs** terminés par **-al** forment également leur pluriel en **-aux.**

Ex. : Les privilèges royaux.

⚠ **Exceptions** : banal, bancal, fatal, final, glacial, natal, naval prennent un **s.**

On notera que **banal** dans son ancienne signification, qu'on retrouve dans **four banal** (terme de féodalité), donne **banaux**, alors que dans son emploi moderne, il devient **banals.** Ex. : des incidents **banals.**


**C**  Certains **noms**, aussi bien masculins que féminins, ne s'emploient **qu'au pluriel**, du moins pour certaines de leurs acceptions.

**masculins**

| | | |
|---|---|---|
| agissements | confins | pourparlers |
| agrès | décombres | sévices |
| aguets | dépens | vivres |
| alentours | ébats | |
| appointements | effluves | |
| arrérages | gravats | |
| bestiaux | mânes | |

**féminins**

| | |
|---|---|
| affres | hardes |
| alluvions | immondices |
| arrhes | mœurs |
| calendes | obsèques |
| doléances | prémices |
| entrailles | ténèbres |
| guenilles | |

⚠ • Certains pluriels entraînent un changement de prononciation.
bœuf / bœufs - œuf / œufs - os / os

• Certains noms changent totalement de forme au pluriel.
ail / aulx - œil / yeux

• Les noms de fleurs ou de fruits employés comme adjectifs qualificatifs ne s'accordent ni en genre ni en nombre.
Ex. : Nous portons toutes les deux des robes **orange.**

Mais l'adjectif **rose** s'accorde en genre et en nombre.
Ex. : Elle a toujours les joues **roses.**

# 32 Le pluriel des mots composés

La formation du pluriel des mots composés dépend souvent du **sens** de chaque mot composé. On peut cependant donner quelques règles d'accord.

| Mot composé | Formation du pluriel | Exceptions |
|---|---|---|
| nom + nom | Les deux noms prennent la marque du pluriel.<br>- des oiseaux-mouches | - des timbres-poste<br>( = des timbres pour la poste)<br>- des années-lumière |
| nom + préposition + nom | Seule le premier nom prend la marque du pluriel.<br>- des arcs-en-ciel | - des bêtes à cornes<br>- des chars à bancs<br>- des tête-à-tête |
| adjectif + nom | Les deux mots prennent la marque du pluriel.<br>- des basses-cours | Adjectif **grand** + nom féminin reste invariable.<br>- des grand-mères<br>Adjectifs **demi** et **semi** + nom restent invariables<br>- des demi-journées |
| adjectif + adjectif | Les deux adjectifs prennent la marque du pluriel.<br>- des sourds-muets<br>- des paroles aigres-douces | - des nouveau-nés ( = des enfants nouvellement nés)<br>- des personnes haut-placées |
| verbe + nom | 1. Seul le nom prend la marque du pluriel.<br>- des casse-noisettes<br>- des tourne-disques<br>2. Ni le verbe ni le nom ne prennent la marque du pluriel.<br>- des abat-jour | |
| mot invariable + nom ou adjectif | Seul le nom ou l'adjectif prennent la marque du pluriel.<br>- des avant-scènes<br>- des non-lieux<br>- les avant-dernières épreuves | |
| verbe + verbe | Aucune marque de pluriel.<br>- des laissez-passer | |
| mots étrangers | Aucune marque de pluriel.<br>- des post-scriptum | - des pull-overs<br>- des week-ends |
| couleurs composées | Aucune marque de pluriel.<br>- des chemises rose-pâle<br>- des pantalons bleu-foncé | |

# LES HOMONYMES

le **baccara** est un jeu pratiqué dans les casinos
le **baccarat** est une variété de cristal

le **bal** du village
on écrit **bale** ou **balle** d'avoine
saisir la **balle** au bond
défaire une **balle** de coton

les nuages sont bien **bas**
une paire de **bas** de laine
le **bât** était placé sur le dos de l'âne
**bah** ! la chance finira par tourner

le **cal** de la main d'un karatéka
la **cale** d'un navire
mettre une **cale** sous les roues

le premier concerto en **fa** majeur
cet homme est un **fat**

le sommet de **la** montagne
je ne **la** vois pas arriver
elle est passée par **là**
il **l'a** perdu
**las** d'avoir tant attendu
le lièvre était pris dans les **lacs**
un **la** bémol

le chat de **ma** voisine **m'a** griffé
un **mas** provençal
  *(-s parfois prononcé)*
le **mât** du navire s'est brisé

bien **mal** acquis ne profite jamais
la vieille **malle** du grenier
un **mal** incurable
un vieux **mâle** solitaire

la femelle du paon est la **paonne**
la voiture tombe en **panne**

une **pâte** à crêpes très réussie
ce chien traîne la **patte**
aux échecs, le **pat** entraîne la nullité

un **ra** de tambour
un **rat** d'égout
un chien à poils **ras**
à **ras** de terre
un **raz**-de-marée

c'est l'heure de **ta** tisane
un **tas** d'ennuis
sa lettre **t'a** rassuré

## [a] avant

une **acre** faisait un bon demi-hectare

l'**age** central de la charrue

le **capre** fut démâté en pleine course

un rendez-vous de **chasse**

l'**empattement** d'une voiture

le langage des **halles**

**matin** et soir

une **tache** d'encre indélébile

## [ɑ] arrière

l'odeur **âcre** des feux d'automne

avoir l'**âge** de ses artères

la **câpre** est un condiment apprécié

la **châsse** des reliques

l'**empâtement** de son tour de taille

le **hâle** lui donne bonne mine

les crocs du **mâtin**

une **tâche** difficile, mais noble

l'**alène** du cordonnier est une aiguille
il a mauvaise **haleine**
en chimie, on dit **allène** pour allyène

un ton peu **amène**
il lui a dit **amen** sans réfléchir

ce fruit a un goût **amer**
la brume lui cache l'**amer**

une toile sans **apprêt**
**après** l'orage…

donner un coup de **balai**
une danseuse du corps de **ballet**

un **bel** oiseau et une **belle** fleur
un **baile** était un administrateur
   de biens

la **bête** ne lâcha pas sa proie
la **bette** est un légume

le **brai** est un sous-produit du pétrole
les **braies** étaient une sorte
   de pantalon

le **cep** de la vigne
le **cèpe** est un champignon
   comestible

une **chaîne** de vélo
une porte en **chêne**

il ne fait pas encore **clair**
le **clerc** de notaire

un morceau de **craie**
les **crêts** du Jura

le visage **défait**
le second tirage comporte un **défet**

elle s'envola à tire-d'**ailes**

un **être** humain
une forêt de **hêtres**

un train **express**
une lettre envoyée en **exprès**

un **fait** divers
succomber sous le **faix** des charges

c'est la **fête**
une tête bien **faite**
grimper au **faîte** de l'arbre

une **forêt** de sapins
percer un trou avec un **foret**

du poisson **frais**
la saison du **frai** chez les anguilles
on décharge l'avion de son **fret**

éprouver de la **gêne**
certains caractères sont transmis
   par les **gènes**

le **genet** est un petit cheval
le **genêt** servait à faire des balais

le relief **glaciaire**
garnir une **glacière** de glaçons

la **guerre** et la paix
il n'y a **guère** de place

j'ai aperçu un **geai**
un **jet** de pierre
une chevelure noire de **jais**

laitence se dit aussi **laite**
un mot **lette** ( = *letton*)
au tennis, la balle est **let**

la **marraine** gâte son filleul
les **marennes** sont des huîtres

le mois de **mai**
**mais**, que fais-tu ?
quel **mets** délicieux !
la **maye** est une auge de pierre
   pour l'huile d'olive
la **maie** est une sorte de pétrin

la **mère** de la famille
le **maire** du village
le bord de **mer**

c'était un bon **maître** d'école
un **mètre** de tissu

la région **palmaire** interne à la main
mesurer une épaisseur au **palmer**

une **perle** de culture
émail de gueules à **pairle** d'azur

63

la **penne** de la plume
le **pène** de la serrure
cela lui fit de la **peine**

la **plaie** s'est infectée
le **plaid** de l'avocat

la **plaine** de Waterloo
la coupe était **pleine**

la **reine** des abeilles
le cocher tient les **rênes**
un troupeau de **rennes**

un **repaire** de brigands
le clocher sert de point de **repère**

un **saigneur** de porc
à tout **seigneur** tout honneur

un os de **seiche**
rester en panne **sèche**
la **seiche**, la surface du lac

la **seime** est une maladie du sabot
le **sème** est une unité de signification

ce spectacle est **surfait**
le **surfaix** du harnais est usé

une **taie** d'oreiller
un **têt** de chimiste *(pour tester)*

un **trait** de crayon
c'est **très** beau

une tentative **vaine**
une piqûre dans la **veine**
il a de la **veine**

le **yen** est une monnaie
la **hyène** rôdait dans les parages

## 2* [ɛ] [e]

### [ɛ] ouvert

l'**archet** du violoniste

un cheval **bai**
le rivage de la **baie**
une **baie** vitrée
la politique du **bey** de Tunis

un fruit **blet** n'est pas appétissant

les **chais** sont remplis de vin

une simple **claie** entre les jardins

un **cochet** est un coquelet

**dès** le lendemain
un **dais** nuptial
la politique du **dey** d'Alger

un brouillard **épais**

un **feuillet** était imprimé

mon grand-père avait le cœur **gai**
faire le **guet**
il fit frire un hareng **guai**

le **goulet** est long à franchir

c'est un fin **gourmet**

### [e] fermé

l'**archer** et son arc
l'**archée** des alchimistes

rester bouche **bée**

le **blé** est mûr

viens **chez** nous

il avait perdu sa **clé** (**clef**)

un **cocher** de fiacre

un **dé** à coudre
un **dé** pipé
**des** temps difficiles

un coup d'**épée**

creuser les **feuillées** pour la troupe

il suffit de passer le **gué**, ô **gué** !

boire une bonne **goulée** d'alcool

le candidat avait un maintien **gourmé**

une poterie en **grès**

un **lai** était un poème
un frère **lai** tenait les comptes
**lais** est la forme ancienne de legs
c'est un acte très **laid**
le **lait** de brebis

les **marais** salants

un assemblage de menuiserie
  en **onglet**

un **palais** vénitien
le **palet** fut détourné du but

à la force du **poignet**

**près** de la fenêtre
toujours **prêt**
un **prêt** sur l'honneur

un **rai(s)** de lumière
porter la **raie** à gauche
une **raie** au beurre noir
installer un **rets** dans le bief

un **raisonnement** déductif

la reine des **reinettes** est une pomme
  très appréciée
la **rainette** est une grenouille

une roue à **rochet**
un **rochet** de cérémonie

un **sachet** de graines

un fidèle **valet** de chambre

de **gré** ou de force

**les** quatre saisons
un **lé** de toile
**lez** ou **les** (« près de »,
  dans les noms de lieux)

le calendrier des **marées**

le froid lui donnait l'**onglée**

un écu **palé** sable et argent

une **poignée** de main chaleureuse
une **poignée** de mécontents

les vaches sont dans le **pré**

do **ré** mi
au **rez**-de-chaussée

on dit plutôt résonnance que
  **résonnement**

le bourrelier avait égaré sa **rénette**

à flanc de **rocher**

une **sachée** (un sac) de thé

une **vallée** fertile

[e]  3

l'**abbé** de la paroisse
l'**abée** du moulin

la diagonale du **carré**
vingt mètres **carrés**

le **curé** du village
la **curée** a été sonnée

un **coupé** décapotable était exposé
  au salon de l'automobile
le marin grimpa l'échelle de **coupée**

la **jetée** du port
épaulé et **jeté**, en haltérophilie
un **jeté** battu (danse)
un **jeté** de table imprimé

une âme bien **née**
le **nez** de Cyrano

le **pâté** de campagne
la **pâtée** du chien

le **phénix** est un oiseau fabuleux
le **phoenix** est un palmier ornemental

un petit verre de **poiré**
les côtes de **poirée** étaient trop cuites

un petit **rosé** de Provence bien frais
la **rosée** des matins d'automne

tracer des parallèles à l'aide d'un **té**
une tasse de **thé**
un fer à double **té** (ou **T**)

un tirage de luxe sur **vergé**
  *(type de papier)*
le **verger** est en fleurs

ne tirez qu'au **visé** !
la ligne de **visée**
ses **visées** politiques nous rendent
  sceptiques

# 4 [i]

l'**acquis** de la Révolution Française
par **acquit** de conscience

le cuir **bouilli** est plus résistant
c'est de la **bouillie** pour les chats

l'assurance couvre le **bris** de glace
comme fromage, je prendrai du **brie**

la cliente avait rempli son **caddie**
le **caddy**, au golf, sert à porter
  les « clubs »

la **cime** de l'arbre
la **cyme** du myosotis

un pan de la façade était **décrépi**
un clochard prématurément **décrépit**

l'ex-champion était tombé en **décri**
un paysage souvent **décrit**

on se l'arrachait à l'**envi**
il ne résista pas à l'**envie** de s'enfuir

une barbe bien **fournie**
le **fournil** était encore chaud

le **gin** est un alcool de grain
il portait un **jean** et un blouson

**hi** ! hi ! riait-elle ou pleurait-elle ?
on enfonça les pilotis de la **hie**
il **y** en aura assez

aujourd'**hui** ou dans **huit** jours
une séance à **huis** clos

pêcher un **ide** pourpre
les **ides** de mars

le **leader** du mouvement
des **lieder** de Schubert

un **li** chinois valait environ 576 m
un **lit** à baldaquin
boire la coupe jusqu'à la **lie**

entrer en **lice**
une fleur de **lis** ou de **lys**
polir le cuir à la **lisse**
un muscle **lisse**
une tapisserie de haute **lice**

la dévaluation de la **lire**
la **lyre** du poète
un livre à **lire**
les causes de l'**ire** du roi
l'oiseau-**lyre**

le **lori** est un perroquet des Indes
le **loris** est un petit singe
un **lorry** était resté dans le tunnel

do ré **mi** fa
du pain de **mie**
de l'argent **mis** de côté
où êtes-vous ma **mie** ?

elle était le point de **mire**
  de l'assemblée
l'or, l'encens et la **myrrhe** des Rois
  mages
un **mir** était une communauté rurale
  en Russie

un avenir **mirobolant**
du **myrobolant** d'apothicaire

plus une seule **mite** dans le placard
les récits et les **mythes** de l'antiquité

**ni** l'un **ni** l'autre
un vrai **nid** d'aigle
il **n'y** comprend rien

le hasard le tira de l'**oubli**
l'**oublie** est faite sans levain

à la fin, il a dit « **oui** »
il n'avait pas l'**ouïe** très fine

qui sait encore lire le **pali** ?
un **palis** est un pieu de palissade

il a adhéré à un **parti** politique
avoir affaire à forte **partie**

le nombre π (**pi**) est proche de 3,14
la **pie** est jacasseuse et voleuse
le **pis** de la vache
de mal en **pis**

l'alpiniste enfonce un **piton**
    dans une faille
un **piton** rocheux
le **python** est un serpent

le **pli** du pantalon
la **plie** est un poisson plat

un **puits** creusé jadis par le puisatier
à droite, **puis** à gauche, puis tout droit
un **puy** volcanique du Massif central

on ne peut pas jouer au **rami**
    sans joker
il s'était tissé une bâche en **ramie**

prendre un **ris** sur une voile
une poule au **riz**
du **ris** de veau
on n'a jamais tant **ri**

un **rôti** de veau dans la noix
un œuf poché sur **rôtie**

cette pièce est une **satire** de la vie
    politique
le **satyre** attendait ses victimes
    dans le bois

un journal **satirique**
une danse **satyrique**

un **signe** des temps
un **cygne** noir glissait sur le lac

le **silphe** s'attaque aux betteraves
le **sylphe** était le génie de l'air

le **site** offrait une vue panoramique
l'art **scythe** ou scythique

un pouvoir autoritaire longtemps **subi**
un renversement **subit** de la situation

un guépard **tapi** dans les herbes
un accroc au **tapis** du billard

le **tirant** d'eau d'un voilier
ce **tyran** semait la terreur

le **vernis** avait terni le portrait
ce meuble a été **verni**

une cabane couverte de **bardeaux**
le **bardot** est le croisement
    d'un cheval et d'une anesse

mettre du **baume** dans le cœur
la **bôme** est perpendiculaire au mât

le **bosco** dirigeait la manœuvre
le **boscot** cachait mal sa bosse

l'écorce du **bouleau**
chercher du **boulot**
un pain de campagne **boulot**

la pêche au **cabillaud**
un **cabillot** d'amarrage

un **canot** de sauvetage
les **canaux** de dérivation

un **chaud** et froid
la **chaux** vive
le nouveau **show** d'une vedette

la réduction du **chômage**
le **chaumage** consiste à couper
    le chaume

le **cheminot** vérifiait la voie ferrée
le **chemineau** vagabondait

une **clause** de sauvegarde
trouver porte **close**

un **cuisseau** de veau
un **cuissot** de chevreuil

le **do** de la clarinette
un **dos** d'âne

une **fausse** couche
la **fosse** aux lions

une voix de **fausset**
tirer du vin au **fausset**
un **fossé** d'irrigation

le **goal** de l'équipe
la **gaule** du pêcheur

les eaux se mêlent dans le **grau**
**gros** comme le poing

le **héraut** annonçait le début
  des cérémonies
un **héros** de légende

un **lot** de consolation
**lods** et vente rapportaient beaucoup

un **mot** malheureux
des **maux** de tête

tirer le bon **numéro**
les adjectifs **numéraux**

**ô** mortel, souviens-toi !
**oh** ! la belle **eau** limpide
**ho** ! ho ! vous là-**haut** !
il n'a que la peau et les **os**
s'adresser **au** président
les **eaux** de pluie
l'ancien pluriel d'ail donnait **aulx**

la **peau** de l'ours
un **pot** de fleurs

la **pause** de midi
une **pose** avantageuse

le **pineau** des Charentes
le **pinot** noir

jouer du **pipeau**
un candidat **pipo**

bébé doit faire son **rot**
la lettre grecque **rho** s'écrit $\rho$
**rôt** voulait dire rôti

danser un **rondeau** de l'ancien temps
la sonate s'achève sur un **rondo**

le **saut** de carpe
un **seau** d'eau
un **sceau** royal
il est **sot** et prétentieux

la confiture de **sureau**
un cheval atteint de **suros**

un **taraud** en acier trempé
une partie de **tarots**

à quel **taux** emprunter ?
il est encore trop **tôt** pour le dire
le **tau** grec ($\tau$) s'oppose au thêta ($\theta$)
s'abriter sous le **taud** d'un bateau

de la **tôle** ondulée
aller en **taule**

une course de **trot** attelé
il est **trop** tard pour partir

du **turbot** à l'oseille
un moteur **turbo**

**vos** projets vont à **vau**-l'eau
des **veaux** élevés en liberté
par monts et par **vaux**

## 5*    [ɔ]   [o]

### [ɔ] = o ouvert

cueillir des **arums**

le **col** du fémur
la **colle** à bois

les premiers **colons** d'Amérique
l'inspection du **colon**(el)

### [o] = o fermé

l'**arôme** d'un vin

des yeux peints au **khôl**

une inflammation du **côlon**

une **cosse** de petit pois

une **cote** mal taillée
une **cotte** de maille

il est bien **coté** dans l'usine

un sale **gosse**

l'**homme** et la femme

il adorait le rythme **hot** du jazz
une **hotte** de vendangeur

une pâte **molle**
une **mole** (molécule)

prendre le **mors** aux dents
il attendait la **mort**

**notre** seule chance

voici **votre** part

une **pomme** verte
une **pomme** d'arrosoir

Solide comme un **roc**

le **sol** était détrempé
**sol** dièse
il n'avait plus un **sol**
des filets de **sole**
une **sole** de charpente

tu n'es qu'une petite **sotte**

être prêt au **top**
**tope** là, c'est d'accord

en son **for** intérieur
tout était perdu, **fors** l'honneur
un **fort** en thème
les indiens attaquent le **fort**

un **laure** est un monastère
dès **lors** que vous le dites

il n'était plus qu'une **loque**
un **loch** est un lac écossais
le **loch** sert à mesurer la vitesse d'un voilier

un hareng **saur**
les sporanges forment une **sore**
le **sort** lui fut fatal

les avens du **causse**

une **côte** de bœuf
une **côte** escarpée

les gens d'à **côté**

une courbe de **gauss**

le **heaume** cachait le visage
du chevalier
un **home** d'enfants
un **ohm** est une unité de résistance

la **haute** société
un **hôte** encombrant

le **môle** du port
la **môle** est une croissance anormale
du placenta
la **môle** est un poisson-lune

les invasions des **Maures** ou [mɔR]

c'est la **nôtre**

à la bonne **vôtre**

la **paume** de la main
le jeu de **paume**

une voix **rauque**

un **saule** pleureur

une **saute** d'humeur imprévisible

myope comme une **taupe**
une classe de **taupe** prépare
aux grandes écoles

## 6 [ø]

vous le savez mieux qu'**eux**
une demi-douzaine d'**œufs**
**euh** ! je ne sais pas
**heu** ? cela suffira ?

faire **feu** de tout bois
**feu** la mère de madame

non, **je** ne joue pas à ce **jeu**
les **jeunes** [ʒœn] sont dispensés
de **jeûne** [ʒøn]

mettre le **lieu** au congélateur
un **lieu** sûr
une **lieue** marine *(distance)*

tu **ne** veux pas défaire ce **nœud** ?

**peuh** ! c'est bien trop **peu**

un **pieu** de fondation
un homme **pieux** et loyal

une **queue** de poisson
Maître **queux** s'est surpassé
aiguiser le couteau sur la **queux**

## 8 [ɛ̃]

un cheval **aquilain**
un nez **aquilin**

un oreiller de **crin**
c'est ce que je **crains**

quel est son **dessein** ? *(son but)*
un **dessin** à la plume

ce type est **dingue**
le virus de la **dengue**

un gobelet en **étain**
un volcan **éteint**

tenaillé par la **faim**
la **fin** de la représentation
un **fin** limier

se serrer la **main**
**maints** complots

le climat **marocain**
un portefeuille en **maroquin**

avoir du **pain** sur la planche
une pomme de **pin**
un bahut en bois **peint**

le **plain**-chant
de **plain**-pied
faire le **plein** d'essence

porter **plainte**
la **plainte** du vent
la **plinthe** cachait les fils électriques

s'en tirer **sain** et sauf
le **saint** patron de la corporation
serrer contre son **sein**
sous **seing** privé
les reins **ceints**
dans **cinq** minutes

le ciel était **serein**
le **serin** chantait dans sa cage

le **succin** est un ambre jaune
un traité plutôt **succinct**

une glace sans **tain**
un tissu grand **teint**
un **tin** de chantier naval
du **thym** et du laurier

mener grand **train**
un **train** de marchandise
le **train** d'atterrissage
**trin** a le sens de trinitaire

un espoir **vain**
**vingt** mille lieues
soutirer du **vin**

demander l'**aman** à l'**amman**
l'**amant** et sa maîtresse

l'**amande** est riche en huile
payer une bonne **amende**

le bateau lève l'**ancre**
une tache d'**encre**

une **antre** de bête féroce
**entre** deux portes

l'**autan** est un vent orageux
travaillez **autant** qu'il faudra

le premier dimanche de l'**avent**
l'**avant** du navire
**avant** l'orage

publier les **bans**
fermer le **ban**
mettre au **ban** de la nation
un **banc** de jardin
un **banc** d'huîtres

le **champ** de bataille
le **chant** du cygne

passer **commande**
il avait une abbaye en **commende**

payer **comptant**
il avait l'air **content**

il a perdu une **dent**
il la retrouva **dans** son assiette

une **danse** populaire
un brouillard très **dense**

un **différend** les opposait
un aspect **différent**

en l'**an** mille
le bûcheron fit **han** !

un vieux peintre **flamand**
le **flamant** rose se tenait
   sur une patte

le **flan** est encore au four
à **flanc** de coteau
un tire-au-**flan**
prêter le **flanc** aux critiques

des **gens** heureux
la **gent** ailée
un **jan** de trictrac

le **khan** fit lever le **camp**
**quand** les poules auront des dents
**quant** à moi, je reste

un(e) **manse** était un petit domaine
   féodal
la **mense** abbatiale n'était pas maigre

les **mansions** du théâtre au moyen
   âge
rayer les **mentions** inutiles

une **mante** religieuse
une **menthe** à l'eau

un **marchand** forain
en **marchant** lentement
le prix **marchand**

l'**ordinant** ordonne l'**ordinand**

un **pan** de son manteau
le **paon** faisait la roue

un toit en **pente** douce
un **pante** est un individu quelconque

le **plan** de la localité
un miroir **plan**
un **plant** de tomates

le **radian** est une unité de mesure
l'astronome scrutait le **radiant**
un ciel **radiant**

les membres **résidants**
   de cette société
les **résidents** étrangers

il voulait lire un **roman**
un chapiteau **roman**
le pays **romand**, sur les rives
   du Léman

**sans** doute, **cent** centilitres de **sang**

la (le) **sandre** du Rhin
la **cendre** sous le feu

71

le **tan** sert à préparer le cuir
le **taon** ne pique pas, il mord
**tant** pis ou **tant** mieux
aura-t-on le **temps** ?
le **temps** s'améliore

une vieille **tante** charmante
une **tente** d'indien le **tente**,
   pour Noël

le chirurgien prit le **trépan**
le **trépang** (tripang) est comestible

ce **tramp** ne trouvait plus de fret
la **trempe** de l'acier

le **van** du cheval de course
un **van** en osier
le **vent** se leva brusquement

un **vantail** d'armoire
le **ventail** laisse passer l'air, le vent

le **warrant** est un effet de commerce
le **varan** est carnivore

## 10 [õ]

un **bond** d'un **bon** mètre

le **comté** est un fromage
   de Franche-**Comté**
ses jours étaient **comptés**
le **comté** était en deuil

le **comte** et la comtesse
il a son **compte**, celui-là !
un vrai **conte** de fées

les **compteurs** électriques sont
   relevés régulièrement
un **conteur**-né, ce berger !

le symbole du **coulomb** est C
le **coulon** est l'autre nom du pigeon

**Dom** Pérignon fut **donc** chargé par
   l'abbé d'Hautvillers d'appliquer ses
   **dons** à la fabrication du mousseux,
   ce **dont** la Champagne d'Epernay
   profite depuis.

le **fond** et la forme
une épreuve de ski de **fond**
un **fonds** de commerce
les **fonts** baptismaux

**mon** excursion sur le **Mont**-Blanc

le **rumb** ou **rhumb** est une mesure
   d'angle
le **rhombe** est un losange

## 11 [j]

pas d'ailloli sans **ail**
   (au pluriel : les **ails** ou les aulx)
**aïe** ! cela fait mal

l'hérésie **arienne**
le mythe de la race **aryenne**
   était sans fondement

le **drill** est un grand singe
un joyeux **drille**
forer à la **drille**

le vieux jeu de **mail**
une **maille** qui file
sans sou ni **maille** (avoir **maille**
   à partir)

la grande civilisation **maya**
   en Amérique centrale
un **maïa** est une araignée de mer

un **bit** est une unité d'information
une **bitte** d'amarrage

un **but** inespéré
une **butte**-témoin

le **butoir** arrêta le wagon
passer le **buttoir** dans le champ

un cheval **étique,** d'une extrême
  maigreur
il s'était fixé une **éthique** de vie
  rigoureuse

la **lutte** gréco-romaine
le **luth** est un instrument arabe
le **lut** protège du feu

échec et **mat** !
un teint **mat**, une peau **mate**
le prof de **math**(s)

le **spath** fluor
une **spathe** gauloise

un pied de vigne bien fourni en **talles**
le **thalle** du champignon

au **terme** de sa carrière
les **thermes** gallo-romains
les **termes** du contrat

le **termite** vit en société
l'aluminothermie utilise la **thermite**

**ton** partenaire s'est trompé de **ton**
la pêche au **thon** en Méditerranée

les **trombines** des camarades
la **thrombine** intervient dans la
  coagulation

le symbole du **volt** est V
la **volte** du cheval de cirque

le gaz **ammoniac** ou
  l'**ammoniaque** (m)
dégraisser à l'**ammoniaque** (f)

l'arôme du **basilic**
la nef de la **basilique**

le **brick** est un voilier
de **bric** et de broc
le **bric**-à-brac
une **brique** romaine
un teint **brique**

le **cadran** de l'horloge
le **quadrant** est un quart de cercle

le **cantique** des cantiques
la physique **quantique**

le **car** n'avait pas attendu
il ne viendra pas **car** il est malade
la **carre** du ski
un **quart** de litre

une **carte** maîtresse
la **carte** du ciel
la fièvre **quarte** vient
  par intermitence
l'intervalle do-fa est une **quarte**

le **cartier,** fabricant de cartes à jouer
le premier **quartier** de la lune
le commissariat du **quartier**

un **chèque** barré sans provision
le **cheik** arabe (**scheikh, cheikh**)

un costume du dernier **chic**
mâcher sa **chique**
la **chique** est une variété de puce

au **cœur** des débats
les **chœurs** de l'Opéra

un homme **colérique**
un médicament **cholérique** agit
  sur la bile

le bétail était parqué dans le **corral**
les **chorals** de Bach
la **chorale** de la paroisse

clac ! le volet **claque**
un chapeau **claque**
en avoir sa **claque**
une tête à **claques**

clic ! le coffre est fermé
faire un **click** avec la langue
la **clique** du régiment
prendre ses **cliques** et ses claques
le président et sa **clique**

j'en reste **coi**
**quoi** de neuf chez vous ?

le **coq** du poulailler
le **coke** de la chaufferie
la **coque** du navire
un œuf à la **coque**

crac ! la branche cassa net
ce jockey est un **crack**
le **krach** de 1929 *(crise financière)*
il raconte des **craques**

la **crème** glacée
le saint **chrème**

un **cric** hydraulique
une **crique** abritée du vent

chacun paya son **écot** sans rechigner
les **échos** des couloirs du palais
la montagne renvoie l'**écho**

flac ! le voilà à l'eau
une **flaque** d'eau

le **foc** d'un voilier
un **phoque** plongea sous la glace

le rivage du **lac**
la **laque** est un vernis pour le bois
la **laque** de Chine

les grimaces d'un **maki**
en 1941, il a pris le **maquis**

le **mark** est la monnaie allemande
à vos **marques**... prêts ? partez !
la **marque** avait été effacée

le **pic** noir est un oiseau
à coups de **pic**
le **pic** du Midi
la **pique** du picador

le **picage** sévissait dans le poulailler
un **piquage** à la machine

un **placage** de bois précieux
un **plaquage** au rugby

un attentat au **plastic**
les arts **plastiques**
une carrosserie en **plastique**

plainte contre X pour **racket**
une **raquette** de tennis

le **khi** grec s'écrit χ.
**qui** n'a pas compris ?

solide comme un **roc**
le **rock** des années 60
le petit **roque**, au jeu d'échecs

le **soc** de la charrue
le **socque** et le cothurne *(chaussures)*

elle était d'humeur **taquine**
la **tachine** est une grosse mouche

un **tic** nerveux
la **tique** est un parasite du chien

ce n'est pas du **toc**
une **toque** de fourrure

avoir le **trac**
tout à **trac**
la **traque** du grand gibier

sec comme un coup de **trique**
le **trick** est une levée au bridge

faire du **troc** sur un marché
la **troque** (**troche**) est un coquillage

il a un **truc** ! ce n'est pas possible
la plate-forme du **truc(k)** *(chariot)*

du papier d'**alfa**
l'**alpha** et l'oméga

le **fard** change le teint naturel
le skieur choisit son **fart**
  en fonction de la neige
le **phare** d'Ouessant est puissant

**fi** *(donc)* vous récidivez ?
je faisais **fi** de ses conseils
la lettre grecque **phi** s'écrit $\varphi$

un **filtre** en papier
un **philtre** d'amour

de l'acide **acétique**
une vie **ascétique**

l'**as** de pique
une **asse** est un outil

une **bonace** d'avant tempête
un air **bonasse**

**ça**, c'est vilain
**çà** et là, des arbres abattus
le regret de **sa** vie

**ce** plat **se** mange froid

le maître de **céans**
se dresser sur son **séant**
ce comportement n'est pas **séant**

une salade de **céleri**
la bourrellerie et la **sellerie**

il n'y a plus de vin au **cellier**
le **sellier** travaille le cuir

l'abolition du **cens** électoral
le **sens** unique
le bon **sens**

nul n'est **censé** ignorer la loi
voici un homme **sensé** !

vous avez **certes** raison
la **serte** *(le sertissage)*

**ces** perspectives l'effrayaient
douter de **ses** propres forces

un acte de **cession**
la **session** parlementaire

la baleine est un **cétacé**
un poil **sétacé**

un **cil** s'était glissé sous la paupière
la **scille** ressemble à la jacinthe

le pénitent portait le **cilice**
le quartz est de la **silice** pure

**cinq** hommes
un **scinque** du Sahara

la musique du **cistre** *(genre
  de mandoline)*
le **sistre** était un instrument
  à percussion

un hurlement de **cyon**
un **scion** de peuplier

un docteur **ès** lettres
une **esse** est un crochet en S

perdre la **face**
un écu à **fasce** d'argent

une couche de **glace**
boire un **glass**

faire la **grasse** matinée
la **grâce** présidentielle

l'**intercession** de ses proches
l'**intersession** parlementaire

le **kermès** vit sur un chêne
la **kermesse** du village

**las** ! *(hélas)*
de guerre **lasse**
avoir les jambes **lasses**

un muscle **peaucier**
le **peaussier** fournit le tanneur

mettre un tonneau en **perce**
la religion **perse**

les **pinçons** s'effacent lentement
gai comme un **pinson**

donner un coup de **pouce**
une **pousse** de bambou

mettre les **poucettes** au voleur
*(menottes)*
le bébé est dans sa **poussette**

le **poucier** protège le pouce
un coup de **poussier** dans la mine

la **Cène** du jeudi saint
une vie **saine**
une **scène** de théâtre
un **sen** japonais
traîner une **seine** (ou **senne**)

un **centon** satirique
un **santon** de Provence

une fosse **septique**
une attitude **sceptique**

sol la **si**
**si** la terre s'arrêtait...
faire la **scie**
**six** francs
il ne faut pas **s'y** fier
**sis** à flanc de coteau
celui-**ci**
**ci**-joint une facture

le **sieur** untel
le **scieur** de bois

faire des **siennes**
la chair de la **sciène** est très estimée

il a perdu une **vis**
l'horreur du **vice**
le **vice**-président

# 19   [z]

la **brise** de mer les ramena
le **brise-bise** est un petit rideau
la **brize** est sensible au vent

# 20   [ʃ]

une bonne **cache**
un **cache** de photographe
payer **cash**

une **chape** de brocart
une **chape** de plomb défectueuse
des fils de **schappe** *(déchets de soie)*

les paupières engluées de **chassie**
le **chassis** d'une voiture

le **chat** de la voisine
le **chas** d'une aiguille
en persan, **chah** (**shah**) signifie roi

l'enfant **chéri** du destin
le **cherry** est une liqueur de cerise
le xérès se dit en anglais **sherry**

un **chérif** du désert d'Arabie
un **shérif** de western

l'alchimie précéda la **chimie**
danser le **shimmy**

une **flache** dans le pavé
un **flash** électronique

les nuages partaient en **floches**
un **flush** de carreau gagnant

un argument **capital**
la peine **capitale**
le **capital** souscrit
la **capitale** fédérale

un **col** alpin
le **col** marin
la **colle** forte
passer une **colle**

faire un point **consol**
la **console** de sonorisation

un **étal** de boucher
le vent **étale**
l'**étale** de la marée
la mer était **étale**

cela ne tient qu'à un **fil**
une longue **file** d'attente

le **gal** mesure l'accélération (Galilée)
on dit mauvais comme la **gale**
la noix de **galle** est riche en tanin

le manteau **impérial**
un autobus à **impériale**
une barbe à l'**impériale**

de la **javel** (de l'eau de **Javel**)
des **javelles** mises en gerbes

une sœur **jumelle**
des **jumelles** de spectacle

un **label** de qualité
le **labelle** est un pétale

des grains de **mil**
le **mille** marin
**mille** neuf cent quatre-vingt-sept
taper dans le **mille**

le supplice du **pal**
les **pales** de l'hélice
être **pâle** de peur

un ours en **peluche**
la corvée de **pluches**

la feuille de la capucine est **peltée**
la dernière **pelletée** de terre

un vrai **régal**
l'eau **régale**
le **régale** de l'orgue *(voix humaine)*
la **régale** temporelle

pour rondeau, on disait aussi **rondel**
une **rondelle** de saucisson

se mettre en **selle**
ceux et **celles** qui hésitent encore
un régime sans **sel**

un ressort **spiral**
la **spirale** d'Archimède
grimper en **spirale**

**tel** maître, **telle** classe
ce **tell** intriguait les archéologues

le chef **tribal**
une **triballe** de fer

un **troll** de légende
chasser le cerf à la **trolle**

à **vil** prix
un **vil** suborneur
la vieille **ville**

le **viol** des consciences
un joueur de **viole**

le **vol** à la voile
le **vol** à la tire
réussir la **vole** aux cartes

un produit **volatil**
un **volatile** lourdaud

l'**accord** du piano
la signature de l'**accord**
une côte **accore**
**accort** est synonyme d'habile
la fleur d'un **acore**

un **r** roulé
prendre l'**air**
un **air** connu
l'**aire** de stationnement
l'**ère** tertiaire
l'**erre** du pétrolier
l'**ers** est une plante fourragère
un drap en **haire**
un pauvre **hère**
un **hère** est un jeune cerf

un jardinet d'un **are**
les règles de l'**art**
verser des **arrhes** à la commande
une **hart** est un lien d'osier
saigner un cheval aux **ars**

passer les minerais à l'**avaloire**
l'**avaloir** de l'égout est obstrué

le **bar** est un poisson
le **bar** est une unité de pression
le comptoir du **bar**
de l'or en **barre**
donner un coup de **barre** à gauche
porter des colis sur un **bard**

le **bécard** ou **beccard** est un poisson
le **bécarre** abolit le dièse comme le
    bémol

jeter par-dessus **bord**
le **bore** est un métalloïde
le **bort** est un diamant

le marché du **bourg**
une **bourre** de laine

lancer des **brocards** ironiques
    *(brocarder)*
des rideaux de **brocart**
un jeune chevreuil est un **brocart**

lever un **canard** sauvage
installer un **canar** d'aération

le médecin s'inquiétait
    de son **catarrhe**
la spiritualité **cathare** *(pure)*

avoir la **chair** de poule
la **chaire** de philosophie
faire bonne **chère**
**cher** cousin et **chère** cousine

un cachet de **cire**
un triste **sire**
les **cirr(h)es** du lierre

sonner du **cor**
un **cor** au pied
le **corps** et l'esprit
le **corps** d'armée
à **cor** et à cri

la **cour** du roi
une **cour** des miracles
il lui faisait une **cour** assidue
le **cours** d'histoire
au **cours** du jour
aller par le plus **court** chemin
un **court** de tennis
la chasse à **courre**

le **dard** du scorpion
arriver **dare-dare**

de l'**éclaire** on tirait un collyre
un **éclair** l'aveugla un instant

l'**épart** était mal ajusté
les cheveux **épars**

le **ferment** lactique
**ferrement** *(ferrage ou ferrure)*

la **fureur** de vivre
Hitler était appelé **führer** *(guide)*

une **heure** après, il partit
un **heurt** violent *(heurter)*
il n'avait pas l'**heur** de lui plaire
    *(bonheur, malheur)*

le **jars** est le mâle de l'oie
une grande **jarre** d'huile d'olive
jargonner le **jar(s)**
couper les **jarres** d'une fourrure *(poils droits)*
les bancs de **jard** de la Loire *(sable)*

du **lard** fumé à l'ancienne
vénérer les **lares** domestiques
   (un dieu **lare**)

**leur** patience a des limites
il ne **leur** parlait plus
**leurs** idées ne concordaient plus
ce programme n'est qu'un **leurre**

un poids **lourd**
danser une **loure** paysanne

lire dans le **marc** de café
les canards avaient leur **mare**
« y en a **marre** ! » cria-t-il

son **mari** en était tout **marri** *(fâché)*

un **martyr** est persécuté
souffrir le **martyre**

la ruée vers l'**or**
« **or** » est une conjonction
   de coordination
d'**ores** et déjà
les **hors**-la-loi se sont mis **hors** la loi

un nombre **pair**
travailler au **pair**
une **paire** de jumelles
un bon **père** de famille
Athéna-aux-yeux-**pers**

**par** ailleurs
c'était **par** trop tentant
à **part** entière
un faire-**part** de mariage

réciter un **pater** (noster)
une **patère** comme portemanteau

un **polissoir** de bijoutier
une **polissoire** de coutelier

une côtelette de **porc**
un **pore** obstrué
expédier en **port** dû
rentrer au **port** d'attache

des joues de **poupard**
un **poupart** est un gros crabe

avoir un **rancard** (**rencard**), un
   rendez-vous
bon à mettre au **rancart**

le **record** du monde tomba
le **recors** accompagnait l'huissier

le **serf** regardait le seigneur
chasser le **cerf**
la **serre** tropicale du jardin botanique
les **serres** de l'aigle

le **Serment** du Jeu de Paume
un **serrement** de gorge

la **spore** du champignon
un **sport** d'équipe

vingt litres de **super**
l'ovaire **supère** du lys

ils arrivèrent trop **tard**
il y manquait le poids de la **tare**

le numéro sept **ter**
la **terre** promise

le **tir** à l'arc
une **tire** en mauvais état *(voiture)*
la **tire** du blason
un voleur à la **tire**

l'été fut **torride**
l'astronome observait les **taurides**

une **taure** est une génisse
la **tore** d'une colonne de marbre
un fils **tors**
on n'a pas toujours **tort**

le **tour** de main
les créneaux de la **tour**
le **tourd** est un oiseau, c'est aussi
   le nom d'un poisson

la pantoufle de **vair**
le **ver** de terre
un **verre** de bière
se mettre au **vert**
un drapeau **vert**
un dépôt de **vert**-de-gris
un **vers** de douze pieds, en poésie
marcher **vers** la vérité

le meilleur restaurant du **coin**
de la gelée de **coing**

il gardait la **foi** du charbonnier
son **foie** le faisait souffrir
il était une **fois**

c'est **moi** qui vous le dis
la fin du **mois** sera difficile
la **moye** (**moie**) de la pierre

le **norois** (**noroît**) soufflait
un texte **norois** (**norrois**)

un **poids** insuffisant
le **pois** chiche
enduire de **poix**
**pouah** ! que c'est vilain !

dans le sens du **poil**
les cordons du **poêle**
la **poêle** à frire
le **poêle** (**poële**) à mazout

faire le coup de **poing**
un joli **point** de vue
ne forçons **point** notre talent

ici, cela va de **soi**
un ruban de **soie**
une tonne, **soit** mille kilos
un **soi**-disant amateur d'art
   *(prétendu)*

nous, **toi** et moi
un **toit** d'ardoises

un **tournoi** régional de tennis
le **tournois** était frappé à Tours
   *(monnaie)*

une **voie** à sens unique
il avait une **voix** éraillée

le **watt** est une unité de puissance
on prend de l'**ouate**, ou de la **ouate**
   pour les soins

un acteur chauve, **barbu**
la **barbue** ressemble au turbot

le **boss** avait perdu l'initiative
la **bosse** du dromadaire
une **bosse** de ris

un bain de **boue**
un **bout** de ficelle

chaque cheval avait son **box**
les **boxes** de l'écurie de course
la **boxe** française

du champagne **brut** ou du sec ?
une véritable **brute**, ce type
en poids **brut** ou en poids net ?

maintenir le **cap**
une **cape** de matador
se mettre à la **cape** *(grand-voile)*

**chut**, murmura-t-il
en **chute** libre
les **chutes** du Niagara

être « à la **coule** » signifie être
   au courant
une personne « **cool** », décontractée
à Paris **coule** la Seine

un **coolie** affamé, mais digne
préparer un **coulis** d'écrevisses
le vent **coulis** est traître

le pied fourchu d'un diable **cornu**
la **cornue** sert à distiller

un coureur de **cross**
la **crosse** de l'évêque
à qui cherches-tu des **crosses** ?

on mourait facilement du **croup**
la **croupe** du cheval

un bon **cru** du Bordelais
la **crue** du Nil
la viande **crue**

un vin **du** cru
payer son **dû**
une somme **due**

un **fan** de cinéma
la **fane** du radis ne se mange pas

un **full** aux as
il redoutait la **foule**

on arrêta le cerveau du **gang**
la **gangue** des épaves

les réserves de **gaz** naturel
l'infirmier demandait de la **gaze**

jouer au **golf**
le port se trouve au fond du **golfe**

un **gram** positif ou négatif
   *(en chimie)*
une erreur de quelques **grammes**

un **group** avait disparu du sac postal
le **groupe** de tête ralentit

ne plus trouver d'**issue** honorable
des cousins **issus** de germains

une **joue** enflée
le **joug** de l'occupation

lâcher du **lest**
avoir la main **leste**

un **lob** superbe surprit le gardien
   de but
le **lobe** de l'oreille

1 **lux** = 1 lumen par m²
avec un grand **luxe** de détails
il vivait dans le **luxe**

un **mas** à restaurer
une **masse** de documents

le **mess** des officiers
la grand-**messe**

un tempérament **mou**
faire la **moue**
la chaptalisation du **moût** de raisin

la lettre grecque **mu** s'écrit « $\mu$ »
la **mue** d'un serpent
il était **mû** par un sentiment
   de charité
une **mue** est une petite cage
ce petite chanteur approchait
   de la **mue**

un **mur** délabré
le fruit **mûr** tombe tout seul
de la confiture de **mûres**

**nue** peut signifier nuage ou nuée
la lettre grecque **nu** s'écrie « $\nu$ »
mettre son cœur à **nu**
voir une planète à l'œil **nu**

le **pool** du charbon et de l'acier
une **poule** au riz
au rugby, les meilleures équipes
   de chaque **poule** sont qualifiées

au terme **préfix**, nota le greffier
le **préfixe** s'oppose au suffixe

peu ou **prou**
la **proue** du navire
une figure de **proue**

un **raid** aérien
tomber **raide** mort
une pente très **raide**

**recru** de fatigue, il dormait debout
l'instruction des nouvelles **recrues**
le **recrû** aimait les souches

un appareil **reflex** permet de mieux
   cadrer l'image
c'était un mouvement **réflexe**
il a eu un bon **réflexe**

l'impôt sur le **revenu**
la **revenue** du taillis était plus claire

le **rob** a la consistance du miel
une **robe** de mariée

le **rot** est une maladie de la vigne
la **rote** est un tribunal ecclésiastique
les cordes de la **rote** étaient pincées

la **roue** tourne
préparer d'abord un **roux** blanc
un cheval **roux**

un **ru** est un ruisselet
une **rue** piétonnière
la **rue** est aussi une plante
   à fleurs jaunes

une **soue** était une étable à cochons
une cachette **sous** le plancher
il était complètement **saoul** (**soûl**)
n'avoir pas un **sou** en poche

une **statue** équestre au milieu
  de la place
le **statu** quo n'arrangeait personne
le nouveau **statut** des professeurs

jouer cartes **sur** table
être **sûr** de son affaire
une pomme **sure** *(acide)*

**tram** est l'abréviation de tramway
un tapis usé jusqu'à la **trame**

le premier **venu**
la **venue** du printemps

**vu** les circonstances
une **vue** imprenable

## 27 consonnes muettes / doubles consonnes

l'**adition** en droit romain
l'**addition** est une opération simple

le stade **anal** de la petite enfance
les archivistes consultent les **annales**

l'**arcane** de l'alchimiste
les **arcanes** de la psychanalyse
un trait rouge tracé à l'**arcanne**

la gracilité d'un **atèle** du Brésil
une **attelle** a été posée sur son bras

faire une **balade** dans les Vosges
une **ballade** de douze couplets

une hanche **bote**
une **botte** de paille
des **bottes** d'équitation
pousser une **botte**

on entendit un grand **boum** !
le nouveau **boom** de l'or

le canard et sa **cane**
un pommeau de **canne**
de la **canne** à sucre

les **canuts** de Lyon
le langage **canus** est pittoresque

entrer dans le **coma**
un **comma** sépare sol dièse
  et la bémol

tendre le **cou**
accuser le **coup**
produire à moindre **coût**

une **date** mémorable
un régime de **dattes**

un cornet de **frites**
la **fritte** sert à fabriquer du verre

un **galon** d'argent
un **gallon** d'essence
  *(unité de mesure)*

le chemin de **halage** pour
  les péniches
le **hallage** est un droit payé par
  les marchands

le **mécano** s'affairait sur le moteur
une grande boîte de **meccano**

une **nonne** arriva en retard à **none**
  *(messe)*

une escalope **panée**
**panné** signifie « sans un sou »

les pâtons prennent la forme
  du **paneton**
le **panneton** de la clé agit sur le pêne

le **penon** indiquait des vents variables
un **pennon** de chevalier à lance

être fier comme un **pou** *(jeune coq)*
tâter le **pouls**
les **poux** peuvent transmettre
  le typhus

sale comme un peigne
une **salle** d'attente

la **somation** biologique
  des caractères
faire la troisième **sommation**

un dictionnaire en huit **tomes**
une **tomme** de Savoie

la **tribu** indienne
payer un lourd **tribut**

/

il n'y **a** qu'**à** regarder
**ah** ! l'orthographe…

l'**acné** juvénile

la communauté réduite aux **acquêts**

le pli de l'**aine**

l'**alêne** du sellier
l'**allène** est un hydrocarbure

l'**allaitement** du bébé

**allô** ! qui demandez-vous ?

une population **allogène**

un **amas** de décombres

l'**anche** du saxophone

l'**anse** du panier

un **ara** de la forêt tropicale

l'**arrêt** de l'autobus

l'**aster** a des fleurs en étoiles

elle aimait la robe du cheval **aubère**

l'**auspice** rituel du magistrat
sous de fâcheux **auspices**

l'**auteur** de ce texte

le maître-**autel**

un prunier **enté**
un écu **enté**

h

pousser des ho ! et des **ha** !
**ha**, ha, ha, laissez-moi rire !

la baronne montait une **haquenée**

un **haquet** attelé de mules

un cri de **haine**

courir à perdre **haleine**

le **halètement** des asthmatiques

le **halo** de la pleine lune

une lampe **halogène**

faire la sieste dans un **hamac**

une luxation de la **hanche**

la **hanse** était un modèle d'association

un **haras** de chevaux de course

le chat **haret** craint l'homme

le **hastaire** lança son javelot

le **haubert** était exposé à la rouille

l'**hospice** de vieillards

la **hauteur** d'une falaise

le maître d'**hôtel**

un manoir **hanté**

83

l'**erse** de la poulie
la civilisation **erse**

la **herse** est tirée par le tracteur

on dit l'un **et** l'autre

**hé** oui ! **eh** quoi !

un **être** humain

une forêt de **hêtres**

les fruits rouges de l'**if**

l'**hyphe** des champignons

il vivait sur une **île**

le **hile** du rein était enflammé

un **obi** pourpre du Japon

on ne lui connaissait pas de **hobby**

il répondit **OK** !

avoir le **hoquet**
des crosses et un palet de **hockey**
le **hoquet** de la polyphonie
      médiévale

une **ombre** le suivait
pêcher un **ombre**

ne pas avoir de matador à l'**hombre**

une **ope** dans les murs

**hop** ! c'est le moment

un **os** à moelle

la **hausse** des salaires

**où** aller en **août**, **ou** en septembre ?

**hou** ! vous croyez me faire peur
biner à la **houe** à main
une haie de **houx**

**ouille** ! ouille ! encore vous !

la **houille** blanche

> **ouillère**
une vigne en **ouillière**
> **oullière**

une **houillère** dans le Nord

un complot **ourdi** de longue date

un **hourdis** de fortune sous les toits

**une** vedette à la **une** d'une revue

grimper au mât de **hune**

en solfège, le do se disait **ut**

coucher dans une **hutte** de trappeur

personne dans le refuge ni **alentour**
les **alentours** étaient déserts

l'**appât** du gain
les poissons mordent aux **appâts**
elle croyait ses **appas** irrésistibles

un verre de **fine**
charger le feu de **fines**

une faute **grave**
le **grave** et l'aigu en musique
les **graves** sont des vins de Bordeaux

la **gueule** du loup
le rouge **gueules** de l'écu

une **harde** de daims
les **hardes** du clochard

le **limbe** d'une feuille est sa partie
aplatie
le bord extérieur d'un astre s'appelle
le **limbe**
les **limbes** de la pensée,
un état incertain

la **lunette** arrière d'une voiture
une **lunette** d'approche
des **lunettes** de plongée

attendre la **manne** du ciel
invoquer les **mânes** des ancêtres

une **prémisse** hypothétique en logique
les **prémices** de la vie
(le commencement)

c'est un type **rigolo**
se faire poser des **rigollots**

la **troche** a une forme de toupie
le vigneron attache les **troches**
(sarments)

**aussitôt** que j'aurai une minute, je vous recevrai
je ne vous attendais pas **aussi tôt**

cet auteur se mettra **bientôt** au travail
cet auteur se met **bien tôt** à son ouvrage, avant même le lever du soleil

**plutôt** partir avec un peu de retard, que ne pas partir du tout
ce jour-là, il était parti **plus tôt** que d'habitude

**sitôt** qu'ils eurent marqué un but, ils jouèrent la défense
ils marquèrent **si tôt** que leur public en fut presque déçu

il y a **quelque** deux cents ans *(il y a environ deux cents ans)*
ils étaient **quelque** peu fâchés *(ils étaient assez fachés, pas trop)*
**quel qu'**en soit le motif, **quelle qu'**en soit la raison, le résultat est là
**quelque** méchants que vous paraissent ces individus
mille et **quelques** francs

**quoiqu'**il se fasse tard *(bien que)*
**quoi qu'**elle fasse, il est trop tard

**pourquoi** avez-vous ramassé cette pierre ?
**pour quoi** aviez-vous pris cette pierre ? pour un véritable diamant ?

# les verbes homonymes

A   Les verbes homonymes sont rares. En voici cependant quelques-uns.

**aller** et venir
**hâler** la peau au soleil
(*haler,* dans **haler** une péniche,
   *s'entend avec a antérieur*
   *ou postérieur*)

**aurifier** une dent
**horrifier** et terrifier

la **bailler** belle
**bayer** aux corneilles
**bâiller** d'ennui / **baîller** comme
   une huître (*confusion fréquente*)

**buter** contre un gros caillou
**butter** les carottes
(*au sens d'assassiner ou de viser à,*
   *on peut écrire* **buter** *ou* **butter**)

**caner** devant l'obstacle
**canner** un fauteuil
(*au sens populaire de mourir,*
   *on rencontre* **caner** *et* **canner**)

**chaumer** après la moisson
**chômer** en période de crise

**choper** un rhume
**chopper,** comme achopper, heurter

**compter** les coups
**conter** fleurette

**dégoûter** les convives
**dégoutter** de la voûte

**délacer** les chaussures
**délasser** le public

**desceller** une grille
**desseller** un cheval
(*mais déceler une inexactitude*)

**détoner** avec un bruit inouï
**détonner** dans un décor discret

**enter** un arbre fruitier
**hanter** les mauvais lieux

**épicer** la matelote
**épisser** deux cordages

**exaucer** des prières
**exhausser** une digue

**fréter** un cargo
**fretter** un tube

**goûter** la soupe
**goutter** comme un robinet

**lacer** une chaussure
**lasser** ses admirateurs

**mater** la mutinerie
**mâter** une frégate

**panser** une plaie
**penser** à l'avenir

**pécher** par omission
**pêcher** au harpon

**pauser** sur les finales
**poser** des jalons

**résonner** sourdement
**raisonner** lourdement

**roder** les soupapes
**rôder** dans les parages

**tacher** un pantalon
**tâcher** de le nettoyer

**taler** les pommes
**taller** comme une mauvaise herbe

**sceller** une amitié
**seller** une mule
(*celer une tare, mais attention :*
   *il scelle, il selle, il cèle*)

**teinter** une feuille de papier
**tinter** le glas

**vanter** les mérites
**venter** et pleuvoir

Quelques rares verbes différents s'écrivent, se prononcent de la même manière, et se conjuguent pareillement.

**mater** aux échecs      **ravaler** sa salive
**mater** (*aussi matir*), dépolir      **ravaler** une façade

On peut rencontrer des formes différentes de verbes différents.

**es / est**      **ai / aie / aies / ait / aient**      **hais / hait**

Ces homonymes partiels ou accidentels ne posent guère de problèmes dans la mesure où on peut retrouver l'infinitif par simple transformation et consulter alors le *Bescherelle 1*.

Ex.    ***font*** *mal* (faire mal)
     ***fond*** *au soleil* (fondre)

| | | |
|---|---|---|
| **allaite** (allaiter) | **pare** (parer) | **sucent** (sucer) |
| **halète** (haleter) | **part** (partir) | **sussent** (savoir) |
| **cru** (croire) | **poliçaient** (policer) | **teint** (teindre) |
| **crû** (croître) | **polissaient** (polir) | **tint** (tenir) |
| **dore** (dorer) | **serre** (serrer) | **vainc** (vaincre) |
| **dort** (dormir) | **sert** (servir) | **vint** (venir) |
| **lie** (lier) | | |
| **lit** (lire) | | |

**B**    Certains participes présents ont subi une transformation en devenant noms ou adjectifs.

| Verbe (infinitif) | Participe présent | Nom | Adjectif |
|---|---|---|---|
| adhérer | adhérant | adhérent | |
| affluer | affluant | affluent | |
| différer | différant | différend | différent |
| exceller | excellant | | excellent |
| expédier | expédiant | expédient | |
| précéder | précédant | précédent | précédent |
| présider | présidant | président | |
| somnoler | somnolant | | somnolent |
| violer | violant | | violent |
| communiquer | communiquant | | communicant |
| fabriquer | fabriquant | fabricant | |
| fatiguer | fatiguant | | fatigant |
| suffoquer | suffoquant | | suffocant |
| vaquer | vaquant | | vacant |

**C** Il existe des cas d'homonymie entre un nom et une ou plusieurs formes de verbes conjugués.

Ex. : **piquet** / **piquais** (piquait, piquaient)
**pinson** / **pinçons**

| | | | | |
|---|---|---|---|---|
| boulet | couplet | hochet | piquet | sommet |
| braquet | croquet | jouet | ricochet | tiret |
| briquet | fausset | livret | rivet | tranchet |
| cabriolet | flageolet | maillet | rouet | troquet |
| cornet | fumet | muret | signet | volet |

une **agression** nocturne
nous **agressions**

une gousse d'**ail**
qu'il y **aille**

une **arête** de poisson
le train s'**arrête**

un **avion** à réaction
nous **avions** peur

une **boîte** de carton
ce cheval **boite**

un **site** historique
il le **cite** à tout propos

**dyne** (*unité de force*)
qui dort **dîne**

un **emploi** inespéré
il **emploie** vingt personnes

du **flou** artistique
il **floue** son partenaire

le **four** électrique
il y **fourre** tout

un **glaçon**
nous les **glaçons**

le **loup** est là
elle **loue** une voiture

un **métis** brésilien
il **métisse** des plantes

quelle **mission**
que nous **missions**

une **passion** fatale
nous **passions**

une **noix** de coco
il s'y **noie**

de la **perse** délicate
il **perce** la foule

un **plaid** écossais
il **plaide** coupable

un **pouf** confortable
il **pouffe** de rire

un saut de **puce**
**pusse** (*de* **pouvoir** : *afin que je...*)

le **réveil** sonne
la sonnerie **réveille**

du **savon** noir
nous le **savons**

une **somme**
nous y **sommes**

le **soufre** se sent
on en **souffre**

un(e) **tachine** (*mouche*)
on te **taquine** ?

le **tien**
tiens donc !

le **trafic** intense
est-ce qu'il **trafique** ?

l'économie de **troc**
on **troque** et on rêve

**D** Les difficultés concrètes croissent lorsqu'en face de formes verbales d'un seul verbe, on a déjà tout un groupe de mots homonymes, ou inversement, des formes verbales issues de verbes différents en face d'un mot non verbal. Enfin l'embarras du choix devient extrême lorsque plusieurs formes de divers verbes s'opposent à divers mots et à leurs variantes. Les trois listes suivantes présentent des regroupements de ce genre, mais sans offrir de contexte. Voici cependant trois exemples explicites :

| | |
|---|---|
| mauvais **signe** / **cygne** noir | ils **signent** |
| l'**ais** du relieur | qu'il **ait** ce qu'il demande / il **est** temps de terminer |

| | | |
|---|---|---|
| un bon petit **cru** / la **crue** du Nil / la viande **crue** | on n'en **crut** pas un mot / moi aussi, j'ai **cru** cela / la rivière **crût** encore | (*croire*) (*croître*) |

## Un verbe homonyme

| | | | | | |
|---|---|---|---|---|---|
| atèle / attelle | **attellent** | faîte / fête | **faites** | maître / mètre | **mettre** |
| bah ! / bas / bât | **bat** | face / fasce | **fasse** | mi / mie | **mis** |
| bourg / bourre | **bourrent** | faim / feint / fin | **feins** | maure / mors / mort | **mord** |
| boue / bout | **bous** | fil / file | **filent** | mou / moue / moût | **mouds** |
| sain / saint / sein / seing | **ceint** | for / fors / fort | **fore** | ni / nid | **nie** |
| chaud / chaux / show | **chaut** | frai / frais / fret | **fraye** | noue / nous | **nouent** |
| cou / coup / coût | **couds** | gauss / gosse | **gausse** | haute / hôte | **ôte** |
| crac / crack / craque / krak | **craquent** | lai / laid / lais / lait | **laye** | parti / partie | **partit** |
| étain / éteint | **éteins** | lice / lis / lisse / lys | **lissent** | peine / pêne / penne | **peine** |
| | | | | pain / peint / pin | **peins** |

| | | | | | | |
|---|---|---|---|---|---|---|
| pair<br>paire<br>père<br>pers | **perds** | rauque<br>roc<br>roque | **roquent** | tan<br>tant<br>taon<br>temps | **tend** |
| peu<br>peuh ! | **peut** | roue<br>roux | **rouent** | tic<br>tique | **tiquent** |
| pic<br>pique | **piquent** | sang<br>sans<br>cent | **sent** | taure<br>tors<br>tort | **tord** |
| plaid<br>plaie | **plais** | soi<br>soie | **sois** | vaux<br>veau<br>vos | **vaut** |
| plastic<br>plastique | **plastiquent** | saur<br>sore<br>sort | **sors** | van<br>vent | **vend** |
| pli<br>plie | **plient** | ter<br>terre | **taire** | voie<br>voix | **voit** |

## Deux verbes homonymes

| | | | | |
|---|---|---|---|---|
| croix | **croit** (croire)<br>**croît** (croître) | prix | **prie** (prier)<br>**pris** (prendre) |
| étang | **étend** (étendre)<br>**étant** (être) | pue | **pue** (puer)<br>**put** (pouvoir) |
| fer | **faire** (*infinitif*)<br>**ferre** (ferrer) | teinte | **teintes** (teindre)<br>(teinter)<br>**tinte** (tinter) |

## Deux ou trois verbes homonymes

| | | | | |
|---|---|---|---|---|
| bail<br>baille | **baillent** (bailler)<br>**bâillent** (bâiller)<br>**bayent** (bayer) | mur<br>mûr<br>mûre | **murent** (mouvoir)<br>**murent** (murer) |
| but<br>butte | **butes** (buter)<br>**bûtes** (boire)<br>**buttes** (butter) | par<br>part *(m)*<br>part *(f)* | **pare** (parer)<br>**part** (partir) |
| cerf<br>serre<br>serf | **serre** (serrer)<br>**sert** (servir) | celle<br>sel<br>selle | **cèle** (celer)<br>**scelle** (sceller)<br>**selle** (seller) |
| compte<br>comte<br>conte | **comptent** (compter)<br>**content** (conter) | teint<br>tin<br>thym | **teins** (teindre)<br>**tins** (tenir) |
| fond<br>fonds<br>fonts | **fonds** (fondre)<br>**font** (faire) | vain<br>vin<br>vingt | **vaincs** (vaincre)<br>**vînt** (venir) |
| lut<br>luth<br>lutte | **lutent** (luter)<br>**luttent** (lutter) | vice<br>vis | **visses** (visser)<br>**visses** (voir) |

Le jeu des variations de forme selon le temps, le mode, la personne, le genre et le nombre conduit à des identités orthographiques fortuites, qu'il y ait ou qu'il n'y ait pas parenté de sens.

la vogue du **bois** blanc
je ne **bois** que de l'eau et du lait

est-ce un vrai kilt **écossais**?
j'**écossais** des petits pois

une sauce **prête** à servir
**prête**-moi ce livre!

une **serre** tropicale
ce ceinturon me **serre** trop

de la cendre de **soude**
il **soude** les fils

un bruit **sourd** à la cave
l'eau **sourd** doucement de la paroi

la **souris** et le rat
est-ce que tu **souris** de la fable?

le vol à la **tire**
il se **tire** mal d'affaire

la **voie** était enfin libre
mes lunettes, que je **voie** mieux!

à **tu** et à toi
il s'est **tu**

# Découpage et homophonie

Vous trouverez dans ce chapitre une occasion de recherche et de jeu sur les mots. Avec un peu d'imagination, il est possible d'exploiter certaines ambiguïtés liées au découpage des mots.

Ex. : De sa fenêtre, le notaire observe **les clercs** / **l'éclair**.
Le paysan observe **les pis** / **l'épi** / **les pies**.
Le faussaire reproduit **les toiles** / **l'étoile**.

## A    l'é / les

l'ébène / les bennes
l'écaille / les cailles
l'écar / les cars /
   les quarts / les carres
l'échangeur / les changeurs
l'échanson / les chansons
l'échec / les chèques
l'écheveau / les chevaux
l'échoppe / les chopes
l'éclair / les clercs
l'écluse / les cluses
l'école / les colles
l'écorce / les Corses
l'écran / les crans

l'écrin / les crins
l'écurie / les curies
l'édifice / les dix fils
l'édit / les dits
l'effet / les faits
l'effort / les forts
l'effroi / les froids
l'effusion / les fusions
l'égard / les gares
l'égout / les goûts
l'élan / les lents
l'électeur / les lecteurs
l'élocution / les locutions
l'éloge / les loges

l'élytre / les litres
l'émail / les mailles
l'émérite / les mérites
l'émeute / les meutes
l'émigrant / les migrants
l'émir / les mires / les myrrhes
l'émission / les missions
l'émoi / les mois
l'émotif / les motifs
l'émotion / les motions
l'énorme / les normes
l'épais / les paix
l'épar(t) / les parts
l'épaule / les pôles
l'épeire / les pères
l'épis / les pis
l'épieux / les pieux
l'épique / les piques
l'époux / les poux
l'épreuve / les preuves
l'épure / les pures
l'érable / les rables
l'érection / les rections
l'errant / les rangs
l'eschatologie / les scatologies

l'essai / les saies
l'essaim / les seins /
  les saints / les seings
l'essence / les sens
l'essieu / les cieux
l'essor / les sorts
l'estoc / les stocks
l'étable / les tables
l'étang / les temps / les taons
l'étain / les teints / les tains
l'étalon / les talons
l'étanche / les tanches
l'état / les tas
l'étau / les taux
l'été / les thés
l'éther / les terres
l'éthique / les tics
l'étique / les tiques
l'étoile / les toiles
l'étrenne / les traînes
l'étrille / les trilles
l'étroit / les trois
l'éveil / les veilles
l'évocation / les vocations

*N. B.* — L'ambiguïté n'est jamais totale, en raison du rôle important joué par l'intonation.

# B   l'a / la

l'acerbe / la Serbe
l'affine / la fine
l'airain / les reins
l'aisselle / les selles
l'ajout / la joue
l'alêne / l'haleine / la laine
l'allocataire / la locataire
l'allocation / la location
l'alogique / la logique
l'aloi / la loi
l'amarre / la mare
l'amer / la mer / la mère
l'amie / la mie
l'amine / la mine
l'amman / la manne
l'amûre / la mûre
l'annotation / la notation
l'anormal / la normale

l'apolitique / la politique
l'appareil / la pareille
l'aqueux / la queue
l'arôme / la Rome [o / ɔ]
l'aronde / la ronde
l'arrêt / la raie
l'asocial / la « sociale »
l'Assyrie / la scierie / la Syrie
l'atoll / la tôle [ɔ / o]
l'atome / la tomme [o / ɔ]
l'atone / la tone
l'attente / la tente / la tante
l'attention / la tension
l'attique / la tique
l'avaleur / la valeur
l'avarice / la varice
l'avenue / la venue
l'aversion / la version
l'avisé / la visée

# ÉTYMOLOGIE

# Principales racines grecques et latines

| | | | |
|---|---|---|---|
| **aéro-** | gr. | *air :* | aérodrome, aéronaute |
| **-agogie**<br>**-agogue** | gr. | *guide :* | démagogue, pédagogie |
| **agro-** | lat. | *champ :* | agriculture, agronomie |
| **-algie** | gr. | *douleur :* | névralgie, antalgique |
| **allo-** | gr. | *autre :* | allogène, allomorphe |
| **andro-** | gr. | *homme :* | androgyne |
| **anthropo-** | gr. | *être humain :* | anthropologue, anthropophage |
| **aqu-** | lat. | *eau :* | aquaculture, aqueduc |
| **archéo-** | gr. | *ancien :* | archéologie |
| **-archie**<br>**-arque** | gr. | *commandement :* | anarchie, monarque |
| **arthro-** | gr. | *articulation :* | artrite |
| **astro-** | gr. | *astre :* | astronomie, astronaute |
| **auri-** | lat. | *oreille :* | auriculaire |
| **auto-** | gr. | *lui-même :* | autodestruction |
| **avi-** | lat. | *oiseau :* | avion, aviation |
| | | | |
| **bary-** | gr. | *pression :* | baromètre, barycentre |
| **bio-** | gr. | *vie :* | biologie, antibiotique |
| **biblio-** | gr. | *livre :* | bibliophile, bibliothèque |
| **brachy-** | gr. | *court :* | brachycéphale |
| | | | |
| **calor-** | lat. | *chaleur :* | calorifère, calorique |
| **cardio-** | gr. | *cœur :* | cardiogramme, cardiologue |
| **carni-** | lat. | *chair :* | carnivore |
| **céphal-** | gr. | *tête :* | céphalopode, encéphalite |
| **chiro-** | gr. | *main :* | chiropracteur, chirurgien |
| **chromo-** | gr. | *couleur :* | chromatologie |
| **chrono-** | gr. | *temps :* | chronomètre, chronologie |
| **cinéma-**<br>**cinès**<br>**cinét-** | gr. | *mouvement :* | cinématique, cinétique |
| **col-** | gr. | *bile :* | colère, mélancolie |
| **cosmo-** | gr. | *monde (ordre) :* | cosmopolite, cosmique |
| **-crate**<br>**-cratie** | gr. | *puissance :* | démocratie, phallocrate |
| **crypto-** | gr. | *caché :* | cryptogame, décryptage |
| **cyano-** | gr. | *bleu :* | cyanosé, cyanure |
| **cyclo-** | gr. | *cercle :* | bicyclette, cyclothymique |
| **cyto-** | gr. | *cellule :* | cytoplasme |
| | | | |
| **dactylo-** | gr. | *doigt :* | dactylographier |
| **démo-** | gr. | *peuple :* | démographie, démocratie |
| **-derm(o)**<br>**derme-** | gr. | *peau :* | dermique, épiderme |
| **didact-** | gr. | *enseigner :* | didactique |

| | | |
|---|---|---|
| **digit(o)-** | lat. | *doigt* : digitale |
| **-doxe** | gr. | *opinion* : orthodoxe, paradoxe |
| **-drome** | gr. | *course, champ* : aérodrome, hippodrome |
| **dynamo-** | gr. | *force* : dynamique |
| **-èdre** | gr. | *face* : polyèdre, tétraèdre |
| **épi-** | gr. | *sur* : épicentre, épiderme |
| **équi-** | lat. | *égal* : équilatéral, équivalent |
| **-fère** | lat. | *porter* : téléférique, aurifère |
| **galacto-** | gr. | *lait* : galactorrhée |
| **gastéro-** | gr. | *estomac* : gastéropode, gastrite |
| **-gène** | gr. | *qui engendre* : cancérigène, pathogène |
| **géo-** | gr. | *terre* : géographie, géologie |
| **gluco-** **glyco-** | gr. | *doux (sucré)* : glucide, glycérine |
| **-gone** | gr. | *angle* : pentagone, polygone |
| **-gramme** | gr. | *lettre* : télégramme, épigramme |
| **grapho-** | gr. | *écrire* : graphique, graphologie |
| **gynéco-** **gyno-** | gr. | *femme* : gynécée, gynécologue |
| **hélio-** | gr. | *soleil* : héliothérapie, héliotrope |
| **hémato-** **hémo-** | gr. | *sang* : hématome, hémoglobine |
| **hétéro-** | gr. | *autre* : hétérogène, hétérosexuel |
| **hippo-** | gr. | *cheval* : hippodrome, hippique |
| **holo-** | gr. | *entier* : holocauste (caustique, *brûler*) |
| **homo-** **homéo-** | gr. | *semblable* : homéopathie, homosexuel |
| **homin-** | lat. | *homme* : homicide |
| **horo-** | gr. | *heure* : horoscope |
| **hydro-** | gr. | *eau* : hydravion, hydraulique |
| **hygro-** | gr. | *humide* : hygrométrique |
| **hypno-** | gr. | *sommeil* : hypnose, hypnotique |
| **icono-** | gr. | *image* : icône, iconographie |
| **iso-** | gr. | *égal* : isotherme, isocèle (skelos, *jambe*) |
| **kinési-** | gr. | *mouvement* : kinésithérapeute |
| **lacto-** | lat. | *lait* : lacté, lactique |
| **latéro-** | lat. | *côté* : équilatéral, quadrilatère |
| **leuco-** | gr. | *blanc* : leucémie, leucocyte |
| **litho-** **-lithe** | gr. | *pierre* : lithographie, paléolithique |
| **logo-** **-logue** | gr. | *discours* : monologue, logorrhée |
| **-lyse** | gr. | *dissolution* : analyse, électrolyse |

| | | |
|---|---|---|
| macro- | gr. | *grand* : macrocosme, macrophotographie |
| mam(m)- | lat. | *mamelle* : mammifère, mammaire |
| -manie<br>-mane | gr. | *folie* : mégalomanie |
| méga-<br>mégalo- | gr. | *grand* : mégalithe, mégalomanie |
| mélano- | gr. | *noir* : mélancolie |
| méso- | gr. | *au milieu* : mésopotamie |
| méta- | gr. | *transformer* : métamorphose, métaphore |
| métro-<br>-mètre | gr. | *mesure* : kilomètre, métronome |
| micro- | gr. | *petit* : microphone, microscope |
| -mobile | lat. | *qui se meut* : automobile |
| mono- | gr. | *seul* : monarchie, monoculture |
| morpho- | gr. | *forme* : morphologie, polymorphe |
| multi- | lat. | *nombreux* : multinationale, multicolore |
| myo- | gr. | *muscle* : myocarde, myopathie |
| mytho- | gr. | *légende* : mythologie, mythique |
| naut- | lat. | *matelot* : nautique, cosmonaute |
| nécro- | lat. | *mort* : nécrologie, nécropole |
| néo- | gr. | *nouveau* : néologisme, néophyte |
| neuro- | gr. | *nerf* : neurologue, neurone |
| -nome<br>-nomie | gr. | *loi* : agronome, astronomie |
| nyct- | gr. | *nuit* : nyctalope |
| oléo- | lat. | *huile* : oléagineux, oléoduc |
| oligo- | gr. | *peu nombreux* : oligarchie, oligospermie |
| omni-<br>onom-<br>-onyme | lat. | *tout* : omnivore, omnisport |
| -onyme | gr. | *nom* : homonyme, patronyme, onomatopée |
| -ope | gr. | *œil* : myopie, hypermétropie |
| ophtalmo- | gr. | *œil* : ophtalmie |
| ornitho- | gr. | *oiseau* : ornithologique |
| ortho- | gr. | *droit* : orthographe, orthophonie |
| oto- | gr. | *oreille* : otite, oto-rhino-laryngologiste |
| ovo- | lat. | *œuf* : ovocyte, ovulation |
| oxy- | gr. | *acide* : oxygène, oxydation |
| paléo- | gr. | *ancien* : paléolithique |
| pan- | gr. | *tout* : panorama, panthéon |
| patho- | gr. | *souffrance* : pathologique, sympathie |
| patr(i)- | lat. | *père* : patriarche, patronymique |
| péd- | gr. | *enfant* : pédiatre, pédagogie |
| pédi- | lat. | *pieds* : pédestre, pédicure |
| pédo- | gr. | *enfant* : pédologie, pédophilie |
| pétro- | lat. | *pierre* : pétrochimie, pétrole |
| phago-<br>-phage | gr. | *manger* : anthropophage, phagocyte |
| -phane | gr. | *paraître (briller)* : diaphane |
| phanéro- | gr. | *visible* : phanérogame |

| | | |
|---|---|---|
| philo-<br>-phile | gr. | *qui aime :* francophile, philanthrope |
| -phobe | gr. | *qui craint :* claustrophobe, xénophobie |
| -phone<br>phono- | gr. | *voix, son :* phonétique, téléphone |
| -phore | gr. | *porter :* métaphore |
| photo- | gr. | *lumière :* photocopie, photographie |
| phylo- | gr. | *tribu, espèce :* phylogenèse |
| phyllo- | gr. | *feuille :* chlorophylle, phylloxéra |
| physio- | gr. | *nature :* physiologie, physionomie |
| phyto- | gr. | *plante :* phytoplancton, phytothérapie |
| pisci- | lat. | *poisson :* piscine, pisciculture |
| pneum(o)- | gr. | *souffle poumon :* pneumatique, pneumonie |
| podo- | gr. | *pieds :* podologue |
| poli-<br>-pole | gr. | *ville, cité :* métropole\*, politique |
| poly- | gr. | *plusieurs, nombreux :* polysémie, polygone |
| potam- | gr. | *fleuve :* hippopotame |
| psych(o)- | gr. | *âme, esprit :* psychiatre, psychologue |
| ptéro- | gr. | *aile :* hélicoptère, ptérodactyle |
| pyro- | gr. | *feu :* pyrogravure, pyromane |
| radio- | lat. | *rayon :* radioactivité, radiologie |
| rect(i)- | lat. | *droit :* rectangle, rectiligne |
| rhé(o)- | gr. | *couler :* aménorrhée, logorrhée |
| rhino- | gr. | *nez :* rhinocéros (céros, *corne*), rhinite |
| rhizo- | gr. | *racine :* rhizome |
| -scope | gr. | *examiner :* microscope, télescope |
| séma-<br>sémio- | gr. | *signe :* polysémie, sémiologie |
| télé- | gr. | *au loin :* télépathie, téléphone |
| thalasso- | gr. | *mer :* thalassothérapie |
| théo- | gr. | *dieu :* polythéisme, théologie |
| -thèque | gr. | *rangement :* bibliothèque, phonothèque |
| thérap(eu)- | gr. | *soigner :* psychothérapie, thérapeute |
| -thèse | gr. | *action de poser :* hypothèse, synthèse |
| -tome<br>-tomie | gr. | *action de couper :* anatomie, mammectomie |
| topo- | gr. | *lieu :* topologie, toponyme |
| -trope | gr. | *tourner :* héliotrope |
| -trophie<br>-trophe | gr. | *nourriture :* atrophie, hypertrophie |
| -vore | lat. | *manger :* carnivore, herbivore |
| xéno- | gr. | *étranger :* xénophobe |
| xylo- | gr. | *bois :* xylophage, xylophone |
| zoo- | gr. | *animal :* zoologique |

\* métro-, ici, de mêtêr (grec) : mère.

# Préfixes d'origine savante

| | |
|---|---|
| **a-**<br>**an-** | gr. *privatif :* anormal, analphabète |
| **ab-** | lat. *éloignement :* abstraction |
| **ana-** | gr. *en remontant, par :* analyse, anagramme |
| **anté-** | lat. *avant, devant :* antécédent, antérieur |
| **anti-** | gr. *contre :* antigel, antivol |
| **apo-** | gr. *hors de, à partir :* apothéose, apogée |
| **cata-** | gr. *en bas :* catacombe, catalyse |
| **circon-**<br>**circum-** | lat. *autour de :* circonférence, circonscription |
| **cis-** | lat. *en deçà de :* cisalpin |
| **co-**<br>**com-**<br>**con-** | lat. *avec, achèvement :* comité, compassion |
| **dia-** | gr. *à travers :* diapositive, diachronie |
| **dys-** | gr. *difficulté, trouble :* dyslexie, dystrophie |
| **ecto-** | gr. *en dehors :* ectoplasme |
| **en-** | gr. *dans :* endettement, enraciné |
| **endo-** | gr. *dedans :* endogène, endogamie |
| **épi-** | gr. *sur :* épiderme, épigramme |
| **eu-** | gr. *bien :* euphorie, euthanasie |
| **ex-** | lat. *hors de :* exhumation, expatrié |
| **exo-** | gr. *dehors :* exogamie |
| **extra-** | lat. *au-delà :* extrapolation |
| **hyper-** | gr. *sur, plus :* hypertension, hypertrophie |
| **hypo-** | gr. *sous :* hypothèse, hypoglycémie |
| **in-** | lat. 1. *dans :* inhalation, inhérent<br>2. *négatif :* incurable, indigne |
| **inter-** | lat. *entre :* intermède, intercalaire |
| **intra-**<br>**intro-** | lat. *dedans :* introduction, intraveineux |
| **juxta-** | lat. *à côté de :* juxtaposition |
| **méta-** | gr. *avec, après :* métaphore, métaphysique |
| **para-** | gr. 1. *près :* parapsychologie, paragraphe<br>2. *contre :* parapluie, parasol |
| **péné-** | lat. *presque :* péninsule, pénéplaine |
| **per-** | lat. *par, à travers :* perforateur |

| péri- | gr. *autour* : périphérique, périscope |
|---|---|
| pré- | lat. *devant, avant* : préfixe, préhistoire |
| pro- | lat. *pour* : prolongation, pronom |
| ré- | lat. *répétition, retour* : régression, réitération |
| rétro- | lat. *en arrière* : rétroviseur, rétroactif |
| semi- | lat. *à moitié, demi* : semiconducteur |
| sub- | lat. *sous* : subaquatique, suburbain |
| super- | lat. *sur* : supermarché, supérieur |
| supra- | lat. *au-dessus* : supranational, supraterrestre |
| syn- | gr. *avec* : synchronie, synonyme, sympathie |
| trans- | lat. *au-delà de, à travers* : transmetteur, transatlantique |
| ultra- | lat. *au-delà de* : ultrason, ultraviolet |

# Quantités

| FRANÇAIS | LATIN | GREC |
|---|---|---|
| un | **uni-** (unicellulaire) | **mono-** (monologue) |
| deux | **bi-, bis-** (bicorne) | **di-** (diptère) |
| trois | **tri-** (trinome) | **tri-** (trigonométrie) |
| quatre | **quadri-** (quadrilatère) | **tetra-** (tétraèdre) |
| cinq | **quinqu-** (quinquennal) | **penta-** (pentagone) |
| dix | **déci-** (décimètre) | **déca-** (décathlon) |
| cent | **centi-** (centimètre) | **hecto-** (hectolitre) |
| mille | **mill-** (millimètre) | **kilo-** (kilogramme) |
| dix mille | | **myria-** (myriapode) |
| demi | **semi-** (semiconducteur) | **hémi-** (hémicycle) |

# LES MOTS ET FORMES INVARIABLES

*Le lecteur trouvera ici une liste
de 104 formes invariables classées en 58 familles.*

| N° | Entrées alphabétiques | N° | Entrées alphabétiques |
|----|----------------------|----|----------------------|
| 01 | afin | 28 | depuis - **puis** - puisque |
| 02 | ainsi | 29 | **dès** - dès que |
| 03 | ailleurs | 30 | désormais - jamais - **mais** |
| 04 | alors - dès lors - **lors** - lorsque | 31 | donc |
| 05 | après - auprès - exprès - **près** -presque | 32 | durant |
| 06 | arrière - derrière | 33 | entre |
| 07 | assez | 34 | envers - par devers - (à) travers - **vers** |
| 08 | au-dessous - dessous - **sous** | 35 | environ |
| 09 | au-dessus - dessus - par-dessus - **sus** | 36 | **gré** - malgré |
| 10 | aujourd'hui | 37 | **guère** - naguère |
| 11 | auparavant - **avant** - devant - davantage - dorénavant | 38 | hier |
| 12 | aussi | 39 | hormis |
| 13 | aussitôt - bientôt - plutôt -sitôt - tantôt - **tôt** | 40 | ici |
| 14 | autant - pourtant - **tant** - tant pis | 41 | jadis |
| 15 | autrefois - **fois** - parfois - quelquefois - toutefois | 42 | jusque |
| 16 | avec | 43 | loin |
| 17 | beaucoup | 44 | longtemps |
| 18 | cependant - pendant | 45 | mieux - tant mieux |
| 19 | certes | 46 | **moins** - néanmoins |
| 20 | chez | 47 | parmi |
| 21 | comme - comment | 48 | partout |
| 22 | d'abord | 49 | **plus** - plusieurs |
| 23 | **dans** - dedans | 50 | quand |
| 24 | debout | 51 | quelconque |
| 25 | dehors - **hors** | 52 | sans |
| 26 | déjà | 53 | selon |
| 27 | demain | 54 | surtout |
|  |  | 55 | tandis que |
|  |  | 56 | toujours |
|  |  | 57 | trop |
|  |  | 58 | volontiers |

# LEXIQUE

# a

a . . . . . . . . 29 1.A
à . . . . . . . . 29 1.B
abaisse-langue, *m* 32
abaissement . . . . 2.B
abandon . . . . . . 9.A
abaque, *f* . . . . . 14.B
abat-jour, *m* . . . . 32
abats . . . . . . . 31
abattage . . . . . . 13.B
abattement . . . . 13.B
abattis . . . . . . . 27
abattoir . . . . . . 23.A
abbatial . . . . . . 18.C
abbaye . . . . . . . 12.B
abbé . . . . . . . 3 12.B
abbesse . . . . . . 12.B
abcès . . . . . . . 18.C
abdication . . . . . 25.A
abdomen . . . . . 2.C
abdominal . . . . . 30
abduction . . . . . 25.A
abécédaire, *m* . . . 2.B
abeille . . . . . . . 11.B
aberrant . . . . . . 23.B
aberration . . . . . 23.B
abîme . . . . . . . 4.B
ab intestat . . . . . 32
abject . . . . . . . 21.A
abjection . . . . . 25.A
abjuration . . . . . 25.A
ablatif . . . . . . . 30
ablation . . . . . . 25.A
ablette . . . . . . . 13.B
ablution . . . . . . 25.A
abnégation . . . . 25.A
aboiement . . . . . 26.A
abois, *pl* . . . . . 31
abolition . . . . . . 25.A
abolitionniste . . . 16.B
abominable . . . . 16.A
abomination . . . . 25.A
abondamment . . . 16.B
abondance . . . . 9.A
abonnement . . . . 16.B
abord . . . . . . . 27
abordage . . . . . 21.A

aborigène . . . . . 2.A
abortif . . . . . . . 30
aboutissants . . . 9.B
aboutissement . . 9.B
aboyeur . . . . . . 11.A
abrasif . . . . . . . 30
abrégé . . . . . . . 3.A
abrégement . . . . 3.A
abreuvoir . . . . . 6.A
abréviation . . . . 25.A
abri . . . . . . . . 4.A
abribus . . . . . . . 31
abricot . . . . . . . 5.B
abricotier . . . . . 13.A
abrogation . . . . . 25.A
abrupt . . . . . . . 13.A
abruptement . . . 9.B
abscisse, *f* . . . . 18.C
abscons . . . . . . 31
absence . . . . . . 18.B
absent . . . . . . . 12.C
absentéisme . . . . 29.C
absinthe, *f* . . . . 13.C
absolu . . . . . . . 12.C
absolument . . . . 9.B
absolution . . . . . 25.A
absorption . . . . . 25.A
abstention . . . . . 9.A
abstentionnisme . 16.B
abstinence . . . . . 9.A
abstraction . . . . 25.A
abstrait . . . . . . 30
absurdement . . . 9.B
absurdité . . . . . 3.A
abus . . . . . . . . 27
abusif . . . . . . . 30
abyssin . . . . . . 11.A
acabit . . . . . . . 4.B
acacia . . . . . . . 1.A
académicien . . . 8.A
académie . . . . . 14.A
académique . . . . 14.B
acadien . . . . . . 14.A
acajou, *m* . . . . 14.A
a cappella . . . . . 32
acariâtre . . . . . . 1.B
accablement . . . 14.B
accalmie . . . . . . 14.B
accaparement . . . 14.B
accapareur . . . . 14.B
accastillage . . . . 11.B

accélérateur . . . . 18.C
accélération . . . . 25.A
accent . . . . . . . 9.B
accentuation . . . 25.A
acceptabilité . . . 18.C
acceptation . . . . 25.A
acception . . . . . 25.A
accès . . . . . . . 27
accession . . . . . 25.A
accessit, *m* . . . . 18.B
accessoire . . . . . 26.B
accessoiriste . . . 18.B
accident . . . . . . 9.B
accidentel . . . . . 30
accidentellement . 22.B
acclamation . . . . 14.B
acclimatation . . . 14.B
accointances, *f pl*. . 9.A
accolade, *f* . . . . 14.B
accommodation . . 16.B
accommodement . 16.B
accompagnateur . 30
accompagnement . 10.B
accompli . . . . . . 30
accomplissement . 18.B
accord . . . . . 23 27
accordéon . . . . . 29.C
accordéoniste . . . 29.C
accordeur . . . . . 23.A
accort . . . . . . 23 14.B
accostage . . . . . 14.B
accotement . . . . 14.B
accouchement . . 14.B
accoucheur . . . . 30
accoudoir . . . . . 14.B
accouplement . . . 14.B
accoutrement . . . 14.B
accoutumance . . 9.A
accroc, *m* . . . . . 14.B
accrochage . . . . 14.B
accroche-cœur(s),
*m* . . . . . . . 32
accroissement . . 18.B
accru . . . . . . . . 30
accu . . . . . . . . 14.B
accueil . . . . . . . 7.B
accueillant . . . . . 7.B
acculturation . . . 14.B
accumulateur . . . 14.B
accusateur . . . . 14.B
accusatif . . . . . . 30

accusation . . . . . 14.B
acerbe . . . . . . . 18.A
acéré . . . . . . . . 3.A
acétique . . . . . 18 14.B
acétone, *f* . . . . . 18.A
acétylène, *m* . . . 4.B
achalandé . . . . . 30
acharné . . . . . . 30
acharnement . . . 9.B
achat . . . . . . . . 1.C
acheminement . . 16.A
acheteur . . . . . . 30
achèvement . . . . 2.A
achoppement . . . 12.B
acide . . . . . . . . 18.A
acidité . . . . . . . 3.A
acidulé . . . . . . . 18.A
acier . . . . . . . . 3.B
aciérie . . . . . . . 26.A
acné . . . . . . . 29 3.A
acolyte . . . . . . . 4.B
acompte . . . . . . 10.B
a contrario . . . . . 32
à-côté(s), *m* . . . . 32
à-coup(s), *m* . . . 32
acousticien, . . . 25.E
acoustique . . . . 14.A
acquéreur . . . . . 14.C
acquêt . . . . . . 29 2.B
acquiescement . . 18.C
acquisition . . . . . 25.A
acquit . . . . . . 4 14.C
acquit(s)-à-
    caution, *m* . . . 32
acquittement . . . 13.B
acre, *f* . . . . . . .1* 1.A
âcre . . . . . . . .1* 28.A
acrimonie . . . . . 28.A
acrobate . . . . . . 13.A
acrobatie . . . . . 18.C
acropole, *f* . . . . 22.A
acrylique . . . . . . 4.B
actant . . . . . . . 9.B
acte . . . . . . . . 14.A
acteur . . . . . . . 30
actif . . . . . . . . 30
actinique . . . . . 14.A
action . . . . . . . 25.A
actionnaire . . . . 16.B
activement . . . . 9.B
activité . . . . . . 3.A

actualité . . . . . . 3.A
actuarial . . . . . . 30
actuel . . . . . . . 30
actuellement . . . 22.B
acuité . . . . . . . 14.A
acuponcteur . . . 14.A
acuponcture . . . 26.B
acupuncture . . . 26.B
adage, *m* . . . . . 21.B
adagio . . . . . . . 21.C
adaptateur . . . . . 30
adaptation . . . . . 25.A
additif . . . . . . . 13.B
addition . . . . . 27 13.B
additionnel . . . . 16.B
adducteur . . . . . 13.B
adduction . . . . . 13.B
adepte . . . . . . . 2.C
adéquat . . . . . . 27
adhérence . . . . . 29.A
adhérent . . . . . . 29.A
adhésif . . . . . . . 29.A
adhésion . . . . . . 29.A
adieu . . . . . . . . 6.A
adipeux . . . . . . 6.B
adjacent . . . . . . 9.B
adjectif . . . . . . . 30
adjoint . . . . . . . 24.E
adjonction . . . . . 25.A
adjudant . . . . . . 9.B
adjudication . . . . 25.A
adjuvant . . . . . . 9.B
ad libitum . . . . . 32
administrateur . . 30
administration . . . 25.A
admirablement . . 9.B
admiratif . . . . . . 30
admissibilité . . . . 18.B
admission . . . . . 25.A
admonestation . . 25.A
adolescence . . . . 18.B
adolescent . . . . . 9.B
adoptif . . . . . . . 30
adoption . . . . . . 25.A
adorable . . . . . . 13.A
adorateur . . . . . 30
adoucissement . . 18.B
adoucisseur . . . . 18.B
adrénaline, *f* . . . . 16.A
adresse . . . . . . 18.B
adroit . . . . . . . 24.B

adroitement . . . . 9.B
adulateur . . . . . 30
adulte . . . . . . . 26.C
adultère, *m* . . . . 2.A
adultérin . . . . . . 30
adventif . . . . . . 30
adventiste . . . . . 9.A
adverbial . . . . . . 30
adversaire . . . . . 26.B
adverse . . . . . . 18.A
adversité . . . . . . 3.A
aède, *m* . . . . . . 29.C
aération . . . . . . 25.A
aérien . . . . . . . 30
aérobie . . . . . . . 4.B
aéro-club(s), *m* . . 32
aérodrome . . . . . 29.C
aérodynamique . . 14.B
aérofrein . . . . . . 8.B
aérogare . . . . . . 26.B
aéronaute . . . . . 5.B
aéronaval . . . . . 30
aérophagie . . . . 17.C
aéroport . . . . . . 27
aérosol . . . . . . . 18.A
affable . . . . . . . 17.B
affabulation . . . . 17.B
affaiblissement . . 17.B
affaire . . . . . . . 2.B
affaissement . . . 2.B
affamé . . . . . . . 17.B
affect . . . . . . . . 17.B
affectation . . . . . 25.A
affectif . . . . . . . 30
affection . . . . . . 25.A
affectivité . . . . . 3.A
affectueusement . 6.A
affectueux . . . . . 6.B
afférent . . . . . . 9.B
affermissement . . 17.B
affiche . . . . . . . 17.B
affilié . . . . . . . . 17.B
affine . . . . . . . . 17.B
affinité . . . . . . . 3.A
affirmatif . . . . . . 30
affirmation . . . . . 25.A
affixe, *m* . . . . . . 17.B
affliction . . . . . . 25.A
affluence . . . . . . 9.A
affluent . . . . . . . 9.B
afflux . . . . . . . 27

| | | |
|---|---|---|
| affolement | 17.B | |
| affranchissement | 17.B | |
| affres, *f* | 31 | |
| affrètement | 2.A | |
| affreusement | 17.B | |
| affreux | 6.B | |
| affriolant | 9.B | |
| affront | 10.C | |
| affrontement | 17.B | |
| affût | 17.B | |
| affûtage | 17.B | |
| afghan | 30 | |
| aficionado | 18.A | |
| a fortiori | 32 | |
| africain | 17.A | |
| africanisation | 25.A | |
| afrikaans | 14.C | |
| afro | 5.A | |
| afro-asiatique | 32 | |
| agacement | 15.A | |
| agacerie | 26.A | |
| agape, *f* | 12.A | |
| agate, *f* | 13.A | |
| âge | 1* 1.B | |
| âgé | 1.B | |
| agence | 9.A | |
| agencement | 21.A | |
| agenda, *m* | 1.A | |
| agenouillement | 11.B | |
| agent | 9.B | |
| aggiornamento, *m* | 21.C | |
| agglomérat | 15.C | |
| agglomération | 15.C | |
| aggloméré | 15.C | |
| aggravation | 15.C | |
| agile | 21.A | |
| agilité | 3.A | |
| agio | 5.A | |
| agiotage | 13.A | |
| agissements | 31 | |
| agitateur | 30 | |
| agitation | 25.A | |
| agneau | 5.B | |
| agnelet | 2.B | |
| agnelle | 2.C | |
| agnostique | 14.B | |
| agonie | 26.A | |
| agora, *f* | 1.A | |
| agoraphobie | 17.C | |
| agrafe | 17.A | |
| agrafeuse | 17.A | |

| | | |
|---|---|---|
| agraire | 26.B | |
| agrammatical | 16.B | |
| agrammatisme | 16.B | |
| agrandissement | 15.A | |
| agrandisseur | 15.A | |
| agréable | 29.C | |
| agrégat | 1.C | |
| agrégation | 15.A | |
| agrégé | 3.A | |
| agrément | 9.B | |
| agrès, *m pl.* | 31 | |
| agresseur | 18.B | |
| agressif | 30 | |
| agression | 25.A | |
| agressivité | 18.B | |
| agricole | 22.A | |
| agriculture | 26.B | |
| agrippement | 12.B | |
| agronomie | 16.A | |
| agrumes, *m pl.* | 31 | |
| aguets | 31 | |
| ah ! | 1.C | |
| ahuri | 29.B | |
| ahurissement | 29.B | |
| aide | 2.B | |
| aide-mémoire, *m* | 32 | |
| aïe ! | 11 11.A | |
| aïeul | 29.B | |
| aïeux | 31 | |
| aigle | 2.B | |
| aigre | 2.B | |
| aigrefin | 2.B | |
| aigrelet | 30 | |
| aigrette | 2.C | |
| aigreur | 23.A | |
| aigrissement | 18.B | |
| aigu | 15.A | |
| aiguë | 29.B | |
| aiguière | 2.A | |
| aiguillage | 11.B | |
| aiguille | 11.B | |
| aiguillette | 2.C | |
| aiguilleur | 11.B | |
| aiguillon | 11.B | |
| aïkido | 14.C | |
| ail | 11 11.B | |
| *pl.* ails, aulx | | |
| aile | 2 2.B | |
| ailé | 30 | |
| aileron | 10.A | |
| ailette | 2.C | |

| | | |
|---|---|---|
| ailier | 3.B | |
| ailleurs | 11.B | |
| ailloli | 11.B | |
| aimable | 2.B | |
| aimant | 9.B | |
| aimantation | 25.A | |
| aine | 29 2.B | |
| aîné | 3.A | |
| aînesse | 18.B | |
| ainsi | 8.B | |
| aïoli | 29.B | |
| air | 23 2.B | |
| airain | 8.B | |
| aire | 23 26.B | |
| airelle | 2.C | |
| aisance | 9.A | |
| aise | 2.B | |
| aisément | 2.B | |
| aisselle | 18.B | |
| ajonc | 10.C | |
| ajournement | 21.A | |
| ajout | 27 | |
| ajusteur | 23.A | |
| akinésie | 14.C | |
| akkadien | 14.C | |
| alacrité | 3.A | |
| alaise, *f* | 2.B | |
| alambic | 14.A | |
| alambiqué | 14.B | |
| alanguissement | 18.B | |
| albâtre, *m* | 1.B | |
| albatros, *m* | 31 | |
| albigeois | 21.B | |
| albinos | 31 | |
| album | 16.A | |
| albumine, *f* | 16.A | |
| albumineux | 30 | |
| alcali, *m* | 4.A | |
| alcalin | 30 | |
| alcaloïde, *m* | 29.B | |
| alcazar | 19.A | |
| alchimie | 26.A | |
| alcool | 5.C | |
| alcoolémie | 26.A | |
| alcoolique | 14.B | |
| alco(o)test | 13.A | |
| alcôve, *f* | 5.B | |
| alcyon | 11.A | |
| ale, *f* | 22.A | |
| aléa, *m* | 29.C | |
| aléatoire | 26.B | |

alémanique . . . . 22.A
alène, *f* . . . . 29 2 2.A
alentour . . . . . 31 9.A
alentours . . . . 31 31
aleph . . . . . . . 17.C
alerte . . . . . . . 22.A
alésage . . . . . . 22.A
alèse, *f* . . . . . . 2.A
aléseur . . . . . . 7.A
alevin . . . . . . . 8.A
alexandrin . . . . . 30
alezan . . . . . . . 19.A
alfa . . . . . . 17 1.A
algarade, *f* . . . . 15.A
algèbre, *f* . . . . . 28
algébrique . . . . . 28
algérien . . . . . . 8.A
algérois . . . . . . 30
algie . . . . . . . 26.A
algol . . . . . . . . 22.A
algorithme, *m* . . . 13.C
algue, *f* . . . . . . 15.B
alias . . . . . . . 22.A
alibi, *m* . . . . . . 4.A
aliboron, *m* . . . . 10.A
alicante, *m* . . . . 9.A
aliénabilité . . . . . 3.A
aliénation . . . . . 25.A
aliéné . . . . . . . 3.A
alignement . . . . 22.A
aligoté . . . . . . . 3.A
aliment . . . . . . . 9.B
alimentaire . . . . 26.B
alimentation . . . . 25.A
alinéa, *m* . . . . . 1.A
aliquote, *f* . . . . 14.B
alizé, *m* . . . . . . 19.A
allaitement . . . 29 22.B
allant . . . . . . . 9.B
allée . . . . . . . 3.B
allégation . . . . . 22.B
allège, *f* . . . . . 22.B
allégeance . . . . . 9.A
allégement . . . . 22.B
allégorie . . . . . 26.A
allègre . . . . . . 22.B
allégrement . . . . 22.B
allégresse . . . . . 2.C
allegretto, *adv* . . . 22.B
allegro, *adv.* . . . . 22.B
alléluia . . . . . . 1.A

allemand . . . . . . 22.B
allène, *m* . . . 29 2 22.B
allergie . . . . . . . 26.A
allergologie . . . . 22.B
alliage . . . . . . . 22.B
alliance . . . . . . 9.A
alligator . . . . . . 22.B
allitération . . . . . 25.A
allô ! . . . . . . . 29 5.A
allocataire . . . . . 26.B
allocation . . . . . 25.A
allochtone . . . . . 14.C
allocution . . . . . 22.B
allogène . . . . 29 22. B
allongement . . . . 22.B
allopathie . . . . . 13.C
allumage . . . . . 22.B
allume-feu, *m* . . . 32
allume-gaz, *m* . . . 32
allumette . . . . . 22.B
allumeuse . . . . . 22.B
allure . . . . . . . 26.B
allusif . . . . . . . 30
allusion . . . . . . 19.A
alluvial . . . . . . 30
alluvionnaire . . . . 16.B
alluvionnement . . . 16.B
alluvions, *f* . . . . 31
almanach, *m* . . . 14.C
alma mater, *f* . . . 32
aloès . . . . . . . 2.A
alogique . . . . . . 22.A
aloi . . . . . . . . 24.A
alors . . . . . . . 27
alouette . . . . . . 29.C
alourdissement . . 18.B
aloyau . . . . . . . 11.A
alpaga, *m* . . . . . 1.A
alpage, *m* . . . . . 21.B
alpax, *m* . . . . . . 31
alpha . . . . . . 17 17.C
alphabet, *m* . . . . 2.B
alphabétique . . . 17.C
alphabétisation . . 25.A
alphanumérique . 16.A
alpin . . . . . . . . 30
alpiniste . . . . . . 16.A
alsacien . . . . . . 8.A
altaïque . . . . . . 29.B
altérable . . . . . . 3.A
altération . . . . . 25.A

altercation . . . . . 25.A
alter ego . . . . . . 32
altérité . . . . . . . 3.A
alternance . . . . . 9.A
alternateur . . . . . 2.B
alternatif . . . . . . 30
altesse . . . . . . . 18.B
altier . . . . . . . . 30
altimètre . . . . . . 2.A
altimétrie . . . . . 26.A
altiport . . . . . . . 27
altiste . . . . . . . 13.A
altitude . . . . . . 13.A
alto . . . . . . . . . 5.A
altruisme . . . . . 29.C
aluminium . . . . . 16.A
alun . . . . . . . . 8.A
alunissage . . . . . 22.A
alvéole, *m ou f* . . 29.C
amabilité . . . . . 16.A
amadou . . . . . . 16.A
amalgame, *m* . . . 16.A
aman . . . . . . . . 9.A
amande . . . . . 9 9.A
amanite, *f* . . . . . 13.A
amant . . . . . . 9 9.B
amarante, *f* . . . . 9.A
amaril . . . . . . . 30
amarrage . . . . . 23.B
amarre . . . . . . . 23.B
amas . . . . . . 29 1.C
amateur . . . . . . 23.A
amazone . . . . . 19.A
amazonien . . . . . 8.A
ambages . . . . . . 31
ambassade . . . . 9.B
ambassadeur . . . 9.B
ambassadrice . . . 18.B
ambiance . . . . . 9.B
ambiant . . . . . . 9.B
ambidextre . . . . 9.B
ambigu . . . . . . 30
ambiguïté . . . . . 29.B
ambitieux . . . . . 25.B
ambition . . . . . . 25.A
ambivalence . . . . 9.A
amble, *m* . . . . . 9.B
ambre, *m* . . . . . 9.B
ambroisie, *f* . . . . 26.A
ambulance . . . . . 9.A
ambulancier . . . . 3.B

ambulant . . . . . 9.B
âme . . . . . . . . 1.B
amélioration . . . . 25.A
amen . . . . . . 2 16.A
aménageable . . 21.B
aménagement . . . 16.A
amende . . . . . 9 9.A
amendement . . . 9.A
amène . . . . . . 2 2.A
aménité . . . . . . 3.A
aménorrhée, f . . . 23.C
amenuisement . . 19.A
amer . . . . . . . 2 30
amer, m . . . . . 2 23.A
amèrement . . . . 9.B
américain . . . . . 8.B
américanisation . . 25.A
amerloque . . . . . 14.B
amerrissage . . . . 23.B
amertume, f . . . . 16.A
améthyste, f . . . . 13.C
ameublement . . . 16.A
ami . . . . . . . . 30
amiable . . . . . . 29.C
amiante, m . . . . 9.A
amibe, f . . . . . . 16.A
amibien . . . . . . 8.A
amical . . . . . . . 14.A
amicalement . . . 14.A
amidon . . . . . . 10.A
amidonnage . . . . 16.B
amine, f . . . . . . 16.A
aminé . . . . . . . 3.A
amiral . . . . . . . 16.A
amirauté . . . . . . 5.B
amitié . . . . . . . 3.A
amman . . . . . . 9 9.A
ammoniac . . . . 14 14.A
ammoniaque, f . 14 16.B
ammonite, f . . . . 16.B
ammonium . . . . 16.B
amnésie . . . . . . 26.A
amnésique . . . . . 14.B
amniotique . . . . 14.B
amnistie, f . . . . . 26.A
amoindrissement . 18.B
amoncellement . . 18.A
amont . . . . . . . 10.C
amoral . . . . . . . 16.A
amorçage . . . . . 16.A
amorce, f . . . . . 18.A

amorphe . . . . . . 17.C
amortissement . . 18.B
amortisseur . . . . 18.B
amour . . . . . . . 23.A
amourette . . . . . 2.C
amourettes . . . . 31
amoureux . . . . . 30
amour(s)-
  propre(s), m . . 32
amovible . . . . . . 5.A
ampérage . . . . . 9.B
ampère, m . . . . . 9.B
ampère(s)-
  heure(s), m . . . 32
ampèremètre . . . 9.B
amphétamine, f . . 17.C
amphi . . . . . . . 17.C
amphibie . . . . . 17.C
amphibologie . . . 17.C
amphithéâtre . . . 17.C
amphitryon . . . . 4.B
amphore, f . . . . . 17.C
ample . . . . . . . 9.B
amplement . . . . 9.B
ampleur . . . . . . 9.B
ampli . . . . . . . . 4.A
ampliation . . . . . 25.A
amplificateur . . . 30
amplitude . . . . . 9.B
ampoule . . . . . . 9.B
amputation . . . . 25.A
amulette, f . . . . . 16.A
amure, f . . . . . . 26.B
amuse-gueule, m . 32
amusement . . . . 16.A
amusette . . . . . 16.A
amygdale, f . . . . 4.B
amygdalectomie . 26.A
amylacé . . . . . . 4.B
an . . . . . . . . . 9 9.A
anabolisant . . . . 22.A
anachorète, m . . 14.C
anachronique . . . 14.C
anachronisme . . . 14.C
anacoluthe, f . . . 13.C
anaconda, m . . . 1.A
anaérobie . . . . . 26.A
anagramme, f . . . 16.B
anal . . . . . . . 27 30
analgésie . . . . . 26.A
analogie . . . . . . 26.A

analogue . . . . . 15.B
analphabète . . . . 17.C
analphabétisme . . 17.C
analyse . . . . . . 4.B
analytique . . . . . 4.B
anamnèse, f . . . . 2.A
anamorphose . . . 17.C
ananas, m . . . . . 1.B
anar . . . . . . . . 23.A
anarchie . . . . . . 26.A
anarcho-
  syndicalisme, m 32
anarcho-
  syndicaliste(s) . 32
anathème, m . . . 13.C
anatomie . . . . . 26.A
ancestral . . . . . . 28
ancêtre . . . . . . 28
anche, f . . . . . 29 9.A
anchois . . . . . . 24.B
ancien . . . . . . . 30
anciennement . . . 16.B
ancienneté . . . . 3.A
ancillaire . . . . . . 22.B
ancrage . . . . . . 9.A
ancre . . . . . . . 9 9.A
andain . . . . . . 8 8.B
andalou . . . . . . 30
andante, m . . . . 9.A
andantino . . . . . 9.A
andésite, f . . . . . 9.A
andin . . . . . . . 8 8.A
andorran . . . . . . 23.B
andouille, f . . . . 11.B
andouillette . . . . 2.C
androcéphale . . . 17.C
androgène . . . . . 2.A
androgyne . . . . . 4.B
androïde . . . . . . 29.B
andropause, f . . . 9.A
âne . . . . . . . . 1.B
anéantissement . . 29.C
anecdote, f . . . . 14.A
anecdotique . . . . 26.A
anémie . . . . . . 26.A
anémique . . . . . 14.B
anémomètre . . . 16.A
anémone, f . . . . 16.A
anergie . . . . . . 26.A
ânerie . . . . . . . 1.B
ânesse . . . . . . 2.C

anesthésie . . . . . 13.C
anesthésiste . . . . 13.C
aneth, *m* . . . . . . 13.C
anévrisme, *m* . . . 16.A
anfractuosité . . . 9.A
ange . . . . . . . . 9.A
angélique . . . . . 14.B
angelot . . . . . . 5.B
angélus . . . . . . 9.A
angevin . . . . . . 8.A
angine . . . . . . . 9.A
angiome . . . . . . 9.A
anglais . . . . . . . 27
angle . . . . . . . . 9.A
anglican . . . . . . 30
anglicisme . . . . . 18.A
anglo-arabe(s) . . 32
anglomanie . . . . 26.A
anglo-normand(s) . 32
anglophilie . . . . . 14.C
anglophobie . . . . 14.C
anglo-saxon(s) . . 32
angoisse . . . . . . 18.B
angora, *m* . . . . . 1.A
angström, *m* . . . 6.C
anguille . . . . . . 11.B
anguillère . . . . . 11.B
angulaire . . . . . 26.B
anhydre . . . . . . 29.A
anicroche, *f* . . . . 16.A
aniline, *f* . . . . . 16.A
animal . . . . . . . 31
animalcule, *m* . . . 14.A
animalier . . . . . . 30
animalité . . . . . . 3.A
animateur . . . . . 30
animation . . . . . 25.A
animiste . . . . . . 16.A
animosité . . . . . 16.A
anis . . . . . . . . 16.A
anisette . . . . . . 2.C
ankylose, *f* . . . . 14.C
annales . . . . 27 16.B
annamite . . . . . 16.B
anneau . . . . . . . 16.B
année . . . . . . . 3.B
année(s)-lumière, *f* 32
annelet . . . . . . 16.B
annexe, *f* . . . . . 16.B
annexion . . . . . 25.A
annihilation . . . . 29.B

anniversaire, *m* . . 26.B
annonce . . . . . . 16.B
annonciateur . . . 30
annotation . . . . . 16.B
annuaire . . . . . . 26.B
annuel . . . . . . . 30
annuellement . . . 22.B
annuité . . . . . . 3.A
annulable . . . . . 16.B
annulaire . . . . . 26.B
annulation . . . . . 25.A
anoblissement . . . 16.A
anode, *f* . . . . . . 16.A
anodin . . . . . . . 30
anomalie . . . . . . 26.A
anomie . . . . . . . 26.A
ânon, *m* . . . . . . 1.B
ânonnement . . . 16.B
anonymat . . . . . 1.C
anonyme . . . . . 4.B
anorak . . . . . . . 14.C
anorexie . . . . . . 26.A
anorexique . . . . 14.B
anorganique . . . . 16.A
anormal . . . . . . 16.A
anse, *f* . . . . . . 29 9.A
antagonique . . . . 14.B
antagonisme . . . 9.A
antan . . . . . . . 9.A
antarctique . . . . 14.B
antécambrien . . . 30
antécédent . . . . 9.B
antéchrist, *m* . . . 14.C
antédiluvien . . . . 30
antenne . . . . . . 2.C
antépénultième . . 9.A
antéposition . . . . 9.A
antérieur . . . . . . 23.A
antérieurement . . 9.B
antériorité . . . . . 3.A
anthologie . . . . . 13.C
anthracite, *m* . . . 18.A
anthrax . . . . . . 13.C
anthropocentrique 13.C
anthropoïde . . . . 29.B
anthropologie . . . 13.C
anthropométrie . . 13.C
anthropomorphe . 17.C
anthropophage . . 17.C
anthropopithèque 13.C
antialcoolique . . . 29.C

antiatomique . . . 29.C
antibiotique . . . . 14.B
anticipation . . . . 25.A
anticlinal . . . . . . 30
anticoagulant . . . 29.C
anticonceptionnel 16.B
anticorps . . . . . 27
anticyclone . . . . 4.B
antidérapant . . . 9.B
antidote, *m* . . . . 13.A
antienne, *f* . . . . . 16.B
antigel . . . . . . . 2.C
antigène, *m* . . . . 2.A
antillais . . . . . . 11.B
antilope, *f* . . . . . 12.A
antimoine, *m* . . . 24.A
antinomie . . . . . 26.A
antipathie . . . . . 13.C
antiphrase . . . . . 17.C
antipode, *m* . . . . 12.A
antiquaille, *f* . . . . 11.B
antiquaire . . . . . 14.B
antique . . . . . . 14.B
antiquité . . . . . . 3.A
antirabique . . . . 14.B
antisémite . . . . . 16.A
antiseptique . . . . 18.A
antithèse . . . . . 13.C
antithétique . . . . 13.C
antivol . . . . . . . 22.A
antonomase, *f* . . 9.A
antonymie, *f* . . . 4.B
antre, *m* . . . . . 9 9.A
anus . . . . . . . . 31
anxiété . . . . . . . 3.A
anxieux . . . . . . 30
aoriste, *m* . . . . . 29.C
aorte, *f* . . . . . . 29.C
août . . . . . . . . 29.C
aoûtien . . . . . . 25.E
apache . . . . . . . 12.A
apaisement . . . . 19.A
apanage, *m* . . . . 16.A
aparté . . . . . . . 3.A
apartheid, *m* . . . 13.C
apathie . . . . . . . 13.C
apathique . . . . . 13.C
apatride . . . . . . 12.A
apepsie . . . . . . 12.A
aperçu . . . . . . . 18.A
apéritif . . . . . . . 12.A

aperture, *f* . . . . . 26.B
apesanteur . . . . 12.A
à peu près . . . . . 32
apex . . . . . . . . 31
aphasie . . . . . . 17.C
aphone . . . . . . 17.C
aphorisme, *m* . . . 17.C
aphrodisiaque . . . 17.C
aphte, *m* . . . . . . 17.C
aphteux . . . . . . 6.B
api . . . . . . . . 4.A
apical . . . . . . . 30
apicole . . . . . . . 12.A
apiculture . . . . . 12.A
apitoiement . . . . 26.A
aplanissement . . . 12.A
aplasie . . . . . . . 26.A
aplat . . . . . . . . 1.C
à-plat(s), *m* . . . . 32
aplatissement . . . 12.A
aplomb . . . . . . 10.C
apnée, *f* . . . . . . 3.B
apocalypse, *f* . . . 4.B
apocope, *f* . . . . . 12.A
apocryphe . . . . . 17.C
apocryphes . . . . 31
apodictique . . . . 12.A
apodose, *f* . . . . . 12.A
apogée, *m* . . . . . 3.B
apolitique . . . . . 14.B
apollinien . . . . . 22.B
apologie . . . . . . 26.A
apologue, *m* . . . . 15.B
apophtegme, *m* . . 17.C
apophyse, *f* . . . . 17.C
apoplexie . . . . . 26.A
aporétique . . . . . 23.A
aporie, *f* . . . . . . 23.A
apostasie . . . . . 12.A
apostat . . . . . . 1.C
a posteriori . . . . 32
apostolat . . . . . 1.C
apostolique . . . . 14.B
apostrophe, *f* . . . 17.C
apothéose, *f* . . . . 13.C
apothicaire, *m* . . . 26.B
apôtre . . . . . . . 5.B
apparat . . . . . . 12.B
apparatchik . . . . 14.C
appareil . . . . . . 11.B
appareillage . . . . 11.B

apparemment . . . 1.C
apparence . . . . . 12.B
apparent . . . . . . 9.B
apparentement . . 9.A
appariement . . . . 26.A
appariteur . . . . . 12.B
apparition . . . . . 25.A
appartement . . . 12.B
appartenance . . . 9.A
appas . . . . . 31 31
appât . . . . . 31 1.C
appauvrissement . 12.B
appeau, *m* . . . . . 5.B
appel . . . . . . . . 12.B
appellation . . . . 22.B
appendice, *m* . . . 8.A
appendicite . . . . 8.A
appentis . . . . . . 4.B
appesantissement 9.A
appétence . . . . . 9.A
appétissant . . . . 12.B
appétit . . . . . . . 12.B
applaudissement . 12.B
application · . . . . 25.A
applique . . . . . . 14.B
appoggiature . . . 21.C
appoint . . . . . . 24.E
appointements . . 31
appontement . . . 12.B
apport . . . . . . . 27
apposition . . . . . 25.A
appréciable . . . . 18.A
appréciation . . . . 18.A
appréhension . . . 25.A
apprenti . . . . . . 4.A
apprentissage . . . 12.B
apprêt . . . . . . 2 2.B
apprivoisement . . 12.B
approbateur . . . . 30
approbatif . . . . . 30
approbation . . . . 25.A
approche . . . . . 12.B
approfondissement 12.B
appropriation . . . 25.A
approvisionnement 16.B
approximation . . 25.A
approximativement 12.A
appui . . . . . . . . 4.A
appui(s)-bras, *m* . 32
appuie-tête, *m* . . 32
âpre . . . . . . . . 1.B

après . . . . . . . 2 27
après-demain . . . 32
après-dîner(s) . . . 32
après-guerre(s) . . 32
après-midi, *m ou f* 32
après-ski, *m* . . . . 32
âpreté . . . . . . . 3.A
a priori . . . . . . . 32
aprioriste . . . . . 32
à-propos, *m* . . . . 32
apte . . . . . . . . 26.A
aptitude . . . . . . 13.A
apurement . . . . . 12.A
aquafortiste . . . . 14.B
aquaplaning . . . . 14.B
aquarelle . . . . . . 14.B
aquarium, *m* . . . 16.A
aquatique . . . . . 14.B
aquavit, *m* . . . . . 14.B
aqueduc, *m* . . . . 14.A
aqueux . . . . . . . 30
aquicole . . . . . . 22.A
aquiculture . . . . 14.B
aquifère . . . . . . 17.A
aquilin . . . . . . 8 8.A
aquilon . . . . . . . 22.A
aquitain . . . . . . 8.B
ara . . . . . . . . 29 1.A
arabesque, *f* . . . . 14.B
arabique . . . . . . 14.B
arabisant . . . . . 9.B
arable . . . . . . . 26.C
arabophone . . . . 17.C
arachide, *f* . . . . . 20.A
arachnéen . . . . . 14.C
araignée . . . . . . 3.B
araire, *m* . . . . . . 26.B
araméen . . . . . . 8.A
arasement . . . . . 19.A
aratoire . . . . . . 26.B
arbalète, *f* . . . . . 2.A
arbalétrier . . . . . 3.B
arbitraire . . . . . . 26.A
arbitre . . . . . . . 26.C
arborescence . . . 18.C
arboricole . . . . . 12.A
arboriculture . . . 26.B
arbre . . . . . . . . 26.B
arbrisseau . . . . . 18.B
arbuste . . . . . . 26.A
arc . . . . . . . . . 14.A

| | | |
|---|---|---|
| arcade | 14.A | |
| arcane, *m* | 27 | 16.A |
| arc(s)-boutant(s), *m* | | 32 |
| arceau | 5.B | |
| archaïque | 14.C | |
| archaïsme | 29.B | |
| archange | 14.C | |
| arche | 20.A | |
| archéologie | 14.C | |
| archer | 2* | 3.B |
| archet | 2* | 2.B |
| archétype, *m* | 4.B | |
| archevêché | 3.A | |
| archevêque | 2.A | |
| archiduc | 14.A | |
| archiépiscopal | 29.C | |
| archimandrite | 9.A | |
| archipel, *m* | 22.A | |
| architecte | 14.A | |
| architectonique | 13.A | |
| architectural | 30 | |
| architecture | 26.B | |
| archives, *f pl.* | 31 | |
| arçon | 18.A | |
| arctique | 14.B | |
| ardéchois | 24.B | |
| ardemment | 1.C | |
| ardennais | 16.B | |
| ardent | 9.B | |
| ardeur | 23.A | |
| ardoise | 19.A | |
| ardoisier | 30 | |
| ardu | 30 | |
| are, *m* | 23 | 26.B |
| arène | 2.A | |
| aréopage, *m* | 29.C | |
| arête | 2.A | |
| argent | 9.B | |
| argenterie | 26.A | |
| argentin | 30 | |
| argile, *f* | 22.A | |
| argileux | 30 | |
| argon | 10.A | |
| argonaute | 16.A | |
| argot | 5.A | |
| argotique | 13.A | |
| argousin | 19.A | |
| argument | 9.B | |
| argumentation | 25.A | |
| argus | 31 | |
| argutie | 18.C | |
| aria, *m* | 1.A | |
| aria, *f* | 1.A | |
| aridité | 3.A | |
| ariégeois | 21.B | |
| arien | 11 | 30 |
| arioso | 5.A | |
| aristocratie | 18.C | |
| aristotélicien | 25.E | |
| arithmétique | 13.C | |
| arlequin | 8.A | |
| arlésien | 30 | |
| armada, *f* | 1.A | |
| armagnac | 14.A | |
| armateur | 23.A | |
| armature | 26.B | |
| arme | 26.A | |
| armée | 3.B | |
| armement | 9.B | |
| arménien | 8.A | |
| armistice, *m* | 18.B | |
| armoire | 26.B | |
| armoiries | 31 | |
| armoricain | 14.A | |
| armure | 26.B | |
| arnaque, *f* | 14.B | |
| arnica, *m ou f* | 1.A | |
| aromate, *m* | 13.A | |
| aromatique | 14.B | |
| arôme | 5* | 5.B |
| aronde | 10.A | |
| arpège, *m* | 2.A | |
| arpent | 9.B | |
| arpenteur | 23.A | |
| arquebuse | 14.B | |
| arrachage | 23.B | |
| arrache-clou(s), *m* | | 32 |
| arrachement | 23.B | |
| arrache-pied (d') | 32 | |
| arraisonnement | 23.B | |
| arrangement | 23.B | |
| arrestation | 28 | |
| arrêt | 29 | 2.B |
| arrêté | 23.B | |
| arrhes, *f pl.* | 23 | 23.C |
| arrière | 26.B | |
| arrière-ban(s) | 32 | |
| arrière-bouche(s) | 32 | |
| arrière-boutique(s) | 32 | |
| arrière-cerveau(x) | 32 | |
| arrière-cour(s) | 32 | |
| arrière-garde(s), *f* | 32 | |
| arrière-pays, *m* | 32 | |
| arrière-pensée(s), *f* | 32 | |
| arrière-petits-enfants, *m pl* | 32 | |
| arrière-plan(s), *m* | 32 | |
| arrière-saison(s) | 32 | |
| arrière-salle(s), *f* | 32 | |
| arrière-train(s), *m* | 32 | |
| arriéré | 23.B | |
| arrimage | 23.B | |
| arrivage | 23.B | |
| arrivant | 9.B | |
| arrivée | 3.B | |
| arrogant | 9.B | |
| arrondi | 23.B | |
| arrondissement | 23.B | |
| arrosage | 23.B | |
| arrosoir | 23.A | |
| ars | 23 | 27 |
| arsenal | 31 | |
| arsenic | 14.A | |
| arsouille | 11.B | |
| art | 23 | 27 |
| artefact | 13.A | |
| artère | 28 | |
| artériel | 28 | |
| artériographie | 17.C | |
| artériosclérose | 13.A | |
| artésien | 30 | |
| arthrite, *f* | 13.C | |
| arthrose, *f* | 13.C | |
| artichaut | 5.B | |
| article | 26.C | |
| articulaire | 26.B | |
| articulation | 25.A | |
| articulatoire | 26.B | |
| articulet | 2.B | |
| artifice | 18.A | |
| artificiel | 25.C | |
| artificieux | 25.B | |
| artillerie | 11.B | |
| artilleur | 11.B | |
| artimon | 10.A | |
| artisan | 9.A | |
| artisanat | 1.C | |
| artiste | 26.A | |
| arum, *m* [ɔm] | 5* | 16.A |
| aryen | 11 | 8.A |
| arythmie | 4.B | |
| as | 18 | 31 |

ascaris, *m* . . . . . 31
ascendance . . . . 18.C
ascendant . . . . . 9.B
ascenseur . . . . . 18.C
ascension . . *m* . . 25.A
ascensionnel . . . 16.B
ascèse, *f* . . . . . . 18.C
ascète . . . . . . . 18.C
ascétique . . . . 18 18.C
asepsie . . . . . . . 18.A
aseptique . . . . . . 18.A
asexué . . . . . . . 18.A
ashkénaze . . . . . 20.B
asiatique . . . . . . 19.A
asile, *m* . . . . . . 22.A
asocial . . . . . . . 18.A
asparagus, *m* . . . 31
aspect . . . . . . . 27
asperge . . . . . . 21.A
aspérité . . . . . . 3.A
aspersion . . . . . 25.A
asphalte, *m* . . . . 17.C
asphyxie . . . . . . 17.C
aspic, *m* . . . . . . 14.A
aspiration . . . . . 25.A
aspirine, *f* . . . . . 16.A
assainissement . . 18.B
assaisonnement . . 18.B
assassin . . . . . . 18.B
assassinat . . . . . 18.B
assaut . . . . . . . 5.B
assèchement . . . 18.B
assemblage . . . . 9.B
assemblée . . . . . 3.B
assentiment . . . . 18.B
assermenté . . . . 18.B
assertion . . . . . . 25.A
asservissement . . 18.B
assesseur . . . . . 18.B
assez . . . . . . . . 3.C
assidu . . . . . . . 30
assiduité . . . . . . 3.A
assidûment . . . . 18.B
assiégeant . . . . . 21.B
assiette . . . . . . 13.B
assiettée . . . . . . 3.B
assignat . . . . . . 1.C
assignation . . . . 25.A
assimilation . . . . 25.A
assises, *f* . . . . . 31
assistanat . . . . . 1.C

assistance . . . . . 18.B
assistant . . . . . . 9.B
association . . . . 25.A
associé . . . . . . . 18.B
assolement . . . . 18.B
assombrissement . 10.B
assommoir . . . . 16.B
assomption . . . . 10.B
assonance . . . . . 9.A
assortiment . . . . 18.B
assoupissement . . 18.B
assouplissement . 18.B
assouvissement . . 18.B
assurance . . . . . 9.A
assurément . . . . 18.B
assureur . . . . . . 23.A
assyrien . . . . . . 4.B
aster, *m* . . . . . 29 23.A
astérisque, *m* . . . 14.B
astéroïde, *m* . . . . 29.B
asthénie . . . . . . 13.C
asthme, *m* . . . . . 13.C
asticot . . . . . . . 5.B
astigmate . . . . . 13.A
astiquage . . . . . 14.B
astragale, *m* . . . . 22.A
astrakan, *m* . . . . 14.C
astre, *m* . . . . . . 26.A
astreinte . . . . . . 8.B
astringent . . . . . 9.B
astrolabe, *m* . . . . 22.A
astrologie . . . . . 26.A
astronaute . . . . . 5.B
astronomie . . . . 5.A
astrophysique, *f* . 17.C
astuce, *f* . . . . . . 18.B
astucieux . . . . . 25.B
asymétrie . . . . . 4.B
asymétrique . . . . 4.B
asymptote, *f* . . . 8.C
atavisme . . . . . . 13.A
atèle, *m* . . . . . 27 13.A
atelier . . . . . . . 3.B
atemporel . . . . . 30
atermoiement . . . 26.A
athée . . . . . . . . 13.C
athéisme . . . . . . 13.C
athénée, *m* . . . . 3.B
athénien . . . . . . 30
athlète . . . . . . . 13.C
athlétique . . . . . 14.B

atlante, *m* . . . . . 9.A
atlas . . . . . . . . 31
atmosphère, *f* . . . 17.C
atmosphérique . . 17.C
atoll, *m* . . . . . . 22.B
atome . . . . . . . 5.A
atome(s)-
    gramme(s), *m* . 32
atomique . . . . . 14.B
atomiseur . . . . . 23.A
atonal . . . . . . . 31
atone . . . . . . . 16.A
atonie . . . . . . . 26.A
atours . . . . . . . 31
atout . . . . . . . . 27
âtre, *m* . . . . . . . 1.B
atrium, *m* . . . . . 16.A
atroce . . . . . . . 18.B
atrocement . . . . 18.A
atrocité . . . . . . 18.A
atrophie . . . . . . 17.C
atropine . . . . . . 12.A
attachant . . . . . 13.B
attaché . . . . . . 13.B
attaché(s)-case(s),
    *m* . . . . . . . 32
attachement . . . 13.B
attaque . . . . . . 13.B
atteint . . . . . . . 8.B
atteinte . . . . . . 13.B
attelage . . . . . . 13.B
attelle, *f* . . . . . 27 22.B
attenant . . . . . . 13.B
attendrissement . 13.B
attendu . . . . . . 30
attentat . . . . . . 1.C
attente . . . . . . . 9.A
attentif . . . . . . . 30
attention . . . . . . 25.A
attentionné . . . . 16.B
atténuation . . . . 25.A
atténué . . . . . . 13.B
atterrissage . . . . 18.B
attestation . . . . 25.A
attique . . . . . . . 13.B
attirail . . . . . . . 11.B
attirance . . . . . . 9.A
attitré . . . . . . . 13.B
attitude . . . . . . 13.B
attorney . . . . . . 2.C
attouchement . . . 13.B

attractif . . . . . . 30
attraction . . . . . 25.A
attrait . . . . . . . 27
attrape . . . . . . . 13.B
attrape-mouche(s),
   *m* . . . . . . . . . 32
attrape-nigaud(s),
   *m* . . . . . . . . . 32
attrayant . . . . . . 11.A
attribut . . . . . . . 27
attributif . . . . . . 30
attribution . . . . . 25.A
attroupement . . . 13.B
atypique . . . . . . 4.B
au, *pl.* aux . . . . . 5.B
aubade . . . . . . . 5.B
aubaine . . . . . . . 2.B
aube . . . . . . . . . 5.B
aubépine . . . . . 5.B
auberge . . . . . . . 5.B
aubergine, *f* . . . . 5.B
aubier . . . . . . . . 3.B
aucun . . . . . . . 8.A
aucunement . . . . 5.B
audace . . . . . . . 18.B
audacieux . . . . . 25.B
au-deçà . . . . . . 32
au-dedans . . . . . 32
au-dehors . . . . . 32
au-dessous . . . . 32
au-dessus . . . . . 32
au-devant . . . . . 32
audible . . . . . . . 26.C
audience . . . . . . 9.A
audiovisuel . . . . 30
auditeur . . . . . . 30
auditif . . . . . . . 30
audition . . . . . . 25.A
auditoire . . . . . . 26.B
auge . . . . . . . . 5.B
augmentation . . . 25.A
augure, *m* . . . . . 5.B
augustin . . . . . . 30
augustinien . . . . 30
aujourd'hui . . . . 29.A
au(l)ne, *m* . . . . . 5.B
aulx, *pl* . . . . . . 5 31
aumône . . . . . . 5.B
aumônier . . . . . . 5.B
aune, *f* . . . . . . . 5.B
auparavant . . . . 9.B

auprès . . . . . . . 27
auquel, *pl.* auxquels 14.B
aura, *f* . . . . . . . 1.A
auréole, *f* . . . . . 29.C
auriculaire . . . . . 26.B
auricule, *f* . . . . . 22.A
aurifère . . . . . . 17.A
aurignacien . . . . 25.E
aurochs . . . . . . 14.C
aurore, *f* . . . . . . 5.B
auscultation . . . . 25.A
auspice, *m* . . . 29 18.B
aussi . . . . . . . . 18.B
aussitôt . . . . . 33 5.B
austère . . . . . . . 2.A
austérité . . . . . . 3.A
austral . . . . . . . 30
   *pl. aussi* austraux
australien . . . . . 30
australopithèque . 14.B
autan, *m* . . . . . 9 9.A
autant . . . . . . 9 9.B
autarcie . . . . . . 26.A
autel . . . . . . 29 22.A
auteur . . . . . 29 5.B
authenticité . . . . 13.C
authentique . . . . 13.C
authentiquement . 13.C
autisme . . . . . . 13.A
auto-accusation(s) 32
auto-allumage, *m*
   *sg.* . . . . . . . . . 32
autobiographie . . 17.C
autobus . . . . . . 31
autocar . . . . . . 23.A
autochtone . . . . 14.C
autoclave . . . . . 26.A
autocollant . . . . 22.B
autocratie . . . . . 18.C
autocritique . . . . 14.B
autodafé, *m* . . . . 3.A
autodestruction . . 25.A
autodétermination 25.A
auto-école(s), *f* . . 32
autogestion . . . . 21.A
autographe, *m* . . 17.C
autolyse, *f* . . . . . 4.B
auto-marché(s), *m* 32
automate, *m* . . . 26.A
automatique . . . 14.B
automatisation . . 25.A

automnal . . . . . 16.C
automne . . . . . . 16.C
autonettoyant . . . 16.B
autonome . . . . . 16.A
autonomie . . . . . 26.A
autopompe, *f* . . . 10.B
autoportrait . . . . 27
autopsie . . . . . . 18.A
autoradio, *m* . . . 5.B
autorail . . . . . . 11.B
autorisation . . . . 25.A
autoritaire . . . . . 26.B
autorité . . . . . . 2.A
autoroute, *f* . . . . 5.B
autoroutier . . . . 30
autosatisfaction . . 25.A
autos-couchettes,
   *adj* . . . . . . . . 32
auto-stop, *m* . . . 32
auto-stoppeur(s) . 32
autosuggestion . . 21.C
autour . . . . . . . 23.A
autre . . . . . . . . 5.B
autrefois . . . . . . 24.B
autrement . . . . . 9.B
autrichien . . . . . 30
autruche . . . . . . 20.A
autrui . . . . . . . . 4.A
auvent, *m* . . . . . 9.B
auvergnat . . . . . 1.C
auxiliaire . . . . . . 26.B
auxiliariat . . . . . 1.C
aval . . . . . . . . . 22.A
avalanche . . . . . 9.A
avaleur . . . . . . . 30
à-valoir, *m* . . . . 23 32
avance . . . . . . . 9.A
avancée . . . . . . 3.B
avancement . . . . 9.B
avanie . . . . . . . 26.A
avant . . . . . . . 9 9.B
avantage . . . . . 9.A
avantageux . . . . 6.B
avant-bras . . . . . 32
avant-centre(s), *m* 32
avant-coureur(s) . 32
avant-dernier(s) . . 32
avant-garde(s), *f* . 32
avant-gardiste(s),
   *m* . . . . . . . . 32
avant-hier . . . . . 32

avant-port(s), *m* . 32
avant-poste(s), *m* . 32
avant-première(s),
*f* . . . . . . . . . . 32
avant-projet(s), *m* 32
avant-propos . . . 32
avant-scène(s), *f* . 32
avant-toit(s), *m* . . 32
avant-train(s), *m* . 32
avant-veille(s), *f* . . 32
avare . . . . . . . . 26.B
avarice . . . . . . . 18.B
avaricieux . . . . . 6.B
avarie . . . . . . . . 26.A
avatar, *m* . . . . . 23.A
à vau-l'eau . . . . . 32
avec . . . . . . . . . 14.A
aven, *m* . . . . . . 16.A
avenant . . . . . . . 9.B
avènement . . . . 9.B
avenir . . . . . . . . 23.A
avent . . . . . . . 9 9.B
aventure . . . . . . 26.B
aventureux . . . . 6.B
aventurier . . . . . 3.B
avenue . . . . . . . 26.A
averse . . . . . . . 2.C
aversion . . . . . . 25.A
avertissement . . . 18.B
aveu . . . . . . . . . 6.A
aveuglement . . . 9.B
aveuglément . . . 9.B
aveuglette . . . . . 13.B
aviateur . . . . . . 30
aviation . . . . . . 25.A
avicole . . . . . . . 22.A
aviculture . . . . . 26.B
avidité . . . . . . . 3.A
avion . . . . . . . . 10.A
aviron . . . . . . . 10.A
avis . . . . . . . . . 4.B
avisé . . . . . . . . 3.A
avitaminose . . . . 19.A
avocat . . . . . . . 1.C
avocate . . . . . . 13.A
avocatier . . . . . 3.B
avoine, *f* . . . . . 24.A
avoir . . . . . . . . 23.A
avortement . . . . 9.B
avorton . . . . . . 10.A
avouable . . . . . . 29.C

avoué . . . . . . . 29.C
avril . . . . . . . . 22.A
avunculaire . . . . 26.A
axe, *m* . . . . . . 26.A
axial . . . . . . . . 30
axiologie . . . . . 26.A
axiomatique . . . 14.B
axiome, *m* . . . . 5.A
axis, *m* . . . . . . 18.A
ayant(s)-cause . . 32
ayant(s)-droit . . 32
ayatollah . . . . . 11.A
azalée, *f* . . . . . 19.A
azimut, *m* . . . . 19.A
azote, *m* . . . . . 19.A
aztèque . . . . . . 19.A
azur, *m* . . . . . . 19.A
azuréen . . . . . . 8.A
azyme, *m* . . . . 4.B

# b

baba, *m* . . . . . . 1.A
baba, *f* . . . . . . 1.A
babil . . . . . . . . 22.A
babillage . . . . . 11.B
babines . . . . . . 31
babiole . . . . . . 5.A
bâbord . . . . . . 27
babouche, *f* . . . 20.A
babouin . . . . . . 24.B
baby . . . . . . . . 4.B
  *pl.* babys, *aussi*
  babies . . . . . . 31
babylonien . . . . 4.B
bac . . . . . . . . . 14.B
baccalauréat . . . 14.B
baccara . . . . . . 1 14.B
baccarat . . . . . 1 1.C
bacchanale . . . . 14.C
bac(ch)ante . . . . 14.C
bâchage . . . . . . 1.B
bâche . . . . . . . 1.B
bachelier . . . . . 30
bachi-bouzouk(s),
  *m* . . . . . . . 32

bachique . . . . . 14.B
bachot . . . . . . . 5.A
bachotage . . . . 21.A
bacillaire . . . . . 26.B
bacille . . . . . . . 22.B
bacillose . . . . . 22.B
bâclage . . . . . . 1.B
bacon . . . . . . . 1.A
bactéricide . . . . 18.A
bactérie . . . . . . 26.A
badaud . . . . . . 5.B
baderne, *f* . . . . 2.C
badge, *m* . . . . 21.A
badigeon . . . . . 21.B
badigeonnage . . . 21.B
badin . . . . . . . 30
badine . . . . . . . 16.A
badinerie . . . . . 26.A
badminton . . . . 16.A
baffe . . . . . . . . 17.B
baffle, *m* . . . . . 17.B
bafouillage . . . . 11.B
bâfreur . . . . . . 30
bagad . . . . . . . 13.A
bagage . . . . . . . 15.A
bagarre . . . . . . 23.B
bagarreur . . . . . 23.B
bagatelle . . . . . 2.C
bagnard . . . . . . 23.C
bagnole . . . . . . 22.A
bagou(t) . . . . . 15.A
baguage . . . . . 15.B
bague . . . . . . . 15.B
baguette . . . . . 13.B
bah ! . . . . . . . 1 1.C
bahut . . . . . . . 29.B
bai . . . . . . . . 2* 30
baie . . . . . . . 2* 26.A
baignade . . . . . 2.B
baigneur . . . . . 30
baignoire . . . . . 26.B
bail . . . . . . . . 11.B
bâillement . . . . 11.B
bailleur . . . . . . 11.B
bâilleur . . . . . . 1.B
bailli . . . . . . . 11.B
bailliage . . . . . 11.B
bâillon . . . . . . 1.B
bâillonnement . . . 16.B
bain . . . . . . . . 8.B
bain(s)-de-pieds, *m* 32

bain(s)-marie, *m* . 32
baïonnette . . . . . 29.B
baisemain . . . . . 8.B
baiser . . . . . . . 19.A
baisse . . . . . . . 18.A
bajoue . . . . . . . 21.A
bakchich, *m* . . . . 14.C
bal . . . . . . . . 1 31
balade . . . . . . 27 22.A
baladeur . . . . . . 22.A
baladin . . . . . . . 22.A
balafon . . . . . . 17.A
balafre . . . . . . . 17.A
balai . . . . . . . . 2 2.B
balai(s)-brosse(s),
  *m* . . . . . . . . 32
balalaïka, *f* . . . . . 29.B
balance . . . . . . 9.A
balancelle . . . . . 18.A
balancement . . . 18.A
balancier . . . . . . 3.B
balançoire . . . . . 26.B
balayette . . . . . 11.A
balayeur . . . . . . 11.A
balayures . . . . . 31
balbutiement . . . 18.C
balcon . . . . . . . 14.A
balconnet . . . . . 16.B
baldaquin . . . . . 14.B
baleine . . . . . . . 2.B
baleineau . . . . . 5.B
baleinier . . . . . . 30
balèze . . . . . . . 19.A
balisage . . . . . . 18.A
balistique . . . . . 14.B
baliveau . . . . . . 5.B
baliverne . . . . . . 22.A
balkanisation . . . 25.A
ballade . . . . . . 27 22.B
ballant . . . . . . . 22.B
ballast . . . . . . . 13.A
balle . . . . . . . . 1 22.B
ballerine . . . . . . 22.B
ballet . . . . . . 2 2.B
ballon . . . . . . . 22.B
ballonnement . . . 16.B
ballon(s)-sonde(s),
  *m* . . . . . . . . 32
ballot . . . . . . . . 5.A
ballotin . . . . . . . 22.B
ballottage . . . . . 13.B

ballottement . . . 13.B
ballottine . . . . . 13.B
bal(l)uchon . . . . 22.B
balnéaire . . . . . . 26.B
balourd . . . . . . 30
balsa, *m* . . . . . . 1.A
balte . . . . . . . . 26.A
baltique . . . . . . 14.B
balustrade . . . . . 22.A
balustre, *m* . . . . 22.A
balzacien . . . . . 25.E
bambin . . . . . . 9.B
bamboche, *f* . . . 9.B
bambocheur . . . 9.B
bambou . . . . . . 9.B
bamboula, *f* . . . . 9.B
ban . . . . . . . . 9 9.A
banal, *pl.* (moulins)
  banaux . . . . . 31
banalisation . . . . 25.A
banalité . . . . . . 3.A
banane . . . . . . 16.A
bananier . . . . . . 3.B
banc . . . . . . . 9 9.C
bancaire . . . . . . 14.A
bancal . . . . . . . 14.A
banco . . . . . . . 5.A
bandage . . . . . . 9.A
bande . . . . . . . 9.
bande(s)-
annonce(s), *f* . . . 32
bandeau . . . . . . 5.B
bandelette . . . . . 13.B
banderille . . . . . 11.B
banderole . . . . . 22.A
bandit . . . . . . . 4.B
banditisme . . . . 13.A
bandonéon . . . . 29.C
bandoulière . . . . 2.B
bang . . . . . . . . 9.C
banjo . . . . . . . 21.C
bank-note(s), *f* . . 32
banlieue . . . . . . 6.B
banlieusard . . . . 23.C
banni . . . . . . . . 16.B
bannière . . . . . . 16.B
bannissement . . . 16.B
banque . . . . . . 14.B
banqueroute . . . 14.B
banquet . . . . . . 2.B
banquette . . . . . 13.B

banquier . . . . . . 2.B
banquise . . . . . . 19.B
bans . . . . . . . 9 31
bantou . . . . . . . 30
baobab . . . . . . 12.A
baptême . . . . . . 28.C
baptismal . . . . . 28.C
baptiste . . . . . . 27
baquet . . . . . . . 2.B
bar . . . . . . . . 23 23.A
baragouin . . . . . 24.E
baraka, *f* . . . . . 1.A
baraque . . . . . . 14.B
baraquement . . . 14.B
baratin . . . . . . . 8.A
baratineur . . . . . 30
baratte . . . . . . . 13.B
barbacane, *f* . . . . 16.A
barbant . . . . . . 9.B
barbaque, *f* . . . . 14.B
barbare . . . . . . 26.B
barbaresque . . . . 14.B
barbarie . . . . . . 26.A
barbe . . . . . . . 12.A
barbeau . . . . . . 5.B
barbecue . . . . . 14.A
barbelé . . . . . . . 30
barbet . . . . . . . 2.B
barbichette . . . . 13.B
barbier . . . . . . . 3.B
barbiturique . . . . 13.A
barboteuse . . . . 7.A
barbouillage . . . . 11.B
barbouze, *f* . . . . 19.A
barbu . . . . . . 26 30
barbue . . . . . . 26 26.A
barcarolle, *f* . . . . 22.B
barcasse . . . . . . 18.B
barda . . . . . . . 1.A
barde, *m* . . . . . . 13.A
bardeau . . . . . . 5 5.B
bardot . . . . . . 5 5.B
barème . . . . . . 2.A
barge . . . . . . . 21.A
baril . . . . . . . . 22.A
barillet . . . . . . . 11.B
bariolage . . . . . 22.A
bariolé . . . . . . . 30
barmaid . . . . . . 2.B
barman . . . . . . F.31
  *pl.* men *ou* mans

barnum . . . . . . 16.A
baromètre . . . . . 2.A
baron(ne) . . . . . 31
baronet . . . . . . 16.A
baronnie . . . . . . 16.B
baroque . . . . . . 14.B
baroud . . . . . . . 13.A
baroudeur . . . . . 30
barouf . . . . . . . 17.A
barque . . . . . . . 14.B
barquette . . . . . 13.B
barracuda . . . . . 23.B
barrage . . . . . . 21.A
barre . . . . . . 23 23.B
barreau . . . . . . 5.B
barrette . . . . . . 23.B
barreur . . . . . . 30
barricade . . . . . 23.B
barrière . . . . . . 2.A
barrique . . . . . . 23.B
barrissement . . . 18.B
bartavelle, f . . . . 22.B
barycentre . . . . . 4.B
baryon . . . . . . . 11.A
baryton . . . . . . 4.B
bas, m . . . . . . 1 27
bas . . . . . . . . 1 30
basal . . . . . . . 19.A
basalte, m . . . . . 19.A
basaltique . . . . . 14.B
basané . . . . . . . 16.A
bas-bleu(s), m . . . 32
bas-côté(s), m . . 32
basculant . . . . . 9.B
bascule . . . . . . 22.A
base . . . . . . . . 19.A
base-ball, m sg . . 32
basilic, m . . . . 14 14.A
basilique, f . . . 14 14.B
basique . . . . . . 14.B
basket, m . . . . . 14.C
basketteur . . . . . 30
basoche, f . . . . . 20.A
basquais . . . . . . 2.B
basque . . . . . . . 30
basque(s), f . . . . 31
bas-relief(s), m . . 32
basse, f . . . . . . 19.B
basse(s)-cour(s), f 32
basse(s)-fosse(s), f 32
bassement . . . . . 9.B

bassesse . . . . . . 18.B
basset . . . . . . . 2.B
bassin . . . . . . . 8.A
bassine . . . . . . 16.A
bassinet . . . . . . 16.A
bassinoire . . . . . 26.B
basson . . . . . . . 18.B
basta . . . . . . . 1.A
bast(a)ing . . . . . 8.A
bastide, f . . . . . 13.A
bastille . . . . . . 11.B
bastingage . . . . . 15.A
bastion . . . . . . 5.A
bastonnade . . . . 16.B
bastringue . . . . . 15.B
bas-ventre(s), m . 32
bât . . . . . . . . 1 1.B
bataclan . . . . . . 9.A
bataille . . . . . . 11.B
batailleur . . . . . 30
bataillon . . . . . . 11.B
bâtard . . . . . . . 27
batave . . . . . . . 13.A
batavia, f . . . . . 1.A
bâté . . . . . . . . 1.B
bateau . . . . . . . 5.B
bateau(x)-
  mouche(s), m . 32
bateau(x)-pompe(s),
  m . . . . . . . . 32
batée . . . . . . . 3.B
batelage . . . . . . 13.A
bateleur . . . . . . 30
batelier . . . . . . 3.B
batellerie . . . . . 22.B
bat-flanc, m . . . . 32
bath . . . . . . . . 13.C
bathyscaphe, m . . 13.C
bâti . . . . . . . . 1.B
batifoleur . . . . . 17.A
batik . . . . . . . 14.C
bâtiment . . . . . . 9.B
bâtisse . . . . . . 18.B
bâtisseur . . . . . . 18.B
batiste . . . . . . 13.A
bâton . . . . . . . 28
bâtonnet . . . . . . 16.B
bâtonnier . . . . . 16.B
batracien . . . . . 25.E
battage . . . . . . 13.B
battant . . . . . . . 9.B

batte, f . . . . . . 13.B
battement . . . . . 13.B
batterie . . . . . . 13.B
batteur . . . . . . 30
battoir . . . . . . . 13.B
battue . . . . . . . 26.A
baud . . . . . . . . 5.B
baudelairien . . . . 30
baudet . . . . . . . 2.B
baudrier . . . . . . 3.B
baudroie . . . . . . 24.B
baudruche . . . . . 20.A
bauge . . . . . . . 21.A
baume, m . . . . 5 5.B
baumier . . . . . . 16.A
bauxite, f . . . . . 13.A
bavard . . . . . . . 27
bavarois . . . . . . 24.B
bavette . . . . . . 13.B
baveux . . . . . . . 6.B
bavoir . . . . . . . 23.A
bavure . . . . . . . 26.B
bayadère, f . . . . 11.A
bazar . . . . . . . 19.A
bazooka . . . . . . 14.C
béant . . . . . . . 9.B
béarnais . . . . . . 30
béat . . . . . . . . 1.C
béatement . . . . . 9.B
béatitude . . . . . 13.A
beatnik . . . . . . 14.C
beau . . . . . . . . 30
beauceron . . . . . 30
beaucoup . . . . . 27
beau(x)-fils, m . . 32
beaufort . . . . . . 27
beau(x)-frère(s)
  [beauf(s)], m . . 32
beaujolais . . . . . 30
beau(x)-père(s), m 32
beaupré . . . . . . 3.A
beauté . . . . . . . 3.A
beaux-arts, m pl. . 32
bébé . . . . . . . . 3.A
be-bop(s), m . . . 32
bec . . . . . . . . 2.C
bécane . . . . . . . 16.A
bécarre, m . . . 23 23.B
bécasse . . . . . . 18.B
bec(s)-de-cane, m 32
bec(s)-de-lièvre, m 32

bec(s)-fin(s), *m* . . 32
bêchage . . . . . . 2.A
béchamel, *f* . . . . 2.C
bêche . . . . . . . 2.A
bêcheur . . . . . . 30
bécot . . . . . . . 5.A
becquée . . . . . . 14.C
becquet . . . . . . 14.C
bedaine . . . . . . 2.B
bedeau . . . . . . . 5.B
bedon . . . . . . . 10.A
bédouin . . . . . . 24.E
bée, *f* . . . . . . 2* 3.B
beffroi . . . . . . . 17.B
bégaiement . . . . 26.A
bégonia, *m* . . . . 1.A
bègue . . . . . . . 15.B
bégueule . . . . . 15.B
béguin . . . . . . . 15.B
béguine . . . . . . 16.A
bégum . . . . . . . 16.A
béhavio(u)risme . 29.B
beige . . . . . . . . 2.B
beigne, *f* . . . . . 2.B
beignet . . . . . . 2.B
bel . . . . . . . . 2 30
bel canto . . . . . 32
bêlement . . . . . 2.A
belette . . . . . . . 13.B
belge . . . . . . . . 2.C
belgicisme . . . . . 18.A
bélier . . . . . . . 22.A
bélître, *m* . . . . . 4.B
belladone, *f* . . . . 22.B
bellâtre . . . . . . . 1.B
belle . . . . . . . 2 30
belle(s)-dame(s), *f* 32
belle(s)-de-jour, *f* . 32
belle(s)-de-nuit, *f* . 32
belle(s)-famille(s), *f* 32
belle(s)-filles(s), *f* . 32
belle(s)-mère(s), *f* . 32
belles-lettres, *f pl.* 32
belle(s)-sœur(s), *f*. 32
belliciste . . . . . . 18.A
belligène . . . . . . 2.A
belligérance . . . . 9.A
belligérant . . . . . 9.B
belliqueux . . . . . 6.B
belon, *f* . . . . . . 22.A
belote . . . . . . . 13.A

bel(o)uga, *m* . . . 1.A
belvédère . . . . . 2.A
bémol, *m* . . . . . 22.A
bénédicité . . . . . 3.A
bénédictin . . . . . 30
bénédiction . . . . 25.A
bénéfice . . . . . . 18.A
bénéficiaire . . . . 25.D
bénéfique . . . . . 14.B
benêt . . . . . . . 2.B
bénévolat . . . . . 1.C
bénévole . . . . . . 22.A
bengali, *m* . . . . 4.A
bénignité . . . . . 3.A
bénin . . . . . . . 8.A
   *f* bénigne . . . . 30
béni-oui-oui,
   *m inv.* . . . . . . 32
bénisseur . . . . . 18.B
bénit . . . . . . . 4.B
bénitier . . . . . . 3.B
benjamin . . . . . 8.A
benne . . . . . . . 16.B
benoît . . . . . . . 24.B
benoîtement . . . 24.B
benzène, *m* . . . . 8.A
benzine, *f* . . . . 16.A
béotien . . . . . . 25.E
béquet . . . . . . . 14.B
béquille . . . . . . 11.B
berbère . . . . . . 2.A
bercail . . . . . . . 11.B
berceau . . . . . . 5.B
bercement . . . . . 18.A
berceuse . . . . . . 18.A
béret . . . . . . . 2.B
bergamote, *f* . . . 13.A
berge . . . . . . . 2.C
berger . . . . . . . 30
bergerie . . . . . . 26.A
bergeronnette . . . 16.B
béribéri, *m* . . . . . 4.A
berline . . . . . . 16.A
berlingot . . . . . . 5.B
berlinois . . . . . . 24.B
berlue . . . . . . . 26.A
bermuda, *m* . . . . 1.A
bernard-l'ermite,
   *m inv.* . . . . . . 32
berne . . . . . . . 2.C
bernique, *f*. . . . . 14.B

bernois . . . . . . 24.B
berrichon . . . . . 30
besace . . . . . . 19.A
besicles, *f pl.* . . . 31
bésigue . . . . . . 15.B
besogne . . . . . . 19.A
besogneux . . . . 6.B
besoin . . . . . . . 24.D
besson . . . . . . 18.B
bestiaire . . . . . . 26.B
bestial . . . . . . . 30
bestialement . . . 22.A
bestiaux . . . . . . 31
bestiole . . . . . . 22.A
best-seller(s), *m* . . 32
bêta . . . . . . . . 2.A
bétail . . . . . . . 11.B
bétaillère . . . . . . 11.B
bête . . . . . . . 2 28
bétel . . . . . . . 2.C
bêtise . . . . . . . 2.A
bêtisier . . . . . . . 3.B
béton . . . . . . . 10.A
bétonnage . . . . . 16.B
bétonnière . . . . . 16.B
bette . . . . . . . 2 13.B
betterave . . . . . 13.B
beuglant . . . . . . 9.B
beuglement . . . . 6.A
beurre . . . . . . . 23.B
beurrier . . . . . . 23.B
beuverie . . . . . . 6.A
bévue . . . . . . . 26.A
bey . . . . . . . . 2* 2.C
biais . . . . . . . . 2.B
bibelot . . . . . . . 5.A
biberon . . . . . . 10.A
bibi . . . . . . . . 4.A
bibine . . . . . . . 16.A
bible . . . . . . . 26.C
bibliobus . . . . . 31
bibliographie . . . 17.C
bibliophile . . . . . 17.C
bibliothécaire . . . 26.B
bibliothèque . . . . 13.C
biblique . . . . . . 14.B
bicarbonate . . . . 16.A
bicarré . . . . . . . 23.B
bicentenaire . . . . 26.B
bicéphale . . . . . 17.C
biceps . . . . . . . 31

| | | |
|---|---|---|
| biche . . . . . . . . 20.A | bijouterie . . . . . 13.A | biquet . . . . . . . 14.B |
| bichromie . . . . . 14.C | bijoutier . . . . . . 30 | biréacteur . . . . . 29.C |
| bickford . . . . . . 14.C | bikini, *m* . . . . . . 14.C | birman . . . . . . . 30 |
| bicolore . . . . . . 26.B | bilan . . . . . . . . 9.A | bis . . . . . . . . . 18.A |
| bicoque . . . . . . 14.B | bilatéral . . . . . . 30 | bisaïeul . . . . . . 29.B |
| bicorne . . . . . . 14.A | bilboquet . . . . . 14.B | bisannuel . . . . . 30 |
| bicyclette . . . . . 4.B | bile . . . . . . . . . 22.A | bisbille, *f* . . . . . . 11.B |
| bidasse . . . . . . 18.B | bileux . . . . . . . 30 | biscaïen . . . . . . 29.B |
| bidet . . . . . . . . 2.B | bilharziose . . . . . 19.A | biscayen . . . . . . 11.A |
| bidon . . . . . . . 10.A | biliaire . . . . . . . 22.A | biscornu . . . . . . 30 |
| bidonville, *m* . . . 22.A | bilieux . . . . . . . 30 | biscotte . . . . . . 13.B |
| bidule, *m* . . . . . 22.A | bilingue . . . . . . 15.B | biscuit . . . . . . . 4.B |
| bief . . . . . . . . . 2.C | bill . . . . . . . . . 22.B | biscuiterie . . . . . 26.A |
| bielle . . . . . . . . 22.B | billard . . . . . . . 27 | bise . . . . . . . . 19.A |
| biélorusse . . . . . 18.B | bille . . . . . . . . 11.B | biseau . . . . . . . 5.B |
| bien . . . . . . . . 8.A | billet . . . . . . . . 2.B | bison . . . . . . . 19.A |
| bien-aimé(es) . . . 32 | billetterie . . . . . 13.B | bisou . . . . . . . 19.A |
| bienfaisance . . . . 9.A | billevesée . . . . . 3.B | bisque, *f* . . . . . 14.B |
| bienfait . . . . . . 27 | billion . . . . . . . 22.B | bissection . . . . . 18.B |
| bienfaiteur . . . . . 30 | billot . . . . . . . . 5.A | bissextile . . . . . 18.B |
| bien-fondé(s), *m* . 32 | bimbeloterie . . . . 8.B | bistouri . . . . . . 4.A |
| bienheureux . . . . 29.A | bimensuel . . . . . 30 | bistre . . . . . . . . 26.C |
| biennal . . . . . . . 16.B | bimillénaire . . . . 22.B | bistro(t) . . . . . . 5.A |
| bien-pensant(es) . 32 | bimoteur . . . . . . 16.A | bit, *m* . . . . . . 13 13.A |
| bienséant . . . . . 9.B | binaire . . . . . . . 26.B | bitention . . . . . . 25.A |
| bientôt . . . . . . 33 27 | binette . . . . . . . 13.B | biterrois . . . . . . 23.B |
| bienveillant . . . . 11.B | bingo . . . . . . . 5.A | bitte . . . . . . . 13 13.B |
| bienvenu . . . . . 30 | biniou . . . . . . . 11.A | bitter . . . . . . . . 2.C |
| bienvenue . . . . . 26.A | binocle . . . . . . . 26.C | bitume . . . . . . . 13.A |
| bien-vivre, *m* . . . 32 | binôme . . . . . . 5.B | bitumeux . . . . . 30 |
| bière . . . . . . . . 2.A | biochimie . . . . . 26.A | biture . . . . . . . 26.B |
| biface, *m* . . . . . 17.A | biodégradable . . . 26.A | biunivoque . . . . 14.B |
| biffure . . . . . . . 17.B | bioénergétique . . 29.C | bivalence . . . . . 9.A |
| bifteck . . . . . . . 14.C | bioénergie . . . . . 29.C | bivouac . . . . . . 14.A |
| bifurcation . . . . . 25.A | biographie . . . . . 17.C | bizarre . . . . . . . 23.B |
| bigame . . . . . . . 15.A | biologie . . . . . . 26.A | bizarrement . . . . 23.B |
| bigarré . . . . . . . 23.B | biophysique . . . . 17.C | bizarrerie . . . . . 23.B |
| bigarreau . . . . . 23.B | biopsie . . . . . . . 18.A | bizarroïde . . . . . 29.B |
| bigarrure . . . . . . 23.B | biosphère . . . . . 17.C | bizut(h) . . . . . . 19.A |
| bigleux . . . . . . . 30 | biosynthèse . . . . 8.C | blablabla, *inv.* . . . 1.A |
| bigorneau . . . . . 5.B | biothérapie . . . . 13.C | blackboulage . . . 14.C |
| bigot . . . . . . . . 30 | biotope, *m* . . . . . 12.A | black-out, *m* . . . 32 |
| bigoterie . . . . . . 13.A | biotype, *m* . . . . . 4.B | blafard . . . . . . . 27 |
| bigouden . . . . . 8.A | bioxyde . . . . . . 4.B | blague . . . . . . . 15.B |
| bigoudi, *m* . . . . . 4.A | bipartite . . . . . . 13.A | blagueur . . . . . . 30 |
| bigre . . . . . . . . 26.C | bipartition . . . . . 25.A | blaireau . . . . . . 5.B |
| biguine . . . . . . . 15.B | bipède . . . . . . . 13.A | blâmable . . . . . 1.B |
| bihebdomadaire . 29.A | biplace . . . . . . . 18.A | blâme . . . . . . . 1.B |
| bijectif . . . . . . . 30 | biplan . . . . . . . 9.A | blanc . . . . . . . . 9.C |
| bijection . . . . . . 25.A | bipolaire . . . . . . 26.B | blanc(s)-bec(s), *m* . 32 |
| bijou . . . . . . . . 31 | bipolarisation . . . 25.A | blanchâtre . . . . . 1.B |

blancheur . . . . . 7.A
blanchiment . . . . 9.B
blanchisserie . . . 18.B
blanchisseur . . . . 30
blanc(s)-seing(s),
   *m* . . . . . . . 32
blanquette . . . . . 2.C
blasé . . . . . . . . 19.A
blason . . . . . . . 19.A
blasphémateur . . 17.C
blasphématoire . . 26.B
blasphème . . . . 17.C
blastomère, *m* . . . 2.A
blatte, *f* . . . . . . 13.B
blazer . . . . . . . 19.A
blé . . . . . . . 2* 3.A
bled . . . . . . . . 13.A
blême . . . . . . . . 2.A
blémissement . . . 28
blennorragie . . . . 23.B
blessant . . . . . . 9.B
blessure . . . . . . 18.B
blet . . . . . . . 2* 2.B
bleu . . . . . . . . 31
bleuâtre . . . . . . 1.B
bl(e)uet . . . . . . 29.C
bleusaille . . . . . 11.B
bleuté . . . . . . . 30
blindage . . . . . . 8.A
blindé . . . . . . . 8.A
blizzard . . . . . . 19.C
bloc . . . . . . . . 14.A
blocage . . . . . . 14.A
bloc(s)-cuisine(s),
   *m* . . . . . . . 32
bloc(s)-cylindre(s),
   *m* . . . . . . . 32
blockhaus . . . . . 14.C
bloc(s)-moteur(s),
   *m* . . . . . . . 32
bloc(s)-notes, *m* . 32
bloc(s)-système(s),
   *m* . . . . . . . 32
blocus . . . . . . . 31
blond . . . . . . . 10.C
blondasse . . . . . 18.B
blondinet . . . . . 2.B
blouse, *f* . . . . . 19.A
blouson . . . . . . 19.A
blue-jean(s), *m* . . 32
blues, *m* . . . . . . 19.A

bluette . . . . . . 13.B
bluff [œ] . . . . . . 17.B
bluffeur [œ] . . . . 7.C
blutage . . . . . . 13.A
boa . . . . . . . . . 1.A
bobard . . . . . . . 27
bobèche . . . . . . 2.A
bobinage . . . . . 16.A
bobine . . . . . . . 16.A
bobo . . . . . . . . 5.A
bob(sleigh) . . . . 12.A
bocage . . . . . . 14.A
bocal . . . . . . . 22.A
bock . . . . . . . . 14.C
bœuf [bœf] . . . . 7.B
   *pl.* bœufs [bø] . 6.B
bog(g)ie, *m* . . . . 4.B
bogue, *f* . . . . . 15.B
bohème . . . . . . 29.B
bohémien . . . . . 29.B
bois . . . . . . . . 24.B
boiserie . . . . . . 19.A
boisseau . . . . . 18.B
boisson . . . . . . 18.B
boîte . . . . . . . . 24.B
boiteux . . . . . . 30
boîtier . . . . . . . 3.B
boitillement . . . . 11.B
bol . . . . . . . . . 22.A
bolchevik . . . . . 14.C
bolchevique . . . . 14.B
bolée . . . . . . . . 3.B
boléro . . . . . . . 5.A
bolet . . . . . . . . 2.B
bolide . . . . . . F.22.A
bolivien . . . . . . 30
bombance . . . . . 9.A
bombarde . . . . . 10.B
bombardement . . 10.B
bombardier . . . . 3.B
bombe . . . . . . . 10.B
bombyx . . . . . . 4.B
bôme, *f* . . . . . 5 5.B
bon . . . . . . . 10 30
bonapartiste . . . . 30
bonasse . . . . 18 18.B
bonbon . . . . . . 10.B
bonbonne . . . . . 16.B
bonbonnière . . . 16.B
bond . . . . . . 22 10.C
bonde . . . . . . . 26.A

bondé . . . . . . . 3.A
bondieuserie . . . 19.A
bondissement . . . 18.B
bon-enfant . . . . 32
bonheur . . . . . . 29.A
bonhomie . . . . . 28.C
bonhomme . . . . 28.C
   *pl.* bonshommes
boni, *m* . . . . . . 4.A
bonification . . . . 25.A
boniment . . . . . 9.B
bonimenteur . . . 30
bonjour . . . . . . 21.A
bon marché . . . . 32
bonne . . . . . . . 30
bonne(s)-
   maman(s), *f* . . 32
bonnement . . . . 16.B
bonnet . . . . . . . 16.B
bonneteau . . . . . 5.B
bonneterie . . . . . 13.A
bonnetière . . . . . 13.A
bonnette . . . . . . 13.B
bonniche . . . . . 16.B
bon(s)-papa(s), *m* 32
bon-sens, *m* . . . 32
bonsoir . . . . . . 23.A
bonté . . . . . . . 3.A
bonus . . . . . . . 18.A
bonze . . . . . . . 19.A
bonzesse . . . . . 18.B
boogie-woogie(s),
   *m* . . . . . . . 32
bookmaker . . . . 14.C
booléen . . . . . . 30
boolien . . . . . . . 30
boom . . . . . 27 16.A
boomerang . . . . 16.A
bootlegger . . . . . 15.C
boots, *m pl.* . . . . 31
boqueteau . . . . . 5.B
bora, *f* . . . . . . . 1.A
borain . . . . . . . 8.B
borborygme, *m* . . 4.B
borchtch . . . . . . 20.B
bord . . . . . . 23 27
bordeaux . . . . . 27
bordée . . . . . . . 3.B
bordel . . . . . . . 22.A
bordelais . . . . . . 2.B
bordereau . . . . . 5.B

bordure . . . . . . 26.B
bore, *m* . . . . . 23 26.B
boréal . . . . . . . 31
   *pl.* als *ou* aux
borée, *m* . . . . . . 3.B
borgne . . . . . . . 26.C
borique . . . . . . 14.B
bornage . . . . . . 21.A
bortsch . . . . . . 20.B
bosquet . . . . . . 2.B
boss . . . . . . 26 18.B
bosse . . . . . 26 18.B
bosselure . . . . . 26.B
bosseur . . . . . . 30
bossu . . . . . . 18.B
bot . . . . . . . . . 5.A
botanique . . . . . 14.B
botaniste . . . . . 16.A
botte . . . . . . 27 13.B
botteur . . . . . . . 23.A
bottier . . . . . . . 13.B
bottillon . . . . . . 11.B
bottin . . . . . . . 13.B
bottine . . . . . . 16.A
boubou . . . . . . 12.A
bouc . . . . . . . 14.A
boucan . . . . . . 9.A
boucanier . . . . . 16.A
bouche . . . . . . 20.A
bouche-à-bouche,
   *m* . . . . . . . 32
bouche-
   bouteille(s), *m* . 32
bouchée . . . . . . 3.B
boucher . . . . . . 3.B
boucherie . . . . 4.B
bouche-trou(s), *m* 32
bouchon . . . . . . 10.A
bouchonné . . . . 16.B
bouchot . . . . . . 5.A
boucle . . . . . . 14.A
bouclette . . . . . 2.C
bouclier . . . . . . 3.B
bouddha . . . . 13.B.C
bouddhisme . . . 13.B.C
bouderie . . . . . 4.B
boudin . . . . . . . 8.A
boudiné . . . . . . 16.A
boudoir . . . . . . 23.A
boue . . . . . . 26 26.A
bouée . . . . . . . 3.B

boueux . . . . . . 6.B
bouffant . . . . . . 17.B
bouffarde . . . . . 17.B
bouffe . . . . . . . 17.B
bouffée . . . . . . 17.B
bouffi . . . . . . . 30
bouffon . . . . . . 17.B
bouffonnerie . . . 16.B
bougainvillée, *f* . . 3.B
bougainvillier, *m* . 3.B
bouge . . . . . . . 21.A
bougeoir . . . . . 21.B
bougeotte . . . . . 13.B
bougie . . . . . . . 4.B
bougnat . . . . . . 1.C
bougon . . . . . . 30
bougonnement . 16.B
bougrement . . . . 9.B
bougresse . . . . . 18.B
boui(s)-boui(s), *m* 32
bouillabaisse . . . 2.B
bouillant . . . . . . 9.B
bouille . . . . . . . 11.B
bouilleur . . . . . . 11.B
bouilli . . . . . . 4 30
bouillie . . . . . 4 4.B
bouilloire . . . . . 26.B
bouillon . . . . . . 11.B
bouillon(s)-blanc(s),
   *m* . . . . . . . . 32
bouillonnant . . . . 16.B
bouillonnement . 16.B
bouillotte . . . . . 13.B
boulanger . . . . . 30
boulangerie . . . . 4.B
boule . . . . . . . 22.A
bouleau . . . . . 5 5.B
bouledogue . . . . 15.B
boulet . . . . . . . 2.B
boulette . . . . . . 2.C
boulevard . . . . . 23.C
boulevardier . . . . 3.B
bouleversant . . . 9.B
bouleversement . . 9.B
boulier . . . . . . . 3.B
boulimie . . . . . . 4.B
bouliste . . . . . . 22.A
boulon . . . . . . 22.A
boulonnage . . . . 16.B
boulonnais . . . . 16.B
boulot . . . . . . 5 5.A

boum ! . . . . . . 27 16.A
bouquet . . . . . . 2.B
bouquetière . . . . 14.B
bouquetin . . . . . 14.B
bouquin . . . . . . 8.A
bouquineur . . . . 16.A
bouquiniste . . . . 16.A
bourbeux . . . . . 30
bourbier . . . . . . 3.B
bourbonnais . . . . 16.B
bourde . . . . . . . 13.A
bourdon . . . . . . 10.A
bourdonnant . . . 16.B
bourdonnement . 16.B
bourg . . . . . . 23 23.C
bourgeois . . . . . 21.B
bourgeoisie . . . . 4.B
bourgeon . . . . . 21.B
bourgeonnement . 16.B
bourgmestre . . . 15.A
bourgogne . . . . 26.C
bourguignon . . . 15.B
bourlingueur . . . 15.B
bourrache . . . . . 23.B
bourrade . . . . . . 23.B
bourrasque . . . . 23.B
bourratif . . . . . . 30
bourre . . . . . . . 23.B
bourreau . . . . . . 5.B
bourrée . . . . . . 23.B
bourrelet . . . . . . 2.B
bourrelier . . . . . 3.B
bourriche . . . . . 23.B
bourrichon . . . . 23.B
bourricot . . . . . 5.A
bourrin . . . . . . 23.B
bourrique . . . . . 23.B
bourru . . . . . . . 30
boursicoteur . . . 30
boursouflé . . . . . 17.A
boursouflure . . . . 17.A
bousculade . . . . 14.A
bouse . . . . . . . 19.A
bousillage . . . . . 11.B
boussole . . . . . . 18.B
bout . . . . . . . 26 27
bout à bout, *m* . . 32
boutade . . . . . . 13.A
bout(s)-de-table, *m* 32
boutefeu . . . . . . 6.A
bouteille . . . . . . 11.B

boutique . . . . . . 14.B
boutiquier . . . . . 30
bouton . . . . . . . 13.A
bouton(s)-d'or . . 32
boutonnage . . . . 16.B
boutonneux . . . . 30
boutonnière . . . . 2.A
bouton(s)-
  pression, *m* . . . 32
bout(s)-rimé(s), *m* 32
bouturage . . . . . 13.A
bouture . . . . . . 26.B
bouvier . . . . . . 3.B
bouvreuil . . . . . 11.B
bovarysme . . . . 4.B
bovidé . . . . . . . 3.A
bovin . . . . . . . . 30
bowling . . . . . . 27
box, *m* . . . . . . 26 31
box-calf(s), *m* . . . 32
boxe, *f* . . . . . . 26 26.A
boxer . . . . . . . 23.A
box-office, *m sg.* . 32
boy . . . . . . . . . 11.A
boyard . . . . . . . 11.A
boyau . . . . . . . 11.A
boycott . . . . . . 11.A
boycottage . . . . 11.A
boy-scout(s), *m* . . 32
brabançon . . . . . 30
brabant . . . . . . 9.B
bracelet . . . . . . 2.B
bracelet(s)-
  montre(s), *m* . . 32
brachial . . . . . . 14.C
brachycéphale . . 14.C
braconnage . . . . 16.B
braconnier . . . . . 16.B
braderie . . . . . . 4.B
braguette . . . . . 15.B
brahmane, *m* . . . 29.A
brahmanisme . . . 29.A
braies *f pl.* . . . . 2 31
braillard . . . . . . 23.C
braille, *m* . . . . . 11.B
braiment . . . . . . 9.B
brainstorming, *m* . 15.A
brain-trust(s), *m* . 32
braise . . . . . . . 19.A
brame . . . . . . . 16.A
brancard . . . . . . 23.C

branche . . . . . . 9.A
branchement . . . 9.B
branchie . . . . . . 4.B
brandade . . . . . 13.A
brandebourg . . . 23.C
brandon . . . . . . 9.A
brandy . . . . . . . 4.B
branlant . . . . . . 9.B
branle-bas, *m* . . . 32
braquage . . . . . 14.B
braque . . . . . . . 14.B
braquet . . . . . . 14.B
bras . . . . . . . . 1.C
brasero . . . . . . 5.A
brasier . . . . . . . 3.B
bras-le-corps (à) . 32
brassard . . . . . . 23.C
brasse . . . . . . . 18.B
brassée . . . . . . 3.B
brasserie . . . . . 4.B
brassière . . . . . 2.B
bravissimo . . . . . 18.B
bravo . . . . . . . 5.A
bravoure . . . . . . 26.B
break . . . . . . . 14.C
brebis . . . . . . . 4.B
brèche . . . . . . . 2.B
bréchet . . . . . . 2.B
bredouille . . . . . 11.B
bredouillis . . . . . 4.B
bref . . . . . . . . 2.C
  *f* brève . . . . . 30
brelan . . . . . . . 9.A
breloque . . . . . . 14.B
brème, *f* . . . . . . 2.B
brésilien . . . . . . 30
bressan . . . . . . 30
brestois . . . . . . 30
bretelle . . . . . . 2.C
breton . . . . . . . 30
bretonnant . . . . 16.B
bretteur . . . . . . 2.C
bretzel, *m ou f* . . . 2.C
breuvage . . . . . 6.A
brevet . . . . . . . 2.B
breveté . . . . . . 3.A
bréviaire . . . . . . 26.B
briard . . . . . . . 23.C
bribe, *f* . . . . . . 12.A
bric-à-brac, *inv.* . . 32
bric et de broc (de) 32

bricolage . . . . . 14.A
bricole . . . . . . . 22.A
bricoleur . . . . . . 30
bridé . . . . . . . . 30
bridge . . . . . . . 21.A
brie . . . . . . . . 4 4.B
briefing . . . . . . 15.C
brièvement . . . . 2.A
brièveté . . . . . . 2.A
brigade . . . . . . 15.A
brigand . . . . . . 9.C
brigantin . . . . . . 8.A
brillamment . . . . 16.B
brillantine . . . . . 11.B
brimade . . . . . . 16.A
brin . . . . . . . . 8.A
brindille . . . . . . 11.B
bringue, *f* . . . . . 15.B
brio . . . . . . . . 5.A
brioche . . . . . . 20.A
brique . . . . . . 14 14.B
briquet . . . . . . 2.B
briqueterie . . . . . 13.A
briquette . . . . . . 13.B
bris . . . . . . . . 4 4.B
brisant . . . . . . . 19.A
brise . . . . . . 19 19.A
brise-bise, *m inv.* . 32
brisées . . . . . . 31
brise-fer . . . . . . 32
brise-glaces, *inv.* . 32
brise-jet, *m* . . . . 32
brise-lames, *m* . . 32
brise-vent, *m* . . . 32
bristol . . . . . . . 22.A
brisure . . . . . . . 19.A
britannique . . . . 16.B
broc . . . . . . . . 14.A
brocante . . . . . . 14.A
brocanteur . . . . . 14.A
brocard . . . . . 23 23.C
brocart . . . . . 23 23.C
broche . . . . . . . 20.A
brochet . . . . . . 2.B
brochette . . . . . 2.C
brochure . . . . . . 26.B
brodequin . . . . . 14.B
broderie . . . . . . 4.B
broiement . . . . . 26.A
brome . . . . . . . 16.A
bromure, *m* . . . . 16.A

bronche, *f* . . . . . 10.A
bronchiole . . . . . 22.A
bronchite . . . . . 13.A
broncho-
  pneumonie(s), *f* 32
brontosaure . . . . 5.B
bronzage . . . . . 19.A
bronze . . . . . . 19.A
brossage . . . . . 18.B
brosse . . . . . . 18.B
brouet . . . . . . 2.B
brouette . . . . . 2.B
brouettée . . . . . 3.B
brouhaha . . . . . 29.B
brouillage . . . . 11.B
brouillamini . . . . 11.B
brouillard . . . . . 23.C
brouille . . . . . . 11.B
brouillon . . . . . 11.B
broussaille . . . . 18.B
broussailleux . . . 6.B
brousse . . . . . . 18.B
broutille . . . . . 11.B
browning . . . . . 27
broyage . . . . . . 11.A
broyat . . . . . . 1.C
brrr ! . . . . . . . 23.B
bruant . . . . . . 9.B
brucellose . . . . 22.B
brugeois . . . . . 30
brugnon . . . . . 10.A
bruine . . . . . . 16.A
bruissement . . . . 18.B
bruit . . . . . . . 4.B
bruitage . . . . . 13.A
bruiteur . . . . . 23.A
brûlant . . . . . . 9.B
brûle-gueule, *m* . . 32
brûle-parfum, *m* . 32
brûle-pourpoint (à) 32
brûleur . . . . . . 23.A
brûlis . . . . . . . 4.B
brûlot . . . . . . 5.B
brûlure . . . . . . 26.B
brumaire . . . . . 26.B
brume . . . . . . 16.A
brumeux . . . . . 30
brun . . . . . . . 30
brunâtre . . . . . 1.B
brunette . . . . . 2.C
brushing . . . . . 20.B

brusque . . . . . . 14.B
brut . . . . . . 26 30
brutal . . . . . . 31
brutalement . . . . 13.A
brutalité . . . . . 3.A
brute . . . . . 26 26.A
bruxellois . . . . . 30
bruyamment . . . 11.A
bruyant . . . . . 11.A
bruyère . . . . . 11.A
buanderie . . . . . 29.C
bubonique . . . . 16.A
buccal . . . . . . 14.B
buccin . . . . . . 18.C
bûche . . . . . . 20.A
bûcheron . . . . . 10.A
bucolique . . . . 14.A
budget . . . . . . 21.A
budgétaire . . . . 26.B
budgétisation . . . 25.A
buée . . . . . . . 3.B
buffet . . . . . . 17.B
buffle . . . . . . 17.B
bufflonne . . . . . 17.B
buggy . . . . . . 15.C
bugle, *m* . . . . 15.A
building . . . . . 15.A
buis . . . . . . . 4.B
buisson . . . . . 18.B
buissonneux . . . 30
buissonnier . . . . 30
bulbe, *m* . . . . 12.A
bulbeux . . . . . 30
bulgare . . . . . 15.A
bulldog, *m* . . . 22.B
bulldozer . . . . 19.A
bulle . . . . . . . 22.B
bulletin . . . . . 22.B
bull-terrier(s), *m* . 32
bungalow . . . . 27
bunker . . . . . . 23.A
buraliste . . . . . 22.A
bure . . . . . . . 26.B
bureau . . . . . . 5.B
bureaucrate . . . . 13.A
bureaucratie . . . 18.C
bureaucratisation . 25.A
burette . . . . . . 13.B
burin . . . . . . . 8.A
burlesque . . . . 14.B
burnous . . . . . 27

bus . . . . . . . 31
busard . . . . . . 19.A
buse . . . . . . . 19.A
business . . . . . 18.B
businessman . . . 18.B
busqué . . . . . . 14.B
buste . . . . . . 13.A
bustier . . . . . . 3.B
but . . . . . . 13 13.A
butane . . . . . . 13.A
buté . . . . . . . 30
butée . . . . . . 3.B
buteur . . . . . . 8.A
butin . . . . . . 8.A
butineur . . . . . 30
butoir . . . . 13 23.A
butor . . . . . . 23.A
butte . . . . . 13 13.B
buttoir . . . . 13 13.B
buvard . . . . . . 23.C
buvette . . . . . 13.B
byzantin . . . . . 30
byzantinisme . . . 4.B

# C

ça . . . . . . . 18 1.A
çà . . . . . . . 18 1.B
cabale . . . . . . 22.A
cabalistique . . . . 22.A
caban . . . . . . 9.A
cabane . . . . . . 16.A
cabanon . . . . . 16.A
cabaret . . . . . 2.B
cabaretier . . . . 3.B
cabas . . . . . . 1.B
cabernet . . . . . 2.B
cabestan . . . . . 9.A
cabillau(d) . . . . 5 11.B
cabine . . . . . . 16.A
cabinet . . . . . 16.A
câble . . . . . . 1.B
câbleur . . . . . 30
cabochard . . . . 23.C
caboche . . . . . 20.A
cabochon . . . . 10.A

cabot . . . . . . . 5.A
cabotage . . . . . 16.A
caboteur . . . . . . 23.A
cabotin . . . . . . 30
cabotinage . . . . 16.A
caboulot . . . . . . 5.B
cabri . . . . . . . 4.A
cabriole . . . . . . 22.A
cabriolet . . . . . . 2.B
cacah(o)uète . . . 29.B
cacao . . . . . . . 5.B
cacatoès . . . . . . 29.C
cacatois . . . . . . 24.B
cachalot . . . . . . 5.B
cache, m . . . . 20 20.A
cache, f . . . . . 20 20.A
cache-cache, m . . 32
cache-col, m . . . 32
cachemire, m . . . 26.B
cache-misère, m . 32
cache-nez, m . . . 32
cache-pot, m . . . 32
cache-poussière, m 32
cache-sexe, m . . 32
cachet . . . . . . . 2.B
cache-tampon, m . 32
cachette . . . . . . 2.C
cachot . . . . . . 5.A
cachotterie . . . . 13.B
cachottier . . . . . 13.B
cachou . . . . . . . 20.A
cacique . . . . . . 18.A
cacophonie . . . . 17.C
cactus . . . . . . . 31
cadastral . . . . . . 30
cadastre . . . . . . 13.A
cadavérique . . . . 14.B
cadavre . . . . . . 13.A
caddie . . . . . . 4 13.B
caddy . . . . . . 4 4.B
cadeau . . . . . . . 5.B
cadenas . . . . . . 1.B
cadence . . . . . . 9.A
cadet . . . . . . 2.B
cadmium . . . . . 16.A
cadran . . . . . 14 9.A
cadre . . . . . . . . 14.A
cadre(s)-cible(s), m 32
cadreur . . . . . . 23.A
caduc . . . . . . 30
caducée, m . . . . 3.B

caducité . . . . . . 3.A
cæcum . . . . . . 16.A
cafard . . . . . . . 23.C
cafardeux . . . . . 6.B
caf'conc', m . . . . 32
café . . . . . . . 2.A
café(s)-crème, m . 32
caféier . . . . . . . 3.B
caféine . . . . . . . 29.C
caf(e)tan . . . . . . 9.A
cafétéria . . . . . . 1.A
café(s)-théâtre(s),
    m . . . . . . . . 32
cafetière . . . . . . 13.A
cafouillage . . . . 11.B
cafouillis . . . . . . 4.B
cafre . . . . . . . 17.A
cage . . . . . . . 21.A
cageot . . . . . . . 21.B
cagibi . . . . . . . 4.A
cagneux . . . . . . 30
cagnotte . . . . . . 13.B
cagoule . . . . . . 22.A
cahier . . . . . . . 29.B
cahin-caha . . . . 32
cahot . . . . . . . 29.B
cahoteux . . . . . . 30
cahute . . . . . . . 29.B
caïd . . . . . . . 29.B
caillasse . . . . . . 18.B
caille . . . . . . . 11.B
caillebotis . . . . . 11.B
caillot . . . . . . . 5.A
caillou . . . . . . . 31
caillouteux . . . . . 30
caïman . . . . . . . 9.A
caisse . . . . . . . 18.B
caissette . . . . . . 13.B
caissier . . . . . . . 30
caisson . . . . . . 18.B
cajolerie . . . . . . 21.A
cajoleur . . . . . . 30
cajou . . . . . . . 21.A
cajun . . . . . . . 8.A
cake . . . . . . . 14.C
cal . . . . . . . . 1 31
calabrais . . . . . . 30
calamine, f . . . . 16.A
calamité . . . . . . 3.A
calamiteux . . . . . 30
calandre, f . . . . 9.A

calanque . . . . . . 9.A
calao . . . . . . . 5.A
calcaire . . . . . . 2.B
calcination . . . . . 18.A
calcul . . . . . . . 22.A
calculateur . . . . 30
cale . . . . . . . 1 22.A
calé . . . . . . . 3.A
calebasse . . . . . 18.B
calèche . . . . . . 20.A
caleçon . . . . . . 18.A
calédonien . . . . . 30
calembour . . . . . 9.B
calembredaine . . 8.B
calendes . . . . . . 31
calendrier . . . . . 3.B
cale-pied(s), m . . 32
calepin . . . . . . . 8.A
calfatage . . . . . . 17.A
calfeutrage . . . . 6.A
calibrage . . . . . . 22.A
calibre . . . . . . . 22.A
calice . . . . . . . 18.A
calicot . . . . . . . 5.A
califat . . . . . . . 1.C
calife . . . . . . . 17.A
californien . . . . . 30
califourchon . . . . 22.A
câlin . . . . . . . 30
câlinerie . . . . . . 1.B
calisson . . . . . . 18.B
calleux . . . . . . . 22.B
call-girl(s), f . . . 32
calligraphie . . . . 22.B
callipyge . . . . . . 4.B
callosité . . . . . . 22.B
calmar . . . . . . . 23.A
calme . . . . . . . 30
calmement . . . . 9.B
calomniateur . . . 16.C
calomnie . . . . . . 16.C
calorie, f . . . . . . 4.B
calorifère . . . . . 17.A
calorifique . . . . . 14.B
calorifuge . . . . . 17.A
calot . . . . . . . 5.A
calotin . . . . . . . 13.A
calotte . . . . . . . 13.B
calque, m . . . . . 14.B
calumet . . . . . . 2.B
calvados . . . . . . 18.A

| | | |
|---|---|---|
| calvaire | 26.B | |
| calviniste | 16.A | |
| calvitie | 18.C | |
| calypso, *m* | 4.B | |
| camaïeu, *m* | 29.B | |
| camarade | 16.A | |
| camaraderie | 4.B | |
| camarde, *f* | 16.A | |
| camarguais | 15.B | |
| cambiste | 9.B | |
| cambodgien | 21.A | |
| cambouis | 4.B | |
| cambrien | 30 | |
| cambriolage | 9.B | |
| cambrioleur | 23.B | |
| cambrousse | 18.B | |
| cambrure | 26.B | |
| cambuse | 19.A | |
| came, *f* | 16.A | |
| camée, *m* | 3.B | |
| caméléon | 29.C | |
| camélia, *m* | 1.A | |
| camelot | 5.B | |
| camelote | 13.A | |
| camembert | 9.B | |
| caméra | 1.A | |
| cameraman | 16.A | |
| camériste | 16.A | |
| camerlingue | 15.B | |
| camerounais | 16.A | |
| camion | 16.A | |
| camion(s)-citerne(s), *m* | 32 | |
| camionnette | 16.B | |
| camionneur | 16.B | |
| camisard | 23.C | |
| camisole | 19.A | |
| camomille, *f* | 11.B | |
| camouflage | 17.A | |
| camouflet | 17.A | |
| camp | 9 | 27 |
| campagnard | 23.C | |
| campagne | 9.B | |
| campagnol | 22.A | |
| campanile, *m* | 22.A | |
| campanule, *f* | 22.A | |
| campêche | 2.A | |
| campement | 9.B | |
| campeur | 23.A | |
| camphre | 17.C | |
| camping | 15.C | |

| | | |
|---|---|---|
| campus | 31 | |
| canadair | 23.A | |
| canadien | 30 | |
| canaille | 11.B | |
| canal | 16.A | |
| canalisation | 25.A | |
| canapé | 12.A | |
| canaque | 14.B | |
| canard | 23 | 23.C |
| canari | 4.A | |
| canasson | 18.B | |
| canasta, *f* | 1.A | |
| cancan | 9.A | |
| cancanier | 3.B | |
| cancer | 23.A | |
| cancéreux | 30 | |
| cancérigène | 2.A | |
| cancre | 14.A | |
| cancrelat | 1.C | |
| candélabre | 22.A | |
| candeur | 23.A | |
| candi, *inv* | 4.A | |
| candidat | 1.B | |
| candidature | 13.A | |
| candide | 13.A | |
| cane | 27 | 16.A |
| caneton | 10.A | |
| canette | 13.B | |
| canevas | 1.C | |
| caniche | 16.A | |
| caniculaire | 26.B | |
| canicule | 22.A | |
| canif | 17.A | |
| canin | 30 | |
| canine | 16.A | |
| caniveau | 5.B | |
| cannabis, *m* | 16.B | |
| cannage | 16.B | |
| canne | 27 | 16.B |
| cannelé | 16.B | |
| cannelle | 2.C | |
| cannelloni | 22.B | |
| cannelure | 16.B | |
| cannibale | 16.B | |
| canoë | 29.B | |
| canon | 10.A | |
| canonique | 16.A | |
| canonisation | 25.A | |
| canonnade | 16.B | |
| canonnière | 16.B | |
| canot | 5 | 16.A |

| | | |
|---|---|---|
| canotage | 16.A | |
| canotier | 3.B | |
| cantabile, *m* | 22.A | |
| cantal | 22.A | |
| cantaloup | 27 | |
| cantate | 13.A | |
| cantatrice | 13.A | |
| cantharide | 13.C | |
| cantilène, *f* | 22.A | |
| cantine | 13.A | |
| cantinier | 30 | |
| cantique | 14 | 14.B |
| canton | 9.A | |
| cantonade | 16.A | |
| cantonal | 30 | |
| cantonnement | 16.B | |
| cantonnier | 16.B | |
| canular | 23.A | |
| canularesque | 14.B | |
| canule, *f* | 22.A | |
| canut | 27 | 27 |
| canyon | 11.A | |
| caoutchouc | 27 | |
| caoutchouteux | 30 | |
| cap | 26 | 12.A |
| capable | 12.A | |
| capacitaire | 26.B | |
| capacité | 18.A | |
| caparaçon | 18.A | |
| cape | 26 | 26.A |
| capeline | 18.A | |
| capésien | 30 | |
| capétien | 25.E | |
| capharnaüm | 17.C | |
| capillaire | 22.B | |
| capillarité | 22.B | |
| capitaine | 2.B | |
| capitainerie | 1.B | |
| capital, *m* | 22 | 22.A |
| capital | 30 | |
| capitale, *f* | 22 | 22.A |
| capitalisme | 22.A | |
| capitation | 25.A | |
| capiteux | 30 | |
| capitole | 22.A | |
| capitonnage | 16.B | |
| capitulaire, *m* | 26.B | |
| capitulation | 25.A | |
| caporal | 12.A | |
| capot | 5.B | |
| capote | 13.A | |

câpre, *f* . . . . . . 1* 1.B
capriccio . . . . . . 5.A
caprice . . . . . . . 18.A
capricieux . . . . . 30
capricorne . . . . . 14.A
capsule . . . . . . 18.A
captieux . . . . . . 25.B
captif . . . . . . . 30
captivité . . . . . . 3.A
capture . . . . . . 26.B
capuce, *m* . . . . 18.A
capuche . . . . . 20.A
capuchon . . . . . 20.A
capucin . . . . . . 18.A
capucine . . . . . 18.A
caquelon . . . . . 14.B
caquet . . . . . . . 14.B
car . . . . . . . . 14 23.A
carabin . . . . . . 8.A
carabine . . . . . 16.A
caraco . . . . . . 5.A
caracole, *f* . . . . 22.A
caractère . . . . . 2.A
caractériel . . . . 30
caractéristique . . 14.B
carafe . . . . . . 17.A
carafon . . . . . . 17.A
caraïbe . . . . . . 29.B
carambolage . . . 9.B
carambouillage . . 11.B
carmel . . . . . . 22.A
caramélisé . . . . 22.A
carapace . . . . . 18.A
carat . . . . . . . 1.C
caravane . . . . . 16.A
caravaneige, *m* . . 2.B
caravaning . . . . 15.C
caravansérail . . . 11.B
caravelle . . . . . 22.B
carbonaro . . . . 5.A
*pl.* carbonari . . 31
carbone . . . . . 16.A
carburant . . . . 9.B
carburateur . . . 23.A
carbure, *m* . . . . 26.B
carcan . . . . . . 9.A
carcasse . . . . . 18.B
carcéral . . . . . 30
cardan . . . . . . 9.A
cardeur . . . . . 30
cardiaque . . . . 14.B

cardigan . . . . . 9.A
cardinal . . . . . 30
cardiogramme . . 16.B
cardiologie . . . 1.B
cardiologue . . . 15.B
cardio-
  pulmonaire(s) . 32
cardio-vasculaire(s) 32
carême . . . . . . 2.A
carême(s)-
  prenant(s), *m* . . 32
carénage . . . . . 28
carence . . . . . 9.A
carène . . . . . . 28
carentiel . . . . . 25.C
caressant . . . . . 18.B
caresse . . . . . 18.B
car-ferry(ies), *m* . . 32
cargaison . . . . 19.A
cargo . . . . . . 5.A
caribou . . . . . 12.A
caricatural . . . . 31
caricature . . . . 26.A
carie . . . . . . . 4.B
carié . . . . . . . 30
carillon . . . . . 11.B
carillonneur . . . 16.B
carlingue . . . . 15.B
carmagnole . . . 22.A
carmel . . . . . . 22.A
carmélite, *f* . . . 22.A
carmin . . . . . . 8.A
carnage . . . . . 21.A
carnassier . . . . 30
carnation . . . . 25.A
carnaval . . . . . 31
carnavalesque . . 14.B
carnet . . . . . . 2.B
carnivore . . . . 26.B
carolingien . . . 30
carotène, *m* . . . 2.A
carotide . . . . . 13.A
carottage . . . . 13.B
carotte . . . . . 13.B
carpe . . . . . . 26.A
carpette . . . . . 13.B
carquois . . . . . 14.B
carrare, *m* . . . . 23.B
carre, *f* . . . . . 5 23.B
carré . . . . . . 3 30
carreau . . . . . 23.B

carrefour . . . . 23.B
carrelage . . . . 23.B
carrelet . . . . . 23.B
carreleur . . . . 30
carrément . . . . 23.B
carrier . . . . . . 3.B
carrière . . . . . 23.B
carriole . . . . . 22.A
carrosse . . . . . 18.B
carrosserie . . . 18.B
carrousel . . . . 18.A
carrure . . . . . 23.B
cartable . . . . . 14.A
carte . . . . . 14 26.A
cartel . . . . . . 22.A
carte(s)-lettre(s), *f* 32
carter . . . . . . 23.A
cartésien . . . . 30
carthaginois . . . 13.C
cartilage . . . . . 22.A
cartilagineux . . . 30
cartographie . . . 17.C
cartomancie . . . 18.A
carton . . . . . . 10.A
cartonnage . . . 16.B
carton(s)-pâte(s),
  *m* . . . . . . . 32
cartoon . . . . . 16.A
cartouche(s)-
  amorce(s), *f* . . 32
cartouchière . . . 2.A
caryatide, *f* . . . 11.A
caryotype . . . . 11.A
cas . . . . . . . . 1.C
casanier . . . . . 30
casaque . . . . . 14.B
casbah . . . . . 19.A
cascade . . . . . 14.A
cascadeur . . . . 14.A
case . . . . . . . 19.B
caséine . . . . . 29.C
casemate . . . . 19.A
caserne . . . . . 19.A
casernement . . . 19.A
cash . . . . . 20 20.B
casher . . . . . . 20.B
cash-flow, *m* . . 32
casier . . . . . . 19.A
casino . . . . . . 5.A
casoar . . . . . . 29.C
casque . . . . . . 14.B

casquette . . . . . 14.B
cassate, *f* . . . . . 18.B
cassation . . . . . 25.A
casse, *m et f* . . . . 18.B
casse-cou, *m* . . . 32
casse-croûte, *m* . . 32
casse-gueule, *m* . 32
casse-noisettes, *m* 32
casse-noix, *m* . . . 32
casse-pieds, *m* . . 32
casse-pipe(s), *m* . 32
casserole . . . . . 18.B
casse-tête, *m* . . . 32
cassette . . . . . . 13.B
casseur . . . . . . 23.A
cassis . . . . . . 31
cassolette . . . . . 18.B
cassonade . . . . . 16.A
cassoulet . . . . . 18.B
cassure . . . . . . 18.B
castagnettes . . . 31
castel . . . . . . . 22.A
castillan . . . . . . 30
castor . . . . . . . 23.A
castrat . . . . . . . 1.C
castration . . . . . 25.A
casuel . . . . . . . 30
casuistique . . . . 14.B
cataclysme . . . . 4.B
catacombes, *f* . . . 31
catadioptre, *m* . . 26.C
catafalque . . . . . 17.A
catalan . . . . . . . 22.A
catalogue . . . . . 15.B
catalyse . . . . . . 4.B
catalyseur . . . . . 4.B
catamaran . . . . . 9.A
cataphote, *m* . . . 17.C
cataplasme . . . . 13.A
catapulte, *f* . . . . 13.A
cataracte . . . . . 13.A
catarrhe, *m* . . . 23 23.C
catastrophe . . . . 17.C
catastrophique . . 17.C
catch . . . . . . . . 20.A
catcheur . . . . . . 30
catéchèse, *f* . . . . 20.A
catéchisme . . . . 20.A
catéchumène . . . 14.C
catégorie . . . . . 4.B
caténaire, *f* . . . . 26.B

cathare . . . . . 23 13.C
cathédrale . . . . . 13.C
cathétérisme, *m* . 13.C
cathode, *f* . . . . . 13.C
cathodique . . . . 13.C
catholicisme . . . . 13.C
catholique . . . . . 13.C
catimini . . . . . . 4.A
catin . . . . . . . . 8.A
catogan . . . . . . 9.A
cauchemar . . . . 23.A
cauchemardesque 14.B
cauchois . . . . . . 24.B
caudal . . . . . . . 30
causalité . . . . . . 3.A
cause . . . . . . . 19.A
causerie . . . . . . 19.A
causette . . . . . . 13.B
causse, *m* . . . .5* 18.B
causticité . . . . . 18.A
caustique . . . . . 14.B
cauteleux . . . . . 30
cautérisation . . . 25.A
caution . . . . . . 25.A
cautionnement . . 16.B
cavaillon . . . . . . 11.B
cavalcade . . . . . 14.A
cavale . . . . . . . 22.A
cavalerie . . . . . . 22.A
cavalier . . . . . . 30
cavalièrement . . . 2.A
caverne . . . . . . 2.C
caveau . . . . . . . 5.B
caverneux . . . . . 30
caviar . . . . . . . 23.A
cavité . . . . . . . 3.A
ce . . . . . . . . 18 18.A
céans . . . . . . 18 9.C
ceci . . . . . . . . 18.A
cécité . . . . . . . 2.A
cedex, *m* . . . . . 2.C
cédille, *f* . . . . . . 11.B
cèdre . . . . . . . 2.A
ceinture . . . . . . 8.B
ceinturon . . . . . 8.B
cela . . . . . . . . 1.A
célébration . . . . 25.A
célèbre . . . . . . 2.A
célébrité . . . . . . 2.A
céleri . . . . . . 18 4.A
célesta . . . . . . 1.A

céleste . . . . . . 18.A
célibat . . . . . . . 1.C
célibataire . . . . . 26.B
celle . . . . . . 22 22.B
celle(s)-ci, *f* . . . . 32
celle(s)-là, *f* . . . . 32
cellier . . . . . . 18 22.B
cellophane . . . . . 17.C
cellulaire . . . . . . 22.B
cellule . . . . . . . 22.B
cellulite . . . . . . 13.A
celluloïd . . . . . . 29.B
cellulose . . . . . . 22.A
celte . . . . . . . . 2.C
celtique . . . . . . 14.B
celui . . . . . . . . 18.A
celui-ci . . . . . . . 32
celui-là . . . . . . . 32
cément . . . . . . 9.B
cénacle . . . . . . 26.C
cendre . . . . . . 9 9.A
cendrée . . . . . . 3.B
cendrillon . . . . . 11.B
cène, *f* . . . . . . 18 2.A
cénobite . . . . . . 13.A
cénotaphe, *m* . . . 17.C
cens . . . . . . . 18 31
censé . . . . . . 18 30
censément . . . . . 18.A
censeur . . . . . . 18.A
censitaire . . . . . 18.A
censure . . . . . . 18.A
cent . . . . . . . . 9 9.B
centaine . . . . . . 2.B
centaure . . . . . . 26.B
centenaire . . . . . 26.B
centième . . . . . . 2.A
centigrade . . . . . 9.A
centime . . . . . . 16.A
central . . . . . . . 30
centrale . . . . . . 22.A
centralisation . . . 25.A
centre . . . . . . . 9.A
centrifuge . . . . . 21.A
centripète . . . . . 13.A
centuple . . . . . . 9.A
centurion . . . . . 9.A
cep, *m* . . . . . . 2 12.A
cépage . . . . . . . 21.A
cèpe, *m* . . . . . . 2 26.A
cependant . . . . . 9.B

| | | |
|---|---|---|
| céphalée, f | . . . . | 17.C |
| céphalopode, m | . | 17.C |
| céphalo-rachidien(s) | . . . | 32 |
| céramique, f | . . . . | 14.B |
| cerbère, m | . . . . . | 2.A |
| cerceau | . . . . . . | 18.A |
| cercle | . . . . . . . | 2.C |
| cercueil | . . . . . . | 7.B |
| céréale, f | . . . . . | 22.A |
| céréalier | . . . . . . | 30 |
| cérébral | . . . . . . | 30 |
| cérébro-spinal (aux), m | . . . . . | 32 |
| cérémonial | . . . . | 16.A |
| cérémonie | . . . . . | 16.A |
| cérémonieux | . . . | 16.A |
| cerf | . . . . . . 23 | 18.A |
| cerfeuil | . . . . . . . | 11.B |
| cerf(s)-volant(s), m | 32 |
| cerisaie | . . . . . . | 2.B |
| cerise | . . . . . . . | 18.A |
| cerne, m | . . . . . . | 18.A |
| certain | . . . . . . . | 30 |
| certainement | . . . | 9.B |
| certes | . . . . . 18 | 18.A |
| certificat | . . . . . . | 1.C |
| certitude | . . . . . . | 13.A |
| cérumen | . . . . . . | 16.A |
| cerveau | . . . . . . | 5.B |
| cervelas | . . . . . . | 1.C |
| cervelet | . . . . . . | 2.B |
| cervelle | . . . . . . | 2.C |
| cervical | . . . . . . | 30 |
| cervidé | . . . . . . . | 3.A |
| cervoise | . . . . . . | 18.A |
| ces | . . . . . . 18 | 18.A |
| césarienne | . . . . . | 16.B |
| cessation | . . . . . | 25.A |
| cesse | . . . . . . . . | 18.B |
| cessez-le-feu, m | . | 32 |
| cession | . . . . . 18 | 25.A |
| c'est-à-dire | . . . . | 32 |
| césure | . . . . . . . | 19.A |
| cet | . . . . . . . . . | 30 |
| cétacé | . . . . . 18 | 3.A |
| ceux | . . . . . . . . | 6.B |
| ceux-ci | . . . . . . . | 32 |
| cévenol | . . . . . . | 22.A |
| chablis | . . . . . . . | 4.B |
| chacal | . . . . . . . | 31 |

| | | |
|---|---|---|
| chaconne | . . . . . | 16.B |
| chacun | . . . . . . . | 30 |
| chagrin | . . . . . . | 8.A |
| chahut | . . . . . . . | 29.B |
| chai, m | . . . . . 2* | 2.B |
| chaîne | . . . . . . 2 | 2.B |
| chaînette | . . . . . | 2.B |
| chaînon | . . . . . . | 16.A |
| chair | . . . . . . 23 | 23.A |
| chaire | . . . . . 23 | 26.B |
| chaise | . . . . . . . | 2.B |
| chaland | . . . . . . | 9.C |
| chaldéen | . . . . . . | 14.C |
| châle | . . . . . . . . | 1.B |
| chalet | . . . . . . . | 2.B |
| chaleur | . . . . . . | 23.A |
| chaleureux | . . . . | 30 |
| châlit, m | . . . . . . | 1.B |
| challenge, m | . . . | 22.B |
| challenger | . . . . . | 23.A |
| chaloupe | . . . . . | 12.A |
| chalumeau | . . . . | 5.B |
| chalut | . . . . . . . | 27 |
| chalutier | . . . . . . | 3.B |
| chamade, f | . . . . | 16.A |
| chamailleur | . . . . | 30 |
| chaman, m | . . . . | 16.A |
| chamarrure | . . . . | 23.B |
| chambard | . . . . . | 23.C |
| chambellan | . . . . | 22.B |
| chambranle, m | . . | 9.B |
| chambre | . . . . . . | 9.B |
| chambrée | . . . . . | 3.B |
| chambrette | . . . . | 2.B |
| chameau | . . . . . | 5.B |
| chamelier | . . . . . | 3.B |
| chamelle | . . . . . . | 2.C |
| chamito-sémitique(s) | . . | 32 |
| chamois | . . . . . . | 23.B |
| champ | . . . . . 9 | 27 |
| champenois | . . . . | 30 |
| champêtre | . . . . . | 2.A |
| champignon | . . . . | 10.A |
| champignonnière | . | 16.B |
| champion | . . . . . | 30 |
| championnat | . . . | 16.B |
| chance | . . . . . . . | 18.A |
| chancelant | . . . . | 9.B |
| chancelier | . . . . . | 22.A |
| chancellerie | . . . . | 22.B |

| | | |
|---|---|---|
| chanceux | . . . . . | 30 |
| chancre | . . . . . . | 9.A |
| chandail | . . . . . . | 11.B |
| chandeleur, f | . . . | 23.A |
| chandelier | . . . . . | 22.A |
| chandelle | . . . . . | 22.B |
| chanfrein | . . . . . | 8.B |
| change | . . . . . . | 21.A |
| changeable | . . . . | 21.B |
| changeant | . . . . | 21.B |
| changement | . . . . | 9.B |
| chanoine | . . . . . | 16.A |
| chanson | . . . . . . | 18.A |
| chansonnette | . . . | 16.B |
| chansonnier | . . . . | 30 |
| chant | . . . . . . 9 | 9.B |
| chantant | . . . . . . | 9.B |
| chanterelle, f | . . . | 2.C |
| chanteur | . . . . . . | 30 |
| chantier | . . . . . . | 3.B |
| chantilly | . . . . . . | 4.B |
| chantre | . . . . . . | 9.A |
| chanvre | . . . . . . | 9.A |
| chaos | . . . . . . . | 14.C |
| chaotique | . . . . . | 14.C |
| chapardeur | . . . . | 30 |
| chape, f | . . . . . 20 | 12.A |
| chapeau | . . . . . . | 5.B |
| chapelain | . . . . . | 8.B |
| chapelet | . . . . . . | 2.B |
| chapelier | . . . . . . | 22.A |
| chapelle | . . . . . . | 22.B |
| chapellerie | . . . . | 22.B |
| chapelure | . . . . . | 22.A |
| chaperon | . . . . . | 23.A |
| chapiteau | . . . . . | 5.B |
| chapitre | . . . . . . | 12.A |
| chapka | . . . . . . . | 14.C |
| chapon | . . . . . . | 12.A |
| chaptalisation | . . . | 25.A |
| chaque | . . . . . . . | 14.B |
| char | . . . . . . . . | 23.A |
| charabia | . . . . . . | 1.A |
| charade | . . . . . . | 13.A |
| charançon | . . . . . | 18.A |
| charbon | . . . . . . | 10.A |
| charbonnage | . . . | 16.B |
| charbonnier | . . . . | 16.B |
| charcuterie | . . . . | 26.A |
| charcutier | . . . . . | 30 |
| chardon | . . . . . . | 10.A |

chardonneret . . . 16.B
charentais . . . . . 30
chargement . . . . 9.B
chargeur . . . . . . 23.A
chariot . . . . . . . 5.A
charisme . . . . . . 14.C
charité . . . . . . . 3.A
charivari . . . . . . 4.A
charlatan . . . . . 9.A
charlatanesque . . 14.B
charleston . . . . . 16.A
charlotte . . . . . . 13.B
charmant . . . . . 9.B
charmeur . . . . . 30
charmille . . . . . . 11.B
charnel . . . . . . . 2.C
charnière . . . . . 26.B
charnu . . . . . . . 30
charognard . . . . 23.C
charogne . . . . . 23.A
charolais . . . . . . 30
charpente . . . . . 9.A
charpie . . . . . . . 4.B
charretée . . . . . 23.B
charretier . . . . . 23.B
charrette . . . . . . 23.B
charroi . . . . . . . 24.A
charron . . . . . . 23.B
charrue . . . . . . 26.A
charte . . . . . . . 20.A
charter . . . . . . . 23.A
chartreux . . . . . 30
chas . . . . . . . . 1.C
chasse . . . . . 1* 18.B
châsse . . . . . . 1* 1.B
chasse-clou(s), m . 32
chassé(s)-croisé(s),
    m . . . . . . . . 32
chasse-goupille(s),
    m . . . . . . . . 32
chasselas . . . . . 1.C
chasse-mouches,
    m . . . . . . . . 32
chasse-neige, m . 32
chasse-pierres, m . 32
chasse-rivet(s), m . 32
chasseur . . . . . . 30
chassie, f . . . . 20 26.A
chassieux . . . . . 25.B
châssis, m . . . . 20 27
chaste . . . . . . . 20.A

chasteté . . . . . . 3.A
chasuble . . . . . . 10.A
chat . . . . . . . 20 1.C
châtaigne . . . . . 1.B
châtaignier . . . . 3.B
châtain . . . . . . . 8.B
château . . . . . . 5.B
château(x) fort(s),
    m . . . . . . . . 32
châtelain . . . . . . 30
chat(s)-huant(s), m 32
châtiment . . . . . 1.B
chatoiement . . . . 26.A
chaton . . . . . . . 10.A
chatouillement . . 11.B
chatouilleux . . . . 30
chatoyant . . . . . 11.A
chatte . . . . . . . 13.B
chatterton . . . . . 13.B
chaud . . . . . . . 5 30
chaudière . . . . . 2.A
chaudron . . . . . . 10.A
chaudronnier . . . 16.B
chauffage . . . . . 17.B
chauffard . . . . . 23.C
chauffe . . . . . . 17.B
chauffe-assiettes,
    m . . . . . . . . 32
chauffe-bain(s), m 32
chauffe-biberon(s),
    m . . . . . . . . 32
chauffe-eau, m . . 32
chauffe-pieds, m . 32
chauffe-plat(s), m. 32
chaufferette . . . . 17.B
chaufferie . . . . . 17.B
chaulage . . . . . . 22.A
chaumage . . . . 5 5.B
chaume . . . . . . 5.B
chaumière . . . . . 2.B
chaussée . . . . . 3.B
chausse-pied(s), m 32
chausses . . . . . 18.B
chausse-trape(s),
    f . . . . . . . . 32
chaussette . . . . . 13.B
chausson . . . . . 18.B
chaussure . . . . . 26.B
chauve(s)-souris, f 32
chauvin . . . . . . 30
chauvinisme . . . . 5.B

chaux . . . . . . . 5 27
chavirement . . . . 9.B
chéchia, f . . . . . 1.A
check-list(s), f . . . 32
check-up, m . . . . 32
cheddite, f . . . . . 13.B
chef . . . . . . . . 2.C
chef(s)-d'œuvre, m 32
chef(s)-lieu(x), m . 32
cheftaine . . . . . 2.B
cheikh . . . . . . 14 14.C
chelem . . . . . . . 16.A
chemin . . . . . . . 8.A
chemin de fer, m . 32
chemineau . . . . 5 5.B
cheminée . . . . . 3.B
cheminement . . . 9.B
cheminot . . . . . 5 5.B
chemise . . . . . . 19.A
chemisette . . . . 13.B
chênaie . . . . . . 26.A
chenal . . . . . . . 16.A
chenapan . . . . . 9.A
chêne . . . . . . . 2 2.A
chéneau . . . . . . 5.B
chêne(s)-liège(s),
    m . . . . . . . . 32
chenet . . . . . . . 2.B
chêne(s) vert(s), m 32
chenil . . . . . . . 22.A
chenille . . . . . . 11.B
chenillette . . . . . 11.B
chenu . . . . . . . 30
cheptel . . . . . . . 22.A
chèque . . . . . . 14 14.B
chèque(s) barré(s),
    m . . . . . . . . 32
chèque(s)
    postal(aux), m . 32
chéquier . . . . . . 14.B
cher . . . . . . . 23 30
chercheur . . . . . 30
chère . . . . . . 23 2.A
chéri . . . . . . . 20 30
chérot . . . . . . . 5.B
cherry . . . . . . 20 4.B
cherté . . . . . . . 3.A
chérubin . . . . . . 8.A
chétif . . . . . . . 30
cheval . . . . . . . 22.A
chevaleresque . . . 14.B

chevalet . . . . . . 2.B
cheval fiscal, *m* . . 32
chevaux fiscaux,
  *m pl* . . . . . . . 32
chevalière . . . . . 22.A
chevalin . . . . . . 30
cheval-vapeur, *m* . 32
chevaux-vapeur,
  *m pl* . . . . . . . 32
chevauchée . . . . 3.B
chevelure . . . . . 26.B
chevet . . . . . . . 2.B
cheveu . . . . . . 6.A
cheveu(x)-de-
  Vénus, *m* . . . . 32
chevillette . . . . . 11.B
chèvre . . . . . . . 2.A
chevreau . . . . . 5.B
chèvrefeuille, *m* . . 11.B
chevrette . . . . . 13.B
chevreuil . . . . . 11.B
chevronné . . . . . 16.B
chevrotine . . . . . 13.A
chewing-gum(s),
  *m* . . . . . . . . 32
chez . . . . . . . 2* 3.C
chez-soi, *m* . . . . 32
chianti . . . . . . . 14.C
chiasme, *m* . . . . 14.C
chic . . . . . . 14 14.A
chicane . . . . . . 16.A
chichement . . . . 20.A
chichi . . . . . . . 20.A
chichiteux . . . . . 30
chicorée, *f* . . . . . 3.B
chicot . . . . . . . 5.B
chien . . . . . . . . 8.A
chiendent, *m* . . . 9.B
chienlit, *f* . . . . . 4.B
chien(s)-loup(s), *m* 32
chiffe, *f* . . . . . . 17.B
chiffon . . . . . . . 17.B
chiffonnier . . . . . 16.B
chiffre . . . . . . . 17.B
chignole . . . . . . 22.A
chignon . . . . . . 10.A
chihuahua . . . . . 29.B
chiite . . . . . . . . 13.A
chimère . . . . . . 2.A
chimérique . . . . 14.B

chimie . . . . . . 20 4.B
chimiothérapie . . 13.C
chimiquement . . . 14.B
chimpanzé . . . . . 19.A
chinchilla, *m* . . . 1.A
chinois . . . . . . . 30
chinoiserie . . . . . 4.B
chiot . . . . . . . . 5.B
chiourme, *f* . . . . 11.A
chipie . . . . . . . 4.B
chipolata, *f* . . . . 1.A
chipotage . . . . . 13.A
chips, *f pl.* . . . . . 31
chique, *f*. . . . . 14 14.B
chiqué . . . . . . . 14.B
chiquenaude . . . 5.B
chiromancie . . . . 14.C
chiropraxie . . . . 14.C
chirurgical . . . . . 30
chirurgien(s)-
  dentiste(s), *m* . 32
chistera, *m ou f* . . 1.A
chlorate, *m* . . . . 14.C
chlore . . . . . . . 14.C
chloroforme . . . . 14.C
chlorophylle, *f* . . . 22.B
chlorure, *m* . . . . 26.B
choc . . . . . . . . 14.A
chochotte, *f* . . . . 13.B
chocolat . . . . . . 1.C
chocolaté . . . . . 3.A
chœur . . . . . 14 14.C
choix . . . . . . . . 24.B
choléra . . . . . . . 1.A
cholestérol . . . . 22.A
chômage . . . . . 5 5.B
chômeur . . . . . . 30
chope . . . . . . . 12.A
chopine . . . . . . 16.A
choquant . . . . . 14.B
choral, *m* . . . . 14 14.C
chorale, *f* . . . . 14 14.C
chorégraphie . . . 14.C
chorizo, *m* . . . . . 5.A
chorus . . . . . . . 14.C
chose . . . . . . . 19.A
chou . . . . . . . . 31
chouan . . . . . . . 9.A
chouannerie . . . . 16.B
choucas, *m* . . . . 1.C
chouchou . . . . . 20.A

choucroute . . . . 14.A
chouette . . . . . . 2.C
chou(x)-fleur(s), *m* 32
chou(x)-rave(s), *m* 32
chrême, *m* . . . 14 14.C
chrétien . . . . . . 30
chrétiennement . . 16.B
chrétienté . . . . . 14.C
christianisme . . . 16.A
chromatique . . . 14.C
chrome . . . . . . 14.C
chromo, *m ou f* . . 14.C
chromosome, *m* . 19.A
chronique . . . . . 14.C
chronologie . . . . 14.C
chrono(mètre) . . 14.C
chronométreur . . 23.A
chrysalide, *f* . . . . 4.B
chrysanthème, *m* . 13.C
chuchotement . . . 13.A
chuintement . . . 8.A
chut ! . . . . . . 26 13.A
chute . . . . . 26 13.A
ci . . . . . . . . . 18.A
ci-après . . . . . . 32
cible . . . . . . . . 18.A
ciboire, *m* . . . . . 26.B
ciboulette . . . . . 2.C
ciboulot . . . . . . 5.B
cicatrice . . . . . . 18.A
ci-contre . . . . . . 32
ci-dessous . . . . 32
ci-dessus . . . . . 32
ci-devant . . . . . 32
cidre . . . . . . . . 18.A
ciel . . . . . . . . . 2.C
  *pl.* cieux *et* ciels 31
cierge . . . . . . . 18.A
cieux . . . . . . . . 25.B
cigale . . . . . . . 22.A
cigare . . . . . . . 18.A
cigarette . . . . . . 2.C
cigarillo . . . . . . 11.B
ci-gît . . . . . . . . 32
cigogne . . . . . . 18.A
ciguë, *f* . . . . . . 29.B
ci-inclus(es) . . . . 32
ci-joint(es) . . . . . 32
cil . . . . . . . . 18 22.A
cilice, *m* . . . . . 18 18.A
cime . . . . . . . 4 18.A

ciment . . . . . . . 9.B
cimenterie . . . . . 4.B
cimeterre, *m* . . . 23.B
cimetière . . . . . 2.A
cinéaste . . . . . . 29.C
ciné-club(s), *m* . . 32
cinéma . . . . . . . 1.A
cinémathèque . . . 13.C
cinématographique 17.C
cinéphile . . . . . . 17.C
cinéraire, *f* . . . . . 26.B
cinglant . . . . . . 9.B
cinq . . . . . 18 8 14.B
cinq-à-sept, *m* . . 32
cinquantenaire . . 26.B
cinquantième . . . 14.B
cintre, *m* . . . . . . 8.A
cirage . . . . . . . 18.A
circoncis . . . . . . 30
circonférence . . . 17.A
circonflexe . . . . 17.A
circonlocution . . . 25.A
circonscription . . 25.A
circonspect . . . . 30
circonspection . . 25.A
circonstance . . . 9.A
circonstanciel . . . 25.C
circonvolution . . . 25.A
circuit . . . . . . . 4.B
circulaire . . . . . . 26.B
circulation . . . . . 25.A
circulatoire . . . . 26.B
cire . . . . . . . . 23 18.A
cireur . . . . . . . 30
cireux . . . . . . . 30
cirque . . . . . . . 14.B
cirrhose, *f* . . . . . 23.C
cirrus, *m* . . . . . . 23.B
cisaille . . . . . . . 11.B
ciseau . . . . . . . 5.B
ciseaux . . . . . . 31
ciselure . . . . . . 26.B
cistercien . . . . . 25.E
citadelle . . . . . . 22.B
citadin . . . . . . . 8.B
citation . . . . . . 25.A
cité, *f* . . . . . . . 3.A
cité(s)-dortoir(s), *f* 32
cité(s)-jardin(s), *f* . 32
citerne . . . . . . . 18.A
cithare, *f* . . . . . . 13.C

citoyen . . . . . . . 11.A
citoyenneté . . . . 16.B
citronnade . . . . . 16.B
citronnelle . . . . . 16.B
citrouille . . . . . . 11.B
cive, *f* . . . . . . . 18.A
civet . . . . . . . . 2.B
civette . . . . . . . 2.C
civière . . . . . . . 2.A
civil . . . . . . . . . 22.A
civilisation . . . . . 25.A
civilité . . . . . . . 3.A
civique . . . . . . . 14.B
clac ! . . . . . . . 14 14.A
clafoutis . . . . . . 4.B
claie . . . . . . . 2* 26.A
clair . . . . . . . . 2 30
clairement . . . . . 9.B
clairet . . . . . . . 2.B
claire(s)-voie(s), *f* . 32
clairière . . . . . . 2.A
clair(s)-obscur(s),
  *m* . . . . . . . . 32
clairon . . . . . . . 2.B
claironnant . . . . 16.B
clairsemé . . . . . 30
clairvoyant . . . . 11.A
clameur . . . . . . 23.A
clan . . . . . . . . 9.A
clandestin . . . . . 30
clandestinement . 9.A
clandestinité . . . 3.A
clapet . . . . . . . 2.B
clapier . . . . . . . 3.B
clapotis . . . . . . 4.B
claquage . . . . . . 14.B
claque . . . . . . 14 14.B
claquette . . . . . 13.B
clarification . . . . 25.A
clarinette . . . . . 16.A
clarté . . . . . . . 3.A
classe . . . . . . . 18.B
classement . . . . 18.B
classicisme . . . . 18.A
classique . . . . . 14.B
claudication . . . . 25.A
clause . . . . . . . 5 5.B
claustral . . . . . . 30
claustrophobie . . 17.C
clavecin . . . . . . 8.A
clavette . . . . . . 13.B

clavicule . . . . . . 22.A
clavier . . . . . . . 3.B
clayette . . . . . . 11.A
clayonnage . . . . 16.B
clé . . . . . . . . 2* 3.A
clef . . . . . . . . 2* 3.C
clématite, *f* . . . . 13.A
clémence . . . . . 9.A
clémentine . . . . 9.A
clenche, *f* . . . . . 9.A
clepsydre, *f* . . . . 4.B
cleptomanie . . . . 4.B
clerc . . . . . . . 2 27
clergé . . . . . . . 3.A
clergyman . . . . . 4.B
clérical . . . . . . . 30
clic ! . . . . . . . 14 14.A
cliché . . . . . . . 3.A
client . . . . . . . 9.B
clientèle . . . . . . 2.A
clignement . . . . 9.B
clignotant . . . . . 9.B
climat . . . . . . . 1.C
climatique . . . . . 14.B
climatisation . . . 25.A
clin . . . . . . . . . 8.A
clinicien . . . . . . 25.E
clinique . . . . . . 14.B
clinquant . . . . . 14.B
clip, *m* . . . . . . . 12.A
clique . . . . . . 14 14.B
cliques . . . . . . 14 31
cliquet . . . . . . . 2.B
cliquetis . . . . . . 4.B
clisse, *f* . . . . . . 18.B
clitoridien . . . . . 30
clitoris . . . . . . . 31
clivage . . . . . . . 21.A
cloaque . . . . . . 29.C
clochard . . . . . . 23.C
cloche . . . . . . . 20.A
cloche-pied (à) . . 32
clocheton . . . . . 13.A
clochette . . . . . 2.C
cloison . . . . . . . 19.A
cloisonnement . . 16.B
cloître . . . . . . . 24.B
clone, *m* . . . . . . 16.A
clopin-clopant . . . 32
clopinettes . . . . 31
cloporte, *m* . . . . 12.A

cloque, *f* . . . . . . 14.B
clos . . . . . . . . 5.B
close-combat, *m*
  *sg.* . . . . . . . . 32
clôture . . . . . . . 5.B
clou . . . . . . . 31
clouterie . . . . . . 4.B
clovisse, *f* . . . . . 16.B
clown . . . . . . . 16.A
clownerie . . . . . 4.B
clownesque . . . . 14.B
club . . . . . . . . 7.C
cluse, *f* . . . . . . . 19.A
clystère, *m* . . . . 4.B
coadjuteur . . . . . 29.C
coagulation . . . . 25.A
coalisé . . . . . . . 29.C
coalition . . . . . . 25.A
coassement . . . . 18.B
coauteur . . . . . . 29.C
cobalt . . . . . . . 13.A
cobaye . . . . . . . 11.A
cobol . . . . . . . . 22.A
cobra . . . . . . . 1.A
coca, *f* . . . . . . . 1.A
coca-cola, *m* . . . 32
cocagne, *f* . . . . . 14.A
cocaïne . . . . . . 29.B
cocarde . . . . . . 14.A
cocardier . . . . . 30
cocasse . . . . . . 18.B
cocasserie . . . . . 4.B
coccinelle . . . . . 18.C
coccyx . . . . . . . 18.C
coche . . . . . . . 20.A
cocher . . . . . . 2* 3.B
cochère, *f* . . . . . 2.A
cochon . . . . . . 30
cochon(s) d'Inde,
  *m* . . . . . . . . 32
cochonnaille . . . 11.B
cochonnet . . . . . 16.B
cocker . . . . . . . 14.C
cockpit . . . . . . . 14.C
cocktail . . . . . . 14.C
coco . . . . . . . . 5.A
cocon . . . . . . . 14.A
cocorico . . . . . . 14.A
cocotier . . . . . . 3.B
cocotte . . . . . . . 13.B
cocu . . . . . . . . 14.A

coda, *f* . . . . . . . 1.A
code . . . . . . . . 13.A
codex . . . . . . . 31
codicille, *m* . . . . 22.B
coefficient . . . . . 17.B
coercition . . . . . 25.A
cœur . . . . . . . 14 7.B
coexistence . . . . 29.C
coffre . . . . . . . 17.B
coffre(s)-fort(s), *m* 32
coffret . . . . . . . 17.B
cogito . . . . . . . 5.A
cognac . . . . . . . 14.A
cognassier . . . . . 18.B
cognée . . . . . . . 3.B
cognement . . . . 9.B
cohabitation . . . . 29.A
cohérent . . . . . . 29.A
cohéritier . . . . . 29.A
cohésion . . . . . . 29.A
cohorte . . . . . . 29.A
cohue . . . . . . . 29.A
coi . . . . . . . 14 24.A
  *f* coite . . . . . 30
coiffe . . . . . . . 17.B
coiffeur . . . . . . 30
coiffure . . . . . . 26.B
coin . . . . . . 24 24.D
coincement . . . . 24.A
coïncidence . . . . 29.B
coin-coin, *m* . . . . 32
coin(s)-de-feu, *m* . 32
coing . . . . . 24 24.E
coït . . . . . . . . 29.B
coke . . . . . . 14 14.C
col . . . . . . 22 5* 22.A
col(s)-bleu(s), *m* . 32
colchique, *m* . . . 14.B
col(s)-de-cygne, *m* 32
coléoptère . . . . . 29.C
colère . . . . . . . 2.A
coléreux . . . . . . 30
colérique . . . 14 14.B
colibacille, *m* . . . 22.B
colibri . . . . . . . 4.A
colifichet . . . . . 2.B
colimaçon . . . . . 18.A
colin . . . . . . . 5.A
colin-maillard, *m*
  *sg.* . . . . . . . . 32
colique . . . . . . . 22.A

colis . . . . . . . . 4.B
colite, *f* . . . . . . 13.A
collaborateur . . . 30
collaboration . . . 22.B
collage . . . . . . . 22.B
collant . . . . . . . 22.B
collatéral . . . . . . 31
collation . . . . . . 25.A
colle . . . . . 22 5*22.B
collecte . . . . . . 22.B
collecteur . . . . . 30
collectif . . . . . . 30
collection . . . . . 25.A
collectionneur . . . 16.B
collectivité . . . . . 22.B
collège . . . . . . . 22.B
collégial . . . . . . 11.A
collégien . . . . . . 30
collègue . . . . . . 15.B
collerette . . . . . . 22.B
collet . . . . . . . . 22.B
collier . . . . . . . 3.B
collimateur . . . . 22.B
colline . . . . . . . 22.B
collision . . . . . . 22.B
colloque . . . . . . 14.B
collusion . . . . . . 22.B
collutoire, *m* . . . . 26.B
collyre, *m* . . . . . 4.B
colmatage . . . . . 13.A
colombier . . . . . 22.A
colon . . . . . . 5* 22.A
côlon . . . . . . 5* 5.B
colonel . . . . . . . 16.A
colonial . . . . . . 30
colonialisme . . . . 16.A
colonie . . . . . . . 4.B
colonisation . . . . 25.A
colonnade . . . . . 16.B
colonne . . . . . . 16.B
colonnette . . . . . 13.B
coloquinte, *f* . . . 14.B
colorant . . . . . . 22.A
coloris . . . . . . . 4.B
colossal . . . . . . 18.B
colosse . . . . . . 18.B
colporteur . . . . . 30
colt . . . . . . . . 13.A
columbarium . . . 16.A
colza, *m* . . . . . . 19.A
coma . . . . . 27 16.A

comateux . . . . . 30
combat . . . . . . 1.C
combatif . . . . . . 30
combativité . . . . 10.B
combattant . . . . 13.B
combien . . . . . . 8.A
combinaison . . . 16.A
combinard . . . . . 23.C
combine . . . . . . 16.A
comble . . . . . . . 10.B
combustion . . . . 10.A
comédie . . . . . . 4.B
comédie(s)-
ballet(s), f . . . . 32
comédien . . . . . 30
comestible . . . . . 16.A
comète . . . . . . 2.A
comices . . . . . . 31
comics . . . . . . . 31
comique . . . . . . 14.B
comité . . . . . . . 3.A
comma, m . . . 27 16.B
commandant . . . 9.B
commande . . . . 9 16.B
commandement . 16.B
commanditaire . . 26.B
commando . . . . 5.A
commedia
dell'arte, f . . . . 32
commémoratif . . 16.B
commémoration . 16.B
commencement . 16.B
comment . . . . . 9.B
commentaire . . . 16.B
commentateur . . 30
commérage . . . . 16.B
commerçant . . . 16.B
commerce . . . . . 16.B
commercial . . . . 30
commère . . . . . 16.B
comminatoire . . . 26.B
commis . . . . . . 16.B
commisération . . 25.A
commis-
greffier(s), m . . 32
commissaire . . . . 18.B
commissaire(s)-
priseur(s), m . . 32
commissariat . . . 1.C
commission . . . . 25.A
commissionnaire . 16.B

commissure . . . . 18.B
commis
voyageur(s), m . 32
commode . . . . . 16.B
commodément . . 16.B
commodité . . . . 16.B
commodore, m . . 26.B
commotion . . . . 25.A
commun . . . . . . 30
communard . . . . 23.C
communautaire . . 26.B
communauté . . . 3.A
commune . . . . . 16.B
communicant . . . 9.B
communication . . 25.A
communion . . . . 16.A
communiqué . . . 3.A
communisme . . . 16.B
commutateur . . . 23.A
commutation . . . 25.A
compact . . . . . . 13.A
compagnie . . . . 4.B
compagnonnage . 16.B
comparaison . . . 19.A
comparse . . . . . 18.A
compartiment . . . 9.B
comparution . . . 25.A
compas . . . . . . 1.C
compassé . . . . . 18.B
compassion . . . . 25.A
compatibilité . . . 10.B
compatible . . . . 10.B
compensation . . . 25.A
compensatoire . . 26.B
compère(s)-
loriot(s), m . . . 32
compétence . . . . 9.A
compétition . . . . 25.A
compilation . . . . 25.A
complainte . . . . 8.B
complaisamment . 16.B
complaisance . . . 9.A
complémentaire . 26.B
complet . . . . . . 2.B
complètement . . 9.B
complétive . . . . 13.A
complet(s)-
veston, m . . . . 32
complexité . . . . 3.A
complication . . . 25.A
complice . . . . . . 18.A

complicité . . . . . 3.A
complies, f pl. . . . 31
compliment . . . . 9.B
compliqué . . . . . 14.B
complot . . . . . . 5.B
componction . . . 25.A
componentiel . . . 25.C
comportement . . 9.B
compos(ac)ée . . . 3.B
composante . . . . 9.A
composite . . . . . 13.A
compositeur . . . . 30
composition . . . . 25.A
compost, m . . . . 13.A
compote . . . . . . 13.A
compotier . . . . . 13.A
compréhension . . 25.A
compresse . . . . . 18.B
compresseur . . . 23.A
comprimé . . . . . 3.A
compromettant . . 13.B
compromis . . . . 4.B
compromission . . 25.A
comptabilité . . . . 27
comptant . . . . . 9 27
compte . . . . . 10 27
compte(s)
courant(s), m . . 32
compte-fils, m . . 32
compte-gouttes, m 32
compte(s)
rendu(s), m . . . 32
compte-tours, m . 32
compteur . . . . 10 27
comptine . . . . . 27
comptoir . . . . . . 23.A
comput . . . . . . 13.A
computer . . . . . 23.A
comte . . . . . . 10 10.B
comté . . . . . . 10 10.B
comtesse . . . . . 18.B
comtois . . . . . . 30
concasseur . . . . 18.B
concaténation . . . 25.A
concentration . . . 25.A
concentrationnaire 26.B
concentré . . . . . 30
concept . . . . . . 13.A
conception . . . . 25.A
conceptuel . . . . 30
concert . . . . . . 27

concerto . . . . . . 5.A
concession . . . . 25.A
concessionnaire . 26.B
concierge . . . . . 18.A
concile . . . . . . . 22.A
conciliabule . . . . 22.A
conciliaire . . . . . 26.A
conciliateur . . . . 30
concis . . . . . . . 30
concitoyen . . . . 11.A
conclave, m . . . . 10.A
concluant . . . . . 9.B
conclusif . . . . . . 30
concombre . . . . 14.B
concomitant . . . 9.B
concordance . . . 18.A
concordat . . . . . 1.C
concordataire . . . 26.B
concours . . . . . 27
concret . . . . . . 30
concrètement . . . 9.B
concrétion . . . . . 25.A
concrétisation . . . 25.A
concubin . . . . . 8.A
concubinage . . . 16.A
concupiscence . . 18.C
concurremment . . 1.C
concurrence . . . . 23.B
concurrent . . . . 23.B
concurrentiel . . . 25.C
concussion . . . . 25.A
condamnation . 25.A
condensateur . . 9.A
condensation . . . 25.A
condescendance . 18.C
condiment . . . . . 9.B
condisciple . . . . 18.C
condition . . . . . 25.A
conditionnel . . . 16.B
condoléances, f pl. 31
condor . . . . . . . 23.A
condottiere . . . . 13.B
conducteur . . . . 30
conduit . . . . . . 4.B
conduite . . . . . . 13.A
cône . . . . . . . . 5.B
confection . . . . . 25.A
confédération . . . 25.A
conférence . . . . 9.A
conférencier . . . . 18.A
confession . . . . . 25.A

confessionnal . . . 16.B
confetti . . . . . . 13.B
confiance . . . . . 9.A
confidence . . . . 9.A
confidentiel . . . . 25.C
confins . . . . . . . 31
confirmation . . . 25.A
confiscation . . . . 14.A
confiserie . . . . . 4.B
confiseur . . . . . 19.A
confisqué . . . . . 14.B
confit . . . . . . . 30
confiture . . . . . . 26.B
conflictuel . . . . . 30
conflit . . . . . . . 4.B
conformément . . 9.B
conformité . . . . 3.A
confort . . . . . . . 27
confrère . . . . . . 2.A
confrérie . . . . . . 4.B
confus . . . . . . . 30
confusément . . . 9.B
congé . . . . . . . 3.A
congélateur . . . . 23.A
congénère . . . . . 26.B
congénital . . . . . 30
congère, f . . . . . 2.A
congestion . . . . 25.A
congestionné . . . 16.B
conglomérat . . . 1.B
congratulation . . 25.A
congre . . . . . . . 14.A
congrégation . . . 25.A
congrès . . . . . . 27
congressiste . . . . 18.B
congruence . . . . 29.C
congrûment . . . . 9.B
conifère, m . . . . 16.A
conique . . . . . . 16.A
conjecture . . . . . 26.B
conjoint . . . . . . 24.E
conjointement . . 9.B
conjonction . . . . 25.A
conjonctivite . . . 13.A
conjoncture . . . . 26.B
conjugaison . . . . 15.A
conjugal . . . . . . 30
conjuration . . . . 25.A
connaissance . . . 16.B
connecteur . . . . 23.A
connerie . . . . . . 16.B

connétable . . . . 16.B
connexe . . . . . . 16.B
connexion . . . . . 25.A
connivence . . . . 9.A
connotation . . . . 16.B
connu . . . . . . . 30
conque, f . . . . . 14.B
conquérant . . . . 14.B
conquête . . . . . 2.A
conquistador, m . 23.A
consanguin . . . . 30
consanguinité . . . 15.B
consciemment . . 1.C
consciencieux . . . 25.B
conscient . . . . . 18.C
conscription . . . . 25.A
conscrit . . . . . . 4.B
consécration . . . 25.A
consécutif . . . . . 30
conseil . . . . . . . 11.B
conseiller . . . . . 3.B
consensus . . . . . 31
consentement . . . 9.A
conséquemment . 1.C
conséquence . . . 14.B
conservateur . . . 30
conservatoire . . . 26.B
conserve . . . . . . 18.A
considération . . . 25.A
consignation . . . 25.A
consigne . . . . . . 18.A
consistant . . . . . 9.B
consistoire, m . . . 26.B
consolateur . . . . 30
console, f . . . . 22 22.A
consolidation . . . 25.A
consommation . . 16.B
consomption . . . 25.A
consonance . . . . 16.A
consonne . . . . . 16.B
consort . . . . . . 27
consorts . . . . . . 31
constable, m . . . 26.C
constance . . . . . 18.A
constat . . . . . . . 1.C
constellation . . . 25.A
consternation . . . 25.A
constipation . . . . 25.A
constituant . . . . 9.B
constitution . . . . 25.A
constitutionnel . . 16.B

constriction . . . . 25.A
construction . . . 25.A
consul . . . . . . . 22.A
consulaire . . . . . 26.B
consulat . . . . . . 1.C
consultation . . . . 25.A
contact . . . . . . 13.A
contagieux . . . . 30
container, *m* . . . 3.B
contamination . . 25.A
conte . . . . . 10 10.A
contemplatif . . . 30
contemporain . . 30
contempteur . . . 30
contenance . . . . 9.A
content . . . . . . 9 9.B
contentement . . . 9.B
contentieux . . . . 25.B
contention . . . . . 25.A
contenu . . . . . . 10.A
contestataire . . . 26.B
conteur . . . . . 10 30
contextuel . . . . . 30
contigu . . . . . . 30
contiguïté . . . . . 29.B
continence . . . . 9.A
contingence . . . . 21.A
continuel . . . . . 30
continûment . . . 9.B
contondant . . . . 9.B
contorsion . . . . . 25.A
contorsionniste . . 16.B
contour . . . . . . 23.A
contraceptif . . . . 30
contraception . . . 25.A
contraction . . . . 25.A
contractuel . . . . 30
contradicteur . . . 30
contradictoire . . . 26.B
contraignant . . . 9.B
contraint . . . . . . 8.B
contrainte . . . . . 8.B
contraire . . . . . . 26.B
contralto, *m* . . . . 5.A
contraste . . . . . 13.A
contrastif . . . . . 30
contrat . . . . . . . 1.C
contravention . . . 25.A
contre-allée(s), *f* . 32
contre-amiral(aux),
    *m* . . . . . . . . 32

contre-appel(s), *m* 32
contre-attaque(s), *f* 32
contrebande . . . 9.A
contrebas . . . . . 1.C
contrebasse . . . . 18.B
contre-chant(s), *m* 32
contrecœur . . . . 8.B
contrecoup . . . . 27
contre-courant(s) . 32
contrée . . . . . . 3.B
contre-écrou(s), *m* 32
contre-enquête(s),
    *f* . . . . . . . . 32
contre-épreuve(s),
    *f* . . . . . . . . 32
contre-espionnage,
    *m sg.* . . . . . . 32
contre-essai(s), *m* 32
contre-
    expertise(s), *f* . . 32
contrefaçon . . . . 18.A
contrefort . . . . . 27
contre-
    indication(s), *f* . 32
contre-jour(s), *m* . 32
contremaître . . . 2.B
contre-manifes-
    tation(s), *f* . . . 32
contremarque, *f* . 32
contre-
    offensive(s), *f* . 32
contrepartie . . . . 4.B
contre-pente(s), *f* . 32
contre-
    performance(s),
    *f* . . . . . . . . 32
contrepèterie . . . 13.A
contre-pied(s), *m* . 32
contre-plaqué(s),
    *m* . . . . . . . . 32
contre-plongée(s),
    *f* . . . . . . . . 32
contrepoids . . . . 27
contrepoint . . . . 24.E
contrepoison, *m* . 32
contreprojet, *m* . . 32
contreproposition,
    *f* . . . . . . . . 32
contre-réforme(s),
    *f* . . . . . . . . 32

contre-
    révolution(s), *f* . 32
contresens . . . . 31
contresignataire,
    *m* . . . . . . . . 32
contre-sujet(s), *m* . 32
contretemps . . . 31
contre-torpilleur(s),
    *m* . . . . . . . . 32
contretype . . . . . 4.B
contre-ut, *m sg.* . . 32
contrevenant . . . 9.B
contrevent . . . . . 9.B
contre-vérité(s), *f* . 32
contre-visite(s), *f* . 32
contre-voie (à) . . 38
contribution . . . . 25.A
contrit . . . . . . . 4.B
contrition . . . . . 25.A
contrôle . . . . . . 5.A
contrordre, *m* . . . 32
controverse . . . . 18.A
contumace, *f* . . . 18.A
contusion . . . . . 19.A
convaincant . . . . 14.A
convalescence . . 15.C
convalescent . . . 18.C
convenance . . . . 9.A
conventionnel . . . 16.B
convergence . . . 9.A
conversation . . . 25.A
conversion . . . . 25.A
converti . . . . . . 4.A
convertisseur . . . 18.B
convexe . . . . . . 30
convict . . . . . . . 27
conviction . . . . . 25.A
convive . . . . . . 10.A
convocation . . . . 25.A
convoi . . . . . . . 24.A
convoitise . . . . . 19.A
convoyeur . . . . . 11.A
convulsif . . . . . . 30
convulsion . . . . . 25.A
cool [u] . . . . . 26 22.A
coolie, *m* . . . . 26 22.A
coopératif . . . . . 29.C
cooptation . . . . . 29.C
coordination . . . 29.C
coordonné . . . . . 29.C
coordonnée . . . . 31

copain . . . . . . . 8.B
copal, *m* . . . . . . 22.A
copeau . . . . . . . 5.A
copie . . . . . . . . 4.B
copie conforme, *f* . 32
copine . . . . . . . 16.A
copra(h), *m* . . . . 1.A
copte . . . . . . . 14.A
copule, *f* . . . . . . 22.A
copyright, *m* . . . 11.A
coq . . . . . . 14 14.B
coq-à-l'âne (du) . . 32
coquard . . . . . . 14.B
coquart . . . . . . 23.C
coque . . . . . 14 14.B
coquelicot . . . . . 5.A
coqueluche . . . . 14.B
coquet . . . . . . . 30
coquetterie . . . . 13.B
coquillage . . . . . 11.B
coquille . . . . . . 11.B
coquin . . . . . . . 30
cor . . . . . . . 23 23.A
corail . . . . . . . . 31
corallien . . . . . . 30
coranique . . . . . 14.B
cor au pied, *m* . . . 32
corbeau . . . . . . 5.B
corbeille . . . . . . 11.B
corbillard . . . . . 23.C
corde . . . . . . . 26.C
cordeau . . . . . . 5.B
cordée . . . . . . . 3.B
cordelette . . . . . 2.C
cordial . . . . . . . 30
cordon . . . . . . . 10.A
cordonnier . . . . . 16.B
coreligionnaire . . 16.B
coriace . . . . . . . 18.A
coriandre, *f* . . . . 9.A
corinthien . . . . . 13.C
cormoran . . . . . 9.A
corne . . . . . . . 16.A
corned-beef, *m sg.* 32
cornée . . . . . . . 3.B
corneille . . . . . . 11.B
cornélien . . . . . 30
cornemuse . . . . 19.A
corniaud . . . . . . 5.B
cornichon . . . . . 10.A
cornu . . . . . 26 30

cornue . . . . . 26 26.A
corollaire, *m* . . . . 26.B
corolle, *f* . . . . . . 22.B
coronaire . . . . . 16.A
coronarien . . . . . 16.A
corps-mort(s), *m* . 32
corporation . . . . 25.A
corporatisme . . . 13.A
corporel . . . . . . 30
corps . . . . . 23 27
corpulence . . . . 9.A
corpus . . . . . . . 31
corpuscule . . . . . 22.A
corral . . . . . . 14 23.B
correct . . . . . . . 23.B
correcteur . . . . . 30
correctionnel . . . 16.B
corrélatif . . . . . . 23.B
corrélation . . . . . 25.A
correspondance . 9.A
correspondant . . 23.B
corrida, *f* . . . . . . 23.B
corridor . . . . . . 23.B
corrosif . . . . . . 30
corrupteur . . . . . 30
corsage . . . . . . 21.A
corsaire . . . . . . 23.B
corse . . . . . . . . 18.A
corset . . . . . . . 2.B
corso . . . . . . . . 5.A
cortège . . . . . . 21.A
cortex . . . . . . . 31
cortisone . . . . . 16.A
corvée . . . . . . . 3.B
corvette . . . . . . 2.B
coryphée, *m* . . . . 17.C
coryza, *m* . . . . . 4.B
cosaque . . . . . . 19.A
cosinus . . . . . . 31
cosmétique . . . . 14.B
cosmique . . . . . 14.B
cosmogonie, *f* . . . 16.A
cosmonaute . . . . 16.A
cosmopolite . . . . 22.A
cosmos . . . . . . 31
cossard . . . . . . 18.B
cosse, *f* . . . . . .5* 18.B
cossu . . . . . . . 30
costaud . . . . . . 5.B
costume . . . . . . 16.A
cosy . . . . . . . . 4.B

cote . . . . . . . .5* 5.A
côte . . . . . . . .5* 5.B
coté . . . . . . . .5* 5.A
côté . . . . . . . .5* 5.B
coteau . . . . . . . 5.B
côtelette . . . . . . 5.B
coterie . . . . . . . 4.B
cothurne, *m* . . . . 13.C
côtier . . . . . . . . 30
cotillon . . . . . . . 11.B
cotisation . . . . . 25.A
côtoiement . . . . 26.A
coton . . . . . . . 10.A
cotonnade . . . . . 16.B
cotre . . . . . . . . 5.A
cottage . . . . . . 13.B
cotte, *f* . . . . . .5* 13.B
cou . . . . . . . 27 14.A
couac . . . . . . . 14.A
couard . . . . . . . 23.C
couardise . . . . . 19.A
couchant . . . . . 9.B
couche . . . . . . . 20.A
couchette . . . . . 2.B
couci-couça . . . . 32
coucou . . . . . . 14.A
coudée . . . . . . . 3.B
cou(s)-de-pied, *m* . 32
coudrier . . . . . . 3.B
couenne, *f* . . . . . 16.B
couette . . . . . . 2.B
couffin, *m* . . . . . 17.B
couic ! . . . . . . . 14.A
couillonnade . . . 11.B
couinement . . . . 16.A
coule, *f* . . . . . 26 22.A
coulée . . . . . . . 3.B
couleur . . . . . . 23.A
couleuvre . . . . . 7.A
coulis . . . . . 26 4.B
coulisse . . . . . . 18.B
couloir . . . . . . . 23.A
coulomb . . . . . 10 27
coulommiers . . . 16.B
coup . . . . . . 27 27
coupable . . . . . 12.A
coup(s) de pied, *m* 32
coup(s) de poing,
   *m* . . . . . . . . 32
coupe . . . . . . . 12.A
coupé . . . . . . . 3 12.A

coupe-choux, *m* . 32
coupe-cigares, *m* . 32
coupe-circuit, *m* . 32
coupe-coupe, *m* . 32
coupée . . . . . . 3 3.B
coupe-feu, *m* . . . 32
coupe-file, *m* . . . 32
coupe-gorge, *m* . . 32
coupe-jarret(s), *m* 32
coupe-légumes, *m* 32
coupelle . . . . . . 2.B
coupe-papier, *m* . 32
couperet . . . . . . 2.B
coupe-vent, *m* . . 32
couple, *m* . . . . . 14.A
couple, *f* . . . . . . 14.A
couplet . . . . . . . 2.B
coupole . . . . . . 22.A
coupon . . . . . . . 10.A
coupure . . . . . . 23.A
cour . . . . . . . 23 23.A
courage . . . . . . 23.A
couramment . . . 16.B
courant . . . . . . 9.B
courbatu . . . . . . 13.A
courbature . . . . 23.A
courée . . . . . . . 3.B
coureur . . . . . . 23.A
courge . . . . . . . 21.A
courgette . . . . . 2.C
couronne . . . . . 16.B
courrier . . . . . . 3.B
courroie . . . . . . 24.B
courroucé . . . . . 23.B
courroux . . . . . . 31
cours . . . . . . 23 31
course . . . . . . . 26.C
coursive . . . . . . 18.A
court . . . . . . 23 30
courtaud . . . . . . 5.B
court(s)-
    bouillon(s), *m* . 32
court(s)-circuit(s),
    *m* . . . . . . . 32
courtier . . . . . . 3.B
courtisan . . . . . 9.A
courtois . . . . . . 30
courtoisie . . . . . 4.B
court-vêtu(es) . . . 32
couscous . . . . . 31
cousette . . . . . . 19.A

cousin . . . . . . . 30
cousinage . . . . . 19.A
coussin . . . . . . 18.B
coût . . . . . . . 27 27
coûtant . . . . . . 9.B
couteau . . . . . . 5.B
couteau(x)-scie(s),
    *m* . . . . . . . 32
coutelas . . . . . . 1.C
coûteux . . . . . . 30
coutil, *m* . . . . . 22.A
coutume . . . . . . 16.A
coutumier . . . . . 30
couturier . . . . . . 30
couvée . . . . . . . 3.B
couvent . . . . . . 9.B
couvert . . . . . . 27
couvre-chef(s), *m* . 32
couvre-feu(x), *m* . 32
couvre-lit(s), *m* . . 32
couvre-pied(s), *m* . 32
cover-girl(s), *f* . . 32
cow-boy(s), *m* . . 32
coyote, *m* . . . . . 11.A
crabe . . . . . . . 12.A
crac ! . . . . . . 14 14.A
crachat . . . . . . 1.C
crachin . . . . . . 8.A
crack . . . . . . 14 14.C
cracker . . . . . . 14.C
craie . . . . . . 2 26.A
craintif . . . . . . 30
cramoisi . . . . . . 30
crampe . . . . . . 9.B
crampon . . . . . 9.B
cramponné . . . . 16.B
cran . . . . . . . 9.A
crâne . . . . . . . 1.B
crâneur . . . . . . 30
crapaud . . . . . . 5.B
crapule . . . . . . 22.A
crapuleux . . . . . 30
craque, *f* . . . 14 14.B
craquelure . . . . . 14.B
crash, *m* . . . . . 20.B
crasse . . . . . . . 18.B
crasseux . . . . . . 30
crassier . . . . . . 3.B
cratère . . . . . . 2.A
cravate . . . . . . 13.A
crawl . . . . . . . 5.C

crayeux . . . . . . 30
crayon . . . . . . . 11.A
crayon(s)-feutre(s),
    *m* . . . . . . . 32
crayonnage . . . . 16.B
créance . . . . . . 29.C
créancier . . . . . 30
créateur . . . . . . 30
création . . . . . . 25.A
créativité . . . . . 3.A
crécelle . . . . . . 2.C
crèche . . . . . . . 20.A
crédence . . . . . 9.A
crédibilité . . . . . 3.A
crédit . . . . . . . 4.B
créditeur . . . . . 30
credo . . . . . . . 5.A
crédulité . . . . . 3.A
crémaillère . . . . 11.B
crématoire . . . . 26.B
crématorium . . . 16.A
crème . . . . . . 14 2.A
crémerie . . . . . . 4.B
crémone, *f* . . . . 16.A
créneau . . . . . . 5.B
créole . . . . . . . 22.A
crêpe . . . . . . . 28
crépine . . . . . . 16.A
crépitement . . . . 9.B
crépon . . . . . . 10.A
crépu . . . . . . . 28
crépuscule . . . . . 22.A
crescendo . . . . . 20.B
cresson . . . . . . 18.B
crêt . . . . . . . 2 2.B
crétacé . . . . . . 3.A
crête . . . . . . . 2.A
crétin . . . . . . . 8.A
cretonne . . . . . . 16.B
creuset . . . . . . 2.B
creux . . . . . . . 6.B
crevaison . . . . . 19.A
crevasse . . . . . . 18.B
crève-cœur, *m* . . 32
crève-la-faim, *m* . 32
crève-tonneau, *m* . 32
crevette . . . . . . 13.B
cri . . . . . . . . 1.A
criard . . . . . . . 23.C
crible . . . . . . . 26.C
cric . . . . . . . 14 14.A

cricket . . . . . . . 14.C
criée . . . . . . . . 3.B
crime . . . . . . . . 16.A
criminel . . . . . . 30
crin . . . . . . . . 8 8.A
crinière . . . . . . . 2.A
crinoline . . . . . . 16.A
crique . . . . . 14 14.B
criquet . . . . . . . 14.B
crise . . . . . . . . 19.A
crispation . . . . . 25.A
crissement . . . . . 18.B
cristal . . . . . . . 22.A
cristallin . . . . . . 22.B
cristallisation . . . 25.A
critère, m . . . . . 2.A
critérium . . . . . . 16.A
criticisme . . . . . 18.A
critique . . . . . . 14.B
croassement . . . 29.C
croc . . . . . . . . 27
croc(s)-en-jambe,
   m . . . . . . . . 32
croche, f . . . . . . 20.A
crochet . . . . . . 2.B
crochu . . . . . . . 20.A
crocodile . . . . . 14.A
crocus, m . . . . . 31
croisade . . . . . . 19.A
croisé . . . . . . . 19.A
croisée . . . . . . . 3.B
croisement . . . . 9.B
croisillon . . . . . . 11.B
croissance . . . . . 18.B
croissant . . . . . . 9.B
croix . . . . . . . . 27
croque-mitaine(s),
   m . . . . . . . . 32
croque-monsieur, m 32
croquenot . . . . . 5.B
croque-note(s), m 32
croquet . . . . . . 14.B
croquette . . . . . 14.B
croqueur . . . . . . 30
croquignolet . . . 14.B
croquis . . . . . . . 27
cross . . . . . . 26 18.B
cross-country, m . 32
crosse . . . . . 26 26.A
crotale, m . . . . . 22.A
crotte . . . . . . . 13.B

crottin . . . . . . . 13.B
croup, m . . . . 26 12.A
croupe, f . . . . 26 26.A
croupion . . . . . . 12.A
croustillant . . . . 11.B
croûte . . . . . . . 13.A
croyance . . . . . 11.A
croyant . . . . . . 11.A
cru . . . . . . . . . 30
cruauté . . . . . . 3.A
cruchon . . . . . . 10.A
crucial . . . . . . . 30
crucifix . . . . . . . 18.A
crucifixion . . . . . 25.A
cruciverbiste . . . 18.A
crue . . . . . . 26 26.A
crudité . . . . . . . 3.A
crue . . . . . . . . 26.A
cruel . . . . . . . . 30
crûment . . . . . . 9.B
crustacé . . . . . . 3.A
cryogénie . . . . . 4.B
cryothérapie . . . . 4.B
crypte . . . . . . . 4.B
cryptogame . . . . 4.B
cube . . . . . . . . 12.A
cubique . . . . . . 14.B
cubitus . . . . . . . 31
cueillette . . . . . . 11.B
cui-cui, m . . . . . 32
cuiller . . . . . . . 23.A
cuillère . . . . . . . 2.A
cuillerée . . . . . . 31.B
cuir . . . . . . . . . 23.A
cuirasse . . . . . . 18.B
cuisine . . . . . . . 19.A
cuisinier . . . . . . 30
cuisse . . . . . . . 18.B
cuisseau . . . . . 5 5.B
cuisson . . . . . . 18.B
cuissot . . . . . . 5 5.B
cuistot . . . . . . . 5.B
cuivreux . . . . . . 30
cul . . . . . . . . . 27
culasse . . . . . . 18.B
cul(s)-blanc(s), m . 32
culbute . . . . . . 13.A
cul(s)-de-basse-
   fosse, m . . . . . 32
cul-de-bouteille
   (couleur) . . . . 32

cul(s)-de-jatte . . . 32
cul(s)-de-lampe . . 32
cul(s)-de-sac, m . 32
culée . . . . . . . . 3.B
culminant . . . . . 9.B
culot . . . . . . . . 5.B
culotte . . . . . . . 13.B
culpabilité . . . . . 22.A
cultivateur . . . . . 30
culturel . . . . . . 30
cumin . . . . . . . 8.A
cumul . . . . . . . 22.A
cumulatif . . . . . 30
cumulo-nimbus, m 32
cumulo-stratus, m 32
cumulus . . . . . . 31
cupidité . . . . . . 3.A
cupidon . . . . . . 8.A
curaçao . . . . . . 18.A
curare, m . . . . . 23.A
curatif . . . . . . . 30
curé . . . . . . . 3 3.A
cure-dents, m . . . 32
curée . . . . . . . 3 3.B
cure-ongles, m . . 32
cure-pipe(s), m . . 32
curie . . . . . . . . 4.B
curieux . . . . . . . 30
curiosité . . . . . . 3.A
curling . . . . . . . 15.C
curriculum . . . . . 23.B
curry . . . . . . . . 4.B
cursif . . . . . . . . 30
cursus . . . . . . . 31
cutané . . . . . . . 30
cuti . . . . . . . . 4.A
cuti-réaction(s), f . 32
cutter . . . . . . . 13.B
cuvée . . . . . . . 3.B
cuvette . . . . . . 2.C
cyanure, m . . . . 11.A
cybernétique . . . 4.B
cyclamen . . . . . 4.B
cycle . . . . . . . . 4.B
cyclique . . . . . . 4.B
cyclo-cross, m . . 32
cyclomoteur(s), m 4.B
cyclone . . . . . . 4.B
cyclope . . . . . . 4.B
cyclothymique . . 4.B
cyclotourisme . . . 4.B

cygne . . . . . . . 4   4.B
cylindre . . . . . . .   4.B
cylindrée . . . . . .   4.B
cylindrique . . . . .   4.B
cymbale, *f* . . . . .   8.C
cynisme . . . . . . .   4.B
cyprès, *m* . . . . .   4.B
cyrillique . . . . . .   4.B
cystite, *f* . . . . .   4.B
cytologie . . . . . .   4.B
czar . . . . . . . .   23.A

# d

dactylographie . .   4.B
dadais . . . . . . .   27
dadaïsme . . . . .   29.B
dague . . . . . . .   20.B
dahlia, *m* . . . . .   29.A
dahoméen . . . . .   29.B
daim . . . . . . . .   8.B
dais . . . . . . . 2*   27
dalle . . . . . . . .   22.B
daltonien . . . . .   16.A
dam . . . . . . . .   16.A
dame . . . . . . . .   26.A
dame(s)-
  blanche(s), *f* . .   32
dame(s)-jeanne(s),
  *f* . . . . . . . . .   32
damier . . . . . . .   16.A
damnation . . . . .   25.A
damoiseau . . . . .   19.A
dan . . . . . . . .   16.A
dancing . . . . . .   18.A
dandin . . . . . . .   8.A
dandy . . . . . . .   4.B
danger . . . . . . .   21.A
dangereux . . . . .   30
dans . . . . . . 9   9.C
danse . . . . . . 9   9.A
dard . . . . . . 23   27
datcha, *f* . . . . .   1.A
date . . . . . . 27   13.A
datte . . . . . . 27   13.B
daube . . . . . . .   5.B

dauphin . . . . . .   17.C
dauphinois . . . .   17.C
daurade . . . . . .   5.B
davantage . . . . .   21.A
dé . . . . . . . 2*   3.A
dead-heat, *m sg.* . .   32
débâcle . . . . . .   1.B
déballage . . . . .   22.B
débarcadère . . . .   26.B
débarquement . .   14.B
débarras . . . . . .   23.B
débat . . . . . . .   1.C
débauche . . . . .   5.B
débile . . . . . . .   22.A
débilité . . . . . . .   3.A
débit . . . . . . . .   4.B
déblai . . . . . . .   2.B
déblaiement . . . .   26.A
déblayage . . . . .   11.A
déblocage . . . . .   14.A
déboire . . . . . .   26.B
déboisement . . .   19.A
déboîtement . . .   24.B
débonnaire . . . .   16.B
débordement . . .   9.B
débotté . . . . . .   13.B
débouché . . . . .   3.A
déboulé . . . . . .   3.A
débours . . . . . .   27
debout . . . . . . .   27
débraillé . . . . . .   11.B
débrayage . . . . .   11.A
débris . . . . . . .   4.B
début . . . . . . .   27
deçà . . . . . . . .   1.B
décadence . . . . .   9.A
décaèdre . . . . .   29.C
décaféiné . . . . .   29.C
décalcification . . .   25.A
décalcomanie, *f* . .   4.B
décalogue . . . . .   14.A
décan . . . . . . .   9.A
décapant . . . . .   9.B
décathlon . . . . .   13.C
décembre . . . . .   9.B
décemment . . . .   1.C
décence . . . . . .   9.A
décennie . . . . . .   16.B
décentralisation . .   25.A
déception . . . . .   25.A
décès . . . . . . .   27

décevant . . . . .   30
déchaînement . . .   2.B
dèche . . . . . . .   2.A
déchéance . . . . .   9.A
déchet . . . . . . .   2.B
déchirement . . . .   9.B
déchirure . . . . .   26.B
décibel . . . . . . .   22.A
de-ci, de-là . . . .   32
décidément . . . .   9.B
décimal . . . . . .   30
décisif . . . . . . .   30
déclamatoire . . .   26.B
déclaration . . . .   25.A
déclenchement . .   9.A
déclic . . . . . . .   14.A
déclin . . . . . . .   8.A
décoction . . . . .   25.A
décollage . . . . .   22.B
décolleté . . . . . .   22.B
décombres . . . .   31
déconnexion . . .   25.B
déconvenue . . . .   26.A
décor . . . . . . .   23.A
décorticage . . . .   14.A
décorum [om] . . .   16.A
décousu . . . . . .   19.A
découverte . . . .   14.A
décrépi . . . . . 4   4.A
décrépit . . . . . 4   27
decrescendo . . .   5.A
décret . . . . . . .   2.B
décret(s)-loi(s), *m* .   32
décrochez-moi-ça,
  *m* . . . . . . . .   32
décryptage . . . .   4.B
décuple . . . . . .   14.A
dédaigneux . . . .   30
dédain . . . . . . .   8.B
dédale, *m* . . . . .   22.A
dedans . . . . . .   9.C
dédicace . . . . . .   18.A
dédit . . . . . . . .   4.B
dédommagement .   16.B
déductif . . . . . .   30
déesse . . . . . . .   18.B
défaillance . . . . .   11.B
défaite . . . . . . .   2.B
défaut . . . . . . .   5.B
défécation . . . . .   25.A
défectif . . . . . .   30

défection . . . . . 25.A
défectueux . . . . 30
défense . . . . . . 9.A
déférence . . . . . 9.A
défi . . . . . . . . 4.A
défiance . . . . . . 9.A
déficience . . . . . 18.A
déficit . . . . . . . 18.A
déficitaire . . . . . 26.B
défilé . . . . . . . 22.A
définitif . . . . . . 30
définition . . . . . 25.A
définitoire . . . . . 26.B
déflation . . . . . . 25.A
défoliant . . . . . . 9.B
défoliation . . . . . 25.A
défoulement . . . 9.B
défunt . . . . . . . 8.C
dégaine . . . . . . 2.B
dégât . . . . . . . 1.C
dégazage . . . . . 19.A
dégel . . . . . . . 2.C
dégelée . . . . . . 3.B
dégénérescence . 18.C
dégingandé . . . . 30
déglutition . . . . . 25.A
dégoût . . . . . . . 25
dégoûtant . . . . . 9.B
dégradant . . . . . 9.B
dégradé . . . . . . 3.A
degré . . . . . . . 3.A
dégressif . . . . . . 30
dégrèvement . . . 2.A
dégringolade . . . 22.A
déguenillé . . . . . 20.B
déhanché . . . . . 29.A
dehors . . . . . . . 29.B
déicide . . . . . . . 18.A
déiste . . . . . . . 29.C
déjà . . . . . . . . 1.B
déjection . . . . . 25.A
déjeuner . . . . . . 6.A
de jure . . . . . . . 32
delà . . . . . . . . 1.B
délai . . . . . . . . 2.B
délateur . . . . . . 13.A
délayage . . . . . . 11.A
delco . . . . . . . . 5.A
délégué . . . . . . 20.B
délétère . . . . . . 2.A
délibérément . . . 3.A

délicat . . . . . . . 30
délicatesse . . . . 18.B
délice, m . . . . . 18.A
délices, f . . . . . 31
délicieux . . . . . . 25.B
délictueux . . . . . 30
délinquant . . . . . 14.B
déliquescence . . . 18.C
délit . . . . . . . . 4.B
délivrance . . . . . 9.A
déloyal . . . . . . . 11.A
delta, m . . . . . . 1.A
déluge . . . . . . . 21.A
déluré . . . . . . . 30
démagogie . . . . 4.B
demain . . . . . . . 8.B
demande . . . . . . 9.A
démangeaison . . 21.B
démantèlement . . 2.A
démaquillant . . . 11.B
démarcation . . . . 14.A
démarquage . . . . 14.B
démarrage . . . . . 23.B
démêlage . . . . . 2.A
démêlé . . . . . . . 2.A
déménageur . . . . 30
démence . . . . . . 9.A
démenti . . . . . . 4.A
démentiel . . . . . 25.C
démesurément . . 9.B
demeure . . . . . . 7.A
demi . . . . . . . . 4.A
demi-bas, m . . . . 32
demi-botte(s), f . . 32
demi-cercle(s), m . 32
demi-clef(s), f . . . 32
demi-deuil, m . . . 32
demi-dieu(x), m . . 32
demi-douzaine(s), f 32
demi-droite(s), f . . 32
demie . . . . . . . 4.B
demi-fin(s), m . . . 32
demi-finale(s), f . . 32
demi-frère(s), m . 32
demi-gros, m . . . 32
demi-heure(s), f . . 32
demi-journée(s), f . 32
demi-litre(s), m . . 32
demi-mal(maux),
    m . . . . . . . . 32
demi-mot (à) . . . 32

demi-pause(s), f . 32
demi-pension(s), f 32
demi-pensionnaire
    (s) . . . . . . . . 32
demi-queue, m . . 32
demi-sang, m . . . 32
demi-sel, m . . . . 32
demi-sœur(s), f . . 32
demi-solde(s), m . 32
démissionnaire . . 26.B
demi-tarif(s), m . . 32
demi-teinte(s), f . . 32
demi-ton(s), m . . 32
demi-tour(s), m . . 32
démocrate(s)-
    chrétien(s), m . 32
démocratie . . . . 18.C
démographie . . . 17.C
démolisseur . . . . 18.B
démolition . . . . . 25.A
démoniaque . . . . 14.B
démonstratif . . . 30
démonte-pneu(s),
    m . . . . . . . . 32
dénégation . . . . 25.A
déni . . . . . . . . 4.A
denier . . . . . . . 3.B
dénivelé . . . . . . 3.A
dénivellation . . . 22.B
dénominateur . . . 16.A
dénouement . . . 26.A
denrée . . . . . . . 3.B
dense . . . . . . 9 9.A
densité . . . . . . . 3.A
dent . . . . . . . 9 9.B
dentaire . . . . . . 26.B
dent(s)-de-lion, f . 32
dent(s)-de-loup, f . 32
dentellerie . . . . . 22.B
dentelure . . . . . 22.A
dentifrice . . . . . 18.A
dénué . . . . . . . 3.A
dénuement . . . . 26.A
déodorant . . . . . 29.C
déontologie . . . . 29.C
dépannage . . . . 16.B
dépareillé . . . . . 11.B
départ . . . . . . . 23.C
dépeçage . . . . . 18.A
dépêche . . . . . . 2.A

dépenaillé . . . . . 11.B
dépendance . . . . 9.A
dépens . . . . . . . 31
dépense . . . . . . 9.A
déperdition . . . . 25.A
déphasé . . . . . . 17.C
dépit . . . . . . . . 4.B
déplafonnement . 16.B
déploiement . . . . 26.A
dépositaire . . . . 26.B
déposition . . . . 25.A
dépossession . . . 25.A
dépôt . . . . . . . 5.A
dépotoir . . . . . . 23.A
dépouillement . . . 11.B
dépourvu . . . . . 30
dépréciation . . . . 25.A
dépressif . . . . . 30
dépression . . . . . 25.A
déprimant . . . . . 9.B
depuis . . . . . . . 4.B
député . . . . . . . 3.A
déraillement . . . . 11.B
dérailleur . . . . . 11.B
dérapage . . . . . 12.A
derby . . . . . . . 4.B
derechef . . . . . . 2.C
déréglé . . . . . . . 3.A
dérèglement . . . . 28.B
dérision . . . . . . 19.A
dérive . . . . . . . 23.A
derm(at)ite . . . . 13.A
dernier . . . . . . . 30
dernier(s)-né(s), m 32
dérogation . . . . . 25.A
déroute . . . . . . 13.A
derrick . . . . . . . 14.C
derrière . . . . . . 23.B
derviche . . . . . . 20.A
des . . . . . . . 2* 3.C
dès . . . . . . . . 2* 2.A
désaccord . . . . . 14.B
désappointé . . . . 12.B
désargenté . . . . 3.A
désarroi . . . . . . 23.B
désastreux . . . . . 30
désaveu . . . . . . 6.A
descellement . . . 18.C
descendance . . . 18.C
descente . . . . . . 18.C
désemparé . . . . 9.B

désert . . . . . . . 23.C
désertion . . . . . 25.A
désespéré . . . . . 3.A
déshérité . . . . . 29.A
déshonneur . . . . 29.A
déshonorant . . . 29.A
desiderata . . . . . 31
désinence . . . . . 9.A
désintéressé . . . . 18.B
désinvolture . . . . 26.B
désir . . . . . . . . 23.A
désireux . . . . . . 30
désobéissance . . 9.A
désobligeance . . . 21.B
désodorisant . . . 9.B
désœuvré . . . . . 7.B
désopilant . . . . . 9.B
désordonné . . . . 16.B
désormais . . . . . 27
desperado . . . . . 5.A
despotisme . . . . 13.A
desquelles, f pl. . 31
desquels, m pl. . . 31
dessaisissement . 18.B
dessein . . . . . . 8 8.B
desserrage . . . . . 23.B
dessert . . . . . . . 18.B
dessiccation . . . . 14.B
dessin . . . . . . 8 18.B
dessinateur . . . . 30
dessous . . . . . . 31
dessous-de-plat, m 32
dessous(-)de
(-)table, m . . . 32
dessus . . . . . . . 31
dessus-de-lit, m . . 32
destin . . . . . . . 8.A
destinée . . . . . . 3.B
destitution . . . . . 25.A
destroyer . . . . . 11.A
destruction . . . . 25.A
désuet . . . . . . . 2.B
désuétude . . . . . 29.C
détail . . . . . . . . 11.B
détaillant . . . . . 11.B
détaxe . . . . . . . 13.A
détection . . . . . 25.A
détente . . . . . . 9.A
détention . . . . . 25.A
détergent . . . . . 9.B
détérioré . . . . . . 3.A

détonateur . . . . 16.A
détonation . . . . . 16.A
détour . . . . . . . 23.A
détracteur . . . . . 30
détrempe . . . . . 9.B
détresse . . . . . . 18.B
détriment . . . . . 9.B
détritus . . . . . . 31
détroit . . . . . . . 24.B
dette . . . . . . . . 13.B
deuil . . . . . . . . 11.B
deus ex machina,
    m . . . . . . . . 32
deux . . . . . . . . 6.B
deuxième . . . . . 19.B
deux-mâts, m . . . 32
deux-pièces, m . . 32
deux-roues, m . . 32
deux-temps, m . . 32
dévaluation . . . . 25.A
devant . . . . . . . 9.B
devanture . . . . . 26.B
déveine . . . . . . 2.B
développement . . 12.B
devers . . . . . . . 27
déviance . . . . . . 18.A
déviation . . . . . 25.A
devin . . . . . . . . 8.A
devineresse . . . . 18.B
devinette . . . . . 13.B
devis . . . . . . . . 4.B
dévolu . . . . . . . 30
dévot . . . . . . . . 30
dévotion . . . . . . 25.A
dévouement . . . . 26.A
dextérité . . . . . . 3.A
dey . . . . . . . . 2* 2.C
diabète, m . . . . . 2.A
diabétique . . . . . 30
diable . . . . . . . 11.A
diablotin . . . . . . 8.A
diabolique . . . . . 14.B
diabolo . . . . . . . 5.A
diabolo menthe, m 32
diachronie . . . . . 14.C
diadème . . . . . . 2.A
diagnostic, m . . . 14.A
diagonal . . . . . . 30
diagramme, m . . 16.B
dialecte . . . . . . 22.A
dialectique . . . . . 14.B

dialogue . . . . . . 15.B
dialyse, *f* . . . . . . 4.B
diamant . . . . . . 9.B
diamantaire . . . . 26.B
diamétralement . . 28.B
diamètre . . . . . . 2.A
diantre . . . . . . 9.A
diapason . . . . . . 19.A
diaphane . . . . . 17.C
diaphragme . . . . 17.C
diapré . . . . . . . 3.A
diarrhée . . . . . . 23.C
diaspora, *f* . . . . . 1.A
diatribe, *f* . . . . . 12.A
dichotomie . . . . . 14.C
dictateur . . . . . . 30
dictée . . . . . . . 3.B
diction . . . . . . . 25.A
dictionnaire . . . . 16.B
dicton . . . . . . . 14.A
didacticiel . . . . . 25.C
didactique . . . . . 14.B
dièdre, *m* . . . . . 2.A
dièse, *m* . . . . . . 2.A
diesel . . . . . . . 22.A
diète . . . . . . . . 28.B
diététicien . . . . . 25.E
dieu . . . . . . . . 6.A
diffamatoire . . . . 17.B
différemment . . . 1.C
différence . . . . . 17.B
différenciation . . 25.A
différend . . . . 9 9.C
différent . . . . . 9 9.B
différentiel . . . . . 25.C
difficile . . . . . . . 22.A
difficilement . . . . 22.A
difficulté . . . . . . 17.B
difformité . . . . . 17.B
diffraction . . . . . 25.A
diffus . . . . . . . 30
digeste . . . . . . 26.B
digital . . . . . . . 30
digitale, *f* . . . . . 22.A
dignité . . . . . . . 3.A
digression . . . . . 25.A
diktat . . . . . . . 14.C
dilatation . . . . . 25.A
dilatoire . . . . . . 26.B
dilemme, *m* . . . . 16.B
dilettante . . . . . 13.B

diligemment . . . . 1.C
diligence . . . . . . 9.A
dilution . . . . . . 25.A
dîme . . . . . . . . 4.B
dimension . . . . . 25.A
diminution . . . . . 25.A
dinar . . . . . . . . 23.A
dindonneau . . . . 16.B
dîner . . . . . . . . 3.B
dingue . . . . . . 8 20.B
dinosaure . . . . . 26.B
diocèse . . . . . . 2.A
diode, *f* . . . . . . 13.A
diorama . . . . . . 1.A
diphtérie . . . . . . 17.C
diphtongue, *f* . . . 17.C
diplodocus . . . . 31
diplomate . . . . . 28.A
diplôme . . . . . . 28.A
diptyque, *m* . . . . 4.B
direct . . . . . . . 2.C
direction . . . . . . 25.A
directionnel . . . . 16.B
directoire . . . . . 26.B
dirigeant . . . . . . 21.B
dirimant . . . . . . 9.B
discernement . . . 18.C
discipline . . . . . 18.C
discobole, *m* . . . 22.A
discophile . . . . . 17.C
discordance . . . . 9.A
discorde . . . . . . 14.A
discothèque . . . . 13.C
discours . . . . . . 23.C
discourtois . . . . 30
discrédit . . . . . . 4.B
discret . . . . . . . 30
discrétion . . . . . 25.A
discrimination . . . 25.A
discursif . . . . . . 30
discussion . . . . . 25.A
disert . . . . . . . 30
disette . . . . . . . 13.B
disgrâce . . . . . . 1.B
disgracieux . . . . 25.B
disjoint . . . . . . . 24.E
disparate . . . . . 13.A
disparité . . . . . . 3.A
disparition . . . . . 25.A
dispatching . . . . 15.C
dispensaire . . . . 26.B

dispense . . . . . . 9.A
disponibilité . . . . 3.A
dispos . . . . . . . 31
dispute . . . . . . . 13.A
disquaire . . . . . . 14.B
disque . . . . . . . 14.B
disquette . . . . . . 13.B
dissection . . . . . 25.A
dissemblable . . . 18.B
dissémination . . . 18.B
dissension . . . . . 25.A
dissidence . . . . . 9.A
dissimulation . . . 18.B
dissipation . . . . . 18.B
dissociation . . . . 18.A
dissolu . . . . . . . 18.B
dissolution . . . . . 25.A
dissonance . . . . 16.A
dissuasion . . . . . 19.A
distance . . . . . . 9.A
distillerie . . . . . . 22.B
distinct . . . . . . . 8.C
distinction . . . . . 25.A
distinguo, *m* . . . . 5.A
distorsion . . . . . 25.A
distraction . . . . . 25.A
distrait . . . . . . . 30
distrayant . . . . . 11.A
distribution . . . . . 25.A
district . . . . . . . 13.A
dithyrambique . . 13.C
diurne . . . . . . . 30
diva, *f* . . . . . . . 1.A
divagation . . . . . 25.A
divan . . . . . . . . 9.A
divergent . . . . . . 9.B
divers . . . . . . . 27
diversement . . . . 18.A
dividende . . . . . 9.A
divination . . . . . 25.A
divinité . . . . . . . 3.A
divisibilité . . . . . 3.A
divisionnaire . . . . 16.B
divorce . . . . . . . 18.A
divulgation . . . . 25.A
dix . . . . . . . . . 18.C
dixième . . . . . . 19.B
dizaine . . . . . . . 19.A
djebel . . . . . . . 21.A
djellaba, *f* . . . . . 22.B
djinn, *m* . . . . . . 16.B

do . . . . . . . . 5  5.A
doberman . . . . . 2.C
docile . . . . . . . 30
docilité . . . . . . 22.A
dock . . . . . . . . 14.C
docker . . . . . . . 14.C
doctorat . . . . . . 1.C
doctrinal . . . . . . 30
doctrine . . . . . . 16.A
documentaire . . . 26.B
dodécaèdre . . . . 29.C
dodécaphonique . 17.C
dodu . . . . . . . . 13.A
doge . . . . . . . . 21.A
dogmatique . . . . 14.B
dogue . . . . . . . 15.B
doigt . . . . . . . . 27
doigté . . . . . . . 3.A
dolce vita, f sg. . . 32
doléances, f pl. . . 31
dollar . . . . . . . . 22.B
dolmen . . . . . . 2.C
dolomite, f . . . . . 16.A
domaine . . . . . . 2.B
domaine(s)
    public(s), m . . . 32
domanial . . . . . 30
dôme . . . . . . . 5.B
domesticité . . . . 3.A
domestique . . . . 14.B
domicile . . . . . . 22.A
dominance . . . . 9.A
domination . . . . 25.A
dominical . . . . . 30
dominion, m . . . 16.A
domino . . . . . . 5.A
dommage . . . . . 16.B
dompteur . . . . . 27
don . . . . . . . 10 10.A
donataire . . . . . 16.A
donateur . . . . . . 28.C
donation . . . . . . 25.A
donation(s)-
    partage(s), f . . 32
donc . . . . . . . . 14.A
donjon . . . . . . . 21.A
donne . . . . . . . 28.C
donneur . . . . . . 16.B
dont . . . . . . . 10 10.C
doping . . . . . . . 12.A
dorade . . . . . . . 23.A

dorénavant . . . . 9.B
dorien . . . . . . . 30
dormeur . . . . . . 30
dorsal . . . . . . . 30
dorso-palatal(es) . 32
dorso-vélaire(s) . 32
dortoir . . . . . . . 23.A
dorure . . . . . . . 26.B
doryphore . . . . . 17.C
dos . . . . . . . 5 27
dose . . . . . . . . 19.A
dossard . . . . . . 23.C
dossier . . . . . . . 18.B
dot . . . . . . . . . 13.A
dotation . . . . . . 25.A
douairière . . . . . 29.C
douane . . . . . . 29.C
doublet . . . . . . 2.B
douce(s)-amère(s) 32
douceâtre . . . . . 18.B
douceur . . . . . . 23.A
douille . . . . . . . 11.B
douillettement . . 13.B
douleur . . . . . . 23.A
douloureux . . . . 30
douteux . . . . . . 30
douve, f . . . . . . 26
doux . . . . . . . . 30
douzaine . . . . . 19.A
douze . . . . . . . 19.A
doyen . . . . . . . 11.A
drachme, f . . . . . 14.C
draconien . . . . . 16.A
dragage . . . . . . 20.A
dragée . . . . . . . 3.B
dragon . . . . . . . 20.A
dragonnade . . . . 16.B
dragueur . . . . . . 20.B
drain . . . . . . . . 8.B
dramaturge . . . . 21.A
drame . . . . . . . 16.A
drap . . . . . . . . 27
drapeau . . . . . . 5.B
drap(s)-housse(s),
    m . . . . . . . . 32
dresseur . . . . . . 30
dressoir . . . . . . 23.A
dribble, m . . . . . 12.B
dribbleur . . . . . . 12.B
drille, m . . . . . 11 11.B
drink, m . . . . . . 14.C

drisse, f . . . . . . 18.B
drive, m [drajv] . . 11.A
drogue . . . . . . . 15.B
droguerie . . . . . 15.B
droit . . . . . . . . 24.B
droiture . . . . . . 26.B
drolatique . . . . . 22.A
drôle . . . . . . . . 5.B
drôlerie . . . . . . 5.B
drôlesse . . . . . . 18.B
dromadaire . . . . 26.B
drop . . . . . . . . 12.A
dru . . . . . . . . . 30
drugstore . . . . . 26.B
druide . . . . . . . 13.A
du . . . . . . . . 26 13.A
dû, m . . . . . . 26 30
    f due
dualité . . . . . . . 3.A
duc . . . . . . . . . 14.A
ducasse, f . . . . . 18.B
duché . . . . . . . 3.A
duchesse . . . . . 18.B
duel . . . . . . . . 2.C
duelliste . . . . . . 22.B
duffel-coat(s), m . 32
dulcinée . . . . . . 3.B
dûment . . . . . . 9.B
dumping . . . . . . 7.C
duo . . . . . . . . . 5.A
duodénum . . . . . 16.A
dupe . . . . . . . . 12.A
duplex . . . . . . . 31
duplicata, inv. . . . 1.A
duplicité . . . . . . 18.A
duquel . . . . . . . 14.B
dur . . . . . . . . . 30
durablement . . . 23.A
duralumin . . . . . 8.A
durant . . . . . . . 9.B
durée . . . . . . . . 3.B
dureté . . . . . . . 3.A
durillon . . . . . . 11.B
durit, f . . . . . . . 4.B
duvet . . . . . . . . 2.B
dynamique . . . . 4.B
dynamo . . . . . . 4.B
dynamométrique . 16.A
dynastie . . . . . . 4.B
dyne, f . . . . . . . 4.B
dysenterie . . . . . 4.B

dysfonctionnement 4.B
dyslexie . . . . . . 4.B
dystrophie . . . . . 4.B

# e

eau . . . . . . . 5 5.B
eau(x)-de-vie, f . . 32
eau(x)-forte(s) . . 32
ébahi . . . . . . . 29.B
ébats . . . . . . . 31
ébauche . . . . . . 5.B
ébène, f . . . . . . 28.B
ébéniste . . . . . . 28.B
éberlué . . . . . . 3.A
éblouissant . . . . 9.B
éblouissement . . 18.B
ébonite, f . . . . . 16.A
éboueur . . . . . . 29.C
éboulis . . . . . . . 4.B
ébréchure . . . . . 26.B
ébriété . . . . . . . 3.A
ébullition . . . . . 22.B
écaille . . . . . . . 11.B
écarlate . . . . . . 13.A
écart . . . . . . . . 27
écartèlement . . . 14.A
ecchymose, f . . . 14.B
ecclésiastique . . . 14.B
échafaud . . . . . 5.B
échafaudage . . . 21.A
échalas . . . . . . 1.C
échalote, f . . . . . 13.A
échancrure . . . . 26.B
échangeur . . . . . 23.A
échanson . . . . . 9.A
échantillon . . . . 11.B
échantillonnage . . 16.B
échappatoire, f . . 12.B
échappée . . . . . 12.B
échassier . . . . . 18.B
échauffourée . . . 17.B
échéance . . . . . 29.C
échéant . . . . . . 9.B
échec . . . . . . . 14.A
échelle . . . . . . . 22.B

échelon . . . . . . 22.A
échelonnement . . 16.B
écheveau . . . . . 5.B
échevin . . . . . . 8.A
échine . . . . . . . 16.A
échiquier . . . . . 14.B
écho . . . . . . . 14 5.A
échoppe . . . . . . 12.B
éclaboussure . . . 16.B
éclair . . . . . . . 23 23.A
éclaircie . . . . . . 18.A
éclat . . . . . . . . 1.C
éclectique . . . . . 14.B
éclipse . . . . . . 18.A
éclisse, f . . . . . . 18.B
éclopé . . . . . . . 12.A
éclosion . . . . . . 19.A
écluse . . . . . . . 19.A
écœurant . . . . . 7.B
école . . . . . . . . 22.A
écologie . . . . . . 14.A
économie . . . . . 16.A
écope, f . . . . . . 12.A
écorce . . . . . . . 18.A
écorchure . . . . . 26.B
écossais . . . . . . 30
écot . . . . . . . 14 5.B
écoute, f . . . . . . 14.A
écoutille . . . . . . 11.B
écouvillon . . . . . 11.B
écran . . . . . . . . 9.A
écran(s)-filtre(s), m 32
écrémage . . . . . 3.A
écrêtement . . . . 2.A
écrevisse . . . . . 18.B
écrin . . . . . . . . 8.A
écriteau . . . . . . 5.B
écritoire, f . . . . . 26.B
écrit(s)-parlé(s), m 32
écrivain . . . . . . 8.B
écrou . . . . . . . 3.A
écrouelles . . . . . 31
écru . . . . . . . . 30
ectoplasme . . . . 14.A
écu . . . . . . . . . 14.A
écueil . . . . . . . 7.B
écuelle . . . . . . . 22.B
écume . . . . . . . 16.A
écumoire . . . . . 26.B
écureuil . . . . . . 11.B
écurie . . . . . . . 4.B

écusson . . . . . . 18.B
écuyer . . . . . . . 11.A
eczéma . . . . . . 2.C
edelweiss, m . . . 18.B
éden . . . . . . . . 2.C
édification . . . . . 14.A
édifice . . . . . . . 18.A
édile, m . . . . . . 22.A
édit . . . . . . . . . 4.B
éditeur . . . . . . . 30
éditorial . . . . . . 22.A
édredon . . . . . . 10.A
éducateur . . . . . 30
effaçable . . . . . 18.A
effarant . . . . . . 17.B
effectif . . . . . . . 17.B
efféminé . . . . . . 17.B
effervescence . . . 18.C
effet . . . . . . . . 17.B
effeuillage . . . . . 11.B
efficace . . . . . . 18.B
efficience . . . . . 9.A
effigie . . . . . . . 4.B
efflanqué . . . . . 14.B
effleurement . . . 17.B
effluve, m . . . . . 17.B
effort . . . . . . . . 27
effraction . . . . . 25.A
effraie, f . . . . . . 26.A
effrayant . . . . . . 11.A
effroi . . . . . . . . 24.A
effrontément . . . 17.B
effroyable . . . . . 11.A
effusion . . . . . . 19.A
égal . . . . . . . . 30
égalitaire . . . . . 26.B
égalité . . . . . . . 3.A
égard . . . . . . . 27
égérie . . . . . . . 3.A
égide, f . . . . . . 21.A
églantine, f . . . . 9.A
église . . . . . . . 19.A
ego . . . . . . . . . 15.A
égocentrisme . . . 15.A
égoïne, f . . . . . . 29.B
égoïste . . . . . . . 29.B
égotisme . . . . . . 13.A
égout . . . . . . . 27
égoutier . . . . . . 3.B
égouttoir . . . . . . 13.B
égrainage . . . . . 16.A

égratignure . . . . 11.C
égrenage . . . . . 16.A
égrillard . . . . . . 11.B
égyptien . . . . . . 30
eh ! . . . . . . . . . . 3.C
éhonté . . . . . . . 29.A
eider . . . . . . . . 23.A
éjection . . . . . . 25.A
élaboration . . . . 25.A
élagage . . . . . . 15.A
élan . . . . . . . . . 9.A
élargissement . . . 18.B
élasticité . . . . . . 18.A
eldorado . . . . . . 5.A
électeur . . . . . . 30
électif . . . . . . . . 30
élection . . . . . . 25.A
électorat . . . . . . 1.C
électricité . . . . . 3.A
électrique . . . . . 14.B
électroacoustique . 29.C
électroaimant(s),
   m . . . . . . . . 32
électrocution . . . 25.A
électrogène . . . . 2.A
électrolyse, f . . . 4.B
électron . . . . . . 10.A
électronique . . . . 14.B
électronucléaire . . 26.A
élégamment . . . . 16.B
élégance . . . . . . 9.A
élégiaque . . . . . 14.B
élégie . . . . . . . 4.B
élément . . . . . . 9.B
élémentaire . . . 26.B
éléphant . . . . . . 17.C
éléphantesque . . 14.B
élévateur . . . . . 30
élève . . . . . . . . 2.A
elfe, m . . . . . . . 2.C
éligible . . . . . . 21.A
éliminatoire . . . . 26.B
élision . . . . . . . 19.A
élite . . . . . . . . 13.A
élixir . . . . . . . . 23.A
elle . . . . . . . .2 2.C
ellipse . . . . . . . 3.C
elliptique . . . . . . 3.C
élocution . . . . . 25.A
éloge . . . . . . . 21.A
élogieux . . . . . . 30

élongation . . . . . 25.A
éloquence . . . . . 14.B
élucubration . . . . 25.A
élytre, m . . . . . . 4.B
émail . . . . . . . . 31
émanation . . . . . 16.A
émancipation . . . 25.A
émasculation . . . 25.A
emballage . . . . . 22.B
embarcadère . . . 26.B
embardée . . . . . 3.B
embargo . . . . . . 5.A
embarquement . . 14.B
embarras . . . . . 23.B
embarrassant . . . 23.B
embauche, f . . . . 5.B
embauchoir . . . . 23.A
embêtant . . . . . 2.A
emblée (d') . . . . 3.B
emblématique . . . 28.B
emblème . . . . . 2.A
emboîtement . . . 24.B
embolie . . . . . . 4.B
embonpoint . . . . 24.E
embouchure . . . 26.B
embout . . . . . . 27
embrasure . . . . . 26.B
embrasse, f . . . . 18.B
embrassement . . 18.B
embrayage . . . . 11.A
embrocation . . . 25.A
embrouillamini . . 4.A
embruns . . . . . . 31
embryon . . . . . . 11.A
embryonnaire . . . 16.B
embûche, f . . . . 20.A
embuscade . . . . 9.B
éméché . . . . . . 3.A
émeraude, f . . . . 5.B
émergence . . . . 9.A
émeri, m . . . . . . 4.A
émérite . . . . . . 13.A
émersion . . . . . 25.A
émerveillement . . 11.B
émetteur . . . . . . 13.B
émeute . . . . . . 13.A
émigrant . . . . . . 9.B
éminemment . . . 1.C
éminence . . . . . 9.A
émir . . . . . . . . 23.A
émirat . . . . . . . 1.C

émissaire . . . . . 26.B
émission . . . . . . 25.A
emmagasinage . . 16.B
emmanchure . . . 16.B
emménagement . 16.B
emment(h)al . . . 16.B
émoi . . . . . . . . 24.A
émolument . . . . 9.B
émotif . . . . . . . 30
émotion . . . . . . 25.A
émotionnel . . . . 16.B
émoulu . . . . . . 30
émoustillant . . . . 11.B
empaillage . . . . . 11.B
empan, m . . . . . 9.A
empaquetage . . . 13.A
empâtement . . .1* 1.B
empattement . .1* 13.B
empêchement . . . 2.A
empêcheur . . . . 30
empeigne, f . . . . 2.B
empennage . . . . 16.B
empereur . . . . . 30
empêtré . . . . . . 2.A
emphase, f . . . . 17.C
emphatique . . . . 17.C
empiècement . . . 16.A
empierrement . . . 23.A
empiètement . . . 2.A
empilement . . . . 22.A
empire, m . . . . . 26.A
empiriquement . . 14.B
emplacement . . . 9.B
emplâtre, m . . . . 9.B
emplette . . . . . . 13.B
emploi . . . . . . . 24.A
employeur . . . . . 11.A
empoisonnement . 16.B
empoissonnement 18.B
emporte-pièce, m . 32
empreinte . . . . . 8.B
empressement . . 18.B
emprise, f . . . . . 19.A
emprisonnement . 16.B
emprunt . . . . . . 8.C
émule . . . . . . . 22.A
émulsion . . . . . . 25.A
en . . . . . . . . .9 9.A
énarque . . . . . . 14.B
en-avant . . . . . . 32
encablure, f . . . . 28.A

| | | |
|---|---|---|
| encaisse, *f* | 18.B | |
| encan | 9.A | |
| encart | 23.C | |
| encas | 31 | |
| encastrement | 14.A | |
| encaustique, *f* | 14.B | |
| enceinte | 8.B | |
| encens | 31 | |
| encensoir | 23.A | |
| encéphale, *m* | 17.C | |
| enchaînement | 2.B | |
| enchanteur | 30 | |
| enchâssement | 1.B | |
| enchère, *f* | 2.A | |
| enchevêtrement | 2.A | |
| enclave, *f* | 9.A | |
| enclin | 30 | |
| enclos | 5.A | |
| enclume, *f* | 16.B | |
| encoche, *f* | 9.A | |
| encoignure | 11.C | |
| encollage | 22.B | |
| encolure | 22.A | |
| encombrant | 9.B | |
| encombre, *m* | 10.B | |
| encontre | 10.A | |
| encorbellement | 22.B | |
| encor(e) | 9.A | |
| encornet | 2.B | |
| encourageant | 21.B | |
| encrassement | 18.B | |
| encre | 9 9.A | |
| encroûtement | 28 | |
| encyclique, *f* | 4.B | |
| encyclopédie | 4.B | |
| endémique | 14.B | |
| endettement | 13.B | |
| endive, *f* | 9.A | |
| endocrinien | 30 | |
| endoctrinement | 16.A | |
| endogamie | 4.B | |
| endogène | 2.A | |
| endossement | 18.B | |
| endroit | 24.B | |
| enduit | 4.B | |
| endurance | 9.A | |
| endurcissement | 18.A | |
| énergétique | 14.B | |
| énergie | 16.A | |
| énergumène | 16.A | |
| énervement | 9.B | |
| enfance | 9.A | |
| enfant | 9.A | |
| enfantillage | 11.B | |
| enfantin | 8.A | |
| enfer | 23.A | |
| enfilade | 22.A | |
| enfin | 8.A | |
| enflé | 3.A | |
| enflure | 26.B | |
| engageant | 21.B | |
| engeance, *f* | 21.B | |
| engelure | 26.B | |
| engin | 8.A | |
| engouement | 26.A | |
| engouffrement | 17.B | |
| engourdissement | 18.B | |
| engrais | 2.B | |
| engrenage | 21.A | |
| enharmonie | 29.A | |
| énième | 2.A | |
| énigmatique | 14.B | |
| énigme, *f* | 3.A | |
| enivrant | 9.B | |
| enjambée | 9.B | |
| enjeu | 6.A | |
| enjôleur | 5.A | |
| enjolivure | 26.B | |
| enjouement | 26.A | |
| enkysté | 14.C | |
| enlèvement | 2.A | |
| enluminure, *f* | 16.A | |
| enneigement | 16.B | |
| ennemi | 16.B | |
| ennui | 16.B | |
| ennuyeux | 11.B | |
| énonciation | 25.A | |
| énorme | 16.A | |
| énormité | 16.A | |
| enquête | 14.B | |
| enrageant | 21.B | |
| enrayage | 11.A | |
| enrayement | 11.A | |
| enregistrement | 9.B | |
| enrôlement | 5.B | |
| enrouement | 26.A | |
| enseignant | 2.B | |
| enseigne, *m* | 2.B | |
| enseigne, *f* | 2.B | |
| ensemble | 9.B | |
| ensemencement | 18.A | |
| ensevelissement | 18.B | |
| ensilage, *m* | 18.A | |
| ensoleillement | 11.B | |
| ensommeillé | 16.B | |
| ensorcellement | 18.A | |
| ensuite | 18.A | |
| entaille | 11.B | |
| entame, *f* | 16.B | |
| enté | 29 30 | |
| entente | 9.A | |
| entérite, *f* | 9.A | |
| enterrement | 23.B | |
| entêté | 2.A | |
| enthousiasme, *m* | 13.C | |
| entier | 30 | |
| entité | 3.A | |
| entomologie | 13.A | |
| entonnoir | 16.B | |
| entorse, *f* | 18.A | |
| entourage | 13.A | |
| entourloupette | 2.C | |
| entournure | 26.B | |
| entracte | 14.A | |
| entraide | 2.B | |
| entrailles | 31 | |
| entrain | 8.B | |
| entraînement | 2.B | |
| entrave, *f* | 9.A | |
| entre | 9 9.A | |
| entrebâillement | 11.B | |
| entrechat | 1.C | |
| entrecôte, *m ou f* | 5.B | |
| entre-deux, *m* | 32 | |
| entre-deux-guerres, *m ou f* | 32 | |
| entrée | 3.B | |
| entrefaites | 31 | |
| entrefilet | 2.B | |
| entrejambe, *m* | 32 | |
| entrelacs, *m* | 27 | |
| entremets | 27 | |
| entremetteur | 13.B | |
| entremise | 19.A | |
| entrepont | 10.C | |
| entrepôt | 5.B | |
| entrepreneur | 16.A | |
| entreprise | 19.A | |
| entresol, *m* | 18.A | |
| entre-temps *(adv)* | 32 | |
| entretien | 8.A | |
| entrevue, *f* | 26.A | |
| entropie, *f* | 9.A | |

entrouvert . . . . . 30
énucléation . . . . 29.C
énumération . . . 25.A
envahi . . . . . . . 29.B
envahissant . . . . 29.B
enveloppe . . . . . 12.B
enveloppement . . 12.B
envenimé . . . . . 30
envergure . . . . . 26.B
envers . . . . . . . 27
envi . . . . . . . .4   4.A
envie, f . . . . . .4   4.B
envieux . . . . . . 30
environ . . . . . . 10.A
environnant . . . . 16.B
environnement . . 16.B
envoi . . . . . . . . 24.A
envol . . . . . . . . 22.A
envolée . . . . . . 3.B
envoûtement . . . 9.B
envoûteur . . . . . 23.A
enzyme, m ou f . . 4.B
éolien . . . . . . . 29.C
épagneul . . . . . 7.A
épais . . . . . . .2*  30
épaisseur . . . . . 23.A
épaississant . . . . 18.B
épanchement . . . 9.A
épandage, m . . . 9.A
épanouissement . 18.B
épargne, f . . . . . 11.C
éparpillement . . . 11.B
épars . . . . . .23  31
épate, f . . . . . . 13.A
épaulard . . . . . . 23.C
épaule . . . . . . . 5.B
épaulette . . . . . 2.C
épave . . . . . . . 3.A
épée . . . . . . .2*  3.B
épeire, f . . . . . . 2.B
éperdument . . . . 2.C
éperon . . . . . . . 3.B
épervier . . . . . . 3.B
éphèbe, m . . . . . 17.C
éphémère . . . . . 17.C
éphéméride, f . . . 17.C
épi . . . . . . . . . 4.A
épice, f . . . . . . . 18.A
épicéa . . . . . . . 1.A
épicerie . . . . . . 26.A
épicier . . . . . . . 30

épicurien . . . . . 30
épidémie . . . . . . 26.A
épieu . . . . . . . . 6.A
épiglotte, f . . . . . 13.B
épigone, m . . . . 16.A
épigramme, f . . . 16.B
épigraphe, f . . . . 17.C
épilation . . . . . . 25.A
épilepsie . . . . . . 18.A
épileptique . . . . 14.B
épilogue, m . . . . 22.A
épinard . . . . . . 23.C
épine . . . . . . . . 16.A
épinette . . . . . . 2.C
épineux . . . . . . 30
épine(s)-vinette(s),
   f . . . . . . . . . 32
épingle . . . . . . . 8.A
épinoche, f . . . . 16.A
épiphanie . . . . . 17.C
épiphénomène . . 17.C
épique . . . . . . . 30
épiscopat . . . . . 1.C
épisiotomie . . . . 19.A
épisode, m . . . . 19.A
épissure, f . . . . . 18.B
épistémologie . . . 26.A
épistolaire . . . . . 26.B
épitaphe, f . . . . 17.C
épithète, f . . . . . 13.C
épître, f . . . . . . 28.C
épizootie . . . . . . 19.A
éploré . . . . . . . 3.A
épluchure . . . . . 26.B
éponge . . . . . . 21.A
épongeage . . . . 21.B
épopée . . . . . . . 12.A
époque . . . . . . 14.B
épouillage . . . . . 11.B
épousailles . . . . 31
épouse . . . . . . . 19.A
époussetage . . . 18.B
époustouflant . . . 9.B
épouvantail . . . . 11.B
épouvante . . . . . 9.A
époux . . . . . . . 30
épreuve . . . . . . 7.A
éprouvette . . . . . 2.C
epsilon, m . . . . . 16.A
épuisant . . . . . . 9.B
épuisette . . . . . . 2.C

épuration . . . . . 25.A
épure, f . . . . . . 26.B
équarrissage . . . 14.B
équateur . . . . . . 23.A
équation . . . . . . 25.A
équatorial . . . . . 14.B
équerre, f . . . . . 23.B
équestre . . . . . . 14.B
équidé . . . . . . . 14.B
équilatéral . . . . . 22.A
équilibre . . . . . . 14.B
équinoxe, m . . . . 14.B
équipage . . . . . . 14.B
équipe . . . . . . . 14.B
équipée . . . . . . 3.B
équipollence, f . . 22.B
équipotent . . . . . 14.B
équitable . . . . . . 14.B
équitation . . . . . 25.A
équité . . . . . . . 14.B
équivalence . . . . 9.A
équivalent . . . . . 9.B
équivoque, f . . . . 14.B
érable, m . . . . . 3.A
éraflure . . . . . . 26.B
éraillé . . . . . . . 11.B
ère, f . . . . . . .23  2.A
érectile . . . . . . . 22.A
érection . . . . . . 25.A
éreintant . . . . . . 8.B
erg, m . . . . . . . 15.A
ergol, m . . . . . . 15.A
ergot . . . . . . . . 5.B
ergoteur . . . . . . 13.A
ergothérapie . . . 13.C
ermitage . . . . . . 2.C
ermite . . . . . . . 13.A
érogène . . . . . . 2.A
éros . . . . . . . . 18.A
érosion . . . . . . . 19.A
érotique . . . . . . 14.B
errance . . . . . . 23.B
errant . . . . . . . 23.B
errata, m inv. . . . 1.A
erratique . . . . . . 23.B
erratum, m sg. . . 23.B
erre, f . . . . . .23  2.C
errements . . . . . 31
erreur . . . . . . . 23.B
erroné . . . . . . . 23.B
ersatz, m . . . . . 31

érudit . . . . . . . 30
érudition . . . . . . 25.A
éruptif . . . . . . . 30
éruption . . . . . . 25.A
érythème, *m* . . . 4.B
ès . . . . . . . .18 2.A
esbroufe, *f* . . . . . 2.C
escabeau . . . . . 5.B
escadre . . . . . . 2.C
escadrille, *f* . . . . 11.B
escadron . . . . . 14.A
escalade . . . . . . 22.A
escalator . . . . . . 22.A
escale . . . . . . . 22.A
escalier . . . . . . 3.B
escalope, *f* . . . . . 12.A
escamotable . . . 14.A
escampette . . . . 2.C
escapade . . . . . 14.A
escarbille . . . . . 11.B
escarboucle, *f* . . . 14.A
escarcelle . . . . . 2.C
escargot . . . . . . 5.B
escarmouche . . . 14.A
escarpement . . . 14.A
escarpin . . . . . . 8.A
escarpolette, *f* . . . 2.C
escarre, *f* . . . . . 23.B
eschatologie . . . 14.C
escient . . . . . . . 18.C
esclandre, *m* . . . 9.A
esclavage . . . . . 14.A
esclave . . . . . . . 2.C
escogriffe, *m* . . . 17.B
escompte, *m* . . . 10.B
escorte . . . . . . . 13.A
escouade . . . . . 29.C
escrime, *f* . . . . . 16.A
escroc . . . . . . . 5.B
escroquerie . . . . 14.B
ès lettres . . . . . . 32
ésotérique . . . . . 3.A
ésotérisme . . . . . 3.A
espace . . . . . . . 18.A
espace(s)-temps,
*m* . . . . . . . . 32
espadon . . . . . . 10.A
espadrille, *f* . . . . 11.B
espagnol . . . . . . 30
espagnolette . . . 2.C
espalier . . . . . . 3.B

espèce, *f* . . . . . . 2.C
espérance . . . . . 9.A
espiègle . . . . . . 2.A
espièglerie . . . . . 28.B
espion . . . . . . . 30
espionnage . . . . 16.B
espionnite . . . . . 16.A
esplanade . . . . . 16.A
espoir . . . . . . . 23.A
esprit . . . . . . . . 4.B
ès qualités . . . . . 32
esquif . . . . . . . 14.B
esquimau, *m* . . . 14.B
    *f* esquimaude *et*
    eskimo . . . . . 14.C
esquisse, *f* . . . . 14.B
esquive, *f* . . . . . 14.B
essai . . . . . . . . 2.B
essaim . . . . . . . 8.B
essaimage . . . . . 2.B
essart . . . . . . . 23.C
essayage . . . . . 11.A
essayiste . . . . . . 11.A
ès sciences . . . . 32
esse, *f* . . . . . .18 18.B
essence, *f* . . . . . 9.A
essentiel . . . . . . 25.C
esseulé . . . . . . . 18.B
essieu . . . . . . . 6.A
essor . . . . . . . . 23.A
essorage . . . . . . 23.A
essoreuse . . . . . 18.B
essoufflement . . . 17.B
essuie-glace(s), *m* 32
essuie-mains, *m* . 32
essuie-pieds, *m* . . 32
essuyage . . . . . 11.A
est . . . . . . . . . 13.A
establishment . . . 20.B
estafette, *f* . . . . . 2.C
estafilade . . . . . 17.A
est-allemand(es) . 32
estaminet . . . . . 2.B
estampe, *f* . . . . . 9.B
estampille, *f* . . . . 11.B
est-ce que . . . . . 32
esthète . . . . . . . 13.C
esthéticien . . . . . 25.E
esthétique . . . . . 13.C
estimation . . . . . 25.A
estime . . . . . . . 16.A

estival . . . . . . . 30
estivant . . . . . . . 9.B
estoc . . . . . . . . 14.A
estocade, *f* . . . . 14.A
estomac . . . . . . 27
estompe, *f* . . . . . 10.B
estrade . . . . . . . 2.C
estragon . . . . . . 2.C
estropié . . . . . . 3.A
estuaire, *m* . . . . 26.B
estudiantin . . . . 30
esturgeon . . . . . 21.B
et . . . . . . . .29 3.B
étable . . . . . . . 3.A
établi . . . . . . . . 4.A
établissement . . . 18.B
étage, *m* . . . . . . 3.A
étagère . . . . . . . 2.A
étai, *m* . . . . . . . 2.B
étaiement . . . . . 26.B
étain . . . . . . . .8 8.B
étal . . . . . . . .22 31
étalage . . . . . . . 21.A
étale . . . . . . . .22 22.A
étalement . . . . . 9.B
étalon . . . . . . . 22.A
étalonnage . . . . 16.B
étalon-or, *m sg.* . . 32
étamage . . . . . . 16.A
étamine, *f* . . . . . 16.A
étanche . . . . . . 9.A
étanchéité . . . . . 29.C
étançon . . . . . . 18.A
étang . . . . . . . . 27
étape . . . . . . . . 12.A
état . . . . . . . . . 1.C
étatique . . . . . . 14.B
état(s)-major(s), *m* 32
étau . . . . . . . . 5.B
et caetera (etc.) . . 32
été . . . . . . . . . 3.A
éteignoir . . . . . . 23.A
éteint . . . . . . . .8 8.B
étendard . . . . . . 23.C
étendue . . . . . . 26.A
éternel . . . . . . . 30
éternellement . . . 22.B
éternité . . . . . . . 3.A
éternuement . . . 26.A
éther . . . . . . . . 13.C
éthéré . . . . . . . 13.C

éthiopien . . . . . 13.C
éthique, f . . . . 13 13.C
ethnarque . . . . . 14.B
ethnie . . . . . . . 13.C
ethnocentrisme . . 13.C
ethnologie . . . . . 13.C
éthologie . . . . . 13.C
éthylène, m . . . . 4.B
éthylisme . . . . . 4.B
étiage, m . . . . . 21.A
étincelant . . . . . 9.B
étincelle . . . . . . 2.C
étiolement . . . . . 22.A
étiologie . . . . . . 26.A
étique . . . . . . 13 13.A
étiquetage . . . . . 14.B
étiquette . . . . . . 2.C
étoffe . . . . . . . 17.B
étoile . . . . . . . . 22.A
étoile polaire, f . . 32
étole, f . . . . . . . 22.A
étonnamment . . . 16.B
étonnement . . . . 16.B
étouffée . . . . . . 17.B
étouffement . . . . 17.B
étouffoir . . . . . . 23.A
étoupe, f . . . . . . 12.A
étourderie . . . . . 26.A
étourdiment . . . . 9.B
étourdissement . . 18.B
étourneau . . . . . 5.B
étrangement . . . . 9.B
étranger . . . . . . 30
étrangeté . . . . . 3.A
étranglement . . . 9.B
étrave, f . . . . . . 3.A
être . . . . . 29 2 2.A
étreinte . . . . . . 8.B
étrenne, f . . . . . 2.C
êtres . . . . . 2 30
étrier . . . . . . . . 3.B
étrille, f . . . . . . 11.B
étriqué . . . . . . 14.B
étrivière, f . . . . . 2.A
étroit . . . . . . . . 24.B
étroitesse . . . . . 18.B
étrusque . . . . . . 14.B
étude . . . . . . . 13.A
étudiant . . . . . . 9.B
étui . . . . . . . . . 4.A
étuve, f . . . . . . . 3.A

étuvée . . . . . . . 3.B
étymologie . . . . 4.B
eucalyptus, m . . . 31
eucharistique . . . 14.C
euclidien . . . . . . 30
eugénique . . . . . 21.A
euh ! . . . . . . 6 27
eunuque . . . . . . 16.A
euphémisme . . . 17.C
euphonie . . . . . 17.C
euphorie . . . . . . 17.C
eurafricain . . . . . 8.B
eurasien . . . . . . 8.A
eurêka ! . . . . . . 1.A
euristique . . . . . 14.B
eurodollar . . . . . 23.A
européen . . . . . 30
euthanasie . . . . . 13.C
eux . . . . . . 6 6.B
évacuation . . . . 25.A
évaluation . . . . . 25.A
évanescence . . . 18.C
évangélique . . . . 14.A
évangile, m . . . . 22.A
évanouissement . 16.A
évaporé . . . . . . 12.A
évasement . . . . . 19.A
évasif . . . . . . . 30
évasion . . . . . . 19.A
évêché . . . . . . . 3.A
éveil . . . . . . . . 11.B
événement . . . . 9.B
événementiel . . . 25.C
éventail . . . . . . 11.B
éventaire . . . . . 26.B
éventualité . . . . 3.A
éventuel . . . . . . 30
évêque . . . . . . . 2.A
éviction . . . . . . 25.A
évidement . . . . . 16.A
évidemment . . . . 1.C
évidence . . . . . . 18.A
évident . . . . . . . 9.A
évier, m . . . . . . 3.B
éviscération . . . . 18.C
évocation . . . . . 14.A
évolutif . . . . . . 30
évolution . . . . . 25.A
évolutionnisme . . 16.B
evzone, m . . . . . 19.A
ex abrupto . . . . . 32

ex aequo . . . . . . 32
exacerbation . . . 25.A
exact . . . . . . . . 13.A
exaction . . . . . . 25.A
exagération . . . . 25.A
exagérément . . . 9.B
exaltation . . . . . 25.A
examen . . . . . . 8.A
examinateur . . . . 30
exaspération . . . 25.A
exaucement . . . . 18.A
ex cathedra . . . . 32
excavateur . . . . 30
excédant . . . . . 9.B
excédent, m . . . . 9.B
excédentaire . . . 26.B
excellemment . . . 22.B
excellence . . . . . 22.B
excellent . . . . . . 22.B
excentrique . . . . 14.B
exception . . . . . 25.A
exceptionnel . . . 16.A
excès . . . . . . . 27
excessif . . . . . . 30
excipient . . . . . . 9.B
excision . . . . . . 19.A
excitation . . . . . 25.A
exclamation . . . . 25.A
exclu . . . . . . . . 30
exclusif . . . . . . 30
exclusivité . . . . . 3.A
excommunication 16.B
excrément . . . . . 9.B
excrémentiel . . . 25.C
excroissance . . . 18.B
excursion . . . . . 25.A
excursionniste . . 16.A
excusable . . . . . 19.A
exeat . . . . . . . . 29.C
exécrable . . . . . 19.B
exécutant . . . . . 9.B
exécution . . . . . 25.A
exégèse . . . . . . 19.B
exégète . . . . . . 19.B
exemplaire . . . . . 26.B
exemplarité . . . . 3.A
exemple . . . . . . 9.B
exempt . . . . . . . 27
exemption . . . . . 25.A
exercice . . . . . . 18.A
exergue, m . . . . 15.B

exhalaison . . . . . 29.A
exhalation . . . . . 29.A
exhaussement . . . 29.A
exhaustif . . . . . . 29.A
exhibition . . . . 29.A
exhibitionnisme . . 16.B
exhortation . . . . . 25.A
exhumation . . . 29.A
exigeant . . . . . . 21.B
exigence . . . . . . 9.A
exigu . . . . . . . . 30
exiguïté . . . . . . 29.B
exil . . . . . . . . 22.A
existence . . . . . . 18.A
existentialisme . . . 18.C
existentiel . . . . 25.C
exit, m inv. . . . . . 13.A
exode, m . . . . . . 2.C
exogamie . . . . . . 26.A
exonération . . . 25.A
exorbitant . . . . . 9.B
exorcisme . . . . . 18.A
exorde, m . . . . . 2.C
exotique . . . . . . 14.B
expansif . . . . . . 30
expansion . . . . . 25.A
expansionnisme . . 16.B
expatriation . . . . 25.A
expectative . . . . . 13.A
expédient . . . . . 9.B
expéditif . . . . . . 30
expéditionnaire . . 16.B
expérience . . . . . 9.A
expérimentalement 9.A
expérimentateur . . 30
expert . . . . . . . 27
expert(s)-
comptable(s) . . 32
expertise . . . . . . 19.A
expiatoire . . . . . 26.B
expiration . . . . . 25.A
explication . . . . . 25.A
explicite . . . . . . 18.A
explicitement . . . 18.A
exploit . . . . . . . 24.B
exploitation . . . . 25.A
exploiteur . . . . . 30
explorateur . . . . 30
exploratoire . . . . 26.B
explosif . . . . . . . 30
exponentiel . . . . 25.C

exportateur . . . . 30
exposant . . . . . . 9.B
exposé . . . . . . . 3.A
exposition . . . . . 25.A
exprès . . . . . . 2 18.A
adv . . . . . . . . 27
express . . . . . 2 18.B
expressément . . . 18.B
expressif . . . . . . 30
expression . . . . . 25.A
expressionnisme . . 16.B
exprimable . . . . . 16.A
expropriation . . . 25.A
expulsion . . . . . . 25.A
expurgation . . . . 25.A
exquis . . . . . . . 30
exsangue . . . . . . 15.B
extase, f . . . . . . 19.A
extenseur . . . . . 18.A
extensif . . . . . . . 30
extension . . . . . . 25.A
exténué . . . . . . . 3.A
extérieur . . . . . . 23.A
extériorité . . . . . 3.A
extermination . . . 25.A
externat . . . . . . 1.C
externe . . . . . . 2.C
extincteur . . . . . 23.A
extinction . . . . . 25.A
extirpateur . . . . . 23.A
extorqueur . . . . . 23.A
extorsion . . . . . . 25.A
extra . . . . . . . 1.A
extraction . . . . . 25.A
extradition . . . . . 25.A
extra-dry . . . . . . 32
extra-fin(es) . . . . 32
extra-fort(es) . . . . 32
extrait . . . . . . . 2.B
extra-légal(aux) . . 32
extralucide . . . . . 18.A
extra-muros . . . . 32
extraordinaire . . . 29.C
extrapolation . . . . 25.A
extrasensoriel(les) . 32
extra-utérin(es) . . 32
extravagance . . . 9.A
extravagant . . . . 9.B
extraversion . . . . 25.A
extraverti . . . . . 4.A
extrême . . . . . . 2.A

extrêmement . . . 2.A
extrême(s)-
onction(s), f . . . 32
extrême-orient,
m sg. . . . . . . . 32
extrême-oriental
(aux) . . . . . . . 32
extrémisme . . . . 16.A
extrémité . . . . . . 28
exubérance . . . . 9.A
exultation . . . . . 25.A
exutoire, m . . . . . 26.B
ex-voto, m inv. . . 32

# f

fa . . . . . . . . . 1 1.A
fable . . . . . . . . 17.A
fabliau . . . . . . . 5.B
fabrication . . . . . 25.A
fabricant . . . . . . 14.A
fabrique . . . . . . 14.B
fabulation . . . . . 25.A
fabuleux . . . . . . 30
fabuliste . . . . . . 22.A
façade . . . . . . . 18.A
face . . . . . . . 18 18.A
face-à-face . . . . 32
facétie . . . . . . . 18.C
facétieux . . . . . . 25.B
facette . . . . . . . 2.C
fâcheusement . . . 1.B
fâcheux . . . . . . . 30
facial . . . . . . . . 11.A
faciès . . . . . . . . 18.A
facile . . . . . . . . 18.A
facilité . . . . . . . 3.A
façon . . . . . . . . 18.A
faconde . . . . . . 14.A
façonnage . . . . . 16.B
fac-similé(s), m . . 32
facteur . . . . . . . 30
factice . . . . . . . 18.A
factieux . . . . . . . 25.B
faction . . . . . . . 25.A

factoriel . . . . . . 30
factotum . . . . . 16.A
facturation . . . . 25.A
facture . . . . . . 26.B
facultatif . . . . . 30
faculté . . . . . . 3.A
fada . . . . . . . 1.A
fadaise . . . . . . 2.B
fade . . . . . . . 30
fadeur . . . . . . 23.A
fagot . . . . . . 5.B
fagoté . . . . . . 13.A
faible . . . . . . . 2.B
faiblesse . . . . . 2.C
faïence . . . . . . 29.B
faille . . . . . . . 11.B
failli . . . . . . . 12.B
faillibilité . . . . . 3.A
faillite . . . . . . 13.A
faim . . . . . . . 8  8.B
faine, f . . . . . . 2.B
 ou faîne . . . . 2.B
fainéant . . . . . 9.B
fainéantise . . . . 29.C
faire-part, m . . . 32
faire-valoir, m . . . 32
fair(-)play, m . . . 32
faisable . . . . . 19.A
faisan . . . . . . 9.A
faisanderie . . . . 26.A
faisceau . . . . . 18.C
faiseur . . . . . . 23.A
faisselle, f . . . . 18.B
fait . . . . . . 2 30
faîte, m . . . . . 2 2.B
faitout . . . . . . 27
faix . . . . . . 2 27
fakir . . . . . . . 14.C
falaise . . . . . . 2.B
falbala, m . . . . 1.A
fallacieux . . . . 25.B
falot . . . . . . 5.B
falsification . . . . 25.A
famé . . . . . . 16.A
famélique . . . . 14.B
fameux . . . . . . 30
familial . . . . . . 30
familiarité . . . . 3.A
familier . . . . . . 30
famille . . . . . . 11.B
famine . . . . . . 16.A

fan . . . . . . . 26  9.A
fanal . . . . . . . 22.A
fanatique . . . . . 16.A
fane, f . . . . . 26 16.A
fanfare . . . . . . 17.A
fanfaronnade . . . 16.B
fanfreluche, f . . . 20.A
fange . . . . . . 21.A
fangeux . . . . . 30
fanion . . . . . . 10
fanon . . . . . . 10
fantaisie . . . . . 26.A
fantasia, f . . . . 1.A
fantasme, m . . . 9.A
fantasque . . . . 14.B
fantassin . . . . . 18.B
fantastique . . . . 14.B
fantoche . . . . . 9.A
fantôme . . . . . 28.A
faon . . . . . . . 9.C
faquin . . . . . . 14.B
far . . . . . . . 23.A
farad . . . . . . 13.A
faraday . . . . . 2.C
faramineux . . . . 30
farandole . . . . . 22.A
faraud . . . . . . 5.B
farce . . . . . . 18.A
farci . . . . . . . 30
fard . . . . . . 17 23.C
fardeau . . . . . . 5.B
farfadet . . . . . 2.B
farfelu . . . . . . 30
faribole, f . . . . 22.A
farineux . . . . . 30
farniente . . . . . 9.A
farouche . . . . . 20.A
fart, m . . . . . 17 23.C
fascicule, m . . . . 18.C
fascination . . . . 18.C
fascisme . . . . . 18.C
faste, m . . . . . 17.A
fastidieux . . . . . 30
fastueux . . . . . 30
fat . . . . . . . 1, 27
fatal . . . . . . . 30
fatalement . . . . . 9.B
fatalité . . . . . . 3.A
fatidique . . . . . 14.B
fatigant . . . . . 9.B
fatigue . . . . . . 15.B

fatras . . . . . . 1.C
fatuité . . . . . . 3.A
fatum . . . . . . 16.A
faubourg . . . . . 23.C
faubourien . . . . . 30
faucheur . . . . . 30
faucille . . . . . . 11.B
faucon . . . . . . 14.A
fauconnerie . . . . 16.B
faufilage . . . . . 22.A
faune, m . . . . . 16.A
faune, f . . . . . 16.A
faussaire . . . . . 18.B
fausset . . . . . 5 2.B
fausseté . . . . . 3.A
faute . . . . . . 5.B
fauteuil . . . . . . 11.B
fauteur . . . . . . 30
fautif . . . . . . 30
fauve . . . . . . 5.B
fauvette . . . . . 2.C
faux, f . . . . . . 27
faux . . . . . . . 30
faux-bourdon(s), m 32
faux filet(s), m . . 32
faux-fuyant(s), m . 32
faux-
 monnayeur(s), m 32
faux-semblant(s),
 m . . . . . . . 32
faux sens, m . . . 32
favela, f . . . . . 22.A
faveur . . . . . . 23.A
favori . . . . . . 4.A
favorite . . . . . . 13.A
fayot . . . . . . . 11.A
féal . . . . . . . 29.C
fébrile . . . . . . 22.A
fébrilité . . . . . . 3.A
fécal . . . . . . 30
fèces, f . . . . . . 31
fécond . . . . . . 10.C
fécondité . . . . . 3.A
fécule, f . . . . . 22.A
féculent . . . . . 9.B
fed(d)ayin . . . . 11.A
fédéral . . . . . . 30
fédération . . . . 25.A
fédéré . . . . . . 3.A
fée . . . . . . . 3.B
féerie . . . . . . 26.A

| | |
|---|---|
| feignant | 11.C |
| *ou* faignant | 2.B |
| feinte | 8.B |
| feldspath, *m* | 13.C |
| félibre, *m* | 17.A |
| félicitations | 31 |
| félicité | 3.A |
| félin | 30 |
| fellah, *m* | 22.B |
| félonie | 26.A |
| felouque | 14.B |
| fêlure | 26.B |
| femelle | 2.C |
| féminin | 30 |
| féminité | 3.A |
| femme | 1.C |
| femmelette | 1.C |
| fémoral | 30 |
| fémur | 23.A |
| fenaison | 19.A |
| fendant | 9.B |
| fenêtre | 2.A |
| fenil | 22.A |
| fennec | 14.A |
| fenouil | 11.B |
| fente | 9.A |
| féodal | 30 |
| féodalité | 3.A |
| fer | 23.A |
| fer(s) à cheval, *m* | 32 |
| fer(s)-blanc(s), *m* | 32 |
| ferblanterie | 26.A |
| férié | 30 |
| ferme | 2.C |
| ferment | 23 9.B |
| fermeture | 26.B |
| fermi | 4.A |
| fermier | 30 |
| fermoir | 23.A |
| féroce | 18.A |
| férocité | 3.A |
| ferraille | 11.B |
| ferrailleur | 23.A |
| ferrement | 23 9.B |
| ferreux | 31 |
| ferronnerie | 23.B |
| ferronnier | 16.B |
| ferroviaire | 26.B |
| ferrugineux | 30 |
| ferrure | 26.B |
| fertile | 22.A |

| | |
|---|---|
| fertilité | 3.A |
| féru | 30 |
| férule | 22.A |
| fervent | 9.B |
| ferveur | 23.A |
| fesse | 18.B |
| fessée | 3.B |
| festin | 8.A |
| festival | 31 |
| festivité | 28.C |
| festoiement | 26.A |
| feston | 10.A |
| fêtard | 23.C |
| fête | 2 28.C |
| fétiche | 20.A |
| fétide | 13.A |
| fétu | 3.A |
| feu | 6 6.A |
| feuillage | 11.B |
| feuille | 11.B |
| feuillée | 2* 3.B |
| feuillet | 2* 2.B |
| feuilleton | 10.A |
| feuillu | 30 |
| feutre | 6.A |
| feutrine | 16.A |
| fève | 2.A |
| février | 3.B |
| fez | 31 |
| fi ! | 17 4.A |
| fiabilité | 3.A |
| fiacre | 26.C |
| fiançailles | 31 |
| fiasco | 5.A |
| fiasque, *f* | 14.B |
| fibre | 4.A |
| fibreux | 30 |
| fibrillation | 11.B |
| fibrome, *m* | 5.A |
| fibule, *f* | 22.A |
| ficelé | 22.A |
| ficelle | 2.C |
| fiche | 20.A |
| fichier | 3.B |
| fichu | 20.A |
| fictif | 30 |
| fiction | 25.A |
| fidéisme | 29.C |
| fidèle | 30 |
| fidélité | 3.A |
| fiduciaire | 25.C |

| | |
|---|---|
| fief | 2.C |
| fieffé | 17.B |
| fiel | 2.C |
| fielleux | 30 |
| fiente | 9.A |
| fier | 30 |
| fièrement | 9.B |
| fierté | 3.A |
| fiesta | 1.A |
| fièvre | 2.A |
| fiévreux | 30 |
| fifre | 17.A |
| fignoleur | 30 |
| figuier | 3.B |
| figuratif | 30 |
| figure | 26.B |
| figurine | 16.A |
| fil | 22 22.A |
| fil-à-fil | 32 |
| filaire, *f* | 26.B |
| filament | 19.A |
| filandreux | 30 |
| filasse, *f* | 18.B |
| filature | 26.B |
| fil(s) de fer | 32 |
| file | 22 22.A |
| filet | 2.B |
| filetage | 13.A |
| filial | 30 |
| filiation | 25.A |
| filière | 2.A |
| filigrane, *m* | 16.A |
| filin | 8.A |
| fille | 11.B |
| filleul | 11.B |
| film | 16.A |
| filmothèque | 13.C |
| filon | 22.A |
| filou | 22.A |
| fils | 31 |
| filtre | 17 17.A |
| fin, *f* | 8.A |
| fin | 8 30 |
| finale, *m* | 22.A |
| finale, *f* | 22.A |
| finalité | 3.A |
| finance | 9.A |
| finaud | 30 |
| fine | 31 16.A |
| fine(s)-de-claire | 32 |
| finesse | 18.B |

finish . . . . . . . . 20.B
finition . . . . . . . 25.A
finlandais . . . . . 30
finnois . . . . . . . 16.B
fiole . . . . . . . . 22.A
fioriture . . . . . . 26.B
firmament . . . . . 9.B
firme . . . . . . . . 16.A
fisc . . . . . . . . . 14.A
fiscalité . . . . . . 3.A
fissile . . . . . . . 18.B
fission . . . . . . . 25.A
fissure . . . . . . . 26.B
fixatif . . . . . . . 30
fixe . . . . . . . . . 18.C
fjord . . . . . . . . 11.B
flageolet . . . . . . 21.B
flagorneur . . . . . 30
flagrant . . . . . . 9.B
flair . . . . . . . . . 23.A
flamand . . . . . . 9 30
flamant . . . . . . 9 9.B
flambant . . . . . . 9.B
flambeau . . . . . 5.B
flambée . . . . . . 3.B
flamboiement . . . 26.A
flamboyant . . . . 11.A
flamenco . . . . . 5.A
flamingant . . . . . 9.A
flamme . . . . . . 16.B
flammé . . . . . . 16.B
flammèche . . . . 16.B
flan . . . . . . . 9 9.A
flanc . . . . . . . 9 9.C
flandrin . . . . . . 8.A
flanelle . . . . . . . 2.C
flânerie . . . . . . . 1.B
flapi . . . . . . . . 30
flaque . . . . . 14 14.B
flash . . . . . . 20 20.B
flash-back, m . . . 32
flasque . . . . . . . 14.B
flatterie . . . . . . 13.B
flatulence . . . . . 9.A
fléau . . . . . . . . 5.B
fléchage . . . . . . 21.A
flèche . . . . . . . 2.A
fléchette . . . . . . 2.C
fléchissement . . . 18.B
flegmatique . . . . 14.B
flegme . . . . . . . 16.A

flemmard . . . . . 16.B
flemme . . . . . . 16.B
flétrissure . . . . . 18.B
fleur . . . . . . . . 23.A
fleuret . . . . . . . 2.B
fleurette . . . . . . 2.C
fleuriste . . . . . . 13.A
fleuron . . . . . . . 10.A
fleuve . . . . . . . 7.A
flexibilité . . . . . . 3.A
flexion . . . . . . . 25.A
flibustier . . . . . . 3.B
flic . . . . . . . . . 14.A
flingue, m . . . . . 15.B
flipper [œr] . . . . 12.B
flirt . . . . . . . . . 13.A
flocage . . . . . . . 14.A
flocon . . . . . . . 14.A
floconneux . . . . 16.B
flopée . . . . . . . 3.B
floraison . . . . . . 19.A
floralies . . . . . . 31
flore . . . . . . . . 26.B
florentin . . . . . . 30
florilège, m . . . . 2.A
florin . . . . . . . . 8.A
florissant . . . . . 18.B
flot . . . . . . . . . 5.A
flottaison . . . . . 13.B
flotte . . . . . . . . 13.B
flottille . . . . . . . 11.B
flou . . . . . . . . . 30
fluctuation . . . . . 25.A
fluet . . . . . . . . 30
fluide . . . . . . . . 13.A
fluidité . . . . . . . 3.A
fluor . . . . . . . . 23.A
fluorescence . . . 18.C
flush . . . . . . 20 20.B
flûte . . . . . . . . 13.A
flûtiste . . . . . . . 13.A
fluvial . . . . . . . 30
flux . . . . . . . . . 31
fluxion . . . . . . . 25.A
foc . . . . . . . 14 14.A
focal . . . . . . . . 30
foehn [øn] . . . . . 6.C
fœtal . . . . . . . . 3.C
fœtus . . . . . . . 3.C
foi, f . . . . . . 24 24.A
foie, m . . . . . 24 24.B

foin . . . . . . . . . 24.D
foire . . . . . . . . 26.B
foire(s)-
    exposition(s), f . 32
foireux . . . . . . . 30
fois, f . . . . . 24 24.B
foisonnement . . . 16.B
fol . . . . . . . . . . 30
folâtre . . . . . . . 1.B
folichon . . . . . . 30
folie . . . . . . . . 26.A
folio . . . . . . . . 5.A
folklore, m . . . . . 26.B
folksong . . . . . . 14.C
folle(s)-avoine(s), f 32
follement . . . . . . 22.B
follet . . . . . . . . 30
follicule, m . . . . 22.B
fonceur . . . . . . 30
foncier . . . . . . . 30
fonctionnaire . . . 16.B
fonctionnel . . . . 16.B
fond . . . . . . 10 10.C
fondamental . . . 30
fondateur . . . . . 30
fondation . . . . . 25.A
fonderie . . . . . . 26.A
fondrière . . . . . . 2.A
fonds . . . . . 10 31
fongicide . . . . . 18.A
fontaine . . . . . . 2.B
fontanelle, f . . . . 2.C
fonte . . . . . . . . 13.A
fonts . . . . . . 10 31
football . . . . . . 22.B
footing . . . . . . . 15.C
for . . . . . . . . 5* 23.A
forage . . . . . . . 21.A
forain . . . . . . . 8.B
forban . . . . . . . 9.A
forçat . . . . . . . 1.B
force . . . . . . . . 18.A
forcément . . . . . 9.B
forcené . . . . . . 30
forceps . . . . . . 18.A
forcing . . . . . . . 15.C
forclusion . . . . . 19.A
forestier . . . . . . 30
foret, m . . . . . 2 2.B
forêt, f . . . . . . 2 2.B
forfait . . . . . . . 2.B

forfaiture . . . . . 26.B
forfanterie . . . . . 26.A
forge . . . . . . . . 21.A
forgeron . . . . . . 10.A
formalité . . . . . . 3.A
format . . . . . . . 1.B
formateur . . . . . 30
formel . . . . . . . 30
formica . . . . . . 1.A
formique . . . . . . 14.B
formol . . . . . . . 22.A
formulaire, *m* . . . 26.B
formule . . . . . . 22.A
fornication . . . . . 25.A
fors . . . . . . . 5* 27
forsythia, *m* . . . 4.B
fort . . . . . . . 5* 30
forte, *m, inv.* . . . 13.A
forteresse . . . . . 2.C
fortin . . . . . . . 8.A
fortissimo . . . . . 18.B
fortuit . . . . . . . 30
fortune . . . . . . 16.A
forum . . . . . . . 16.A
fosse . . . . . . 5 18.B
fossé . . . . . . 5 3.A
fossette . . . . . . 2.C
fossile . . . . . . 22.A
fossoyeur . . . . . 11.A
fou . . . . . . . . 30
foucade . . . . . 14.A
foudre . . . . . . 26.B
foudroiement . . . 26.A
fouet . . . . . . . 2.B
fouettard . . . . . 13.B
fougasse, *f* . . . . 18.B
fougère . . . . . . 2.A
fougue . . . . . . 15.B
fougueux . . . . . 30
fouille . . . . . . 11.B
fouilleur . . . . . 11.B
fouillis . . . . . . 4.B
fouinard . . . . . 23.C
fouine . . . . . . 16.A
fouineur . . . . . 30
foulard . . . . . . 23.C
foule . . . . . . 26 22.A
foulée . . . . . . 3.B
foulon . . . . . . 22.A
foulque, *f* . . . . 14.B
foulure . . . . . . 26.B

four . . . . . . . 23.A
fourberie . . . . . 26.A
fourbi . . . . . . 4.A
fourbu . . . . . . 30
fourche . . . . . . 20.A
fourchette . . . . 2.C
fourchu . . . . . . 30
fourgonnette . . . 16.B
fouriérisme . . . . 2.A
fourmi . . . . . . 4.A
fourmilier . . . . . 22.A
fournaise . . . . . 2.B
fourneau . . . . . 5.B
fournée . . . . . . 3.B
fourni . . . . . 4 30
fournil . . . . . 4 22.A
fournisseur . . . . 18.B
fourniture . . . . . 26.B
fourrage . . . . . 23.B
fourré . . . . . . 23.B
fourreau . . . . . 5.B
fourre-tout, *m* . . 32
fourrière . . . . . 23.B
fourrure . . . . . 23.B
foutoir . . . . . . 23.A
fox . . . . . . . . 31
fox-terrier(s), *m* . 32
fox-trot(s), *m* . . 32
foyer . . . . . . . 11.A
frac . . . . . . . 14.A
fracas . . . . . . 1.C
fraction . . . . . . 25.A
fractionnaire . . . 16.B
fractionnel . . . . 16.B
fracture . . . . . . 26.B
fragile . . . . . . 21.A
fragilité . . . . . . 21.A
fragmentaire . . . 26.B
frai, *m* . . . . . 2 2.B
fraîchement . . . . 2.B
fraîcheur . . . . . 23.A
frais . . . . . . . 2 30
    *f* fraîche
fraise . . . . . . . 19.A
framboisier . . . . 9.B
franc . . . . . . . 9.C
    *f* franche . . . . 30
    *f* franque . . . . 30
français . . . . . . 30
franc(s)-bourgeois,
    *m* . . . . . . . 32

franchise . . . . . 19.A
franc(s)-comtois,
    *m* . . . . . . . 32
franciscain . . . . 30
francisque, *f* . . . 14.B
franc-jeu, *m* . . . 32
franc(s)-maçon(s),
    *m* . . . . . . . 32
franc-maçonnerie,
    *f* . . . . . . . 32
franco . . . . . . 5.A
francophile . . . . 17.C
francophone . . . 17.C
franco-
    provençal(aux),
    *m* . . . . . . . 32
franc(s)-parler(s),
    *m* . . . . . . . 32
franc(s)-tireur(s),
    *m* . . . . . . . 32
frange . . . . . . 21.A
frangin . . . . . . 30
frangipane, *f* . . . 16.A
franglais . . . . . 27
franquette . . . . 14.B
frappe, *f* . . . . . 12.B
frasque, *f* . . . . 14.B
fraternel . . . . . 30
fraternité . . . . . 3.A
fratricide . . . . . 18.A
fraude . . . . . . 5.B
frauduleux . . . . 30
frayeur . . . . . . 11.A
fredaine . . . . . 2.B
frégate . . . . . . 13.A
frein . . . . . . . 8.B
frelaté . . . . . . 3.A
frêle . . . . . . . 2.A
frelon . . . . . . 22.A
freluquet . . . . . 2.B
frémissement . . . 18.B
frêne . . . . . . . 2.A
frénésie . . . . . . 26.A
frénétique . . . . . 14.B
fréquemment . . . 1.C
fréquence . . . . . 9.A
fréquent . . . . . . 9.B
frère . . . . . . . 2.A
fresque . . . . . . 14.B
fret . . . . . . . 2 13.A
frétillant . . . . . 11.B

fretin . . . . . . . . 8.A
freudien . . . . . . 30
freux . . . . . . . . 31
friabilité . . . . . . 3.A
friand . . . . . . . 9.C
friandise . . . . . . 19.A
fric . . . . . . . . 14.A
fricandeau . . . . . 5.B
fricassée . . . . . . 3.B
fric-frac, *inv.* . . . 32
friche . . . . . . . 20.A
friction . . . . . . 25.A
frigidité . . . . . . 3.A
frigorifique . . . . 14.B
frileux . . . . . . . 30
frimas . . . . . . . 1.C
frime . . . . . . . 16.A
frimousse . . . . . 18.B
fringale . . . . . . 22.A
fringant . . . . . . 9.B
fringues . . . . . . 31
fripier . . . . . . . 12.A
fripon . . . . . . . 10.A
friponnerie . . . . . 16.B
fripouille . . . . . . 11.B
frise . . . . . . . . 19.A
frison . . . . . . . 30
frisquet . . . . . . 2.B
frissonnement . . . 18.B
frite . . . . . . 27 13.A
friture . . . . . . 26.B
frivole . . . . . . 22.A
froc . . . . . . . . 14.A
froid . . . . . . . . 30
froideur . . . . . . 23.A
froidure . . . . . . 26.B
froissure . . . . . . 26.B
frôlement . . . . . 9.B
fromage . . . . . . 21.A
fromager . . . . . 30
froment . . . . . . 9.B
fronce . . . . . . . 18.A
frondaison . . . . . 19.A
fronde . . . . . . . 10.A
front . . . . . . . . 10.C
frontal . . . . . . . 30
frontalier . . . . . . 30
frontière . . . . . . 2.A
frontispice, *m* . . 18.A
fronton . . . . . . 10.A
frottis . . . . . . . 13.B

froufrou . . . . . . 17.A
froussard . . . . . 30
fructueux . . . . . 30
frugal . . . . . . . 30
fruit . . . . . . . . 4.B
fruitier . . . . . . 30
frusques, *f* . . . . 31
frustration . . . . . 25.A
fuchsia, *m* . . . . 20.B
fucus . . . . . . . 31
fuel . . . . . . . . 22.A
fugace . . . . . . 18.A
fugitif . . . . . . . 30
fúgue . . . . . . . 15.A
führer . . . . . 23 23.A
fulgurant . . . . . 30
full . . . . . . . 26 22.B
fulminant . . . . . 30
fumée . . . . . . . 3.B
fumerolle, *f* . . . 22.B
fumet . . . . . . . 2.B
fumeur . . . . . . 30
fumeux . . . . . . 30
fumigation . . . . . 25.A
fumigène . . . . . 2.A
fumoir . . . . . . 23.A
funambule . . . . . 22.A
funèbre . . . . . . 2.A
funérailles . . . . . 31
funéraire . . . . . 26.B
funeste . . . . . . 30
funiculaire . . . . . 26.B
fur et à mesure (au) 32
furet . . . . . . . 2.B
fureteur . . . . . . 13.A
fureur . . . . . 23 23.A
furibard . . . . . . 23.C
furibond . . . . . . 10.C
furie . . . . . . . 26.A
furieux . . . . . . 30
furoncle . . . . . . 10.A
furonculeux . . . . 30
furtif . . . . . . . 30
fusain . . . . . . . 8.B
fuseau . . . . . . 5.B
fusée . . . . . . . 3.B
fuselage . . . . . . 22.A
fusible . . . . . . 19.A
fusil . . . . . . . 27
fusilier . . . . . . 3.B
fusillade . . . . . . 11.B

fusil(s)-mitrailleur
   (s), *m* . . . . . 32
fusion . . . . . . . 11.A
fusionnement . . . 16.B
fût . . . . . . . . . 27
futaie . . . . . . . 2.B
futaille . . . . . . 11.B
futé . . . . . . . . 3.A
futile . . . . . . . 22.A
futilité . . . . . . . 3.A
futur . . . . . . . 23.A
futurisme . . . . . 16.A
fuyard . . . . . . . 11.A

# g

gabardine . . . . . 16.A
gabarit . . . . . . . 4.B
gabegie . . . . . . 26.A
gabelle . . . . . . . 2.C
gabelou . . . . . . 22.A
gâchette . . . . . . 2.C
gâchis . . . . . . . 4.B
gadget . . . . . . . 13.A
gadoue . . . . . . 26.A
gaélique . . . . . . 30
gaffe . . . . . . . 17.B
gag . . . . . . . . 15.A
gaga . . . . . . . 1.A
gage . . . . . . . 21.A
gageure, *f* . . . . 21.B
gagne-pain, *m* . . 32
gagne-petit, *m* . . 32
gagneur . . . . . . 30
gai . . . . . . . . 2* 30
gaiement . . . . . 26.A
gaieté . . . . . . . 26.A
gaillard . . . . . . 11.B
gain . . . . . . . . 8.B
gaine . . . . . . . 2.B
gala . . . . . . . . 1.A
galactique . . . . . 14.B
galamment . . . . 16.B
galant . . . . . . . 9.B
galanterie . . . . . 26.A
galantine . . . . . 16.A

| | |
|---|---|
| galapiat | 1.C |
| galaxie | 18.C |
| galbe, *m* | 15.A |
| gale | 22 22.A |
| galéjade | 21.A |
| galène, *f* | 2.A |
| galère | 2.A |
| galerie | 26.A |
| galérien | 30 |
| galet | 2.B |
| galetas | 1.C |
| galette | 2.C |
| galeux | 30 |
| galiléen | 8.A |
| galimatias | 1.C |
| galion | 22.A |
| galipette | 2.C |
| gallican | 30 |
| gallinacé, *m* | 22.B |
| gallois | 30 |
| gallon | 27 22.B |
| gallo-romain(s), | 32 |
| galon | 27 22.A |
| galop | 5.B |
| galopade | 12.A |
| galopin | 12.A |
| galvanisation | 25.A |
| galvaudage | 5.B |
| gambade | 9.B |
| gamelle | 2.C |
| gamète, *m* | 2.A |
| gamin | 30 |
| gaminerie | 26.A |
| gamma, *m* | 16.B |
| gamme | 16.B |
| ganache, *f* | 16.A |
| gandin | 8.A |
| gandoura, *f* | 1.A |
| gang | 26 15.A |
| ganglion | 10.A |
| gangrène | 2.A |
| gangster | 2.C |
| gangue | 26 15.B |
| ganse | 15.A |
| gant | 9.B |
| garage | 21.A |
| garance, *f* | 18.A |
| garant | 9.A |
| garantie | 26.A |
| garce | 18.A |
| garçon | 18.A |

| | |
|---|---|
| garçonnet | 16.B |
| garçonnière | 16.B |
| garde | 15.A |
| garde-à-vous, *m* | 32 |
| garde à vue | 32 |
| garde-barrière(s) | 32 |
| garde-boue, *m* | 32 |
| garde-chasse(s), *m* | 32 |
| garde(s)-chiourme(s), *m* | 32 |
| garde(s)-côte(s), *m* (agent) | 32 |
| garde-côte(s), *m* (navire) | 32 |
| garde(s) du corps, *m* | 32 |
| garde-fou(s), *m* | 32 |
| garde(s)-malade(s) | 32 |
| garde-manger, *m* | 32 |
| garde-meuble(s), *m* | 32 |
| gardénia | 1.A |
| garde-robe(s), *f* | 32 |
| gardian | 9.A |
| gardien | 30 |
| gardiennage | 16.B |
| gardon | 10.A |
| gare | 26.B |
| garenne | 2.C |
| gargarisme | 15.A |
| gargote | 15.A |
| gargouille | 11.B |
| garnement | 9.B |
| garnison | 19.A |
| garnissage | 18.B |
| garniture | 26.B |
| garrigue | 23.B |
| garrot | 23.B |
| gars | 27 |
| gascon | 14.A |
| gasoil | 22.A |
| gaspacho | 5.A |
| gaspilleur | 30 |
| gastéropode | 12.A |
| gastrite | 13.A |
| gastronomie | 26.A |
| gâteau | 5.B |
| gâterie | 26.A |
| gâteux | 30 |
| gauche | 5.B |
| gaucher | 3.B |

| | |
|---|---|
| gauchiste | 15.A |
| gaucho | 5.B |
| gaudriole, *f* | 22.A |
| gaufre, *f* | 17.A |
| gaule | 5 22.A |
| gaullisme | 22.B |
| gaulois | 30 |
| gauss, *m* | 5* 18.B |
| gave, *m* | 15.A |
| gavial | 22.A |
| gavotte | 13.B |
| gavroche | 20.A |
| gaz | 26 31 |
| gaze | 26 19.A |
| gazelle | 2.C |
| gazette | 2.C |
| gazeux | 30 |
| gazoduc | 14.A |
| gazogène | 2.A |
| gazole | 19.A |
| gazon | 19.A |
| gazouillis | 11.B |
| geai | 2 21.B |
| géant | 29.C |
| gecko | 14.C |
| geisha, *f* [gɛj] | 20.A |
| gel | 2.C |
| gélatine | 16.A |
| gelée | 3.B |
| gélinotte, *f* | 13.B |
| gélule | 22.A |
| gelure | 26.B |
| gémissement | 18.B |
| gemme, *f* | 16.B |
| gémonies | 31 |
| gênant | 9.B |
| gencive | 18.A |
| gendarme | 9.A |
| gendre | 9.A |
| gène, *m* | 2 2.A |
| gêne, *f* | 2 2.A |
| généalogie | 29.C |
| général | 30 |
| généralité | 3.A |
| générateur | 30 |
| génération | 25.A |
| généreux | 30 |
| générosité | 3.A |
| genèse | 2.A |
| genêt | 2 2.B |
| génétique | 30 |

genette . . . . . . 2.C
genévrier . . . . . 3.B
génial . . . . . . . 30
génie, *m* . . . . . . 26.A
genièvre . . . . . . 2.A
génisse . . . . . . 18.B
génital . . . . . . . 30
géniteur . . . . . . 23.A
génocide . . . . . 18.A
génois . . . . . . . 30
génoise . . . . . . 19.A
génotype . . . . . 4.B
genou . . . . . . . 31
genouillère . . . . 1.B
genre . . . . . . . 9.A
gens, *pl.* . . . . . 9 31
  *m* gens heureux
  *f* bonnes gens
gent, *sg.* . . . . . 9 27
gentiane . . . . . . 18.C
gentil . . . . . . . . 30
gentilhomme . . . 29.A
  *pl.* gentils-
  hommes
gentilhommière . . 16.B
gentillesse . . . . . 11.B
gentiment . . . . . 9.B
gentleman . . . . . 16.A
  *pl.* gentlemen . . 31
gentry, *f* . . . . . . 4.B
génuflexion . . . . 25.A
géodésie . . . . . . 29.C
géographie . . . . 17.C
geôle . . . . . . . . 21.B
geôlier . . . . . . . 21.B
géométrie . . . . . 26.A
géophysique . . . 17.C
géorgien . . . . . . 8.A
géothermique . . . 13.C
gérance . . . . . . 18.A
géranium . . . . . 16.A
gerbe . . . . . . . 2.C
gerboise . . . . . . 19.A
gerçure . . . . . . 18.A
gériatrie . . . . . . 26.A
germain . . . . . . 30
germanique . . . . 14.B
germe . . . . . . . 21.A
germicide . . . . . 18.A
germination . . . . 25.A
gérondif . . . . . . 17.A

gérontocratie . . . 18.C
gérontologie . . . 26.A
gésier . . . . . . . 19.A
gestaltisme [ge] . . 15.A
gestation . . . . . 25.A
geste, *m* . . . . . . 21.A
geste, *f* . . . . . . 21.A
gestion . . . . . . . 21.A
gestionnaire . . . . 16.B
gestuel . . . . . . . 30
geyser, *m* . . . . . 2.C
ghanéen . . . . . . 30
ghetto . . . . . . . 13.B
gibbon . . . . . . . 12.B
gibbosité . . . . . 12.B
gibecière . . . . . . 25.D
gibelotte, *f* . . . . . 13.B
giberne . . . . . . 2.C
gibet . . . . . . . . 2.B
gibier . . . . . . . . 3.B
giboulée . . . . . . 22.A
giboyeux . . . . . 11.A
gibus . . . . . . . . 31
giclée . . . . . . . 3.B
gifle . . . . . . . . 17.A
gigantesque . . . . 14.B
gigogne . . . . . . 11.C
gigolo . . . . . . . 5.A
gigot . . . . . . . . 5.B
gigue . . . . . . . 15.B
gilet . . . . . . . . 2.B
gin, *m* . . . . . . . 4 21.C
gin-fizz, *m* . . . . 32
gingembre, *m* . . . 9.B
gingivite . . . . . . 13.A
girafe . . . . . . . 17.A
giratoire . . . . . . 26.B
girl . . . . . . . . . 15.A
girofle, *m* . . . . . 17.A
giroflée . . . . . . 17.A
girolle, *f* . . . . . . 22.B
giron, *m* . . . . . . 10.A
girondin . . . . . . 30
girouette . . . . . . 2.C
gisant . . . . . . . 9.B
gisement . . . . . . 9.B
gitan . . . . . . . . 30
gîte, *m* . . . . . . . 13.A
gîte, *f* . . . . . . . . 4.B
givre . . . . . . . . 21.A
glabre . . . . . . . 26.C

glace . . . . . . . 18 18.A
glaciaire . . . . . 2 25.D
glacial . . . . . . . 30
  *pl.* als *ou* aux . . 31
glaciation . . . . . 25.A
glacière . . . . . . 2 25.D
glacis . . . . . . . 4.B
glaçon . . . . . . . 18.A
gladiateur . . . . . 23.A
glaïeul, *m* . . . . . 29.B
glaireux . . . . . . 30
glaise . . . . . . . 2.B
glaiseux . . . . . . 30
glaive . . . . . . . 2.B
gland . . . . . . . . 9.C
glande . . . . . . . 9.A
glaneur . . . . . . 30
glapissement . . . 18.B
glas . . . . . . . . 27
glaucome . . . . . 5.B
glauque . . . . . . 14.B
glèbe . . . . . . . . 2.A
glissade . . . . . . 18.B
glissando . . . . . 5.A
glissière . . . . . . 18.B
global . . . . . . . 30
globe . . . . . . . . 26.A
globe-trotter(s), *m* 32
globule, *m* . . . . . 22.A
globuleux . . . . . 30
gloire . . . . . . . 26.B
gloria, *m* . . . . . . 1.A
gloriette . . . . . . 2.C
glorieux . . . . . . 30
gloriole . . . . . . 22.A
glose, *f* . . . . . . 19.A
glossaire, *m* . . . . 18.B
glossolalie . . . . 22.A
glotte . . . . . . . 13.B
glouglou . . . . . . 15.A
gloussement . . . 18.B
glouton . . . . . . 30
gloutonnerie . . . 16.B
glu . . . . . . . . . 15.A
gluant . . . . . . . 9.B
glucide . . . . . . 18.A
glucose . . . . . . 14.A
gluten . . . . . . . 16.A
glycérine, *f* . . . . 4.B
glycine, *f* . . . . . 4.B
glycogène . . . . . 2.A

gnangnan . . . . . 9.A
gnocchi . . . . . . 20.C
gnognote . . . . . 13.A
gnome . . . . . . . 16.A
gnon . . . . . . . . 10.A
gnose, f . . . . . . 19.A
gnostique . . . . . 14.B
gnou . . . . . . . . 15.A
go . . . . . . . . . 15.A
goal . . . . . . . . 5 5.C
goal-average(s), m 32
gobelet . . . . . . 2.B
gobe-mouches, m 32
godet . . . . . . . 2.B
godiche . . . . . . 20.A
godille, f . . . . . 11.B
godillot . . . . . . 11.B
goéland . . . . . . 29.C
goélette . . . . . . 29.C
goémon . . . . . . 29.C
goguenard . . . . . 30
goguette . . . . . . 15.B
goinfrerie . . . . . 17.A
goitre . . . . . . . 13.A
golden, f . . . . . . 16.A
golf, m . . . . . 26 17.A
golfe, m . . . . . 26 17.A
gomme . . . . . . 16.B
gommeux . . . . . 16.B
gonade, f . . . . . 16.A
gond . . . . . . . . 10.C
gondole . . . . . . 22.A
gonfleur . . . . . . 17.A
gong . . . . . . . . 15.A
gonocoque, m . . 14.B
gonzesse . . . . . 19.A
gordien . . . . . . 8.A
goret . . . . . . . . 2.A
gorge . . . . . . . 21.A
gorgée . . . . . . . 21.A
gorgone, f . . . . . 16.A
gorgonzola . . . . 19.A
gorille . . . . . . . 11.B
gosier . . . . . . . 19.A
gospel . . . . . . . 22.A
gosse . . . . . . . 5* 18.B
gothique . . . . . . 13.C
gouache . . . . . . 29.C
gouailleur . . . . . 30
goudron . . . . . . 10.A
goudronnage . . . 16.B

gouffre . . . . . . . 17.B
goujat . . . . . . . 1.C
goujaterie . . . . . 26.A
goujon . . . . . . . 21.A
goulache, m ou f . 22.A
goulag . . . . . . . 15.A
goulasch, m ou f . 20.B
goulée . . . . . . 2* 3.B
goulet . . . . . . 2* 2.B
goulot . . . . . . . 5.A
goulu . . . . . . . . 30
goulûment . . . . . 9.B
goupil . . . . . . . 12.A
goupille . . . . . . 11.B
goupillon . . . . . 11.B
gourbi . . . . . . . 4.A
gourd . . . . . . . 23.C
gourde . . . . . . . 15.A
gourdin . . . . . . 8.A
gourmand . . . . . 30
gourme . . . . . . 16.A
gourmet . . . . . 2* 2.B
gourmette . . . . . 2.C
gourou . . . . . . . 23.A
gousse . . . . . . . 18.B
gousset . . . . . . 18.B
goût . . . . . . . . 27
goûter . . . . . . . 3.B
goutte . . . . . . . 13.B
goutte-à-goutte, m 32
gouttelette . . . . 13.B
goutteux . . . . . . 13.B
gouttière . . . . . . 13.B
gouvernail . . . . . 11.B
gouvernant . . . . 30
gouverne, f . . . . 2.C
gouvernement . . 9.C
gouverneur . . . . 23.A
goyave, f . . . . . 11.A
grabat . . . . . . . 1.C
grabataire . . . . . 26.B
grabuge . . . . . . 21.A
grâce . . . . . . 18 28.A
gracieux . . . . . . 25.B
gracilité . . . . . . 3.A
gradation . . . . . 25.A
grade . . . . . . . 13.A
gradient . . . . . . 9.B
gradin . . . . . . . 8.A
graduation . . . . . 25.A
graduel . . . . . . 30

graffiti . . . . . . . 31
graillon . . . . . . 11.B
grain . . . . . . . . 8.B
graine . . . . . . . 2.B
grainetier . . . . . 30
graisse . . . . . . . 18.B
gramin(ac)ée . . . 16.A
grammaire . . . . . 16.B
grammatical . . . . 30
gramme . . . . . 26 16.B
grand . . . . . . . 9.C
grand-angulaire(s),
    m . . . . . . . . 32
grand-chose(pas) . 32
grand-croix . . . . 32
grand(s)-duc(s), m 32
grand(s)-duché(s),
    m . . . . . . . . 32
grand(s)
    ensemble(s), m . 32
grandeur . . . . . . 23.A
grandiloquence . . 14.B
grandiose . . . . . 19.A
grand-maman(s), f 32
grand-messe(s), f . 32
grand-rue, f . . . . 32
grands-parents,
    m pl. . . . . . . . 32
grand-voile(s), f . . 32
grange . . . . . . . 21.A
granit(e), m . . . . 13.A
graniteux . . . . . . 30
granulé . . . . . . 22.A
graphisme . . . . . 17.C
graphite . . . . . . 17.C
graphologie . . . . 17.C
grappe . . . . . . . 12.B
grappillage . . . . 11.B
grappin . . . . . . 12.B
gras . . . . . . . . 30
gras-double(s) . . 32
grassouillet . . . . 11.B
gratification . . . . 25.A
gratin . . . . . . . 8.A
gratis . . . . . . . 13.A
gratitude . . . . . . 13.A
grattage . . . . . . 13.B
gratte-ciel, m . . . 32
gratte-papier, m . 32
grattoir . . . . . . 13.B
gratuit . . . . . . . 30

gratuité . . . . . . 3.A
grau, *m* . . . . . . 5 5.B
gravats . . . . . . . 31
grave . . . . . 31 30
graveleux . . . . . 30
gravelle, *f* . . . . . 2.C
graves, *m* . . . . 31 31
gravide . . . . . . . 30
gravier . . . . . . . 3.B
gravillon . . . . . . 11.B
gravitation . . . . . 25.A
gravité . . . . . . . 3.A
gravure . . . . . . 26.B
gré . . . . . . . . 2* 3.A
grec . . . . . . . . 30
  *f* grecque
gréco-latin(es) . . 32
gréco-romain(es) . 32
gredin . . . . . . . 8.A
gréement . . . . . 26.A
greffe . . . . . . . 17.B
greffier . . . . . . . 17.B
greffon . . . . . . . 17.B
grégaire . . . . . . 26.B
grège . . . . . . . 21.A
grégorien . . . . . 30
grêle . . . . . . . . 22.A
grêlon . . . . . . . 22.A
grelot . . . . . . . 5.A
grelottant . . . . . 13.B
grenade . . . . . . 16.A
grenadine . . . . . 16.A
grenaille . . . . . . 11.B
grenat . . . . . . . 1.C
grenier . . . . . . . 3.B
grenouillage . . . . 11.B
grenouille . . . . . 11.B
grenu . . . . . . . 30
grès . . . . . . . 2* 27
gréseux . . . . . . 30
grésil . . . . . . . 22.A
grésillement . . . . 11.B
grève . . . . . . . . 2.A
gréviste . . . . . . 28.B
gribouillis . . . . . 11.B
grief . . . . . . . . 2.C
grièvement . . . . 9.B
griffe . . . . . . . . 17.B
griffon . . . . . . . 17.B
griffonnage . . . . 16.B
grigou . . . . . . . 15.A

grigri . . . . . . . 4.A
gri(s)-gri(s), *m* . . . 32
grillade . . . . . . . 11.B
grillage . . . . . . . 11.B
grille . . . . . . . . 11.B
grille-pain, *m* . . . 32
grillon . . . . . . . 11.B
grimace . . . . . . 18.A
grimage . . . . . . 16.A
grimaud . . . . . . 5.B
grimoire, *m* . . . . 26.B
grimpette . . . . . 2.C
grincheux . . . . . 30
gringalet . . . . . . 2.B
griot . . . . . . . . 5.B
griotte . . . . . . . 13.B
grippe . . . . . . . 12.B
grippe-sou, *m* . . . 32
gris . . . . . . . . . 30
grisaille . . . . . . 11.B
grisâtre . . . . . . 1.B
griserie . . . . . . . 26.A
grisou . . . . . . . 19.A
grive . . . . . . . . 15.A
grivèlerie . . . . . . 26.A
grivois . . . . . . . 24.B
grivoiserie . . . . . 26.A
grizzli . . . . . . . 19.C
grizzly . . . . . . . 4.B
groenlandais . . . 30
grog . . . . . . . . 15.A
groggy . . . . . . . 15.C
grognard . . . . . 30
grogne . . . . . . . 11.C
grognon . . . . . . 11.C
groin . . . . . . . . 24.D
grommellement . . 16.B
grondement . . . . 9.B
grondin . . . . . . 8.A
groom [u] . . . . . 16.A
gros . . . . . . . 5 30
groseillier . . . . . 11.B
gros-porteur(s), *m* 32
grosse . . . . . . . 18.B
grossesse . . . . . 18.B
grosseur . . . . . . 23.A
grossier . . . . . . 30
grossièreté . . . . 18.B
grossissement . . . 18.B
grosso modo . . . 32
grotesque . . . . . 14.B

grotte . . . . . . . 13.B
grouillant . . . . . 11.B
groupe . . . . . . 26 12.A
groupuscule . . . . 22.A
gruau . . . . . . . 5.B
grue . . . . . . . . 26.A
grume, *f* . . . . . . 16.A
grumeau . . . . . . 5.B
grutier . . . . . . . 3.B
gruyère . . . . . . 11.A
guadeloupéen . . . 8.A
guano . . . . . . . 5.B
gué . . . . . . . 2* 15.B
guéable . . . . . . 29.C
guenille . . . . . . 11.B
guenon . . . . . . 16.A
guépard . . . . . . 23.C
guêpe . . . . . . . 2.A
guère(s) . . . . . 2 2.A
guéret . . . . . . . 2.B
guéridon . . . . . . 10.A
guérilla . . . . . . . 1.A
guérillero . . . . . 11.B
guérison . . . . . . 19.A
guérite . . . . . . . 13.A
guerre . . . . . . 2 2.C
guet . . . . . . . 2* 2.B
guêtre, *f* . . . . . 2.A
guetteur . . . . . . 2.C
gueule . . . . . . 31 7.A
gueuleton . . . . . 15.B
gueux . . . . . . . 30
gui . . . . . . . . . 4.A
guichet . . . . . . 2.B
guide . . . . . . . 15.B
guidon . . . . . . . 15.B
guigne . . . . . . . 15.B
guignol . . . . . . 22.A
guignolet . . . . . 2.B
g(u)ilde, *f* . . . . 15.B
guilledou . . . . . 11.B
guillemet . . . . . 11.B
guilleret . . . . . . 30
guillotine . . . . . 11.B
guimauve, *f* . . . . 15.B
guimbarde . . . . . 8.B
guinée . . . . . . . 3.B
guingois . . . . . . 24.B
guinguette . . . . . 2.C
guirlande . . . . . 9.A
guise . . . . . . . . 19.A

guitare . . . . . . . 26.B
gustatif . . . . . . 30
guttural . . . . . . 13.B
gymkhana, *m* . . 14.C
gymnase, *m* . . . . 4.B
gymnastique . . . 4.B
gynécée, *m* . . . . 4.B
gynécologue . . . 4.B
gypaète, *m* . . . . 29.C
gypse, *m* . . . . . 4.B
gyroscope . . . . . 4.B

# h

le signe ' marque l'h dit aspiré. 'h résiste à l'élision et à la liaison, p. ex. 'hangar, mais non habit ou hameçon !

'ha ! . . . . . . . 29  1.A
habeas corpus, *m* . 32
habile . . . . . . . 22.A
habileté . . . . . . 3.A
habilitation . . . . 25.A
habillage, *m* . . . . 11.B
habit . . . . . . . . 27
habitacle, *m* . . . 13.A
habitant . . . . . . 9.B
habitat . . . . . . . 1.C
habitude . . . . . . 13.A
habituel . . . . . . 30
'hâbleur . . . . . . 1.B
'hachette . . . . . 2.C
'hachis . . . . . . . 4.B
hachure . . . . . . 26.B
hacienda . . . . . . 1.A
'haddock . . . . . 13.B
'hagard . . . . . . 23.C
hagiographie . . . 17.C
'haie . . . . . . . 22.A
'haïku . . . . . . . 29.B
'haillon . . . . . . 11.B
'haine . . . . . 29  2.B
'haineux . . . . . .
'haire, *f* . . . . 23 26.B

'haïssable . . . . . 29.B
'haïtien . . . . . . . 29.B
'halage . . . . . 27 22.A
'hâle . . . . . . 1* 1.B
'haleine . . . 29 2 2.B
'halètement . . . 29 2.B
'hall . . . . . . . . 22.B
hallali . . . . . . . 22.B
'halle . . . . . . 1 22.B
'hallebarde . . . . 22.B
hallucinatoire . . . 26.B
'halo . . . . . . 29 22.A
halogène . . . 29 22.A
'halte . . . . . . . . 22.A
haltère, *m* . . . . . 2.A
haltérophilie . . . . 17.C
'hamac . . . . . 29 14.A
'hamburger . . . . 7.C
'hameau . . . . . . 5.B
hameçon . . . . . . 18.A
'hammam . . . . . 16.B
'hampe . . . . . . 9.B
'hamster . . . . . . 2.C
'han ! . . . . . . 9 9.A
'hanap . . . . . . . 12.A
'hanche . . . . 29 9.A
'handball . . . . . 22.B
'handicap . . . . . 12.A
'hangar . . . . . . 23.A
'hanneton . . . . . 16.B
'hanse, *f* . . . . 29 18.A
'hantise . . . . . . 9.A
haoussa . . . . . . 29.C
hapax . . . . . . . 31
'happening, *m* . . 12.B
'haquenée . . . . 29 14.B
hara-kiri(s), *m* . . . 32
'harangue . . . . . 15.B
'haras . . . . . 29 1.C
'harcèlement . . . 9.B
'harde, *f* . . . . 31 31
'hardes . . . . 31 31
'hardi . . . . . . . 30
'hardiesse . . . . . 2.C
'hardiment . . . . . 9.B
hard-top(s), *m* . . 32
'hardware, *m* . . . 26.B
'harem . . . . . . . 16.A
'hareng . . . . . . 9.C
'hargne . . . . . . 11.C
'hargneux . . . . 30

'haricot . . . . . . 5.B
'harissa, *m* . . . . 18.B
'harki . . . . . . . 14.C
harmonica . . . . 1.A
harmonie . . . . . 26.A
harmonieux . . . 30
harmonium . . . . 16.A
'harnachement . . 9.B
'harnais . . . . . . 2.B
'harnois . . . . . . 24.B
'haro . . . . . . . . 5.A
'harpe . . . . . . . 12.A
'harpie . . . . . . . 26.A
'harponneur . . . . 16.B
('h)aruspice, *m* . . 18.A
'hasard . . . . . . . 23.C
'hasardeux . . . . 30
'haschi(s)ch . . . . 20.B
'hase, *f* . . . . . . 19.A
hassidique . . . . . 18.B
hassidisme . . . . 18.B
'hâte . . . . . . . . 1.B
'hâtif . . . . . . . . 30
'hauban . . . . . . 9.A
'haubert . . . . 29 27
'hausse . . . . 29 18.B
'haut . . . . . . 5 30
'hautain . . . . . . 30
'hautbois . . . . . 24.B
'hautboïste . . . . 29.B
haut(s)-commis-
 saire(s), *m* . . . . 32
haut(s)-de-
 chausse, *m* . . . 32
haut(s)-de-forme,
 *m* . . . . . . . 32
haute(s)-contre, *f* . 32
'hauteur . . . . 29 23.A
haut(s)-fond(s), *m* 32
haut-le-cœur, *m* . 32
haut-parleur(s), *m*
 (HP) . . . . . . . 32
'havane . . . . . . 16.A
'havre . . . . . . . 26.B
'havresac . . . . . 14.A
hawaiien . . . . . . 8.A
'hayon . . . . . . . 11.A
'hé ! . . . . . . . . 3.A
'heaume . . . . 5* 5.B
hebdomadaire . . . 26.B
hébergement . . . 9.B

| | | |
|---|---|---|
| hébétement . . . . | 3.A | |
| hébraïque . . . . . | 29.B | |
| hébreu, *m* . . . . . | 6.A | |
| hécatombe, *f* . . . | 14.A | |
| hectare . . . . . . | 26.B | |
| hédonisme . . . . | 16.A | |
| hégélien . . . . . . | 8.A | |
| hégémonie . . . . | 26.A | |
| hégire, *f* . . . . . . | 26.B | |
| 'hein ! . . . . . . . | 8.B | |
| 'hélas ! . . . . . . . | 22.A | |
| hélianthe, *m* . . . . | 13.C | |
| hélice . . . . . . . | 18.A | |
| hélicoptère . . . . | 2.A | |
| héliocentrique . . . | 22.A | |
| hélio-offset, *f sg.* . . | 32 | |
| héliothérapie, *f* . . | 32 | |
| héliotrope, *m* . . . | 12.A | |
| hélium . . . . . . . | 5.C | |
| hellène . . . . . . | 22.B | |
| helvète . . . . . . . | 2.A | |
| helvétique . . . . . | 28 | |
| hématie, *f* . . . . . | 18.C | |
| hématique . . . . . | 14.B | |
| hématologie . . . . | 13.A | |
| hématome . . . . . | 13.A | |
| hémicycle, *m* . . . | 4.B | |
| hémiplégie, *f* . . . | 21.A | |
| hémisphère, *m* . . | 17.C | |
| hémistiche, *m* . . . | 16.A | |
| hémoglobine, *f* . . | 16.A | |
| hémogramme . . . | 16.B | |
| hémophile . . . . . | 17.C | |
| hémorragie . . . . | 23.B | |
| hémorroïde, *f* . . . | 29.B | |
| 'henné . . . . . . . | 16.B | |
| 'hennissement . . | 16.B | |
| hépatique . . . . . | 12.A | |
| hépatite . . . . . . | 13.A | |
| heptaèdre, *m* . . . | 29.C | |
| héraldique, *f* . . . . | 14.B | |
| 'héraut . . . . . . 5 | 5.B | |
| herbe . . . . . . . | 2.C | |
| herbeux . . . . . . | 30 | |
| herbicide, *m* . . . . | 18.A | |
| herboriste . . . . . | 30 | |
| herbu . . . . . . . | 30 | |
| herculéen . . . . . | 8.A | |
| hercynien . . . . . | 4.B | |
| 'hère, *m* . . . . . 23 | 2.A | |
| héréditaire . . . . . | 26.B | |

| | | |
|---|---|---|
| hérédité . . . . . . | 3.A | |
| hérésie . . . . . . . | 19.A | |
| 'hérisson . . . . . . | 18.B | |
| héritage . . . . . . | 13.A | |
| hermaphrodite . . . | 17.C | |
| herméneutique . . . | 16.A | |
| hermès, *m* . . . . . | 31 | |
| hermétique . . . . | 14.B | |
| hermine, *f* . . . . . | 16.A | |
| (h)erminette . . . . | 2.C | |
| 'herniaire . . . . . . | 26.B | |
| 'hernie, *f* . . . . . . | 26.A | |
| héroïne . . . . . . . | 29.B | |
| héroïque . . . . . . | 29.B | |
| 'héron . . . . . . . | 10.A | |
| 'héros . . . . . . 5 | 5.B | |
| herpès . . . . . . . | 18.A | |
| (h)erpétologie . . . | 26.A | |
| 'herse . . . . . . 29 | 18.A | |
| hertz . . . . . . . . | 31 | |
| hésitation . . . . . | 25.A | |
| hétaïre, *f* . . . . . . | 29.B | |
| hétairie . . . . . . . | 26.A | |
| hétéroclite . . . . . | 3.A | |
| hétérodoxe . . . . | 18.C | |
| hétérogène . . . . . | 2.A | |
| hétérogénéité . . . | 28 | |
| hétérosexuel . . . | 30 | |
| hétérozygote . . . | 4.B | |
| 'hêtraie . . . . . . | 26.A | |
| 'hêtre . . . . . . 29 | 2.A | |
| 'heu ! . . . . . . 5 | 6.A | |
| heur, *m* . . . . . 23 | 7.A | |
| heure . . . . . 23 | 26.B | |
| heureux . . . . . . | 30 | |
| (h)euristique . . . | 14.B | |
| 'heurt . . . . . . 23 | 27 | |
| 'heurtoir . . . . . . | 23.A | |
| hévéa . . . . . . . | 1.A | |
| hexaèdre . . . . . | 29.C | |
| hexagone . . . . . | 16.A | |
| hexamètre . . . . . | 19.B | |
| 'hi ! . . . . . . . 4 | 16.A | |
| (')hiatus, *m* . . . . | 31 | |
| hibernation . . . . . | 25.A | |
| hibiscus . . . . . . | 31 | |
| 'hibou . . . . . . . | 31 | |
| 'hic . . . . . . . . | 14.A | |
| 'hideux . . . . . . . | 30 | |
| hier . . . . . . . . | 2.C | |
| 'hiérarchie . . . . . | 26.A | |

| | | |
|---|---|---|
| hiératique . . . . . | 11.A | |
| hiéroglyphe, *m* . . . | 17.C | |
| hilarant . . . . . . . | 9.B | |
| hilare . . . . . . . . | 26.B | |
| hilarité . . . . . . . | 3.A | |
| hindi . . . . . . . . | 4.A | |
| hindou . . . . . . . | 30 | |
| hindouisme . . . . | 29.C | |
| 'hippie . . . . . . . | 12.B | |
| hippocampe, *m* . . | 12.B | |
| hippodrome . . . . | 12.B | |
| hippophagique . . | 17.C | |
| hippopotame . . . | 12.B | |
| hirondelle . . . . . | 2.C | |
| hirsute . . . . . . . | 13.A | |
| hispanique . . . . . | 16.A | |
| histogramme . . . . | 16.B | |
| histoire . . . . . . . | 26.B | |
| histologie . . . . . | 26.A | |
| historien . . . . . . | 30 | |
| historiette . . . . . | 2.C | |
| histrion . . . . . . | 10.A | |
| hitlérien . . . . . . | 30 | |
| hit-parade, *m* . . . . | 32 | |
| hittite . . . . . . . . | 13.B | |
| hiver . . . . . . . . | 2.C | |
| hivernal . . . . . . | 30 | |
| 'ho ! . . . . . . . 5 | 5.A | |
| 'hobby, *m* . . . . 29 | 12.B | |
| 'hobereau . . . . . | 5.B | |
| 'hochet . . . . . . . | 2.B | |
| 'hockey . . . . . 29 | 14.C | |
| 'holà ! . . . . . . . | 1.B | |
| 'holding, *m* . . . . | 15.C | |
| hold-up, *m* . . . . . | 32 | |
| hollandais . . . . . | 30 | |
| holocauste, *m* . . . | 14.A | |
| hologramme . . . . | 16.B | |
| 'homard . . . . . . | 23.C | |
| 'home, *m* . . . . . 5* | 16.A | |
| homélie . . . . . . | 16.A | |
| homéopathe . . . | 13.C | |
| homéopathie . . . | 13.C | |
| homérique . . . . . | 14.B | |
| homicide . . . . . . | 18.A | |
| hominien . . . . . . | 30 | |
| hommage . . . . . | 16.B | |
| hommasse . . . . . | 18.B | |
| homme . . . . . . 5* | 16.A | |
| homme(s)- grenouille(s), *m* | 32 | |

homme(s)-orchestre(s), *m* . 32
homme(s)-sandwich(es), *m* 32
homogène . . . . . 16.A
homogénéité . . . 29.C
homographe . . . 17.C
homologation . . . 25.A
homologue . . . . 15.B
homonymie . . . . 4.B
homophone . . . 17.C
homosexualité . . 3
homosexuel . . . . 30 A
homothétique . . . 13.C
homozygote . . . . 4.B
'hongrois . . . . . 30
honnête . . . . . . 16.B
honnêteté . . . . . 16.B
honneur . . . . . . 16.B
honni . . . . . . . 16.B
honorable . . . . . 28.C
honoraire . . . . . 28.C
honoraires . . . . . 31
honorariat . . . . . 28.C
honorifique . . . . 14.B
honoris causa . . . 32
'honte . . . . . . . 10.A
'honteux . . . . . . 30
'hop ! . . . . . 29 12.A
hôpital . . . . . . . 28
hoplite, *m* . . . . . 13.A
'hoquet . . . . 29 14.B
horaire . . . . . . . 26.B
'horde . . . . . . . 5.A
'horion . . . . . . . 10.A
horizon . . . . . . 19.A
horizontal . . . . . 30
horizontalement . 9.B
horloge . . . . . . 21.A
horloger . . . . . . 30
horlogerie . . . . . 26.A
'hormis . . . . . . 4.B
hormonal . . . . . 30
hormone . . . . . . 16.A
horodateur . . . . 23.A
horoscope, *m* . . . 14.A
horreur . . . . . . . 23.B
horrible . . . . . . 23.B
'hors . . . . . . 23 23.C
hors-bord, *m* . . . 32
hors-concours, *m* . 32

hors-d'œuvre, *m* . 32
hors-jeu, *m* . . . . 32
hors-la-loi . . . . . 32
hors-texte, *m* . . . 32
hortensia, *m* . . . . 1.A
horticole . . . . . . 22.A
horticulteur . . . . 30
hosanna, *m* . . . . 16.B
hospice, *m* . . . 29 18.A
hospitalier . . . . . 28
hospitalisation . . 25.A
hospitalité . . . . . 28
hostie . . . . . . . 26.A
hostile . . . . . . . 22.A
hostilité . . . . . . 3.A
hot dog(s), *m* . . . 32
hôte . . . . . . . 5* 5.B
hôtel . . . . . . 29 22.A
hôtel(s)-Dieu, *m* . 32
hôtellerie . . . . . 22.B
hôtesse . . . . . . 2.C
'hotte . . . . . . 5* 13.B
'hottentot . . . . . 30
'hou ! . . . . . . . 29.A
'houblon . . . . . . 10
'houblonnier . . . 16.B
'houe, *f* . . . 29 26.A
'houille . . . . 29 11.B
'houiller . . . . . . 30
houillère, *f* . . . 29 11.B
'houlette . . . . . . 2.C
'houleux . . . . . . 30
'houppe, *f* . . . . 12.B
'houppelande, *f* . . 12.B
'hourdis, *m* . . 29 4.B
'hourra . . . . . . . 22.B
'housse, *f* . . . . . 18.B
'houx . . . . . 29 27
hovercraft . . . . . 7.C
'hublot . . . . . . . 5.B
'hue ! . . . . . . . 26.A
'huée . . . . . . . . 3.B
'huerta, *f* . . . . . 1.A
'huguenot . . . . . 30
huile . . . . . . . . 22.A
huileux . . . . . . . 30
huis, *m* . . . . 4 27
huis clos, *m* . . . 32
huisserie . . . . . . 18.B
huissier . . . . . . 18.B
'huit . . . . . . . 4 27

'huitaine . . . . . . 13.A
'huitième . . . . . 2.A
huître . . . . . . . 4.B
'hulotte . . . . . . 13.B
('h)ululement . . . 22.A
'hum ! . . . . . . . 16.A
humain . . . . . . 30
humainement . . . 9.B
humanitaire . . . . 26.B
humanité . . . . . 3.A
humanoïde . . . . 29.B
humblement . . . 9.B
humérus . . . . . . 31
humeur . . . . . . 23.A
humide . . . . . . 30
humidité . . . . . . 3.A
humilité . . . . . . 3.A
humoriste . . . . . 16.A
humour . . . . . . 23.A
humus . . . . . . . 31
'hune . . . . . 29 16.A
'huppe . . . . . . . 12.B
'huppé . . . . . . . 12.B
'hure . . . . . . . . 26.B
'hurlement . . . . . 9.B
hurluberlu . . . . . 22.A
'huron . . . . . . . 10.A
'hurrah . . . . . . . 23.B
'hurricane . . . . . 23.B
'hussard . . . . . . 18.B
'hutte . . . . . 29 13.B
hybride . . . . . . 4.B
hydrate, *m* . . . . . 4.B
hydraulique . . . . 14.B
hydravion . . . . . 4.B
hydre, *f* . . . . . . 4.B
hydrocarbure, *m* . 26.B
hydrocéphale . . . 17.C
hydrocution . . . . 25.A
hydroélectrique . . 29.C
hydro-électrique(s) 32
hydrogène . . . . . 2.A
hydrographique . . 4.B
hydrologie . . . . . 26.A
hydrolyse, *f* . . . . 4.B
hydromel . . . . . 22.A
hydrothérapie . . . 13.C
(')hyène . . . . . 2 11.A
hygiène . . . . . . 11.A
hygiénique . . . . 28
hygrométrie . . . . 4.B

hymen, *m* . . . . . 4.B
hyménée, *m* . . . . 3.B
hymne . . . . . . 16.C
hyperbole, *f* . . . . 22.A
hyperglycémie . . 4.B
hypermétrope . . . 4.B
hypertension . . . 25.A
hypertrophie . . . 17.C
hypnose, *f* . . . . . 19.A
hypnotique . . . . 14.B
hypocondriaque . . 14.B
hypocrisie . . . . 14.A
hypocrite . . . . . 14.A
hypogée, *m* . . . . 3.B
hypoglycémie, *f* . . 4.B
hypophyse, *f* . . . 4.B
hypotension . . . . 25.A
hypoténuse, *f* . . . 19.A
hypothalamus . . 13.C
hypothécaire . . . 26.B
hypothèque . . . . 13.C
hypothèse . . . . . 13.C
hypothético-
  déductif(s) . . . 32
hypothétique . . . 13.C
hystérie . . . . . . 4.B
hystérique . . . . . 14.B

iambe, *m* . . . . . 9.B
ibérique . . . . . . 14.B
ibidem . . . . . . . 16.A
ibis, *m* . . . . . . 30
iceberg . . . . . . . 18.A
ichtyologie . . . . 14.C
ichtyosaure . . . . 14.C
ici . . . . . . . . 4.A
ici-bas . . . . . . 32
icône, *f* . . . . . 5.B
iconoclaste . . . . 5.A
iconographie . . . 17.C
ictère, *m* . . . . . 2.A
idéal . . . . . . . 30
  *pl.* idéals/idéaux 31

idéalisation . . . . 25.A
idéalisme . . . . . 29.C
idée . . . . . . . . 3.B
idem . . . . . . . . 16.A
identification . . . 25.A
identique . . . . . 14.B
identiquement . . 9.B
identité . . . . . . 3.A
idéogramme . . . . 16.B
idéologie . . . . . . 29.C
ides, *f* . . . . . . 4 31
idiomatique . . . . 16.A
idiome, *m* . . . . . 16.A
idiosyncrasie . . . 8.C
idiot . . . . . . . . 30
idiotie . . . . . . . 18.C
idoine . . . . . . . 16.A
idolâtre . . . . . . 1.B
idole . . . . . . . . 22.A
idylle, *f* . . . . . 22.B
idyllique . . . . . . 22.B
if . . . . . . . . 29 17.A
igloo, *m* . . . . . . 4.A
igname, *f* . . . . . 16.A
ignare . . . . . . . 26.B
ignifuge . . . . . . 11.C
ignoble . . . . . . . 11.C
ignominie . . . . . 26.A
ignominieux . . . . 30
ignorance . . . . . 9.A
iguane, *m* . . . . . 16.A
il . . . . . . . . . . 22.A
île . . . . . . . . 29 4.B
iliaque . . . . . . . 14.B
illégalité . . . . . . 22.B
illégitime . . . . . . 22.B
illettré . . . . . . . 22.B
illicite . . . . . . . 22.B
illicitement . . . . 9.B
illico . . . . . . . . 5.A
illisible . . . . . . . 22.B
illogique . . . . . . 22.B
illumination . . . . 25.A
illusion . . . . . . . 19.A
illusionniste . . . . 16.B
illusoire . . . . . . 26.B
illustration . . . . . 25.A
îlot . . . . . . . . . 5.B
ilote, *m* . . . . . . 13.A
image . . . . . . . 16.A
imagerie . . . . . . 26.A

imaginaire . . . . . 26.B
imagination . . . . 25.A
imago, *m ou f* . . . 5.A
imam, *m* . . . . . . 16.A
imbattable . . . . . 13.B
imbécile . . . . . . 30
imbécillité . . . . . 22.B
imberbe . . . . . . 8.B
imbrication . . . . 25.A
imbroglio, *m* . . . 5.A
imbu . . . . . . . . 8.B
imitateur . . . . . 30
imitatif . . . . . . . 30
imitation . . . . . 25.A
immaculé . . . . . 22.B
immanence . . . . 22.B
immangeable . . . 21.B
immanquablement 8.B
immatriculation . . 25.A
immature . . . . . 16.B
immédiat . . . . . 16.B
immédiatement . . 16.B
immémorial . . . . 16.B
immense . . . . . . 9.A
immensément . . . 16.B
immérité . . . . . . 16.B
immersion . . . . 25.A
immeuble . . . . . 16.B
immigration . . . . 25.A
imminence . . . . 9.A
immixtion . . . . . 25.A
immobilier . . . . . 30
immobilité . . . . . 3.A
immodéré . . . . . 3.A
immolation . . . . 25.A
immondices, *f* . . . 31
immoralité . . . . . 3.A
immortalité . . . . 3.A
immortel . . . . . . 30
immuable . . . . . 16.B
immunité . . . . . 16.B
immunologie . . . 16.B
impact . . . . . . . 8.B
impair . . . . . . . 30
imparable . . . . . 8.B
imparfait . . . . . . 30
impartial . . . . . . 30
impasse, *f* . . . . . 18.B
impassibilité . . . . 18.B
impatiemment . . 1.C
impatience . . . . 9.A

impatient . . . . . 9.B
impavide . . . . . . 8.B
impeccablement . 14.B
impécunieux . . . 30
impédance . . . . 9.A
impedimenta, *m* . 31
impénétrabilité . . 3.A
impénitent . . . . . 9.B
impératif . . . . . . 30
impératrice . . . . 18.A
imperceptible . . . 18.A
imperfection . . . 25.A
impérial . . . . 22 30
impériale . . . 22 22.A
impérieux . . . . . 30
impérissable . . . . 18.B
imperméable . . . 30
impersonnel . . . . 16.B
impertinence . . . 9.A
imperturbable . . . 30
impétigo . . . . . . 5.A
impétrant . . . . . 9.B
impétueux . . . . . 30
impie . . . . . . . . 26.A
impiété . . . . . . . 3.A
impitoyable . . . . 11.A
implacable . . . . . 14.A
implant . . . . . . 9.B
implication . . . . 25.A
implicite . . . . . . 18.A
imploration . . . . 25.A
implosion . . . . . 19.A
impolitesse . . . . 2.C
impondérabilité . . 3.A
impopularité . . . . 8.B
importance . . . . 9.A
importateur . . . . 30
importun . . . . . 30
imposable . . . . . 19.A
imposture . . . . . 26.B
impôt . . . . . . . 5.B
impotence . . . . . 9.A
impraticable . . . . 14.A
imprécation . . . . 25.A
imprégnation . . . 25.A
imprenable . . . . 16.A
imprésario . . . . . 5.A
impressionnisme . 16.B
imprévoyance . . . 11.A
imprimatur, *m inv.* 8.B
imprimerie . . . . . 26.A

impromptu . . . . 30
improvisation . . . 25.A
improviste . . . . . 8.B
imprudemment . . 1.C
impudence . . . . 9.A
impuissance . . . . 18.B
impulsif . . . . . . 30
impunité . . . . . . 3.A
imputable . . . . . 13.A
imputation . . . . . 25.A
imputrescible . . . 18.C
inaccessible . . . . 18.C
inaction . . . . . . 25.A
inadmissible . . . . 18.B
inadvertance . . . 9.A
inaliénable . . . . . 16.A
inamovible . . . . . 16.A
inanité . . . . . . . 16.A
inanition . . . . . . 25.A
inaperçu . . . . . . 18.A
inappétence . . . . 12.B
inapplicable . . . . 12.B
inapte . . . . . . . 30
inattaquable . . . . 13.B
inattendu . . . . . 13.B
inaugural . . . . . . 30
inca . . . . . . . . 1.A
incandescence . . 18.C
incantation . . . . 25.A
incapacité . . . . . 3.A
incarcération . . . 25.A
incarnat . . . . . . 1.C
incarnation . . . . 25.A
incartade . . . . . 14.A
incendiaire . . . . . 25.B
incendie, *m* . . . . 26.A
incertitude . . . . . 13.A
incessamment . . 18.B
inceste, *m* . . . . . 18.A
incestueux . . . . . 30
incidemment . . . 1.C
incidence, *f* . . . . 9.A
incident . . . . . . 9.B
incinération . . . . 25.A
incisif . . . . . . . 30
incitation . . . . . 25.A
inclinaison . . . . . 19.A
inclination . . . . . 25.A
inclusif . . . . . . . 30
incoercible . . . . . 29.C
incognito . . . . . 5.A

incohérent . . . . . 29.B
incollable . . . . . 22.B
incolore . . . . . . 26.B
incommensurable . 16.B
incompréhension . 25.A
incompressible . . 18.B
inconditionnel . . . 16.B
incongru . . . . . . 30
inconsidéré . . . . 3.A
incontrôlable . . . 5.B
inconvenant . . . . 9.B
inconvénient . . . 9.B
incorporation . . . 25.A
incorrect . . . . . . 23.B
incorrigible . . . . 23.B
incorruptible . . . 23.B
incrédule . . . . . 22.A
incrimination . . . 25.A
incroyable . . . . . 11.A
incrustation . . . . 25.A
incubation . . . . . 25.A
inculpation . . . . 25.A
incunable, *m* . . . 16.A
incurabilité . . . . 3.A
incurable . . . . . 30
incurie, *f* . . . . . . 26.A
incursion . . . . . 25.A
indécent . . . . . . 9.B
indécis . . . . . . . 30
indéfectibilité . . . 3.A
indélébile . . . . . 30
indélébilité . . . . . 3.A
indemne . . . . . . 16.C
indemnisation . . . 25.A
indemnité . . . . . 16.C
indéniable . . . . . 16.A
indépendamment . 16.B
indépendant . . . . 9.B
index, *m* . . . . . . 31
indexation . . . . . 25.A
indicateur . . . . . 23.A
indication . . . . . 25.A
indice, *m* . . . . . 18.A
indiciaire . . . . . . 25.D
indicible . . . . . . 18.A
indifféremment . . 1.C
indifférent . . . . . 9.B
indigence, *f* . . . . 9.A
indigène . . . . . . 2.A
indigent . . . . . . 9.B
indignation . . . . 25.A

| | | | | | | | |
|---|---|---|---|---|---|---|---|
| indigne | 11.A | infériorité | 3.A | ingurgitation | 15.A |
| indigo, *m* | 5.A | infernal | 8.A | inhabité | 29.A |
| indissoluble | 18.B | infestation | 25.A | inhabituel | 29.A |
| individu | 8.A | infidèle | 2.A | inhalateur | 29.A |
| individualité | 3.A | infidélité | 3.A | inhalation | 29.A |
| individuel | 8.A | infime | 8.A | inhérence | 29.A |
| indivis | 8.A | infini | 8.A | inhérent | 29.A |
| indo-afghan(es) | 32 | infinité | 3.A | inhibiteur | 29.A |
| indochinois | 32 | infinitésimal | 19.A | inhospitalier | 29.A |
| indo- | | infinitif | 17.A | inhumain | 29.A |
| européen(nes) | 32 | infinitude | 8.A | inhumation | 29.A |
| indolence | 9.A | infirmation | 25.A | inimitié | 3.A |
| indolore | 5.A | infirme | 8.A | ininflammable | 16.B |
| indu | 8.A | infirmerie | 4.B | ininterrompu | 2.C |
| indubitable | 8.A | infirmier | 3.B | inique | 14.B |
| inducteur | 23.A | infirmité | 3.A | iniquité | 14.B |
| inductif | 8.A | inflammable | 16.B | initial | 18.C |
| induction | 25.A | inflammation | 25.A | initiation | 18.C |
| indulgence | 9.A | inflation | 25.A | initiative | 18.C |
| indûment | 9.B | inflationniste | 25.A | injecteur | 23.A |
| industrie | 4.B | inflexion | 25.A | injection | 25.A |
| industriel | 22.A | inflorescence, *f* | 18.C | injonction | 25.A |
| industrieux | 6.B | influence | 9.A | injurieux | 6.B |
| inédit | 4.B | influx, *m* | 27 | inlassable | 18.B |
| ineffable | 3.C | in-folio | 32 | inné | 16.B |
| inefficace | 3.C | informaticien | 8.A | innéité | 29.C |
| inégal | 15.A | information | 25.A | innocemment | 1.C |
| inéluctable | 26.C | informatique | 14.B | innocence | 9.A |
| inénarrable | 26.C | infortuné | 8.A | innocuité | 3.A |
| inepte | 13.A | infra | 8.A | innombrable | 16.B |
| ineptie | 18.C | infraction | 25.A | innom(m)é | 16.B |
| inerte | 13.A | infrarouge | 8.A | innommable | 16.B |
| inertie | 18.C | infrason | 8.A | innovation | 16.B |
| inexact | 13.A | infra-son(s), *m* | 32 | inoccupé | 14.B |
| inexorable | 19.B | infrastructure | 26.B | inoculation | 14.A |
| inextinguible | 15.B | infructueux | 6.B | inodore | 26.B |
| inextricable | 2.C | infus | 27 | inoffensif | 17.A |
| infaillibilité | 11.B | infusion | 19.A | inondation | 25.A |
| infamant | 9.B | ingambe | 9.B | inopiné | 5.A |
| infâme | 1.B | ingénierie | 26.A | inopinément | 9.B |
| infamie | 28.A | ingénieur | 23.A | inopportun | 8.A |
| infanterie | 4.A | ingénieux | 6.B | inorganisé | 19.A |
| infantile | 9.A | ingéniosité | 3.A | inoubliable | 11.A |
| infarctus | 18.A | ingénu | 21.A | inouï | 29.C |
| infatigable | 15.A | ingénuité | 3.A | inoxydable | 18.C |
| infect | 13.A | ingénument | 9.B | in-pace | 32 |
| infectieux | 25.B | ingérence | 9.A | in partibus | 32 |
| infection | 25.A | ingrat | 1.C | in petto | 32 |
| inféodation | 25.A | ingratitude | 8.A | input, *m* | 8.A |
| inférence, *f* | 9.A | ingrédient | 9.B | in-quarto | 32 |
| inférieur | 23.A | inguinal | 15.B | inquiet | 14.B |

inquisiteur . . . . . 14.B
inquisition . . . . . 25.A
insalubre . . . . . . 26.A
insane . . . . . . . 18.A
insanité . . . . . . 3.A
insatiable . . . . . 18.C
inscription . . . . . 25.A
insécable . . . . . 14.A
insecte . . . . . . . 2.C
insecticide . . . . . 18.A
insectivore . . . . . 26.B
insémination . . . 25.A
insensé . . . . . . 9.A
insertion . . . . . 25.A
insidieux . . . . . . 6.B
insigne, m . . . . . 11.A
insignifiance . . . . 11.A
insinuation . . . . 25.A
insipide . . . . . . 18.A
insistance . . . . . 9.A
in situ . . . . . . . 32
insolation . . . . . 25.A
insolemment . . . 1.C
insolence . . . . . 9.A
insolent . . . . . . 9.B
insolite . . . . . . . 13.A
insoluble . . . . . 26.C
insolvable . . . . . 26.C
insomniaque . . . 14.B
insomnie . . . . . . 4.B
insonore . . . . . . 26.B
insouciance . . . . 9.A
inspecteur . . . . . 23.A
inspection . . . . . 25.A
inspectorat . . . . 1.C
inspirateur . . . . . 23.A
inspiration . . . . . 25.A
installation . . . . . 25.A
instamment . . . . 1.C
instance, f . . . . . 9.A
instant . . . . . . . 9.B
instantanément . . 9.B
instar . . . . . . . . 23.A
instaurateur . . . . 23.A
instigateur . . . . . 15.A
instillation . . . . . 22.B
instinct . . . . . . . 13.A
instinctif . . . . . . 8.A
instinctuel . . . . . 8.A
institut . . . . . . . 27
instituteur . . . . . 23.A

institutionnalisme . 18.C
institutionnel . . . 18.C
instructif . . . . . . 14.A
instruction . . . . . 25.A
instruit . . . . . . . 27
instrument . . . . . 9.B
instrumental . . . . 9.A
insu . . . . . . . . 18.A
insubmersible . . . 18.A
insubordination . . 25.A
insubordonné . . . 18.A
insuffisant . . . . . 9.B
insulaire . . . . . . 26.B
insularité . . . . . . 3.A
insuline, f . . . . . 18.A
insulte . . . . . . . 18.A
insulteur . . . . . . 23.A
insurgé . . . . . . . 21.A
insurrectionnel . . 18.C
intact . . . . . . . 13.A
intangible . . . . . 21.A
intarissable . . . . 18.B
intégral . . : . . . . 3.A
intégration . . . . . 25.A
intègre . . . . . . . 26.C
intégrité . . . . . . 3.A
intellect . . . . . . 2.C
intellectualisme . . 2.C
intellectuel . . . . . 2.C
intelligemment . . 1.C
intelligence . . . . 2.C
intelligentsia . . . . 2.C
intelligibilité . . . . 2.C
intempérie, f . . . 9.B
intempestif . . . . 9.B
intendance . . . . 9.A
intendant . . . . . 9.B
intense . . . . . . . 9.A
intensément . . . . 9.B
intensification . . . 25.A
intensité . . . . . . 3.A
intention . . . . . . 25.A
intentionnellement 2.C
inter . . . . . . . . 23.A
interallié . . . . . . 8.A
interarmées, inv. . 31
interarmes, inv. . . 31
intercalaire . . . . 26.B
intercepteur . . . . 23.A
interception . . . . 25.A
intercesseur . . . . 18.B

intercession . . . 18 25.A
interclubs, inv. . . 7.C
intercommunal . . 16.B
interdiction . . . . 25.A
interdit . . . . . . . 4.B
intéressement . . . 2.C
intérêt . . . . . . . 2.B
interface, f . . . . . 18.B
interférence . . . . 9.A
intérieur . . . . . . 23.A
intérim . . . . . . . 16.A
intérimaire . . . . . 26.B
intériorité . . . . . 3.A
interjection . . . . 25.A
interligne . . . . . 11.A
interlinéaire . . . . 26.B
interlope . . . . . . 5.A
interloqué . . . . . 14.B
interlude, m . . . . 8.A
intermède, m . . . 28
intermédiaire . . . 28
intermezzo . . . . 19.C
intermittence . . . 9.A
internat . . . . . . 1.C
international . . . . 18.C
interne . . . . . . . 16.A
internement . . . . 9.B
interpellation . . . 2.C
interphone, m . . . 17.C
interpolation . . . 25.A
interprétariat . . . 1.C
interprétation . . . 25.A
interprète . . . . . 2.A
interrogateur . . . 23.A
interrogatif . . . . 2.C
interrogatoire . . . 26.B
interruption . . . . 25.A
intersection . . . . 25.A
intersession, f . . 18 25.A
interstellaire . . . . 2.C
interstice, m . . . . 18.B
interstitiel . . . . . 25.C
intersyndical(es) . 32
interurbain . . . . . 8.B
intervalle, m . . . . 22.B
interventionniste . 18.C
interversion . . . . 25.A
intestat . . . . . . 1.C
intestin . . . . . . . 8.A
intestinal . . . . . . 22.A
intime . . . . . . . 16.A

intimement . . . . 9.B
intimidation . . . . 25.A
intimité . . . . . . 3.A
intolérant . . . . . 9.B
intonation . . . . . 25.A
intoxication . . . . 25.A
intracellulaire . . . 32
intraduisible . . . . 26.C
intra-muros . . . . 32
intramusculaire . . 32
intransigeance . . 21.B
intransitif . . . . . 9.A
intra-utérin(es) . . 32
intraveineux . . . . 6.B
intrépidité . . . . . 3.A
intrication . . . . . 25.A
intrigant . . . . . . 9.B
intrigue . . . . . . 15.B
intrinsèque . . . . 14.B
introducteur . . . . 23.A
introductif . . . . . 17.A
introduction . . . . 25.A
introït, m . . . . . 29.C
introjection . . . . 25.A
intromission . . . . 25.A
intronisation . . . . 25.A
introspectif . . . . 20
introverti . . . . . . 5.A
intrus . . . . . . 27
intuitif . . . . . . 17.A
intuition . . . . . . 25.A
intuitionnisme . . . 18.C
inusité . . . . . . . 19.A
invaincu . . . . . . 8.B
invariance . . . . . 9.A
invasion . . . . . . 19.A
invective, f . . . . 2.C
inventaire, m . . . 26.B
inventeur . . . . . 23.A
inventif . . . . . . 9.A
invention . . . . . 25.A
inverse . . . . . . 18.A
inversement . . . . 9.B
inversion . . . . . . 25.A
invertébré . . . .... 8.A
inverti . . . . . . . 8.A
investigateur . . . . 5.A
investigation . . . 15.A
investissement . . 18.B
investiture . . . . . 26.B
invétéré . . . . . . 3.A

invincibilité . . . . 8.A
inviolabilité . . . . 3.A
invisible . . . . . . 26.C
invite, f . . . . . . 13.A
invivable . . . . . . 26.C
in vitro . . . . . . . 32
in vivo . . . . . . . 32
invocation . . . . . 25.A
involontairement . 9.B
involution . . . . . 25.A
iode, m . . . . . . 11.A
ion . . . . . . . . . 11.A
ionien . . . . . . . 11.A
ionique . . . . . . . 11.A
iota . . . . . . . . . 11.A
ipéca, m . . . . . . 14.A
ipséité . . . . . . . 29.C
ipso facto . . . . . 32
irakien . . . . . . . 14.C
iranien . . . . . . . 9.A
irascible . . . . . . 18.C
ire, f . . . . . . . . 23.A
iris, m . . . . . . . 18.A
irisation . . . . . . 19.A
ironie . . . . . . . . 4.B
iroquois . . . . . . 14.B
irradiation . . . . . 25.A
irrationnel . . . . . 18.C
irréalité . . . . . . . 3.A
irrécupérable . . . 23.B
irrécusable . . . . . 23.B
irrédentisme . . . . 23.B
irréel . . . . . . . . 23.B
irréligion . . . . . . 21.A
irrémédiable . . . . 26.C
irréprochable . . . 26.C
irrespect . . . . . . 13.A
irresponsable . . . 18.A
irrévérence . . . . 9.A
irréversible . . . . . 18.A
irrévocable . . . . . 14.A
irrigation . . . . . . 15.A
irritable . . . . . . 26.C
irruption . . . . . . 25.A
isba, f . . . . . . . 1.A
islam . . . . . . . . 16.A
islamisation . . . . 25.A
isobare, f . . . . . 26.B
isocèle . . . . . . . 18.A
isolationniste . . . 18.C
isolement . . . . . 9.B

isolément . . . . . 9.B
isoloir . . . . . . . 23.A
isomère . . . . . . 2.A
isomorphe . . . . 17.B
isotherme, f . . . . 13.C
isotope, m . . . . . 19.A
isotrope . . . . . . 19.A
israélien . . . . . . 8.A
israélite . . . . . . 29.C
issue . . . . . . . 26 26.A
isthme, m . . . . . 13.C
italique, m . . . . . 14.B
item . . . . . . . . 2.C
itératif . . . . . . . 17.A
itinéraire . . . . . . 26.B
itinérant . . . . . . 9.B
itou . . . . . . . . . 4.A
ivoire, m . . . . . . 26.B
ivoirien . . . . . . . 9.A
ivraie, f . . . . . . 27
ivresse . . . . . . . 2.C
ivrogne . . . . . . 11.A
ivrognerie . . . . . 4.B

# j

jabot . . . . . . . . 5.B
jacasseur . . . . . 18.B
jachère . . . . . . . 2.A
jacinthe, f . . . . . 13.C
jack, m . . . . . . . 14.C
jacobin . . . . . . . 8.A
jacquard . . . . . . 14.C
ja(c)quemart . . . 14.C
jacquerie . . . . . 14.C
jactance . . . . . . 9.A
jade, m . . . . . . . 13.C
jadis . . . . . . . . 18.A
jaguar . . . . . . . 15.B
jaillissement . . . . 11.B
jais . . . . . . . . 2 2.B
jalon . . . . . . . . 10.A
jalonnement . . . . 9.B
jalousie . . . . . . 4.B
jaloux . . . . . . . 27

jamaïquain . . . . . 29.C
jamais . . . . . . . 2.B
jambage . . . . . . 9.B
jambière . . . . . . 9.B
jambon . . . . . . 9.B
jambonneau . . . . 5.B
jam-session(s), *f* . 32
janissaire . . . . . 26.B
jansénisme . . . . 18.A
jante, *f* . . . . . . 9.A
janvier . . . . . . . 3.B
japonais . . . . . . 27
jappement . . . . . 9.B
jaquette . . . . . 14.C
jardin . . . . . . . 8.A
jardinet . . . . . . 2.B
jargon . . . . . . . 15.A
jarre . . . . . . 23 23.B
jarret . . . . . . . 2.B
jarretelle . . . . . . 2.C
jarretière . . . . . . 2.A
jars, *m* . . . . . . 23 27
jasmin . . . . . . . 8.A
jatte . . . . . . . 13.B
jauge . . . . . . . 5.B
jaunâtre . . . . . . 1.B
jaune . . . . . . . 5.B
jaunisse . . . . . . 18.B
javel, *f* . . . . . 22 22.A
javelot . . . . . . . 5.B
jazz . . . . . . . . 19.C
jazz-band(s), *m* . . 32
je . . . . . . . . 6 6.A
jean(s) . . . . . 4 4.C
jean-foutre, *m* . . . 32
jeep, *f* . . . . . . . 4.C
je-ne-sais-quoi, *m* . 32
jérémiade, *f* . . . . 21.A
jerk . . . . . . . . . 2.C
jerrican(e), *m* . . . 2.C
jersey, *m* . . . . . . 2.C
jésuite . . . . . . . 19.A
jet . . . . . . . . 2 2.B
jetée . . . . . . . 3 3.B
jeton . . . . . . . 10.A
jeu . . . . . . . . 6 6.A
jeun . . . . . . . . 8.C
jeune . . . . . . 6 2.B
jeûne . . . . . . 6 28
jeunot . . . . . . . 5.B
j'm'en-foutisme, *m* 32

joaillier . . . . . . . 11.B
jobard . . . . . . . 27
jockey . . . . . . . 2.C
jocrisse, *m* . . . . . 18.B
jodler . . . . . . . 3.B
jogging . . . . . . 21.C
joie . . . . . . . . 24.B
joint . . . . . . . . 24.E
joker . . . . . . . 23.A
joli . . . . . . . . 21.A
joliesse . . . . . . . 2.C
joliment . . . . . . 9.B
jonc . . . . . . . 10.C
jonchée . . . . . . 3.B
jonction . . . . . . 25.A
jongleur . . . . . . 23.A
jonque, *f* . . . . . 14.B
jonquille . . . . . . 14.B
joual . . . . . . . 22.A
joue . . . . . . 26 26.A
jouet . . . . . . . 2.B
joufflu . . . . . . . 17.B
joug . . . . . . 26 27
jouissance . . . . . 9.A
joujou . . . . . . . 21.A
joule, *m* . . . . . . 21.A
jour . . . . . . . . 21.A
journal . . . . . . 22.A
journalier . . . . . 3.B
journée . . . . . . 3.B
journellement . . . 9.B
joute, *f* . . . . . . 21.A
jouvence . . . . . . 9.A
jouvenceau . . . . 5.B
jouvencelle . . . . 2.C
jovial . . . . . . . 21.A
jovialité . . . . . . 3.A
joyau . . . . . . . 11.A
joyeux . . . . . . . 11.A
jubé . . . . . . . 3.A
jubilaire . . . . . . 26.B
jubilé . . . . . . . 3.A
judaïsme . . . . . 29.C
judas . . . . . . . 27
judéo-allemand(es) 32
judéo-espagnol(es) 32
judiciaire . . . . . . 25.D
judicieux . . . . . . 6.B
judo . . . . . . . . 5.A
judoka . . . . . . . 14.C
juge(s)-

commissaire(s),
*m* . . . . . . . . 32
jugeote . . . . . . 21.B
jugulaire, *f* . . . . . 15.A
juif . . . . . . . . . 29.C
juillet . . . . . . . . 11.B
jujube, *m* . . . . . 21.A
juke-box(es), *m* . . 32
julien . . . . . . . . 8.A
jumbo-jet(s) . . . . 32
jumeau . . . . . . . 5.B
jumelage . . . . . . 21.A
jumelle . . . . . . 22 2.C
jument . . . . . . . 9.B
jumping . . . . . . 21.C
jungle . . . . . . . 15.A
junior . . . . . . . 11.A
junte . . . . . . . . 8.A
jupe . . . . . . . . 21.A
jupe(s)-culotte(s), *f* 32
jurassien . . . . . . 18.B
juridictionnel . . . 18.C
juridique . . . . . . 14.B
jurisprudence . . . 9.A
jurisprudentiel . . . 25.C
juriste . . . . . . . 21.A
juron . . . . . . . . 10.A
jury . . . . . . . . . 4.B
jus . . . . . . . . . 27
jusant . . . . . . . 19.A
jusqu'alors . . . . . 32
jusqu'au-boutisme,
*m* . . . . . . . . 32 A
jusque(s) . . . . . 14.B
justaucorps . . . . 27
juste . . . . . . . . 21.A
juste milieu, *m* . . 32
justesse . . . . . . 2.C
justice . . . . . . . 18.B
justicier . . . . . . 3.B
justificatif . . . . . 14.A
justification . . . . 25.A
jute, *m* . . . . . . 21.A
juteux . . . . . . . 6.B
juvénat . . . . . . 1.C
juvénile . . . . . . 22.A
juxtaposition . . . 18.C

# k

kabbale . . . . . . 14.C
kabyle . . . . . . . 4.B
kakemono . . . . . 14.C
kaki . . . . . : . . 14.C
kaléidoscope . . . 29.C
kamikaze, *m* . . . . 14.C
kangourou . . . . . 14.C
kantien . . . . . . . 18.C
kaolin . . . . . . . 8.A
kapok . . . . . . . 14.C
karaté . . . . . . . 14.C
karatéka . . . . . . 14.C
karstique . . . . . 13.B
kart . . . . . . . . . 14.C
karting . . . . . . . 14.C
kascher . . . . . . 20.B
  *aussi* casher *ou*
  cacher
kayak . . . . . . . 14.C
kelvin, *m* . . . . . . 14.C
kenyan . . . . . . . 11.A
képi . . . . . . . . 14.C
kératine, *f* . . . . . 14.C
kermesse . . . 18 14.C
kérosène, *m* . . . . 2.A
ketchup . . . . . . 7.C
khâgneux . . . . . 6.B
khalife . . . . . . . 14.C
k(h)an . . . . . . 9 14.C
khédive . . . . . . 14.C
khmer . . . . . . . 14.C
khôl, *m* . . . . . 5* 14.C
kibboutz . . . . . . 14.C
kick-(starter)(s), *m* 32
kidnappeur . . . . 23.A
kidnapping . . . . 14.C
kif . . . . . . . . . 14.C
kif-kif . . . . . . . 32
kilo . . . . . . . . 14.C
kilométrage . . . . 14.C
kilotonne, *f* . . . . 14.C
kilowatt, *m* . . . . 13.B
kilowatt(s)-
  heure(s), *m* . . . 32
kilt, *m* . . . . . . 14.C
kimono . . . . . . 14.C

kinésithérapeute . 6.A
kinésithérapie . . . 13.C
kiosque . . . . . . 14.C
kippour . . . . . . 14.C
kir . . . . . . . . . 14.C
kirsch . . . . . . . 20.B
kit, *m* . . . . . . . 14.C
kitchenette . . . . 26.A
kitsch . . . . . . . 20.B
kiwi . . . . . . . . 4.A
klaxon . . . . . . . 18.C
kleptomanie . . . . 14.C
knicker . . . . . . . 14.C
knicker (bocker)s,
  *m* . . . . . . . . 32
knock-down . . . . 32
knock-out (K.O.) . 32
knout . . . . . . . 14.C
koala, *m* . . . . . . 14.C
koinè, *f* . . . . . . 24.A
kolkhoz(e), *m* . . . 14.C
kopeck . . . . . . . 14.C
korrigan . . . . . . 14.C
kouglof, *m* . . . . . 32
koulak . . . . . . . 14.C
krach, *m* . . . . . 14 14.C
kraft . . . . . . . . 14.C
krak . . . . . . . . 14.C
kronprinz . . . . . 14.C
krypton . . . . . . 4.B
kummel . . . . . . 14.C
kurde . . . . . . . 14.C
kyrie . . . . . . . . 14.C
kyrielle . . . . . . . 2.C
kyste, *m* . . . . . . 14.C

# l

la . . . . . . . . 1 1.A
là . . . . . . . . 1 1.B
là-bas . . . . . . . 32
label . . . . . . . 22 2.A
labeur, *m* . . . . . 23.A
labial . . . . . . . 11.A
laborantin . . . . . 8.A
laboratoire . . . . . 26.B

laborieux . . . . . 6.B
labour, *m* . . . . . 23.A
labrador . . . . . . 5.A
labyrinthe . . . . . 13.C
lac . . . . . . . 14 14.A
lacération . . . . . 25.A
lacet . . . . . . . 2.B
lâche . . . . . . . . 1.B
lâcheté . . . . . . . 3.A
lacis . . . . . . . . 4.B
laconique . . . . . 14.B
là contre . . . . . . 32
lacrymal . . . . . . 4.B
lacrymogène . . . 4.B
lacs, *m* . . . . . . 1 27
lactaire, *m* . . . . . 2.B
lactation . . . . . . 25.A
lacté . . . . . . . . 14.A
lactique . . . . . . 14.B
lactose, *m* . . . . . 5.A
lacunaire . . . . . . 26.B
lacune . . . . . . . 14.A
lacustre . . . . . . 26.C
lad . . . . . . . . . 13.A
là-dedans . . . . . 32
là-dessous . . . . . 32
là-dessus . . . . . 32
ladre . . . . . . . . 26.C
lady . . . . . . . . 4.B
  *pl.* ies *ou* ys
lagon . . . . . . . . 15.A
lagune . . . . . . . 15.A
là-haut . . . . . . . 32
lai, *m* . . . . . . 2* 2.B
lai . . . . . . . . 2* 2.B
laïc . . . . . . . . 29.C
laïcité . . . . . . . 29.C
laid . . . . . . . 2* 2.B
laideron . . . . . . 26.A
laie . . . . . . . 2* 26.A
lainage . . . . . . 2.B
laine, *f* . . . . . . 2.B
laïque . . . . . . . 29.C
laisse, *f* . . . . . . 2.B
laissé(s)-pour-
  compte . . . . . 32
laisser-aller . . . . 32
laissez-passer, *m* . 32
lait . . . . . . . 2* 2.B
laiterie . . . . . . . 4.B
laiteux . . . . . . . 6.B

laitier . . . . . . . . 3.B
laiton . . . . . . . . 2.B
laitue . . . . . . . . 26.A
laïus . . . . . . . . 29.C
lama . . . . . . . . 1.A
lambda . . . . . . . 9.B
lambeau . . . . . . 9.B
lambin . . . . . . . 9.B
lambrequin . . . . 14.B
lambris . . . . . . . 9.B
lambswool, *m* . . . 12.C
lame . . . . . . . . 16.A
lamelle . . . . . . . 2.C
lamentable . . . . 9.A
lamentation . . . . 25.A
lamento . . . . . . 9.A
laminoir . . . . . . 23.A
lampadaire . . . . 26.B
lampe . . . . . . . 9.B
lampée . . . . . . . 3.B
lampion . . . . . . 10.A
lamproie, *f* . . . . . 24.B
lance . . . . . . . . 9.A
lancée . . . . . . . 3.B
lance-flammes, *m* . 32
lance-fusées, *m* . . 32
lance-grenades, *m* 32
lance-missiles, *m* . 32
lance-pierres, *m* . . 32
lance-roquettes, *m* 32
lance-torpilles, *m* . 32
lancinant . . . . . 18.A
landau . . . . . . . 5.B
lande . . . . . . . . 9.A
langage . . . . . . 21.A
lange, *m* . . . . . . 21.A
langagier . . . . . 15.A
langoureux . . . . 6.B
langouste . . . . . 15.A
langoustine . . . . 15.A
langue . . . . . . . 15.B
langue cible, *f* . . 32
langue(s)-de-bœuf 32
langue(s)-de-chat . 32
languedocien . . . 15.B
langue mère, *f*. . . 32
langue source, *f*. . 32
langueur . . . . . . 15.B
lanière . . . . . . . 2.A
lanoline, *f* . . . . . 5.A
lanterneau . . . . . 5.B

laotien . . . . . . . 25.E
lapalissade . . . . . 18.B
lapement . . . . . 9.B
lapereau . . . . . . 5.B
lapidaire . . . . . . 26.B
lapin . . . . . . . . 8.A
lapis, *m* . . . . . . 27
lapon . . . . . . . . 10.A
laps . . . . . . . . 18.A
lapsus . . . . . . . 18.A
laquais . . . . . . . 2.B
laque, *f* . . . . . 14 14.B
laqué . . . . . . . . 14.B
larbin . . . . . . . . 8.A
larcin . . . . . . . . 18.A
lard . . . . . . . 23 27
lare, *m* . . . . . 23 23.A
large . . . . . . . . 21.A
largesse . . . . . . 2.C
largeur . . . . . . . 21.A
largo . . . . . . . . 15.A
larme . . . . . . . . 23.A
larmoyant . . . . . 11.A
larron . . . . . . . 23.B
larve . . . . . . . . 3.A
laryngite . . . . . . 8.C
larynx . . . . . . . 8.C
las . . . . . . . . 1 27
las ! . . . . . . . 18 27
lasagne, *f* . . . . . 19.A
lascar . . . . . . . 14.A
lascif . . . . . . . . 18.C
laser [ɛr] . . . . . . 19
lassitude . . . . . . 18.B
lasso . . . . . . . . 18.B
lastex . . . . . . . 2.C
latence . . . . . . . 9.A
latent . . . . . . . 9.B
latéral . . . . . . . 3.A
latérite, *f*. . . . . . 3.A
latex . . . . . . . . 2.C
latifundium . . . . 16.A
    *pl.* latifundia
latin . . . . . . . . 8.A
latino-américain(s) 32
latitude . . . . . . 13.C
latitudinaire . . . . 26.B
latrines, *f* . . . . . 31
latte . . . . . . . . 13.B
lattis . . . . . . . . 4.A
laudanum . . . . . 16.A

laudatif . . . . . . 5.A
laudes, *f* . . . . . . 5.B
lauréat . . . . . . . 1.C
laurier . . . . . . . 3.B
lauze, *f*. . . . . . . 5.B
lavabo . . . . . . . 5.A
lavallière . . . . . . 22.B
lavande . . . . . . 9.A
lavandière . . . . . 9.A
lavasse, *f* . . . . . 18.B
lavatory . . . . . . 4.B
    *pl.* lavatories . . 26.A
lave-glace(s), *m* . . 32
lavette . . . . . . . 2.C
lave-vaisselle, *m* . 32
lavis . . . . . . . . 27.A
lavoir . . . . . . . . 23.A
laxatif . . . . . . . 18.C
laxisme . . . . . . 18.C
layette . . . . . . . 11.A
lazaret . . . . . . . 2.B
lazzi, *m* . . . . . . 19.C
lé . . . . . . . . . . 3.A
leader . . . . . . . 4 4.C
leadership . . . . . 4.C
leasing, *m* . . . . . 4.C
lèche . . . . . . . . 2.A
lèche-bottes, *m* . . 32
lèche-vitrine(s), *m* 32
leçon . . . . . . . . 18.A
lecteur . . . . . . . 23.A
lecture . . . . . . . 2.C
légal . . . . . . . . 15.A
légalité . . . . . . . 3.A
légat . . . . . . . . 1.C
légataire . . . . . . 26.B
légation . . . . . . 25.A
légendaire . . . . . 9.A
légende . . . . . . 9.A
léger . . . . . . . . 30
légèreté . . . . . . 26.A
légionnaire . . . . 26.B
législateur . . . . . 23.A
législatif . . . . . . 21.A
légitimité . . . . . 3.A
legs, *m* . . . . . . 27
légume . . . . . . . 15.A
leitmotiv . . . . . . 2.B
lemme, *m* . . . . . 10.B
lemming, *m* . . . . 16.B
lémures, *m* . . . . 23.A

lendemain . . . . . 8.B
lent . . . . . . . . . 9.B
lenteur . . . . . . . 23.A
lentille . . . . . . . 11.B
léonin . . . . . . . 8.A
léopard . . . . . . 27.A
lèpre . . . . . . . . 26.C
lépreux . . . . . . . 6.B
léproserie . . . . . 4.B
lequel, laquelle . . 14.B
lérot . . . . . . . . 5.B
les . . . . . . . 2* 3.C
lès . . . . . . 2* 27
lesbienne . . . . . 16.B
lésion . . . . . . . 19.A
lésionnel . . . . . . 19.A
lesquels . . . . . . 30
    f lesquelles
lessive . . . . . . . 18.B
lest . . . . . . . . 26 13.A
leste . . . . . . 26 13.A
léthargie . . . . . . 13.C
lettre . . . . . . . . 2.C
leu, m . . . . . . . 6.A
    pl. lei . . . . . . 2.B
leucémie . . . . . . 6.A
leucocyte, m . . . 4.B
leur . . . . . 23 7.A
leurre, m . . . 23 7.A
levain . . . . . . . 8.B
levant . . . . . . . 9.B
levantin . . . . . . 8.A
levée . . . . . . . . 3.B
lève-et-baisse, m . 32
levier . . . . . . . . 3.B
lévitation . . . . . 25.A
lévite . . . . . . . . 3.A
levraut . . . . . . . 5.B
lèvre . . . . . . . . 26.C
levrette . . . . . . 2.C
lévrier . . . . . . . 3.B
levure . . . . . . . 23.A
lexique . . . . . . . 18.C
lez . . . . . . . 2* 3.C
lézard . . . . . . . 19.A
lézarde . . . . . . . 19.A
li . . . . . . . . 4 4.A
liaison . . . . . . . 2.B
liane . . . . . . . . 11.A
liard . . . . . . . . 11.A
liasse . . . . . . . . 11.A

libation . . . . . . . 25.A
libelle, m . . . . . . 2.C
libellule . . . . . . 2.C
libéral . . . . . . . 3.A
libérateur . . . . . 23.A
libératoire . . . . . 26.B
liberté . . . . . . . 3.A
libertin . . . . . . . 8.A
libidineux . . . . . 6.B
libido, f . . . . . . 5.A
libraire . . . . . . . 26.B
librairie . . . . . . . 2.B
libre . . . . . . . . 26.C
libre arbitre, m . . 32
libre-choix, m . . . 32
libre-échange, m
    sg. . . . . . . . . 32
libre pensée, f . . . 32
libre penseur . . . 32
libre(s)-service(s),
    m . . . . . . . . 32
libyen . . . . . . . 11.A
lice, f . . . . . . . 4 18.B
licence . . . . . . . 9.A
licenciement . . . 26.A
licencieux . . . . . 6.B
lichen . . . . . . . 14.C
licite . . . . . . . . 18.A
licol . . . . . . . . 5.A
licorne . . . . . . . 5.A
licou . . . . . . . . 14.A
lido . . . . . . . . . 5.A
lie . . . . . . . . 4 26.A
lied, m . . . . . . . 4.C
    pl. lieder . . . . 4 4.C
lie-de-vin . . . . . 32
liège . . . . . . . . 21.A
liégeois . . . . . . 21.B
lien . . . . . . . . . 8.A
lierre . . . . . . . . 2.C
liesse . . . . . . . . 2.C
lieu . . . . . . . . 6 6.A
lieu(x) commun(s),
    m . . . . . . . . 32
lieue . . . . . . . 6 26.A
lieutenant . . . . . 6.A
lieutenant(s)-
    colonel(s), m . . 32
lièvre . . . . . . . . 26.C
lift . . . . . . . . . 13.A
lifting . . . . . . . 15.A

ligament . . . . . . 9.B
ligature . . . . . . 15.A
lignée . . . . . . . 3.B
ligneux . . . . . . . 6.B
lignite, m . . . . . 11.A
ligueur . . . . . . . 15.B
lilas . . . . . . . . . 1.C
limace . . . . . . . 18.A
limaçon . . . . . . 18.A
limaille . . . . . . . 11.B
limande . . . . . . 9.A
limbes, m . . . . 31 8.B
lime . . . . . . . . 16.A
limier . . . . . . . . 3.B
liminaire . . . . . . 26.B
limitatif . . . . . . 17.A
limite . . . . . . . . 13.A
limitrophe . . . . . 17.C
limogeage . . . . . 21.B
limonade . . . . . . 5.A
limoneux . . . . . . 6.B
limpide . . . . . . . 8.B
limpidité . . . . . . 8.B
lin . . . . . . . . . 8.A
linceul . . . . . . . 7.A
linéaire . . . . . . . 26.B
linge . . . . . . . . 21.A
lingerie . . . . . . . 4.B
lingot . . . . . . . . 5.B
linguistique . . . . 15.B
liniment . . . . . . 9.B
links, m . . . . . . 14.C
linoléum . . . . . . 16.A
linotype, f . . . . . 4.B
linteau . . . . . . . 5.B
lionceau . . . . . . 5.B
lippe . . . . . . . . 12.B
liquéfaction . . . . 25.A
liqueur . . . . . . . 4.B
liquide . . . . . . . 14.B
liquidité . . . . . . 14.B
liquoreux . . . . . . 6.B
lire . . . . . . . . 4 23.A
lis . . . . . . . . . . 18.A
liseron . . . . . . . 19.A
lisibilité . . . . . . 3.A
lisière . . . . . . . 19.A
lisse . . . . . . . 4 18.B
liste . . . . . . . . 18.A
listing, m . . . . . 18.A
lit . . . . . . . . . 4 4.B

litanie . . . . . . . 4.B
lit(s)-cage(s), *m* . . 32
literie . . . . . . . . 4.B
lithographie . . . . 13.C
litière . . . . . . . . 2.A
litige, *m* . . . . . . 21.A
litote, *f* . . . . . . . 5.A
littéraire . . . . . . 26.B
littéral . . . . . . . 3.A
littérature . . . . . 3.A
littoral . . . . . . . 13.B
liturgie . . . . . . . 4.B
livarot . . . . . . . 5.B
lividité . . . . . . . 3.A
living . . . . . . . . 4.A
living-room(s), *m* . 32
livraison . . . . . . 2.B
livre . . . . . . . . 26.C
livre d'or, *m* . . . . 32
livrée . . . . . . . . 3.B
livresque . . . . . 14.B
livret . . . . . . . . 2.B
lloyd, *m* . . . . . . 22.B
lob . . . . . . . 26 13.A
lobby . . . . . . . . 4.B
lobe, *m* . . . . . 26 13.A
local . . . . . . . . 14.A
localité . . . . . . . 3.A
locataire . . . . . . 26.B
loch . . . . . . . 5* 14.C
lock-out, *m* . . . . 32
locomotion . . . . 25.A
locuteur . . . . . . 23.A
locution . . . . . . 25.A
loden . . . . . . . . 2.C
lœss, *m* . . . . . 18.B
lof . . . . . . . . . 17.A
logarithmique . . . 13.C
loge . . . . . . . . 21.A
loggia, *f* . . . . . . 21.C
logiciel . . . . . . . 25.C
logicien . . . . . . 8.A
logique . . . . . . . 14.B
logis . . . . . . . . 4.B
logistique . . . . . 14.B
logorrhée, *f* . . . . 3.B
loi . . . . . . . . . 24.A
loi(s)-cadre(s), *f* . . 32
loin . . . . . . . . . 24.D
lointain . . . . . . . 8.B

loi(s)-
    programme(s), *f* 32
loir . . . . . . . . . 23.A
loisir . . . . . . . . 19.A
lombaire . . . . . . 10.B
lombard . . . . . . 10.B
lombric . . . . . . 10.B
londonien . . . . . 8.A
long . . . . . . . . 27
longanimité . . . . 15.A
long-courrier(s), *m* 32
longeron . . . . . . 21.A
longévité . . . . . . 3.A
long feu (faire) . . 13
longitudinal . . . . 32.A
longtemps . . . . . 27
longueur . . . . . . 15.B
longue(s)-vue(s), *f* 32
look . . . . . . . . 14.C
looping . . . . . . 5.C
lopin . . . . . . . . 8.A
loquace . . . . . . 14.B
loque . . . . . . . 5* 14.B
loquet . . . . . . . 2.B
lord . . . . . . . . 27
lorgnette . . . . . . 2.C
loriot . . . . . . . . 5.B
lorrain . . . . . . . 8.B
lors . . . . . . . . 5* 27
lorsque . . . . . . . 14.B
losange . . . . . . 21.A
lot . . . . . . . . 5 5.B
loterie . . . . . . . 4.B
lotion . . . . . . . 25.A
lotissement . . . . 18.B
loto . . . . . . . . 5.A
lotte . . . . . . . . 13.B
lotus . . . . . . . . 18.A
louange . . . . . . 9.A
loufoque . . . . . . 14.B
loukoum . . . . . . 14.C
loup . . . . . . . . 27
loup blanc, *m* . . . 32
loup de mer, *m* . . 32
loupe . . . . . . . . 12.A
loup(s)-garou(s), *m* 32
loupiot . . . . . . . 5.B
loupiote . . . . . . 13.A
lourd . . . . . . 23 27
lourdaud . . . . . . 5.B
loustic . . . . . . . 14.A

loutre, *f* . . . . . . 26.C
loyal . . . . . . . . 11.A
loyauté . . . . . . . 11.A
loyer . . . . . . . . 11.A
lubie . . . . . . . . 4.B
lubrifiant . . . . . . 9.B
lubrique . . . . . . 14.B
lucarne . . . . . . . 14.A
lucidité . . . . . ⟍ . . 3.A
lucratif . . . . . . . 17.A
lucre, *m* . . . . . . 26.C
ludique . . . . . . . 14.B
luette . . . . . . . . 2.C
lueur . . . . . . . . 23.A
luge . . . . . . . . 21.A
lugubre . . . . . . 15.A
lui . . . . . . . . . 22.A
lumbago, *m* . . . . 8.B
lumière . . . . . . . 2.A
lumignon . . . . . . 11.A
luminaire . . . . . 26.B
luminescence . . . 18.C
lumineux . . . . . 6.B
lumpenproletariat . 1.C
lunaire . . . . . . . 26.B
lunatique . . . . . 14.B
lunch . . . . . . . 8.A
lune . . . . . . . . 16.A
lunetier . . . . . . 3.B
lunette . . . . . 31 2.C
lunettes . . . . . 31 31
lunule, *f* . . . . . . 22.A
lupanar, *m* . . . . . 23.A
lupin . . . . . . . . 8.A
lurette . . . . . . . 2.C
luron . . . . . . . . 10.A
lustral . . . . . . . 18.A
lustre . . . . . . . . 26.C
luth . . . . . . 13 13.C
luthérien . . . . . . 13.C
lutin . . . . . . . . 8.A
lutrin . . . . . . . . 8.A
lutte . . . . . . 13 13.B
lutteur . . . . . . . 13.B
luxation . . . . . . 25.A
luxe . . . . . . 26 18.C
luxuriance . . . . . 9.A
luzerne, *f* . . . . . 19.A
lycée . . . . . . . . 4.B
lymphatique . . . . 8.C
lymphe, *f* . . . . . 8.C

lymphocyte . . . . 8.C
lynchage . . . . . . 8.C
lynx . . . . . . . . 8.C
lyre . . . . . . . . 4 4.B
lyrique . . . . . . . 4.B
lys . . . . . . . . 4 4.B

# m

ma . . . . . . . . . 1.A
maboul . . . . . . 22.A
macabre . . . . . . 14.A
macadam . . . . . 16.A
macaque . . . . 14.B
macareux . . . . . 6.B
macaron . . . . . 10.A
macaroni . . . . . 4.A
macchabée . . . . 14.C
macédoine . . . . 18.C
macération . . . . 25.A
mach . . . . . . . 14.C
mâche, f . . . . . . 20.A
mâchefer, m . . . . 26.A
machette . . . . . 2.C
machiavélique . . . 14.C
mâchicoulis . . . . 27
machinal . . . . . . 20.A
machine . . . . . . 20.A
machine(s)-
   outil (s), f . . . 32
machinerie . . . . 4.B
machine(s)-
   transfert(s), f . . 32
macho . . . . . . . 5.A
mâchoire . . . . . 26.B
maçon . . . . . . . 18.A
maçonnerie . . . . 4.B
macramé . . . . 3.A
macreuse . . . . . 6.A
macrobiotique . . . 14.B
macrocosme . . . 5.A
macrophotogra-
   phie . . . . . . . 17.C
madame . . . . . . 16.A
mademoiselle . . . 2.C
madère . . . . . . 2.A

madone . . . . . . 5.A
madras . . . . . . . 27
madré . . . . . . . 3.A
madrigal . . . . . . 15.A
madrilène . . . . . 2.A
maelström . . . . . 29.C
maestria, f . . . . . 29.C
maf(f)ia . . . . . . 11.A
magasin . . . . . . 8.A
magasinier . . . . . 3.B
magazine, m . . . . 19.A
mage . . . . . . . . 21.A
maghrébin . . . . . 15.A
magicien . . . . . . 8.A
magistère . . . . . 2.A
magistral . . . . . 3.C
magistrat . . . . . 3.C
magma, m . . . . . 15.A
magnanimité . . . . 11.A
magnat . . . . . . . 1.C
magnésie, f . . . . 4.B
magnésium . . . . 16.A
magnétique . . . . 14.B
magnétophone . . 17.C
magnétoscope . . 18.A
magnificat . . . . . 1.C
magnificence . . . 9.A
magnolia, m . . . . 11.A
magnum, m . . . . 16.A
magot . . . . . . . 5.B
magouille . . . . . 11.B
magyar . . . . . . 4.B
maharadjah . . . . 29.B
mahométan . . . . 29.B
mai . . . . . . . . 2 2.B
maïeutique . . . . 29.B
maigre . . . . . . . 2.B
maille . . . . . 11 11.B
maillet . . . . . . . 11.B
maillot . . . . . . . 11.B
main . . . . . . 8 8.B
main-d'œuvre, f
   sg. . . . . . . . . 32
main-forte (prêter) 32
mainlevée . . . . . 8.B
mainmise . . . . . 8.B
mainmorte . . . . . 8.B
maint . . . . . . 8 8.B
maintenance . . . 9.A
maintenant . . . . 9.B
maintien . . . . . . 8.A

maire . . . . . . . 2 2.B
mais . . . . . . . . 2 2.B
maïs . . . . . . . . 29.C
maison . . . . . . . 19.A
maisonnée . . . . . 3.B
maisonnette . . . . 2.C
maître . . . . . . . 2 2.B
maître(s)-autel(s),
   m . . . . . . . . 32
maître(s)
   chanteur(s), m . 32
maître(s)
   couple(s), m . . 32
maître(s) d'hôtel,
   m . . . . . . . . 32
maître mot, m . . . 32
maîtresse . . . . . 2.C
maîtresse femme, f 32
maîtrise . . . . . . 2.B
majesté . . . . . . 3.A
majestueux . . . . 6.B
majeur . . . . . . . 23.A
major . . . . . . . 21.A
majoration . . . . . 25.A
majordome . . . . 5.A
majorette . . . . . 2.C
majoritaire . . . . . 26.B
mal, pl. maux . . 1 31
malabar . . . . . . 23.A
malade . . . . . . . 1.A
maladif . . . . . . . 17.A
maladresse . . . . 2.C
maladroit . . . . . . 24.B
malais . . . . . . . 2.B
malaise, m . . . . . 19.A
malandrin . . . . . 8.A
malappris . . . . . 27
malaria, f . . . . . 11.A
malcommode . . . 16.B
maldonne, f . . . . 16.B
mâle . . . . . . . 1 1.B
malédiction . . . . 25.A
maléfice, m . . . . 18.B
maléfique . . . . . 14.B
malencontreux . . 6.B
mal-en-point . . . 32
malentendu . . . . 9.A
malfaisant . . . . . 9.B
malfaiteur . . . . . 23.A
malfamé . . . . . . 3.A
malfrat . . . . . . . 1.C

| | | |
|---|---|---|
| malgache | . . . . . | 15.A |
| malgré | . . . . . . . | 3.A |
| malhabile | . . . . . | 29.A |
| malheur | . . . . . . | 29.A |
| malheureux | . . . . | 29.A |
| malhonnête | . . . . | 29.A |
| malicieux | . . . . . | 6.B |
| malin | . . . . . . . . | 30 |
| f maligne | . . . . | 11.C |
| malingre | . . . . . . | 8.A |
| malintentionné | . . | 18.C |
| malle | . . . . . . .1 | 22.B |
| malléabilité | . . . . | 3.A |
| malléole, f | . . . . . | 29.C |
| mallette | . . . . . . | 2.C |
| malotru | . . . . . . | 5.A |
| malouin | . . . . . . | 24.B |
| malsain | . . . . . . | 8.B |
| malséant | . . . . . . | 9.B |
| malthusianisme | . . | 13.C |
| malveillant | . . . . . | 11.B |
| malversation | . . . | 25.A |
| maman | . . . . . . | 9.A |
| mamelle | . . . . . . | 2.C |
| mamelon | . . . . . | 26.A |
| mammaire | . . . . . | 2.B |
| mammifère, m | . . | 16.B |
| mammouth | . . . . | 13.C |
| mamours | . . . . . . | 27 |
| mam'zelle | . . . . . | 32 |
| manade, f | . . . . . | 1.A |
| manager | . . . . . . | 7.C |
| manant | . . . . . . | 9.B |
| manche, m | . . . . . | 30 |
| manche, f | . . . . . | 30 |
| manchette | . . . . . | 2.C |
| manchon | . . . . . | 10.A |
| manchot | . . . . . . | 5.B |
| mandarin | . . . . . | 8.A |
| mandarinat | . . . . | 1.C |
| mandarine | . . . . . | 9.A |
| mandat | . . . . . . | 1.C |
| mandataire | . . . . | 26.B |
| mandat(s)-carte(s), | | |
| m | . . . . . . . . | 32 |
| mandat(s)-lettre(s), | | |
| m | . . . . . . . | 32 |
| mandibule, f | . . . . | 9.A |
| mandoline, f | . . . . | 9.A |
| mandragore, f | . . . | 5.A |
| mandrin | . . . . . . | 8.A |
| manécanterie | . . . | 4.B |
| manège | . . . . . . | 21.A |
| mânes, m | . . . .31 | 31 |
| manette | . . . . . . | 2.C |
| manganèse, m | . . | 15.A |
| mangeaille | . . . . . | 21.B |
| mangeoire | . . . . . | 21.B |
| mangeur | . . . . . . | 23.A |
| mangouste | . . . . | 9.A |
| manguier | . . . . . | 15.B |
| maniabilité | . . . . . | 11.A |
| maniaco- | | |
| dépressif(s) | . . . | 32 |
| maniaque | . . . . . | 24.b |
| manichéisme | . . . | 14.C |
| manie | . . . . . . . | 4.B |
| maniement | . . . . | 26.A |
| manière | . . . . . . | 11.A |
| maniéré | . . . . . . | 3.A |
| manifestant | . . . . | 9.B |
| manifestation | . . . | 25.A |
| manifold, m | . . . . | 13.C |
| manigance | . . . . | 9.A |
| manille | . . . . . . . | 11.B |
| manioc | . . . . . . . | 11.A |
| manipulation | . . . | 25.A |
| manitou | . . . . . . | 4.A |
| manivelle | . . . . . | 2.C |
| manne | . . . . . .31 | 16.B |
| mannequin, m | . . | 14.B |
| manœuvre | . . . . . | 7.B |
| manœuvrier | . . . . | 7.B |
| manoir | . . . . . . . | 23.A |
| manomètre | . . . . | 26.C |
| manque | . . . . . . | 14.B |
| mansarde | . . . . . | 18.A |
| mansuétude | . . . . | 18.A |
| mante, f | . . . . .9 | 9.A |
| manteau | . . . . . . | 5.B |
| mantille | . . . . . . | 11.B |
| manucure | . . . . . | 14.A |
| manuel | . . . . . . . | 22.A |
| manufacture | . . . . | 14.A |
| manuscrit | . . . . . | 4.B |
| manutention | . . . | 25.A |
| maoïste | . . . . . . | 29.C |
| maori | . . . . . . . | 29.C |
| mappemonde, f | . . | 10.A |
| maquereau | . . . . | 14.B |
| maquette | . . . . . | 14.B |
| maquettiste | . . . . | 14.B |
| maquignon | . . . . | 11.C |
| maquillage | . . . . . | 11.B |
| maquis | . . . . .14 | 4.B |
| maquisard | . . . . . | 14.B |
| marabout | . . . . . | 27 |
| maraîcher | . . . . . | 3.B |
| marais | . . . . . .2* | 2.B |
| marasme | . . . . . | 16.A |
| marathon | . . . . . | 13.C |
| marâtre | . . . . . . | 1.B |
| maraud | . . . . . . | 5.B |
| marbre | . . . . . . . | 26.C |
| marbrier | . . . . . . | 3.B |
| marc | . . . . . . .23 | 27 |
| marcassin | . . . . . | 18.B |
| marchand | . . . .9 | 9.C |
| marche | . . . . . . | 20.A |
| marché | . . . . . . | 3.B |
| marchepied | . . . . | 26.A |
| mare | . . . . . .23 | 23.A |
| marécageux | . . . . | 6.B |
| maréchal | . . . . . | 22.A |
| maréchal(aux)- | | |
| ferrant(s), m | . . | 32 |
| maréchaussée | . . . | 3.B |
| marée | . . . . . .2* | 3.B |
| marelle | . . . . . . . | 2.C |
| marémoteur | . . . . | 23.A |
| mareyeur | . . . . . | 11.A |
| margarine | . . . . . | 15.A |
| margelle | . . . . . . | 2.C |
| marginal | . . . . . . | 22.A |
| margoulin | . . . . . | 8.A |
| marguerite | . . . . . | 15.B |
| marguillier | . . . . . | 11.B |
| mari | . . . . . . .23 | 4.A |
| marigot | . . . . . . | 5.B |
| marijuana | . . . . . | 21.C |
| marin | . . . . . . . | 8.A |
| marina, f | . . . . . . | 1.A |
| maringouin | . . . . | 24.B |
| marinière | . . . . . | 2.A |
| marin(s)- | | |
| pêcheur(s), m | . | 32 |
| marionnette | . . . . | 2.C |
| maritalement | . . . | 9.B |
| maritime | . . . . . . | 16.A |
| marjolaine | . . . . . | 2.B |
| mark | . . . . . . .14 | 14.C |
| marketing | . . . . . | 14.C |
| marmaille | . . . . . | 11.B |

marmelade . . . . 1.A
marmite . . . . . . 13.A
marmoréen . . . . 8.A
marmot . . . . . . 5.B
marmotte . . . . . 13.B
marneux . . . . . . 6.B
marocain . . . . . 8 8.B
maronite . . . . . . 13.A
maroquinerie . . . 14.B
marotte . . . . . . 13.B
marque . . . . . 14 14.B
marqueterie . . . . 14.B
marquis . . . . . . 4.B
marraine . . . . . 2 2.B
marre . . . . . . 23 23.B
marri . . . . . . . 23 23.B
marron . . . . . . . 23.B
marron d'Inde, m . 32
marronnier . . . . 3.B
mars . . . . . . . 18.A
marseillais . . . . . 2.B
marsouin . . . . . 24.E
marsupial . . . . . 18.A
marteau . . . . . . 5.B
marteau(x)-
pilon(s), m . . . 32
martèlement . . . 9.B
martial . . . . . . . 18.C
martien . . . . . . 18.C
martinet . . . . . . 2.B
martingale, f . . . 15.A
martin(s)-
pêcheur(s), m . 32
martyr . . . . . . 23 4.B
martyre, m . . 23 26.B
marxisme-
léninisme, m . . 32
marxiste . . . . . . 18.C
marxiste(s)-
léniniste(s) . . . 32
mas . . . . . . 1 27
mascarade . . . . . 14.A
mascotte . . . . . 5.A
masculin . . . . . . 8.A
masochisme . . . . 19.A
masque . . . . . . 14.B
massacre . . . . . 18.B
masse . . . . . 26 18.B
massette . . . . . 2.C
massicot . . . . . . 18.B
massif . . . . . . . 8.B

mass media
(ou médias), m . 32
massue . . . . . . 26.A
mastic . . . . . . . 14.A
mastication . . . . 25.A
mastodonte . . . . 10.A
mastroquet . . . . 14.B
masturbation . . . 25.A
m'as-tu-vu, m . . . 32
masure . . . . . . . 19.A
mat, inv. . . . . . . 1.C
mat . . . . . . . 13 1.C
mât . . . . . . 1 1.B
matador . . . . . . 23.A
matamore . . . . . 23.A
match . . . . . . . 20.A
pl. match(e)s
matelas . . . . . . 1.C
matelot . . . . . . 5.B
matelote . . . . . . 26.A
matérialité . . . . . 3.A
matériau . . . . . . 5.B
matériel . . . . . . 22.A
maternellement . . 22.B
maternité . . . . . 3.A
math(s) . . . . . 13 13.C
mathématique . . 13.C
matheux . . . . . . 13.C
matière . . . . . . 2.A
matin . . . . . . 1* 1.A
mâtin . . . . . . 1* 1.B
matinée . . . . . . 3.B
matou . . . . . . . 1.A
matraque . . . . . 14.B
matriarcal . . . . . 11.A
matriarcat . . . . . 11.A
matrice, f . . . . . 18.B
matriciel . . . . . . 25.C
matricule . . . . . 22.A
matrimonial . . . . 5.A
matrone . . . . . . 15.A
matronyme . . . . 4.B
maturité . . . . . . 3.A
maudit . . . . . . . 4.B
maure . . . . . . 5* 5.B
mausolée, m . . . 3.B
maussade . . . . . 18.B
mauvais . . . . . . 2.B
mauve . . . . . . . 5.B
mauviette . . . . . 2.C
maxillaire . . . . . 18.C

maxillo-facial(aux) 32
maxima, f sg. ou
pl. . . . . . . . . 18.C
maximum, m . . . 16.A
maya . . . . . . 11 11.A
mayonnaise . . . . 11.A
mazagran . . . . . 19.A
mazette ! . . . . . 19.A
mazout . . . . . . 19.A
mazurka, f . . . . . 19.A
méandre, m . . . . 29.C
méat . . . . . . . . 1.C
mec . . . . . . . . 2.C
mécanique . . . . 14.B
mécano . . . . . 27 14.A
mécénat . . . . . . 1.C
mécène . . . . . . 2.A
méchamment . . . 1.C
méchanceté . . . . 3.A
mèche . . . . . . . 2.A
méchoui . . . . . . 29.C
mécompte . . . . . 10.B
mécréant . . . . . 9.B
médaille . . . . . . 11.B
médecin . . . . . . 18.A
médecin(s)-
conseil(s), m . . 32
média, m . . . . . 11.A
médian . . . . . . . 8.A
médiateur . . . . . 7.A
médiathèque . . . 13.C
médiatique . . . . 14.B
médiator . . . . . . 5.A
médical . . . . . . 14.A
médicament . . . . 9.B
médication . . . . 25.A
médicinal . . . . . 18.A
médico-légal(aux) 32
médico-
pédagogique(s) 32
médico-social(aux) 32
médiéval . . . . . . 18.A
médina . . . . . . . 11.A
médiocrité . . . . . 3.A
médique . . . . . . 14.B
médisance . . . . . 9.A
méditerranéen . . 9.A
médium . . . . . . 16.A
médius . . . . . . . 11.A
médullaire . . . . . 2.B
méduse . . . . . . 19.A

meeting . . . . . . 4.C
méfiance . . . . . 9.A
mégahertz (MHz) . 32
mégalithe, *m* . . . 13.C
mégalomanie . . . 4.B
mégalopolis, *f* . . . 18.A
mégaphone . . . . 17.C
mégarde . . . . . . 15.A
mégère . . . . . . 15.A
mégot . . . . . . . 15.A
méhari, *m* . . . . . 29.A
  *pl.* méharis *ou* méhara
meilleur . . . . . . 7.A
mélancolie . . . . . 4.B
mélange . . . . . . 15.A
mélasse . . . . . . 18.A
melba, *inv.* . . . .
mêlée . . . . . . . 3.B
mélèze, *m* . . . . . 19.A
méli(s)-mélo(s), *m* 32
mélodieux . . . . . 6.B
mélodrame . . . . 2.A
mélomane . . . . . 2.A
melon . . . . . . . 10.A
mélopée, *f* . . . . . 3.B
membrane . . . . . 9.B
membre . . . . . . 9.B
même . . . . . . . 2.A
même (moi-même
  *mais* ici même,
  tout de même) . 32
mémento . . . . . 8.A
mémoire, *m* . . . . 24.A
mémoire, *f* . . . . . 24.A
mémorandum . . . 5.C
mémorial . . . . . 11.A
menace . . . . . . 18.A
ménager . . . . . . 3.B
mendélien . . . . . 8.A
mendicité . . . . . 3.A
menées . . . . . . 3.B
ménestrel . . . . . 22.A
ménétrier . . . . . 3.B
menhir, *m* . . . . . 29.A
méningite . . . . . 15.A
ménisque, *m* . . . 14.B
ménopause . . . . 5.B
ménorragie . . . . 23.B
menotte . . . . . . 13.B
mensonge . . . . . 18.A
mensonger . . . . 3.B

menstruation . . . 25.A
mensuel . . . . . . 22.A
mensuration . . . . 18.A
mentalité . . . . . 3.A
menteur . . . . . . 7.A
menthe . . . . . 9 13.C
mention . . . . . 9 25.A
menton . . . . . . 9.A
mentor . . . . . . . 5.A
menu . . . . . . . 6.A
menuet . . . . . . 2.B
menu filé, *m sg.* . 32
menu-gros, *m sg.* . . 32
menuisier . . . . . 3.B
méphistophélique . 17.C
mépris . . . . . . . 4.B
mer . . . . . . . 2 3.B
mercantile . . . . . 22.A
mercenaire . . . . 2.B
mercerie . . . . . . 4.B
merci . . . . . . . 18.A
mercure . . . . . . 14.A
mercuriale, *f* . . . . 14.A
mère . . . . . . . 2 2.A
mère célibataire, *f* . 32
mère(s)-grand, *f* . 32
merguez, *f* . . . . . 19.A
méridien . . . . . . 9.A
méridional . . . . . 22.A
meringue . . . . . 15.B
merisier . . . . . . 3.B
méritoire . . . . . . 24.A
merlan . . . . . . 9.A
merle . . . . . . . 2.C
merlin . . . . . . . 8.A
merlu(s) . . . . . . 2.C
mérovingien . . . . 9.A
merveille . . . . . . 11.B
merveilleux . . . . 6.B
mes, *pl.* . . . . . . 6.B
mésalliance . . . . 22.B
mésange . . . . . 19.A
mesdames . . . . . 3.C
mesdemoiselles . . 2.C
mésentente . . . . 9.A
mésolithique . . . 13.C
mesquin . . . . . . 14.B
mesquinerie . . . . 14.B
mess . . . . . 26 2.C
messager . . . . . 3.B
messe . . . . . 26 2.C

messianisme . . . 19.A
messie, *m* . . . . . 4.B
messieurs . . . . . 23.A
mesure . . . . . . 19.A
métabolique . . . . 14.B
métacarpe, *m* . . . 14.B
métairie . . . . . . 2.B
métal . . . . . . . 22.A
métallique . . . . . 22.B
métalloïde, *m* . . . 29.B
métallurgie . . . . 15.A
métamorphose . . 17.C
métaphore, *f* . . . 17.C
métaphysique . . . 11.A
métastase, *f* . . . . 19.A
métatarse, *m* . . . 18.A
métayage . . . . . 11.A
météore, *m* . . . . 29.C
météorite, *m ou f* . 29.C
météo(rologie) . . 15.A
métèque . . . . . . 14.B
méthane, *m* . . . . 3.C
méthode . . . . . . 13.C
méthylène . . . . . 13.C
méticuleux . . . . 6.B
métier . . . . . . . 3.B
métis . . . . . . . 18.A
  *f* métisse . . . . 18.B
métonymie . . . . 11.A
mètre . . . . . . 2 2.A
métré . . . . . . . 3.A
métrique . . . . . . 14.B
métronome . . . . 5.A
métropole . . . . . 5.A
métro(politain) . . 8.B
mets . . . . . . 2 31
metteur . . . . . . 13.B
meuble . . . . . . 7.A
meule . . . . . . . 7.A
meunier . . . . . . 7.A
meursault . . . . . 27
meurtrier . . . . . 3.B
meurt-de-faim . . . 32
meurt-de-soif . . . 32
meurtrissure . . . . 18.B
meute . . . . . . . 7.A
mexicain . . . . . . 8.B
mezzanine, *f* . . . 19.C
mezza voce . . . . 19.C
mezzo forte . . . . 19.C

mezzo-soprano
(s *ou* i) . . . . . . 19.C
mi . . . . . . . . .4  4.A
mi-août, *f sg.* . . . . 32
miasme, *m* . . . . 19.A
miaulement . . . . 5.B
mica . . . . . . . . 14.A
mi-carême, *f sg.* . . 32
miche . . . . . . . 26.A
micheline . . . . . 26.A
mi-chemin (à) . . . 32
mi-clos . . . . . . . 32
micmac . . . . . . 14.A
mi-corps (à) . . . . 32
mi-côte (à) . . . . . 32
microbien . . . . . 8.A
microclimat . . . . 27
microcosme, *m* . . 5.A
micro-informatique 14.B
micro-
organisme(s), *m*  32
micro(phone) . . . 17.C
microscope . . . . 14.A
microsillon . . . . . 18.A
miction . . . . . . 26.A
midinette . . . . . 13.B
mie . . . . . . . .4  4.B
miel . . . . . . . . 2.C
mielleux . . . . . . 6.B
mien . . . . . . . . 8.A
miette . . . . . . . 13.B
mieux . . . . . . . 6.B
mieux-être, *m sg.* . 32
mièvrerie . . . . . 2.A
mignon . . . . . . 11.A
migraine . . . . . . 2.B
migrateur . . . . . 6.A
mi-jambe (à) . . . . 32
mijaurée, *f* . . . . . 5.B
mijoteuse . . . . . 5.A
mil . . . . . . . .22 22.A
mildiou . . . . . . . 11.A
milice . . . . . . . 18.A
milieu . . . . . . . 7.A
militaire . . . . . . 2.B
mille . . . . . .22 22.B
millefeuille, *m* . . . 22.B
millénaire . . . . . 22.B
mille-pattes, *m* . . 32
millésime . . . . . 22.B
millet . . . . . . . 22.B

milliard . . . . . . 27
millibar . . . . . . 22.B
millième . . . . . . 22.B
millier . . . . . . . 22.B
millionième . . . . 22.B
millionnaire . . . . 22.B
mime, *m* . . . . . 26.A
mimique . . . . . . 14.B
mimolette . . . . . 2.C
mimosa, *m* . . . . 19.A
minable . . . . . . 26.A
minaret . . . . . . 2.B
minceur . . . . . . 18.A
mine . . . . . . . 26.A
minerai . . . . . . 2.B
minéral . . . . . . 22.A
minet . . . . . . . 2.B
mineur . . . . . . . 6.A
miniature . . . . . 11.A
minier . . . . . . . 11.A
minimal . . . . . . 22.A
ministère . . . . . 2.A
ministériel . . . . . 22.A
minitel . . . . . . . 22.A
minium . . . . . . 16.A
minois . . . . . . . 27
minorité . . . . . . 3.A
minoterie . . . . . 4.B
minuit, *m* . . . . . 27
minus . . . . . . . 18.A
minuscule . . . . . 14.A
minute . . . . . . . 26.A
minutie . . . . . . 25.B
minutieux . . . . . 25.B
mirabelle . . . . . . 2.C
miracle . . . . . . 26
miraculeux . . . . . 6.B
mirador . . . . . . 29.A
mirage . . . . . . . 21.B
mire, *f* . . . . . .4 26
mirliton . . . . . . 10.A
mirobolant . . . .4 9.B
miroir . . . . . . . 24.A
miro(n)ton . . . . . 10.A
misaine, *f* . . . . . 19.A
misanthrope . . . . 13.C
mise . . . . . . . . 19.A
misérable . . . . . 26.C
misère . . . . . . . 2.A
miserere, *inv.* . . . 3.A
miséreux . . . . . . 6.B

miséricordieux . . 6.B
misogyne . . . . . 11.A
miss . . . . . . . . 18.B
missel . . . . . . . 22.A
missile . . . . . . . 26.A
mission . . . . . . 25.A
missionnaire . . . . 2.B
missive . . . . . . 18.B
mistral . . . . . . . 22.A
mitaine, *f* . . . . . 2.B
mitard . . . . . . . 27
mite . . . . . . . .4 26.A
mi-temps, *f* . . . . 32
miteux . . . . . . . 6.B
mitigé . . . . . . . 21.B
mitochondrie(s), *f*  4.B
mitose, *f* . . . . . 19.A
mitoyen . . . . . . 11.A
mitraille . . . . . . 11.B
mitraillette . . . . . 2.C
mitre, *f* . . . . . . 26.A
mitron . . . . . . . 10.A
mi-voix (à) . . . . . 32
mixe(u)r . . . . . . 6.A
mixtion . . . . . . 25.A
mixture . . . . . . 26.A
mnémotechnique . 14.C
mobile . . . . . . . 26.A
mobilier . . . . . . 3.B
mobilisation . . . . 25.A
mobilité . . . . . . 3.A
mob(ylette) . . . . 11.A
mocassin . . . . . 18.B
moche . . . . . . . 20.A
modal . . . . . . . 22.A
modalité . . . . . . 3.A
mode . . . . . . . 26.A
modelage . . . . . 21.B
modèle . . . . . . . 26.A
modéliste . . . . . 3.A
modérateur . . . . 6.A
modération . . . . 25.A
modérément . . . . 9.B
moderne . . . . . . 16.A
modernité . . . . . 3.A
modestie . . . . . . 4.B
modification . . . . 25.A
modique . . . . . . 14.B
modiste . . . . . . 26.A
module, *m* . . . . . 26.A
modus vivendi . . . 8.A

moelle . . . . . . . 24.A
moelle épinière, f . 32
moelleux . . . . . . 6.B
moellon . . . . . . 24.A
mœurs, f pl. . . . . 7.B
mohair . . . . . . . 29.A
moi . . . . . . . 24 24.A
moignon . . . . . . 11.A
moindre . . . . . . 24.A
moine . . . . . . . 24.A
moineau . . . . . . 5.B
moins . . . . . . . 27
moins-perçu(s), m 32
moire, f . . . . . . 26.A
mois . . . . . . . 24 27
moisissure . . . . . 18.AB
moisson . . . . . . 18.B
moissonneur . . . 16.B
moissonneuse(s)-
    batteuse(s), f . . 32
moiteur . . . . . . 7.A
moitié . . . . . . . 3.A
moka . . . . . . . . 3.A
mol . . . . . . . . 5 22.A
molaire . . . . . . 2.B
mole, f . . . . . 5 26.A
môle, m . . . . . 5 28
môle, f . . . . . 5 28
molécule, f . . . . 26.A
moleskine . . . . . 14.C
molette . . . . . . 13.B
mollah . . . . . . . 27
mollasson . . . . . 22.B
mollesse . . . . . . 2.C
mollet . . . . . . . 2.B
molleton . . . . . . 22.B
mollusque, m . . . 14.B
molosse . . . . . . 18.B
môme . . . . . . . 28
moment . . . . . . 9.B
momentanément . 9.A
momie . . . . . . . 4.B
mon . . . . . . . 10 10.A
monacal . . . . . . 14.A
monade, f . . . . . 26
monarchique . . . 14.B
monarque . . . . . 14.B
monastère . . . . . 2.A
monastique . . . . 14.B
monceau . . . . . . 18.B
mondain . . . . . . 8.B

mondanité . . . . . 3.A
monde . . . . . . . 26
mondial . . . . . . 11.A
monégasque . . . 15.A
monétaire . . . . . 2.B
mongol . . . . . . 22.A
mongolien . . . . . 8.A
moniale, f . . . . . 26
moniteur . . . . . . 7.A
monitorat . . . . . 27
monnaie . . . . . . 26.A
monnayage . . . . 11.A
monobloc, inv. . . 14.A
monocle, m . . . . 26.C
monoculture . . . 26.B
monogramme, m . 16.B
monolithe, m . . . 13.C
monologue . . . . 15.B
monôme . . . . . . 28
mononucléaire . . 26.B
monopole, m . . . 26.B
monosyllabe . . . 11.A
monotone . . . . . 26.B
monotonie . . . . . 26.A
monseigneur . . .
monsieur . . . . . 27
    pl. messieurs . . 2.C
monstrueux . . . . 6.B
mont . . . . . . . 10 27
montagnard . . . . 27
montagneux . . . 6.B
mont(s)-de-piété,
    m . . . . . . . 32
monte-charge, m . 32
montée . . . . . . 3.B
monte-en-l'air,
    m . . . . . . . 32
montgolfière, f . . 27
monticule, m . . . 26.B
montmartrois . . . 27
montre . . . . . . 26.C
montre(s)-
    bracelet(s), f . . 32
montreur . . . . . 7.A
monument . . . . . 9.B
moquerie . . . . . 26.A
moquette . . . . . 13.B
moqueur . . . . . . 7.A
moraine, f . . . . . 2.B
moral . . . . . . . 22.A
moralité . . . . . . 3.A

moratoire . . . . . 26.B
morbide . . . . . . 26.B
morbleu ! . . . . . 6.A
morceau . . . . . . 5.B
morcellement . . . 2.C
mordicus . . . . . 18.A
mordoré . . . . . . 3.A
more . . . . . . . 5* 26.B
morgue . . . . . . 15.B
moribond . . . . . 27
morille, f . . . . . . 11.B
mormon . . . . . . 10.A
morne . . . . . . . 26.B
morose . . . . . . 26.B
morphème, m . . . 17.C
morphine . . . . . 17.C
morphologie . . . 17.C
morpion . . . . . . 11.A
mors . . . . . . . 5* 27
morse . . . . . . . 26.B
morsure . . . . . . 18.A
mort . . . . . . . 5* 27
mortadelle . . . . . 2.C
mortaise . . . . . . 2.B
mortalité . . . . . . 3.A
mort-aux-rats, f . . 32
mortel . . . . . . . 22.A
morte(s)-saison(s),
    f . . . . . . . . 32
mortier . . . . . . . 3.B
mort-né(s) . . . . . 32
mortuaire . . . . . 2.B
mort(s) vivant(s) . 32
morue . . . . . . . 26.A
morutier . . . . . . 3.B
morveux . . . . . . 6.B
mosaïque . . . . . 29.C
mosan . . . . . . . 9.A
mosquée . . . . . 14.C
mot . . . . . . . . 5 27
mot à mot . . . . . 32
motard . . . . . . . 27
motel . . . . . . . 22.A
motet . . . . . . . 2.B
moteur . . . . . . . 7.A
motion . . . . . . . 25.A
motocross . . . . . 18.B
motoculteur . . . . 7.A
motocyclette . . . 13.B
motocycliste . . . 11.A
mots croisés, m pl. 32

motte . . . . . . . 13.B
motus! . . . . . . 18.A
mou . . . . . . . 26 16.A
mouchard . . . . . 27
mouche . . . . . . 26.C
moucheron . . . . . 26.A
mouchoir . . . . . 23.A
mouclade, *f* . . . . 26.B
moudjahid . . . . . 29.A
 *pl.* moudjahidin . 29.A
moue . . . . . . 26 26.A
moufle, *f* . . . . . . 26.C
mouflon . . . . . . 10.A
mouillage . . . . . 11.B
mouise . . . . . . . 19.A
moujik . . . . . . . 14.C
moule, *m* . . . . . 22.A
moule, *f* . . . . . . 22.A
moulin . . . . . . . 8.A
moulinet . . . . . . 2.B
moulinette . . . . . 13.B
moulure . . . . . . 26.B
mouron . . . . . . 10.A
mousquet . . . . . 14.B
mousquetaire . . . 14.B
moussaillon . . . . 11.B
mousse, *m* . . . . 18.B
mousse, *f* . . . . . 30
mousseline . . . . 18.B
mousseux . . . . . 6.B
mousson, *f* . . . . 10.A
moustache . . . . 20.A
moustiquaire, *f* . . 2.B
moût . . . . . . 26 27
moutardier . . . . 3.B
moutonnier . . . . 16.B
mouture . . . . . . 26.B
mouvement . . . . 9.B
moyen . . . . . . . 8.A
moyen âge . . . . 32
moyenâgeux . . . 11.A
moyen(s)-
 courrier(s), *m* . . 32
moyennant . . . . 16.B
moyeu . . . . . . . 6.A
mucosité . . . . . 14.A
mucus . . . . . . . 18.A
mue . . . . . . 26 26.A
muet . . . . . . . 2.B
muezzin . . . . . . 19.C
mufle . . . . . . . 26.C

mufti . . . . . . . . 4.A
mugissement . . . 21.B
muguet . . . . . 15.B
mulâtre . . . . . . 1.B
mulet . . . . . . . 2.B
muleta . . . . . . . 2.B
mulot . . . . . . . 27
multicellulaire . . . 2.C
multicolore . . . . 26.B
multinationale . . . 25.A
multiplex . . . . . 18.C
multiplicateur . . . 7.A
multitude . . . . . 26.B
municipalité . . . . 18.A
munificence . . . . 18.A
munition . . . . . . 25.A
muqueuse . . . . . 14.B
mur . . . . . . 26 23.A
mûr . . . . . . 26 28
muraille . . . . . . 11.B
mûre . . . . . . 26 26.B
mûrement . . . . . 26.A
murène, *f* . . . . . 2.A
muret . . . . . . . 2.B
mûrier . . . . . . . 3.B
mûrissement . . . 18.B
murmure . . . . . 26.B
musaraigne . . . . 2.B
musc . . . . . . . . 18.C
muscadet . . . . . 18.C
muscat . . . . . . 27
muscle . . . . . . . 18.C
musculaire . . . . . 2.B
musculeux . . . . . 6.B
muse . . . . . . . 19.A
museau . . . . . . 5.B
musée . . . . . . . 3.B
muselière . . . . . 2.A
musette . . . . . . 13.B
musical . . . . . . 22.A
musicien . . . . . 25.E
musicothérapie, *f* . 13.C
musique . . . . . . 14.B
musqué . . . . . . 14.B
mustang . . . . . . 27
musulman . . . . . 9.A
mutation . . . . . . 25.A
mutilation . . . . . 25.A
mutin . . . . . . . 8.A
mutinerie . . . . . 4.B
mutisme . . . . . . 26.B

mutualité . . . . . 29.C
mutuel . . . . . . . 29.C
mutuellement . . . 2.C
mycélien . . . . . . 8.A
mycélium . . . . . 16.A
mycénien . . . . . 4.B
mycologie . . . . . 4.B
mycose, *f* . . . . . 5.A
myélite, *f* . . . . . 11.A
mygale, *f* . . . . . 4.B
myocarde . . . . . 11.A
myopie . . . . . . 11.A
myosotis, *m* . . . . 11.A
myriade, *f* . . . . . 4.B
myrrhe, *f* . . . . . 4 29.A
myrte, *m* . . . . . . 4.B
mystère . . . . . . 4.B
mystérieux . . . . 4.B
mysticisme . . . . 4.B
mystificateur . . . 4.B
mythe . . . . . . . 4 13.C
mythique . . . . . 13.C
mythologie . . . . 13.C
mythomanie . . . . 13.C
mytiliculteur . . . . 4.B
myxomatose, *f* . . 4.B

# n

nabab . . . . . . . 1.A
nabot . . . . . . . 27
nabuchodonosor . 14.C
nacelle . . . . . . . 18.A
nage . . . . . . . . 21.B
nageoire . . . . . . 15.A
naguère . . . . . . 15.B
naïade . . . . . . . 11.A
naïf . . . . . . . . 29.C
nain . . . . . . . . 8.B
naissance . . . . . 18.B
naïveté . . . . . . 29.C
naja . . . . . . . . 21.A
nancéien . . . . . . 8.A
nanisme . . . . . . 18.A
napalm . . . . . . . 1.A
naphtaline, *f* . . . . 17.C

naphte, *m* . . . . . 17.C
napoléonien . . . . 8.A
napolitain . . . . . 8.B
nappe . . . . . . 12.B
narcisse, *m* . . . . 18.A
narco-analyse(s), *f* 32
narcolepsie . . . . 18.A
narcose, *f* . . . . . 5.A
narcotique . . . . . 14.B
narghilé . . . . . . 15.A
narguilé . . . . . . 15.B
narine . . . . . . . 4.A
narquois . . . . . . 14.B
narrateur . . . . . 23.B
narration . . . . . . 23.B
narthex . . . . . . 13.C
narval . . . . . . . 22.A
nasal . . . . . . . . 22.A
naseau . . . . . . . 5.B
nasillard . . . . . . 11.B
nasse . . . . . . . 18.B
natal . . . . . . . . 22.A
natalité . . . . . . . 3.A
natation . . . . . . 25.A
natif . . . . . . . . 17.A
nation . . . . . . . 25.A
nationalité . . . . 25.A
national-
    socialisme, *m* . . 32
natte . . . . . . . . 13.B
naturel . . . . . . . 22.A
naufrage . . . . . . 5.B
nauséabond . . . . 27
nausée . . . . . . . 3.B
nautique . . . . . . 5.B
naval . . . . . . . . 22.A
    *pl.* navals . . . . 31
navarin . . . . . . . 8.A
navet . . . . . . . . 2.B
navette . . . . . . . 13.B
navigabilité . . . . 15.A
navigant . . . . . . 9.B
navire . . . . . . . 26.B
navire(s)-école(s),
    *m* . . . . . . . . 32
navire(s)-usine(s),
    *m* . . . . . . . . 32
nazi . . . . . . . . 19.A
ne . . . . . . . . 6 6.A
néanmoins . . . . 9.A
néant . . . . . . . 9.B

nébuleux . . . . . 6.B
nécessaire . . . . . 18.B
nécessité . . . . . 18.B
nécessiteux . . . . 18.B
nec plus ultra . . . 32
nécrologie . . . . . 4.B
nécromancie . . . 4.B
nécropole, *f* . . . . 26.B
nécrose, *f* . . . . . 19.A
nectar . . . . . . . 23.A
néerlandais . . . . 2.B
nef . . . . . . . . . 17.A
néfaste . . . . . . 26.B
nèfle, *f* . . . . . . . 26.C
néflier . . . . . . . 11.A
négatif . . . . . . . 17.A
négligeable . . . . 21.B
négligent . . . . . 21.B
négoce . . . . . . . 18.A
négociant . . . . . 11.A
nègre . . . . . . . 2.A
    *f* négresse
négroïde . . . . . . 29.C
neige . . . . . . . 2.B
neigeux . . . . . . 6.B
nenni . . . . . . . 16.B
nénuphar . . . . . 17.C
néolithique . . . . 13.C
néologisme . . . . 18.C
néon . . . . . . . . 10.A
néo-natal(es) . . . 32
néophyte . . . . . 17.C
néo-positivisme,
    *m sg.* . . . . . . 32
néoprène, *m* . . . 2.A
néo-réalisme, *m* . . 32
néphrétique . . . . 17.C
néphrite, *f* . . . . 17.C
népotisme . . . . . 18.C
nerf . . . . . . . . 27
nerveux . . . . . . 6.B
nervi . . . . . . . . 4.A
nervosité . . . . . 3.A
nervure . . . . . . 26.B
n'est-ce pas . . . . 32
net . . . . . . . . . 13.A
netteté . . . . . . . 13.B
nettoiement . . . . 26.A
nettoyage . . . . . 11.A
nettoyeur . . . . . 11.A
neuf . . . . . . . . 17.A

neurasthénie . . . 13.C
neurochirurgie, *f* . 32
neurolinguistique, *f* 32
neurologie . . . . . 21.B
neurologue . . . . 15.B
neurone, *m* . . . . 6.F
neuroplégique . . . 14.B
neuropsychiatrie . 14.C
neurovégétatif(s) . 32
neutralisation . . . 25.A
neutralité . . . . . 6.A
neutre . . . . . . . 26.C
neutron . . . . . . 6.A
neuvaine . . . . . . 6.A
névé, *m* . . . . . . 3.A
neveu . . . . . . . 6.A
névralgie . . . . . 4.B
névrite . . . . . . . 3.A
névrose . . . . . . 5.A
névrotique . . . . . 14.B
newton, *m* . . . . . 11.C
nez . . . . . . . 3 3.C
ni . . . . . . . . . 4 4.A
niais . . . . . . . . 27
niche . . . . . . . . 20.A
nichée . . . . . . . 3.B
nickel . . . . . . . 14.C
niçois . . . . . . . 18.A
nicotine . . . . . . 5.A
nid . . . . . . . 4 27
nid(s)-d'abeilles
    *(forme)* . . . . 32
nid(s)-de-poule, *m* 32
nidification . . . . 25.A
nièce . . . . . . . . 11.A
nielle, *m* . . . . . . 11.A
nielle, *f* . . . . . . 2.C
nietzschéen . . . . 8.A
nigaud . . . . . . . 5.B
nigérian . . . . . . 9.A
nigérien . . . . . . 8.A
night-club(s), *m* . . 32
nihilisme . . . . . . 29.A
nimbe, *m* . . . . . 16.A
n'importe laquelle . 32
n'importe qui, quoi 32
nippes, *f* . . . . . . 12.B
nippon . . . . . . . 10.A
    *f* nippon(n)e . . 16.B
nique . . . . . . . . 14.B
nirvana, *m* . . . . . 1.A

nitrate, *m* . . . . . . 13.A
nitroglycérine . . . 4.B
niveau . . . . . . . 5.B
nivelage . . . . . . 21.B
nivellement . . . . 22.B
nô . . . . . . . . . 5.B
nobiliaire . . . . . . 2.B
noble . . . . . . . . 26.C
noblesse . . . . . . 2.C
noce . . . . . . . . . 18.A
noceur . . . . . . . 18.A
nocif . . . . . . . . 17.A
noctambule . . . . 5.A
nocturne . . . . . . 5.A
nodal . . . . . . . . 22.A
nodule, *m* . . . . . 22.A
noël . . . . . . . . . 29.B
nœud . . . . . . 6 7.B
noirâtre . . . . . . . 1.B
noiraud . . . . . . . 5.B
noirceur . . . . . . 24.A
noise, *f* . . . . . . . 19.A
noisetier . . . . . . 3.B
noisette . . . . . . . 2.C
noix . . . . . . . . 27
nom . . . . . . . . 10.B
nomade . . . . . . 13.CB
no man's land,
  *m sg.* . . . . . . 32
nombreux . . . . . 6.B
nombril . . . . . . 22.A
nomenclature . . . 9.A
nominal . . . . . . 22.A
nomination . . . . 25.A
nommément . . . 16.C
non . . . . . . . . . 10.A
non-*(pour les
  noms) ex. :* non-
  fumeur(s) . . . . 32
non (pour les
  adjectifs) *ex. :*
  non violent . . . 32
non-activité, *f* . . . 32
nonagénaire . . . . 2.B
non-agression, *f* . 32
non-alignement, *m* 32
nonante . . . . . . 9.A
nonce . . . . . . . 18.A
nonchalamment . 1.C
nonchalance . . . 9.A
nonciature . . . . . 11.A

non-combattant
  (s), *m* . . . . . . 32
non-comparution, *f* 32
non-conciliation, *f* 32
non-conformisme,
  *m* . . . . . . . . 32
non-conformiste(s) 32
non-conformité, *f* . 32
non-contradiction,
  *f* . . . . . . . . . 32
non-engagé(es) . . 32
non-être, *m* . . . . 32
non-exécution, *f* . 32
non-existence, *f* . 32
non-intervention, *f* 32
non-lieu(x), *m* . . . 32
nonne . . . . . 27 16.B
nonnette . . . . . . 2.C
nonobstant . . . . 9.B
non-paiement, *m* . 32
non-recevoir, *m* . . 32
non-sens, *m* . . . . 32
non-stop . . . . . . 32
non-violence, *f* . . 32
nord . . . . . . . . 27
nord-africain(es) . 32
nord-américain(es) 32
nord-coréen(nes) . 32
nord-est . . . . . . 32
noria, *f* . . . . . . . 32
normal . . . . . . . 22.A
normalien . . . . . 8.A
normalisation . . . 25.A
normand . . . . . . 27
normatif . . . . . . 17.A
norme . . . . . . . 5.A
noroît . . . . . 24 24.B
nos, *pl.* . . . . . . 5.B
nosologie . . . . . 4.B
nostalgie . . . . . . 4.B
nota bene . . . . . 32
notabilité . . . . . 13.A
notaire . . . . . . . 2.B
notamment . . . . 1.C
notarial . . . . . . 22.A
notariat . . . . . . 1.C
notation . . . . . . 25.A
note . . . . . . . . 26.B
notice . . . . . . . 18.B
notion . . . . . . . 25.A
notoire . . . . . . . 24.A

notoriété . . . . . . 3.A
notre . . . . . . 5 26.C
nôtre . . . . . . 5 5.B
nouba . . . . . . . 1.A
noueux . . . . . . . 6.B
nougat . . . . . . . 27
nougatine . . . . . 15.A
nouille . . . . . . . 11.B
nourrice . . . . . . 23.B
nourricier . . . . . 3.B
nourrisson . . . . . 18.B
nourriture . . . . . 18.B
nous . . . . . . . . 27
nouveau . . . . . . 5.B
nouveau-né(s), *m* . 32
nouveau-née(s), *f*. 32
nouveauté . . . . . 3.A
nouvel . . . . . . . 22.A
nouvellement . . . 2.C
nouvelliste . . . . . 2.C
nova, *f, pl.* novae . 1.A
novateur . . . . . . 23.A
novembre . . . . . 9.B
novice . . . . . . . 18.B
noviciat . . . . . . 27
noyade . . . . . . . 11.A
noyau . . . . . . . 5.B
noyer . . . . . . . 3.B
nu . . . . . . . . 26 16.A
nuageux . . . . . . 6.B
nuance . . . . . . . 18.B
nubile . . . . . . . 22.A
nucléaire . . . . . . 2.B
nucléique . . . . . 29.C
nudité . . . . . . . 3.A
nue . . . . . . . 26 26.A
nuée . . . . . . . . 3.B
nue(s)-propriété(s) 32
nuisance . . . . . . 19.A
nuitamment . . . . 1.C
nuitée . . . . . . . 3.B
nul . . . . . . . . . 22.A
nullard . . . . . . . 27
nullement . . . . . 22.B
nullité . . . . . . . 22.B
numéraire . . . . . 2.B
numéral . . . . . . 22.A
numérateur . . . . 23.A
numéro . . . . . . 5 5.A
numerus clausus . 32
numismatique . . . 14.B

nuptial . . . . . . . 25.C
nuque . . . . . . . 14.B
nurse . . . . . . . . 7.C
nursery . . . . . . 7.C
nu-tête . . . . . . . 32
nutrition . . . . . . 25.A
nyctalope . . . . . 4.B
nyctalopie . . . . . 4.B
nylon . . . . . . . . . 4.B
nymphe . . . . . . 8.C
nymphéa, *m* . . . . 32
nymphomane . . . 8.C

# O

ô . . . . . . . . .5 5.B
oasis, *f* . . . . . . . 18.A
obédience . . . . . 9.A
obéissance . . . . 9.A
obélisque, *m* . . . 14.B
obèse . . . . . . . 19.A
obésité . . . . . . . 19.A
objection . . . . . 2.C
objectivité . . . . . 2.C
objet . . . . . . . . 2.B
objurgation . . . . 12.C
oblation . . . . . . 25.A
obligation . . . . . 25.A
obligatoire . . . . . 26.B
obligeamment . . . 21.B
obligeant . . . . . 21.B
oblique . . . . . . . 14.B
oblitération . . . . 25.A
oblong . . . . . . . 27
obole, *f* . . . . . . 22.A
obscène . . . . . . 18.C
obscénité . . . . . 18.C
obscur . . . . . . . 12.C
obscurantisme . . 9.A
obscurément . . . 9.B
obsécration . . . . 25.A
obsèques, *f* . . . . 14.B

obséquieux . . . . 6.B
observateur . . . . 23.A
observatoire . . . . 26.B
obsession . . . . . 12.C
obsessionnel . . . 25.A
obsidienne, *f* . . . 12.C
obsolète . . . . . . 12.C
obstacle . . . . . . 12.C
obstétrique . . . . 12.C
obstinément . . . . 12.C
obstruction . . . . 12.C
obtention . . . . . 12.C
obturateur . . . . . 12.C
obtus . . . . . . . 27
obus . . . . . . . . 27
oc . . . . . . . . . 5.A
ocarina, *m* . . . . . 1.A
occasion . . . . . . 14.B
occasionnel . . . . 14.B
occident . . . . . . 18.C
occiput . . . . . . 18.C
occitan . . . . . . . 18.C
occlusion . . . . . 14.B
occulte . . . . . . . 14.B
occupation . . . . 14.B
occurrence . . . . 14.B
océan . . . . . . . 29.C
océanique . . . . . 14.B
ocelot . . . . . . . 18.A
ocre . . . . . . . . 26.B
octaèdre . . . . . . 2.A
octane, *m* . . . . . 16.A
octante . . . . . . 9.A
octave, *f* . . . . . . 5.A
octogonal . . . . . 5.A
octroi . . . . . . . 24.A
octuor . . . . . . . 5.A
oculaire, *m* . . . . 2.B
oculiste . . . . . . 14.A
odalisque, *f* . . . . 14.B
ode, *f* . . . . . . . 5.A
odelette . . . . . . 13.B
odéon . . . . . . . 10.A
odeur . . . . . . . 23.A
odieux . . . . . . . 6.B
odorat . . . . . . . 27
odoriférant . . . . 9.B
odyssée, *f* . . . . . 4.B
œcuménique . . . 7.A
œdème, *m* . . . . . 7.A
œdipien . . . . . . 3.C

œil . . . . . . . . . 11.B
*pl.* yeux . . . . . 11.A
œil(s)-de-bœuf, *m* 32
œil(s)-de-perdrix,
*m* . . . . . . . . 32
œillère . . . . . . . 11.B
œillet . . . . . . . . 11.B
œnologie . . . . . 3.C
œsophage, *m* . . . 3.C
œstrogène . . . . . 3.C
œuf [oeí] . . . . . 7.B
*pl.* œufs [ø] . .6 6.B
œuvre, *m* . . . . . 30
œuvre, *f* . . . . . 30
œuvre d'art, *f* . . . 32
off, *inv.* . . . . . . 17.B
offense . . . . . . 17.B
offertoire, *m* . . . . 17.B
office, *m* . . . . . . 17.B
officiel . . . . . . . 25.C
officier . . . . . . . 3.B
officieux . . . . . . 6.B
officine, *f* . . . . 18.A
offrande . . . . . . 17.B
offset . . . . . . . 17.B
oflag, *m* . . . . . . 15.A
ogival . . . . . . . 22.A
ogive, *f* . . . . . . 21.A
ogre . . . . . . . . 5.A
ogresse . . . . . . 2.C
oh . . . . . . . . .5 27
ohé ! . . . . . . . . 29.B
ohm . . . . . . . .5* 29.B
ohmmètre . . . . . 29.B
oie . . . . . . . . . 26.A
oignon . . . . . . . 11.A
oïl . . . . . . . . . 29.C
oiseau . . . . . . . 5.B
oiseau(x)-lyre(s), *m* 32
oiseau(x)-
mouche(s), *m* . 32
oiseleur . . . . . . 26.A
oiseux . . . . . . . 6.B
oisif . . . . . . . . 17.A
oisillon . . . . . . . 11.B
okapi . . . . . . . . 14.C
oléagineux . . . . . 6.B
oléiculteur . . . . . 29.C
oléoduc . . . . . . 14.A
olfactif . . . . . . . 17.A
olibrius . . . . . . . 18.A

olifant . . . . . . . 9.B
oligarchie . . . . . 4.B
oligo-élément(s), *m* 32
olivâtre . . . . . . . 1.B
olive . . . . . . . 5.A
olivette . . . . . . . 2.C
olographe . . . . . 17.C
olympiade, *f* . . . . 8.C
olympien . . . . . 8.C
ombilical . . . . . . 10.B
ombrageux . . . . 10.B
ombre . . . . . . 29 10.B
ombrelle . . . . . . 2.C
ombrien . . . . . . 8.A
oméga . . . . . . . 15.A
omelette . . . . . . 2.C
omission . . . . . . 25.A
omnibus . . . . . . 18.A
omnidirec-
tionnel(les) . . . 32
omniscient . . . . 18.C
omnium . . . . . . 16.A
omnivore . . . . . 26.B
omoplate, *f* . . . . 5.A
on . . . . . . . . . 10.A
onagre, *m* . . . . . 26.B
onanisme . . . . . 5.A
once, *f* . . . . . . 18.B
oncle . . . . . . . . 26.C
on(c)ques . . . . . 14.C
onction . . . . . . 25.A
onctueux . . . . . 6.B
onde . . . . . . . . 10.A
ondée . . . . . . . 3.B
ondin . . . . . . . 8.A
on-dit, *m* . . . . . 32
ondoiement . . . . 25.A
ondulatoire . . . . 26.B
onéreux . . . . . . 6.B
ongle . . . . . . . . 26.C
onglet . . . . . . 2* 28
onguent . . . . . . 15.B
onirique . . . . . . 14.B
oniromancie . . . . 4.B
onomatopée, *f* . . 3.B
ontique . . . . . . 10.A
ontogenèse . . . . 13.A
ontologique . . . . 13.A
onyx, *m* . . . . . . 4.B
onze . . . . . . . . 19.A
opacité . . . . . . . 18.A

opale, *f* . . . . . . 22.A
opalescent . . . . . 18.C
opalin . . . . . . . 8.A
opaque . . . . . . 14.B
open, *inv.* . . . . . 16.A
opéra . . . . . . . 12.A
opéra(s)-ballet(s),
*m* . . . . . . . . 32
opéra bouffe, *m* . . 32
opérateur . . . . . 23.A
opération . . . . . 25.A
opérationnel . . . . 16.B
opératoire . . . . . 23.A
opérette . . . . . . 3.C
ophidien . . . . . . 17.C
ophtalmie . . . . . 17.C
ophtalmologiste . 17.C
opiacé . . . . . . . 17.C
opiniâtre . . . . . . 1.B
opinion . . . . . . 11.A
opiomane . . . . . 11.A
opium . . . . . . . 16.A
opossum . . . . . 16.A
oppidum . . . . . . 16.A
opportun . . . . . 8.C
opportunément . . 12.B
opposition . . . . . 12.B
oppression . . . . 12.B
opprobre, *m* . . . . 12.B
optatif . . . . . . . 17.A
opticien . . . . . . 25.E
optimisme . . . . . 16.A
optimum . . . . . . 16.A
option . . . . . . . 25.A
optionnel . . . . . 15.B
optique . . . . . . 14.B
optométrie . . . . 4.B
opulence . . . . . 9.A
opulent . . . . . . 9.B
opus, *m* . . . . . . 18.A
opuscule, *m* . . . . 14.A
or . . . . . . . . 23 23.A
oracle, *m* . . . . . 26.C
orage, *m* . . . . . . 21.B
orageux . . . . . . 6.B
oraison . . . . . . . 2.B
oral . . . . . . . . . 22.A
oralement . . . . . 9.B
orange . . . . . . . 21.B
orangeade . . . . . 21.B

orang(s)-
outang(s), *m* . . 32
oratoire, *m* . . . . 23.A
oratorio . . . . . . 11.A
orbite, *f* . . . . . . 5.A
orchestre . . . . . 14.C
orchidée, *f* . . . . . 14.C
ordalie, *f* . . . . . . 4.B
ordinaire . . . . . . 2.B
ordinal . . . . . . . 22.A
ordinateur . . . . . 23.A
ordination . . . . . 25.A
ordonnance . . . . 16.B
ordonnateur . . . . 16.B
ordonnée, *f* . . . . 3.B
ordre . . . . . . . . 26.B
ordure . . . . . . . 26.B
ordurier . . . . . . 3.B
orée . . . . . . . . 3.B
oreille . . . . . . . 11.B
oreiller . . . . . . . 11.B
oreillette . . . . . . 11.B
oreillon . . . . . . . 11.B
orémus, *inv.* . . . . 18.A
ores . . . . . . . 23 31
orfèvre . . . . . . . 2.A
orfraie, *f* . . . . . . 26.A
organdi . . . . . . 4.A
organe . . . . . . . 15.A
organigramme . . 16.B
organique . . . . . 14.B
organisateur . . . . 23.A
organiste . . . . . 15.A
orgasme, *m* . . . . 15.A
orge, *f* . . . . . . . 21.B
orgeat . . . . . . . 21.B
orgelet . . . . . . . 2.B
orgiaque . . . . . . 14.B
orgie . . . . . . . . 4.B
orgue, *m* . . . . . . 15.B
orgueil . . . . . . . 7.B
orgueilleux . . . . 6.B
orgues . . . . . . . 15.B
orient . . . . . . . . 9.B
oriental . . . . . . 22.A
orifice, *m* . . . . . 18.B
oriflamme, *f* . . . . 16.B
origan . . . . . . . 9.A
originaire . . . . . 2.B
original . . . . . . . .A
origine . . . . . . . 2.A

originel . . . . . . . 2.A
oripeau . . . . . . 5.B
ormaie . . . . . . . 26.A
orme . . . . . . . . 5.A
ormeau . . . . . . 5.B
ornement . . . . . 9.B
ornière . . . . . . . 11.A
ornithologie . . . . 13.C
ornithologue . . . 13.C
ornithorynque, *m* . 8.C
oronge, *f* . . . . . 10.A
orphelin . . . . . . 17.C
orphelinat . . . . . 27
orphéon . . . . . . 17.C
orphique . . . . . . 17.C
orque, *f* . . . . . . 14.B
orteil, *m* . . . . . . 2.B
orthodoxe . . . . . 13.C
orthodoxie . . . . . 13.C
orthogonal . . . . . 13.C
orthographe, *f* . . 13.C
orthonormé . . . . 13.C
orthopédie . . . . . 13.C
orthophonie . . . . 13.C
ortie, *f* . . . . . . . 4.B
ortolan . . . . . . . 9.A
orvet . . . . . . . . 2.B
os, *sg.* [os] . . . 29 31.B
*pl.* [o] . . . . . 5 31.B
oscar . . . . . . . . 23.A
oscillation . . . . . 18.C
oscillomètre . . . . 18.C
oscilloscope . . . . 18.C
oseille, *f* . . . . . . 11.B
osier . . . . . . . . 3.B
osmose . . . . . . 19.A
ossature . . . . . . 18.B
osselet . . . . . . . 18.B
ossements . . . . . 18.B
osseux . . . . . . . 6.B
ossuaire, *m* . . . . 26.B
ostéite . . . . . . . 29.C
ostensible . . . . . 18.A
ostensoir . . . . . 23.A
ostentatoire . . . . 26.B
ostracisme . . . . . 18.A
ostréiculteur . . . . 29.C
ostrogot(h) . . . . 27
otage . . . . . . . . 21.B
otarie, *f* . . . . . . 4.B
otite, *f* . . . . . . . 5.A

oto-rhino-
    laryngologie, *f* . . 32
ottoman . . . . . . 9.A
ou . . . . . . . . 29 28
où . . . . . . . . 29 28
ouailles . . . . . . 11.B
ouais ! . . . . . . . 2.B
ouate, *f* . . . . . 24 24.C
oubli . . . . . . . 4 4.A
oubliette, *f* . . . . . 11.A
oublieux . . . . . . 11.A
oued, *m* . . . . . . 13.B
ouest, *m* . . . . . . 13.A
ouest-allemand(es) 32
ouf ! . . . . . . . . 17.A
oui, *inv.* . . . . . . 4 4.A
ouï-dire, *m* . . . . . 32
ouïe, *f* . . . . . . . 4 26.A
ouille ! . . . . . 29 11.B
ouistiti . . . . . . . 18.A
ouragan . . . . . . 15.A
ourlet . . . . . . . 2.B
ours . . . . . . . . 18.A
ourse . . . . . . . 18.A
oursin . . . . . . . 8.A
ourson . . . . . . . 10.A
oust(e) ! . . . . . . 18.A
out . . . . . . . . . 13.A
outil . . . . . . . . 22.A
outillage . . . . . . 11.B
output . . . . . . . 13.A
outrage . . . . . . 21.B
outrageant . . . . . 21.B
outrance . . . . . . 18.B
outrancier . . . . . 3.B
outre . . . . . . . . 26.C
outrecuidance . . . 18.B
outremer, *m, inv.* . 23.A
outre-mer (DOM) . 32
outre-tombe . . . . 32
outsider, *m* . . . . 23.A
ouverture . . . . . 26.B
ouvrage . . . . . . 21.B
ouvre-boîte(s),
    *m* . . . . . . . 32
ouvre-bouteille(s),
    *m* . . . . . . . . 32
ouvrier . . . . . . . 3.B
ovaire, *m* . . . . . 26.B
ovale . . . . . . . . 22.A
ovation . . . . . . . 25.A

overdose . . . . . 19.A
ovin . . . . . . . . 8.A
ovipare . . . . . . . 26.B
ovni, *m* . . . . . . 4.A
ovoïde . . . . . . . 29.C
ovovivipare . . . . 26.B
ovulaire . . . . . . 26.B
ovulation . . . . . . 25.A
ovule, *m* . . . . . . 22.A
oxhydrique . . . . 29.B
oxydant . . . . . . 4.B
oxydation . . . . . 4.B
oxyde, *m* . . . . . 4.B
oxygène . . . . . . 4.B
oxygéné . . . . . . 4.B
oxyton . . . . . . . 4.B
ozone, *m* . . . . . 19.A

# p

pacage . . . . . . . 14.A
pacemaker . . . . 14.C
pacha . . . . . . . 20.A
pachyderme . . . . 14.C
pacification . . . . 25.A
pacifique . . . . . 14.B
pack . . . . . . . . 14.C
pacotille . . . . . . 11.B
pacte . . . . . . . . 14.A
pactole, *m* . . . . . 22.A
paddock . . . . . . 14.C
paella, *f* . . . . . . 22.B
paf ! . . . . . . . . 17.A
pagaie . . . . . . . 25.A
pagaille . . . . . . 11.B
paganisme . . . . . 15.A
page, *m* . . . . . . 2.B
page, *f* . . . . . . . 2.B
pagination . . . . . 25.A
pagne . . . . . . . 11.A
pagode . . . . . . . 15.A
paie . . . . . . . . 26.A
paiement . . . . . . 26.A
païen . . . . . . . . 8.A
paillard . . . . . . . 27
paillardise . . . . . 11.B
paillasson . . . . . 18.B

paille . . . . . . . . 11.B
paillette . . . . . . 2.C
paillote . . . . . . . 11.B
pain . . . . . . . . 8 8.B
pain d'épice, m . . 32
pair . . . . . . 23 23.A
paire . . . . . . 23 26.B
pairie . . . . . . . 26.A
paisible . . . . . . 19.A
paix . . . . . . . . 27
pal, m . . . . . 22 22.A
palabre, f ou m . . 26.C
palace . . . . . . . 18.A
palais . . . . . 2* 2.B
palan . . . . . . . . 9.A
palanquin . . . . . 14.B
palatal . . . . . . . 22.A
palatin . . . . . . . 8.A
pale, f . . . . . 22 22.A
pâle . . . . . . 22 28
palefrenier . . . . . 26.A
palefroi . . . . . . 26.A
paléolithique . . . 13.C
paléontologie . . . 4.B
palestinien . . . . . 8.A
palestre, f . . . . . 26.C
palet, m . . . . . 2* 2.B
paletot . . . . . . . 26.A
palette . . . . . . . 2.C
palétuvier . . . . . 3.B
pâleur . . . . . . . 7.A
pâlichon . . . . . . 10.A
palier . . . . . . . . 3.B
palinodie . . . . . . 26.A
palissade . . . . . 18.B
palissandre, m . . 9.A
palliatif . . . . . . . 22.B
palmaire . . . . . 2 2.B
palmarès . . . . . . 18.A
palme . . . . . . . 16.A
palmeraie . . . . . 25.A
palmier . . . . . . . 3.B
palmipède . . . . . 13.B
palois . . . . . . . 27
palombe . . . . . . 10.B
pâlot . . . . . . . . 27
palourde, f . . . . . 13.B
palpitant . . . . . . 9.B
palpitation . . . . . 25.A
palsambleu ! . . . . 2.B
paltoquet . . . . . 14.B

paludéen . . . . . 8.A
paludisme . . . . . 18.A
pâmoison . . . . . 19.A
pampa, f . . . . . . 9.B
pamphlet . . . . . 17.C
pamphlétaire . . . 17.C
pamplemousse, m 9.B
pampre, m . . . . . 9.B
pan . . . . . . . . 9 9.A
panacée, f . . . . . 3.B
panache, m . . . . 20.A
panade, f . . . . . 13.B
panafricain . . . . 8.B
panama . . . . . . 1.A
panaméricain . . . 8.B
panaris . . . . . . 4.B
pancarte . . . . . . 9.A
pancrace, m . . . . 18.B
pancréas . . . . . . 27
pancréatite . . . . 29
panda . . . . . . . 1.A
pandémonium . . 16.A
pandit . . . . . . . 4.B
pandore, m . . . . 26.B
panégyrique, m . . 4.B
panel . . . . . . . . 22.A
panetière . . . . . 2.A
panier . . . . . . . 3.B
panique . . . . . . 14.B
panne . . . . . . 1 16.B
panneau . . . . . . 5.B
panneton . . . 27 16.B
panonceau . . . . 5.B
panoplie, f . . . . . 4.B
panorama, m . . . 1.A
panoramique . . . 14.B
panse . . . . . . . 18.A
pansement . . . . 9.B
pansu . . . . . . . 9.A
pantalonnade . . . 15.B
pantelant . . . . . 9.B
panthéisme . . . . 13.C
panthéon . . . . . 13.C
panthère . . . . . . 13.C
pantin . . . . . . . 8.A
pantographe, m . . 17.C
pantois, m . . . . . 24.B
pantomime, f . . . 9.A
pantouflard . . . . 27
pantoufle, f . . . . 25.C
paon . . . . . . 9 9.C

papal . . . . . . . . 22.A
papauté . . . . . . 5.B
papaye, f . . . . . 11.A
pape . . . . . . . . 12.A
papelard . . . . . . 27
paperasse . . . . . 18.B
paperasserie . . . . 4.B
papeterie . . . . . 4.B
papier . . . . . . . 3.B
papier(s)-calque, m 32
papier(s)-filtre(s),
    m . . . . . . . . 32
papier(s)-
    monnaie(s), m . 32
papille, f . . . . . . 11.B
papillon . . . . . . 11.B
papillote . . . . . . 11.B
papou . . . . . . . 12.A
paprika, m . . . . . 14.C
papyrus . . . . . . 4.B
pâque, f . . . . . . 14.B
paquebot . . . . . 14.B
pâquerette . . . . . 14.B
paquet . . . . . . . 14.B
paquetage . . . . . 14.B
par . . . . . . . . 23 23.A
parabellum . . . . 5.C
parabole . . . . . . 22.A
paracentèse, f . . . 9.A
parachute . . . . . 20.A
parade . . . . . . . 13.B
paradigme . . . . . 15.A
paradis . . . . . . . 27
paradoxal . . . . . 22.A
paradoxe, m . . . . 18.C
parafe, m . . . . . 17.A
paraffine . . . . . . 17.B
parafiscal . . . . . 14.A
parages . . . . . . 21.B
paragraphe . . . . 17.C
parallaxe, f . . . . 22.B
parallèle . . . . . . 22.B
parallèlement . . . 22.B
parallélépipède, m 32
paralogisme . . . . 21.A
paralysie . . . . . . 4.B
paralytique . . . . 4.B
paramètre . . . . . 26.C
parangon . . . . . 9.A
paranoïa, f . . . . . 29.C
parapet . . . . . . 2.B

paraphe, *m* . . . . 17.C
paraphrase . . . . 17.C
paraplégie . . . . . 4.B
parapluie . . . . . 4.B
parasite . . . . . . 19.A
parasitose . . . . . 19.A
parasol . . . . . . . 18.A
paratonnerre . . . 2.C
paravent . . . . . . 9.B
parbleu ! . . . . . . 6.A
parc . . . . . . . . 14.A
parcellaire . . . . . 2.C
parcelle . . . . . . 2.C
parce que . . . . . 32
parchemin . . . . . 8.A
parcimonieux . . . 6.B
par-ci, par-là . . . 32
parc(o)mètre . . . 14.A
parcours . . . . . . 2.A
par-delà . . . . . . 32
par-derrière . . . . 32
pardessus, *m* . . . 2.A
par-devant . . . . . 32
par-devers . . . . . 32
pardi ! . . . . . . . 4.A
pardon . . . . . . . 10.A
pardonnable . . . . 26.C
pare-balles, *m* . . 32
pare-brise, *m* . . . 32
pare-cendres, *m* . 32
pare-chocs, *m* . . . 32
pare-feu, *m* . . . . 32
pareil . . . . . . . . 2.B
parement . . . . . 9.B
parent . . . . . . . 32
parental . . . . . . 9.A
parenté . . . . . . 3.A
parentéral . . . . . 9.A
parenthèse . . . . 13.C
paréo . . . . . . . 5.A
pare-soleil, *m* . . . 32
paresse . . . . . . 2.C
paresseusement . 2.C
parfait . . . . . . . 2.B
parfaitement . . . 9.B
parfois . . . . . . . 24.B
parfum . . . . . . . 8.B
parfumerie . . . . . 4.B
pari . . . . . . . . . 4.A
paria . . . . . . . . 11.A
parieur . . . . . . . 11.A

parisianisme . . . . 19.A
parisyllabique . . . 32
paritaire . . . . . . 26.B
parité . . . . . . . 3.A
parjure . . . . . . . 21.A
parking . . . . . . . 14.C
parlement . . . . . 9.B
parlementaire . . . 26.B
parloir . . . . . . . 23.A
parlote . . . . . . . 13.A
parmentier . . . . . 3.B
parmesan . . . . . 19.A
parmi . . . . . . . . 4.A
parnassien . . . . . 8.A
parodie . . . . . . . 4.B
paroi . . . . . . . . 24.A
paroisse . . . . . . 18.B
paroissien . . . . . 25.E
parole . . . . . . . 22.A
parolier . . . . . . . 3.B
paronyme . . . . . 4.B
paroxysme, *m* . . . 4.B
parpaing . . . . . . 27
parquet . . . . . . . 2.B
parrain . . . . . . . 8.B
parrainage . . . . . 21.B
parricide . . . . . . 18.A
part, *f* . . . . . . 23 27
partance . . . . . . 18.A
partenaire . . . . . 26.B
parterre, *m* . . . . 2.C
parthénogenèse . 13.C
parti . . . . . . . . 4 4.A
partial . . . . . . . 25.C
participe . . . . . . 18.A
particule, *f* . . . . . 22.A
particulier . . . . . 3.B
partie . . . . . . . 4 4.B
partiel . . . . . . . 25.C
partisan . . . . . . 9.A
partitif . . . . . . . 17.A
partition . . . . . . 25.A
partout . . . . . . . 27
parturiente . . . . 11.A
parure . . . . . . . 26.B
parution . . . . . . 25.A
parvis . . . . . . . . 4.B
pas . . . . . . . . . 27
pas-de-porte, *m* . . 32
paso doble . . . . . 32
passable . . . . . . 18.B

passade . . . . . . 18.B
passage . . . . . . 18.B
passager . . . . . . 3.B
passant . . . . . . 9.B
passe . . . . . . . . 18.B
passe-bande . . . 32
passe-droit(s), *m* . 32
passé . . . . . . . 18.B
passéisme . . . . . 29.C
passe-
  montagne(s), *m* 32
passe-passe . . . . 32
passe-plat(s), *m* . . 32
passeport . . . . . 27
passereau . . . . . 5.B
passerelle . . . . . 2.C
passe-temps, *m* . . 32
passible . . . . . . 26.C
passif . . . . . . . . 17.A
passing-shot(s), *m* 32
passion . . . . . . 18.B
passionnant . . . . 9.B
passionnel . . . . . 16.B
passoire . . . . . . 26.B
pastel . . . . . . . 22.A
pastèque, *f* . . . . 14.B
pasteur . . . . . . 23.A
pastiche, *m* . . . . 20.A
pastille . . . . . . . 11.B
pastis . . . . . . . 18.A
pastoral . . . . . . 22.A
pastoureau . . . . 5.B
pat, *inv* . . . . . 1 13.A
patache, *f* . . . . . 20.A
patachon . . . . . 10.A
pataquès . . . . . 14.B
patata..., *inv* . . . 1.A
patate . . . . . . . 13.A
patati..., *inv* . . . . 4.A
patatras ! . . . . . 18.A
pataud . . . . . . . 5.B
patchouli, *m* . . . 20.A
patchwork, *m* . . . 14.C
pâte . . . . . . . . 1 1.B
pâté . . . . . . . . 3 1.B
pâtée . . . . . . . . 3 3.B
patelin . . . . . . . 26.A
patenôtre, *f* . . . . 32
patent . . . . . . . 9.B
patente . . . . . . 13.A
pater . . . . . . . 23 3.B

| | |
|---|---|
| patère, *f* . . . . . 23 | 2.A |
| paternalisme . . . | 23.A |
| paternel . . . . . . | 22.A |
| paternité . . . . . . | 3.A |
| pater noster . . . . | 32 |
| pâteux . . . . . . . | 6.B |
| pathétique . . . . . | 13.C |
| pathogène . . . . . | 13.C |
| pathologie . . . . . | 13.C |
| pathos . . . . . . . | 18.A |
| patibulaire . . . . . | 2.B |
| patiemment . . . . | 1.C |
| patience . . . . . . | 25.E |
| patin . . . . . . . . | 8.A |
| patinage . . . . . . | 2.A |
| patine, *f* . . . . . . | 16.A |
| patinette . . . . . . | 2.C |
| patinoire . . . . . . | 26.B |
| patio . . . . . . . . | 18.C |
| pâtisserie . . . . . | 4.B |
| patois . . . . . . . | 27 |
| patoisant . . . . . | 9.B |
| patraque . . . . . . | 14.B |
| pâtre . . . . . . . . | 26.C |
| patriarcat . . . . . | 11.A |
| patriarche . . . . . | 11.A |
| patricien . . . . . . | 25.E |
| patrie . . . . . . . | 4.B |
| patrimoine . . . . . | 24.A |
| patrimonial . . . . | 11.A |
| patriote . . . . . . | 11.A |
| patron . . . . . . . | 10.A |
| patronage . . . . . | 21.A |
| patronat . . . . . . | 1.C |
| patronnesse . . . . | 16.B |
| patronyme . . . . . | 11.A |
| patrouille . . . . . | 11.B |
| patte . . . . . . . 1 | 13.B |
| pattemouille, *f* . . | 32 |
| pattern, *m* . . . . . | 13.B |
| pâturage . . . . . . | 2.A |
| pâture . . . . . . . | 26.B |
| paume, *f* . . . . . 5* | 5.B |
| paumelle . . . . . . | 5.B |
| paupérisme . . . . | 5.B |
| paupière . . . . . . | 5.B |
| paupiette . . . . . | 5.B |
| pause . . . . . . 5 | 5.B |
| pause(s)-café, *f* . . | 32 |
| pauvreté . . . . . . | 3.A |
| pavane, *f* . . . . . | 16.A |

| | |
|---|---|
| pavé . . . . . . . . | 3.A |
| pavillon . . . . . . | 11.B |
| pavlovien . . . . . | 8.A |
| pavois . . . . . . . | 24.B |
| pavot . . . . . . . | 5.B |
| paye . . . . . . . . | 11.A |
| payeur . . . . . . . | 11.A |
| pays . . . . . . . . | 4.B |
| paysager . . . . . . | 4.B |
| paysan . . . . . . . | 4.B |
| paysannerie . . . . | 4.B |
| péage . . . . . . . | 21.A |
| péan . . . . . . . . | 9.A |
| peau . . . . . . 5 | 5.B |
| peaufinage . . . . | 5.B |
| peau(x)-rouge(s) . | 32 |
| peaussier . . . . 18 | 5.B |
| pécari . . . . . . . | 4.A |
| peccadille, *f* . . . . | 11.B |
| pêche . . . . . . . | 20.A |
| péché . . . . . . . | 3.A |
| pêcher . . . . . . . | 3.B |
| pécheur . . . . . . | 23.A |
| pêcheur . . . . . . | 2.A |
| pécore, *f* . . . . . . | 26.B |
| pectoral . . . . . . | 2.C |
| pécule, *m* . . . . . | 14.A |
| pécuniaire . . . . . | 2.B |
| pédagogie . . . . . | 4.B |
| pédale . . . . . . . | 22.A |
| pédalier . . . . . . | 3.B |
| pédalo . . . . . . . | 5.A |
| pédant . . . . . . . | 9.B |
| pédanterie . . . . . | 4.B |
| pédérastie . . . . . | 4.B |
| pédestre . . . . . . | 26.C |
| pédiatre . . . . . . | 26.C |
| pédicule, *m* . . . . | 22.A |
| pédicure . . . . . . | 26.B |
| pedigree, *m* . . . . | 3.B |
| pédoncule, *m* . . . | 22.A |
| pédo-psychiatre(s) | 32 |
| peeling . . . . . . . | 4.C |
| pègre, *f* . . . . . . | 2.A |
| peigne . . . . . . . | 2.B |
| peignoir . . . . . . | 23.A |
| peinard . . . . . . | 2.B |
| peine . . . . . . 2 | 2.B |
| peintre . . . . . . . | 8.B |
| peinture . . . . . . | 8.B |
| péjoratif . . . . . . | 2.A |

| | |
|---|---|
| pékinois . . . . . . | 14.C |
| pelade . . . . . . . | 15.A |
| pelage . . . . . . . | 21.A |
| pélagien . . . . . . | 8.A |
| pêle-mêle . . . . . | 32 |
| pèlerin . . . . . . . | 8.A |
| pèlerinage . . . . . | 21.A |
| pèlerine . . . . . . | 15.A |
| pélican . . . . . . . | 9.A |
| pelisse . . . . . . . | 18.B |
| pellagre, *f* . . . . . | 2.C |
| pelle . . . . . . . . | 2.C |
| pelle(s)-pioche(s), *f* | 32 |
| pelletée . . . . . 22 | 3.B |
| pellicule . . . . . . | 2.C |
| pelotari . . . . . . | 4.A |
| pelote . . . . . . . | 13.A |
| peloton . . . . . . | 10.A |
| pelouse . . . . . . | 19.A |
| peluche . . . . . 22 | 20.A |
| pelucheux . . . . . | 6.B |
| pelure . . . . . . . | 26.B |
| pelvis . . . . . . . | 4.B |
| pénal . . . . . . . . | 22.A |
| pénalité . . . . . . | 3.A |
| penalty . . . . . . . | 4.B |
| *pl.* penalties . . . | 28 |
| pénates, *m* . . . . | 13.A |
| penaud . . . . . . . | 5.B |
| penchant . . . . . | 9.B |
| pendant . . . . . . | 9.B |
| pendeloque, *f* . . . | 14.B |
| pendentif . . . . . | 9.A |
| penderie . . . . . . | 4.B |
| pendule, *m* . . . . | 30 |
| pendule, *f* . . . . | 30 |
| pêne, *m* . . . . . . 2 | 2.A |
| pénéplaine . . . . . | 8.B |
| pénible . . . . . . . | 26.C |
| péniche . . . . . . . | 26.C |
| pénicilline . . . . . | 22.B |
| péninsule . . . . . . | 8.A |
| pénis . . . . . . . . | 18.A |
| pénitence . . . . . | 9.A |
| pénitent . . . . . . | 9.B |
| pénitentiaire . . . . | 25.D |
| penne, *f* . . . . . 2 | 16.B |
| pennsylvanien . . . | 8.A |
| penny . . . . . . . | 4.B |
| *pl.* pennies/ | |
| pence . . . . . . | 28 |

pénombre, *f* . . . . 10.B
penon . . . . . . 27 10.A
pense-bête(s), *m* . 32
pensée . . . . . . . 3.B
pension . . . . . . 25.A
pensionnaire . . . 2.B
pensionnat . . . . 27
pensum . . . . . . 16.A
pentaèdre . . . . . 26.C
pentagone . . . . . 15.A
pentathlon . . . . . 13.C
pentatonique . . . 14.B
pente . . . . . . .9 9.A
pentecôtisme . . . 5.B
pentu . . . . . . . 9.A
pénultième . . . . 2.A
pénurie . . . . . . 4.B
péon . . . . . . . . 10.A
pépé, *m* . . . . . . 3.A
pépée, *f* . . . . . . 3.B
pépie, *f* . . . . . . 4.B
pépiement . . . . . 26.A
pépin . . . . . . . . 8.A
pépinière . . . . . 26.B
pépite, *f* . . . . . . 13.A
péplum . . . . . . 16.A
péquenot . . . . . 14.B
percale, *f* . . . . . 14.A
perce . . . . . .18 18.A
percée . . . . . . . 3.B
perce-neige, *f* . . 32
percepteur . . . . . 18.A
perceptible . . . . 26.C
perception . . . . . 25.A
percevable . . . . . 26.C
perche . . . . . . . 20.A
perchman . . . . . 20.A
perchiste . . . . . 13.A
perchoir . . . . . . 23.A
perclus . . . . . . . 27
percolateur . . . . 23.A
percussion . . . . . 25.A
perdant . . . . . . 9.B
perdreau . . . . . . 5.B
perdrix . . . . . . . 27
père . . . . . . .23 2.A
péremption . . . . 25.A
péremptoire . . . 9.B
pérennité . . . . . 16.B
perfection . . . . . 25.A
perfide . . . . . . . 13.A

perfidement . . . . 9.B
perforateur . . . . 23.A
perforation . . . . 25.A
performance . . . 18.B
perfusion . . . . . 19.A
pergola, *f* . . . . . 15.A
péricarde, *m* . . . . 3.A
périgée, *m* . . . . . 3.B
périgourdin . . . . 8.A
péril . . . . . . . . 22.A
périlleux . . . . . . 11.B
périmètre . . . . . 26.C
périnée, *m* . . . . . 3.B
périodicité . . . . 18.A
périodique . . . . . 14.B
péripatéticienne . . 25.E
péripétie, *f* . . . . . 18.C
périphérie, *f* . . . . 17.C
périphrase . . . . . 17.C
périscope . . . . . 14.A
périssoire, *f* . . . . 26.B
péristyle, *m* . . . . 4.B
péritoine, *m* . . . . 24.A
péritonite . . . . . 13.A
perle . . . . . . .2 22.A
permanence . . . . 9.A
perméable . . . . . 26.C
permis . . . . . . . 27
permis de
    conduire, *m* . . 32
permutation . . . . 25.A
pernicieux . . . . . 25.B
péroné . . . . . . . 3.A
péronnelle . . . . . 2.C
péroraison . . . . . 2.B
perpétuel . . . . . 22.A
perpétuité . . . . . 3.A
perplexité . . . . . 18.C
perron . . . . . . . 2.C
perroquet . . . . . 2.C
perruche . . . . . . 2.C
perruque . . . . . . 14.B
pers . . . . . . .23 27
persan . . . . . . . 9.A
perse . . . . . .18 18.A
persécution . . . . 25.A
persévérance . . . 18.B
persienne . . . . . 16.B
persiflage . . . . . 21.A
persil . . . . . . . . 22.A
persillé . . . . . . . 11.B

persistance . . . . 18.B
persona non grata 32
personnage . . . . 21.A
personnalité . . . . 3.A
personne . . . . . 16.B
perspective . . . . 2.C
perspicace . . . . . 18.A
persuasif . . . . . . 19.A
pertinent . . . . . . 9.B
pertinemment . . . 1.C
perturbateur . . . . 23.A
pervenche . . . . . 9.A
pervers . . . . . . . 27
perversion . . . . . 25.A
perversité . . . . . 3.A
pesamment . . . . 1.C
pesanteur . . . . . 23.A
pèse-acide(s), *m* . 32
pèse-bébé(s), *m* . 32
pesée . . . . . . . . 3.B
pèse-lettre(s), *m* . 32
pèse-personne(s),
    *m* . . . . . . . . 32
pessaire, *m* . . . . 26.B
pessimisme . . . . 8.B
peste . . . . . . . . 26.B
pesticide . . . . . . 18.A
pestilence . . . . . 9.A
pestilentiel . . . . . 25.C
pet . . . . . . . . . 2.B
pétale, *m* . . . . . 22.A
pétanque . . . . . 14.B
pétarade . . . . . . 13.A
pétard . . . . . . . 2.A
pétaudière . . . . . 5.B
pet(s)-de-loup, *m* . 32
pète-sec, *m* . . . . 32
pétillement . . . . 11.B
pétiole, *m* . . . . . 18.C
petit . . . . . . . . 27
petit(s)-beurre, *m* . 32
petit(s)-bois, *m* . . 32
petit(s)-bourgeois,
    *m* . . . . . . . . 32
petite(s)-fille(s), *f* . 32
petitesse . . . . . . 2.C
pétition . . . . . . . 25.A
petit-nègre, *m* . . 32
petits-enfants, *m pl* 32
petits pois, *m pl.* . 32

petit(s)-suisse(s),
  *m* . . . . . . . . 32
petit(s) vieux, *m* . 32
pétrel, *m* . . . . . . 22.A
pétrin . . . . . . . 8.A
pétrochimie . . . . 4.B
pétrodollar . . . . . 23.A
pétrole . . . . . . . 22.A
pétulance . . . . . 9.A
pétunia, *m* . . . . . 11.A
peu . . . . . . . . 6 6.A
peuh ! . . . . . . . 6 27
peul . . . . . . . . 6.A
peuple . . . . . . . 6.A
peuplier . . . . . . 6.A
peur . . . . . . . . 23.A
peureux . . . . . . 6.B
peut-être . . . . . 32
pfennig . . . . . . 16.B
phacochère, *m* . . 17.C
phaéton . . . . . . 17.C
phagocytose, *f* . . 17.C
phalange . . . . . 17.C
phalanstère, *m* . . 17.C
phalène, *f* . . . . . 17.C
phalère, *f* . . . . . 17.C
phallique . . . . . . 17.C
phallocrate . . . . 17.C
phalloïde . . . . . . 29.C
phallus . . . . . . . 17.C
phanérogame . . . 17.C
phantasme . . . . 17.C
pharamineux . . . 6.B
pharaon . . . . . . 17.C
phare . . . . . . 17 17.C
pharisien . . . . . . 17.C
pharmaceutique . 17.C
pharmacie . . . . . 17.C
pharmacien . . . . 8.A
pharmacopée, *f* . . 17.C
pharyngite . . . . . 4.B
pharynx, *m* . . . . 4.B
phase . . . . . . . 17.C
phénicien . . . . . 17.C
phénix . . . . . . 3 17.C
phénol . . . . . . . 17.C
phénoménal . . . . 17.C
phénomène . . . . 2.A
phénoménologie . 4.B
phénotype . . . . . 4.B
phi, *m* . . . . . . 17 17.C

philanthrope . . . 13.C
philatélie . . . . . . 4.B
philharmonie, *f* . . 32
philippine . . . . . 12.B
philippique . . . . 14.B
philistin . . . . . . 17.C
philodendron . . . 8.A
philologie . . . . . 17.C
philosophe . . . . 17.C
philtre . . . . . . 17 17.C
phlébite . . . . . . 17.C
phlegmon . . . . . 17.C
phobie . . . . . . . 17.C
phocéen . . . . . . 8.A
phonème, *m* . . . 2.A
phonétique . . . . 14.B
phonographe . . . 17.C
phonothèque . . . 13.C
phoque . . . . . 14 14.B
phosphate, *m* . . . 17.C
phosphore, *m* . . . 26.B
phosphorescent . 18.C
photo . . . . . . . 5.A
photocomposition,
  *f* . . . . . . . . 32
photocopie . . . . 4.B
photogénique . . . 14.B
photographie . . . 4.B
photogravure, *f* . . 32
photomaton . . . . 10.A
photon . . . . . . . 10.A
photosynthèse . . 8.C
phototrope . . . . 17.C
phrase . . . . . . . 19.A
phraséologie . . . 4.B
phratrie . . . . . . 17.C
phréatique . . . . . 17.C
phrénologie . . . . 17.C
phrygien . . . . . . 4.B
phtisique . . . . . 17.C
phylactère, *m* . . . 26.B
phylloxéra . . . . . 18.C
phylogenèse . . . 17.C
physicien . . . . . 25.E
physiologie . . . . 4.B
physionomie . . . 4.B
physique . . . . . . 14.B
physiquement . . . 9.B
phytoplancton . . 9.A
phytothérapie . . . 4.B
pi . . . . . . . . 4 4.A

piaillement . . . . . 11.B
pian . . . . . . . . 11.A
piano . . . . . . . . 5.A
piastre, *f* . . . . . . 26.C
pic . . . . . . . . 14 14.A
picador . . . . . . 23.A
picaillon . . . . . . 11.B
picard . . . . . . . 27
picaresque . . . . . 14.B
piccolo . . . . . . . 14.B
pichenette . . . . . 2.C
pichet . . . . . . . 2.B
pickles, *m pl.* . . . 14.C
pickpocket . . . . 14.C
picotement . . . . 9.B
picotin . . . . . . . 8.A
picrate, *m* . . . . . 13.A
pictural . . . . . . 22.A
pic(s)-vert(s), *m* . . 32
pidgin . . . . . . . 21.A
pie . . . . . . . . 4 4.B
pièce . . . . . . . . 18.A
pied . . . . . . . . 3.C
pied-à-terre . . . . 32
pied(s)-bot(s), *m* . 32
pied(s)-de-biche,
  *m* 32
pied(s)-de-poule,
  *m* . . . . . . . 32
piédestal . . . . . . 22.A
pied(s)-noir(s) . . . 32
piège . . . . . . . . 21.A
piémontais . . . . 2.B
pierraille . . . . . . 2.C
pierre . . . . . . . 2.C
pierre(s) ponce(s),
  *f* . . . . . . . . . 32
pierreries . . . . . 4.B
pierrot . . . . . . . 27
pietà . . . . . . . . 1.B
piétaille . . . . . . 11.B
piété . . . . . . . . 3.A
piéton . . . . . . . 10.A
piètre . . . . . . . 26.C
pieu . . . . . . . 6 6.A
pieux . . . . . . . 6 6.B
pieuvre . . . . . . 26.C
pif . . . . . . . . . 17.A
pigeon . . . . . . . 21.B
pigeonnier . . . . . 21.B
pigment . . . . . . 15.A

pignon . . . . . . . 11.A
pignouf . . . . . . 11.A
pilaf . . . . . . . . 17.A
pilastre, *m* . . . . . 26.C
pilchard . . . . . . 27
pile . . . . . . . . 26.B
pileux . . . . . . . 6.B
pilier . . . . . . . . 3.B
pillage . . . . . . . 11.B
pillard . . . . . . . 11.B
pilon . . . . . . . . 10.A
pilonnage . . . . . 16.B
pilori . . . . . . . . 4.A
pilosité . . . . . . . 3.A
pilote . . . . . . . . 13.A
pilotis . . . . . . . 4.B
pilou . . . . . . . . 22.A
pilule . . . . . . . . 26.B
pimbêche, *f* . . . . 8.B
piment . . . . . . . 9.B
pimpant . . . . . . 8.B
pin . . . . . . . 8 8.A
pinacle . . . . . . . 26.C
pince . . . . . . . . 18.A
pinceau . . . . . . 5.B
pincée . . . . . . . 3.B
pince(s)-
  monseigneur(s),
  *f* . . . . . . . . 32
pince-nez, *m* . . . 32
pince-sans-rire . . 32
pincette . . . . . . 2.C
pinçon . . . . . 18 18.A
pineau . . . . . 5 5.B
pinède . . . . . . . 2.A
pingouin . . . . . . 24.E
ping-pong . . . . . 32
pingre . . . . . . . 8.A
pinot . . . . . . . 5 5.B
pinson . . . . . 18 18.A
pintade . . . . . . 13.A
pintadeau . . . . . 5.B
pinte, *f* . . . . . . 8.A
pin-up, *f* . . . . . 32
pioche . . . . . . . 20.A
piolet . . . . . . . . 2.B
pion . . . . . . . . 10.A
pionnier . . . . . . 16.B
pipe . . . . . . . . 12.A
pipeau . . . . . 5 5.B
pipeline, *m* . . . . 26.A

piperade . . . . . . 13.A
pipette . . . . . . . 2.C
piquage . . . . 14 14.B
pique . . . . . 14 14.B
pique-assiette(s) . 32
pique-feu, *m* . . . 32
pique-nique(s), *m* . 32
piquet . . . . . . . 2.B
piquette . . . . . . 2.C
piqûre . . . . . . . 14.B
piranha . . . . . . 29.B
pirate . . . . . . . 13.A
piraterie . . . . . . 4.B
pire . . . . . . . . 26.B
pirogue . . . . . . 15.B
pirouette . . . . . . 2.C
pis . . . . . . . . 4 27
pis-aller . . . . . . 32
piscicole . . . . . . 18.C
pisciculture . . . . 18.C
piscine . . . . . . . 18.C
pisé . . . . . . . . 19.A
pisse-froid, *m* . . 32
pissenlit . . . . . . 18.B
pisseux . . . . . . 6.B
pistachier . . . . . 3.B
piste . . . . . . . . 18.A
pisteur . . . . . . . 23.A
pistil, *m* . . . . . . 18.A
pistole, *f* . . . . . 22.A
pistolet . . . . . . . 2.B
pistolet mitrailleur,
  *m* . . . . . . . . 32
pistou . . . . . . . 18.A
pitance . . . . . . . 18.B
pitchpin . . . . . . 20.A
piteux . . . . . . . 6.B
pithécanthrope . . 13.C
pithiviers . . . . . . 27
pitié . . . . . . . . 3.A
piton . . . . . . 4 10.A
pitoyable . . . . . 11.A
pitre . . . . . . . . 26.C
pitrerie . . . . . . . 4.B
pittoresque . . . . 14.B
pivert . . . . . . . 27
pivoine, *f* . . . . . 24.A
pivot . . . . . . . . 5.B
pizza . . . . . . . . 19.C
pizzicato . . . . . . 19.C
placage . . . . 14 21.A

placard . . . . . . 27
place . . . . . . . . 18.B
placebo, *m* . . . . 5.A
placenta, *m* . . . . 18.A
placet . . . . . . . 2.B
placidité . . . . . . 18.A
plafond . . . . . . 10.C
plafonnage . . . . 16.B
plafonnier . . . . . 16.B
plage . . . . . . . . 21.A
plagiaire . . . . . . 26.B
plagiat . . . . . . . 21.A
plaid . . . . . . 2 13.A
plaidoirie . . . . . . 4.B
plaidoyer . . . . . 11.A
plaie . . . . . . . 2 26.A
plaignant . . . . . 9.A
plain(s)-chant(s),
  *m* . . . . . . . . 32
plaine . . . . . . 2 2.B
plain-pied (de) . . . 32
plainte . . . . . . 8 8.B
plaisamment . . . 1.B
plaisance . . . . . 2.B
plaisancier . . . . . 3.B
plaisantin . . . . . 19.A
plaisir . . . . . . . 2.B
plan, *m* . . . . . . 9.A
plan . . . . . . . 9 9.A
planche . . . . . . 9.A
planchette . . . . . 2.C
plancton . . . . . . 14.A
planétaire . . . . . 26.B
planète, *f* . . . . . 2.A
planification . . . . 25.A
plan(s)-film(s), *m* . 32
planisphère, *m* . . 17.C
planning . . . . . . 15.A
planque, *f* . . . . . 14.B
plant . . . . . . . 9 9.B
plantain . . . . . . 8.B
plante . . . . . . . 9.A
plantoir . . . . . . 23.A
planton . . . . . . 10.A
plantureux . . . . . 6.B
plaquage . . . . 14 14.B
plaque . . . . . . . 14.B
plaqué . . . . . . . 14.B
plaquette . . . . . 2.C
plasma, *m* . . . . . 18.A
plastic, *m* . . . . 14 14.A

plastique . . . . 14 14.B
plastron . . . . . . 10.A
plat . . . . . . . . . 1.C
platane . . . . . . . 1.A
plateau . . . . . . . 5.B
plate(s)-bande(s), f 32
platée . . . . . . . 3.B
plate(s)-forme(s), f 32
platement . . . . . 9.B
platine, m . . . . . 16.A
platine, f . . . . . . 16.A
platitude . . . . . . 13.A
platonique . . . . . 14.B
plâtras . . . . . . . 27
plâtre . . . . . . . 26.C
plâtreux . . . . . . 6.B
plausible . . . . . . 5.B
play-back, m . . . 32
play-boy(s), m . . 32
plèbe, f . . . . . . 2.A
plébéien . . . . . . 11.A
plébiscite, m . . . 18.C
plectre, m . . . . . 26.C
pléiade, f . . . . . 11.A
plein . . . . . . 8 8.B
plein(s)-emplois, m 32
plénier . . . . . . . 3.B
plénitude . . . . . 3.A
pléonasme, m . . . 19.A
pléthore, f . . . . . 13.C
pleur . . . . . . . . 23.A
pleure-misère . . . 32
pleureur . . . . . . 6.A
pleurésie . . . . . . 6.A
pleutrerie . . . . . 6.A
plèvre, f . . . . . . 2.A
plexiglas . . . . . . 18.C
plexus, m . . . . . 18.C
pli . . . . . . . . 4 4.A
plie, f . . . . . 4 26.A
plinthe, f . . . 8 13.C
pliocène . . . . . . 2.A
plissement . . . . . 18.B
pliure . . . . . . . . 29.C
plomb . . . . . . . 27
plombier . . . . . . 10.B
plombières, f . . . 10.B
plongée . . . . . . 3.B
plongeon . . . . . 21.B
plouf ! . . . . . . . 17.A
pluches, f pl. . . 22 31

pluie . . . . . . . . 26.A
plumard . . . . . 27
plume . . . . . . . 16.A
plumeau . . . . . . 5.B
plumet . . . . . . . 2.B
plupart . . . . . . 27
pluralité . . . . . . 3.A
pluriel . . . . . . . 11.A
plus . . . . . . . . 18.A
plusieurs . . . . . . 27
plus-que-parfait, m
     sg . . . . . . . . 32
plus-value(s), f . . 32
plutonium . . . . . 16.A
plutôt . . . . . 33 5.B
pluvieux . . . . . . 6.B
pluviosité . . . . . 19.A
pneu . . . . . . . . 6.A
pneumatique . . . 14.B
pneumonie . . . . 6.A
pneumothorax, m 6.A
pochard . . . . . . 27
poche . . . . . . . 20.A
poche(s)-
     revolver(s) . . . 32
pochette . . . . . . 2.C
pochette(s)
     surprise(s), f . . 32
pochoir . . . . . . 23.A
podium . . . . . . 16.A
podologue . . . . . 15.B
poêle, m . . . . 24 2.A
poêle, f . . . . 24 29.B
poêlon . . . . . . . 2.A
poème . . . . . . . 28
poésie . . . . . . . 28
poète . . . . . . . 28
poétesse . . . . . 28
pogrom(e), m . . . 16.A
poids . . . . . 24 24.B
poids lourd, m . . 32
poids mort, m . . . 32
poids plume, m . . 32
poignant . . . . . . 24.A
poignard . . . . . . 27
poigne, f . . . . . . 24.B
poignée . . . . 2* 3.B
poignet . . . . 2* 2.B
poil . . . . . . . 24 22.A
poil-de-carotte, m 32
poilu . . . . . . . . 24.A

poinçon . . . . . . 18.A
poinçonneur . . . 18.A
poing . . . . . 24 24.E
point . . . . . . 24 24.E
point de vue, m . . 32
pointeau . . . . . . 5.B
pointe(s) sèche(s),
     f . . . . . . . . . 32
pointilleux . . . . . 11.B
point mort, m . . . 32
pointu . . . . . . . 24.A
pointure . . . . . . 26.B
poire . . . . . . . . 26.B
poireau . . . . . . 5.B
pois . . . . . . 24 24.B
pois chiche, m . . 32
poison . . . . . . . 19.A
poissard . . . . . . 18.B
poisse, f . . . . . . 18.B
poisseux . . . . . . 18.B
poisson . . . . . . 18.B
poissonnerie . . . 16.B
poissonneux . . . 6.B
poisson(s)-scie(s),
     m . . . . . . . . 32
poitevin . . . . . . 6.A
poitrail . . . . . . . 11.B
poitrinaire . . . . . 2.B
poitrine . . . . . . 16.A
poivre . . . . . . . 26.C
poivron . . . . . . 10.A
poix, f . . . . . 24 27
poker . . . . . . . 14.C
polaire . . . . . . . 26.B
polarité . . . . . . 3.A
polaroïd . . . . . . 29.B
polder, m . . . . . 22.A
pôle . . . . . . . . 5.B
polémique, f . . . . 14.B
pôle Nord, m . . . 32
pôle Sud, m . . . . 32
polenta, f . . . . . 8.A
poli . . . . . . . . . 4.A
police . . . . . . . 18.B
polichinelle, m . . 2.C
policier . . . . . . . 18.A
poliment . . . . . . 9.B
poliomyélite, f . . 12.A
polissage . . . . . 18.B
polisson . . . . . . 18.B
polissonnerie . . . 16.B

politesse . . . . . . 2.C
politicard . . . . . 27
politicien . . . . . . 18.A
polit(ic)ologie . . . 14.A
politique . . . . . . 14.B
polka, f . . . . . . 14.C
pollen, m . . . . . 8.A
pollueur . . . . . . 23.A
pollution . . . . . . 25.A
poltronnerie . . . . 16.B
polyamide, m . . . 32
polychrome . . . . 14.C
polyclinique . . . . 4.B
polycopié . . . . . 4.B
polyculture . . . . 4.B
polyèdre . . . . . . 11.A
polyester, m . . . . 11.A
polyéthylène . . . 32
polygamie . . . . . 4.B
polyglotte . . . . . 4.B
polygone, m . . . . 4.B
polymère . . . . . 4.B
polymorphe . . . . 17.C
polynésien . . . . . 19.A
polynôme . . . . . 5.B
polype, m . . . . . 4.B
polyphonie . . . . 17.C
polypore . . . . . 26.B
polysémie . . . . . 14.B
polystyrène . . . . 4.B
polytechnique . . . 14.C
polythéisme . . . . 29.C
polyvalent . . . . . 4.B
polyvinyle, m . . . 4.B
pommade . . . . . 16.B
pomme . . . . . .5* 16.B
pommeau . . . . . 5.B
pommelé . . . . . 16.B
pommette . . . . . 16.B
pompe . . . . . . . 10.B
pompéien . . . . . 10.B
pompeux . . . . . 6.B
pompier . . . . . 10.B
pompon . . . . . 10.B
ponant . . . . . . . 9.B
ponce, f . . . . . . 18.B
poncho . . . . . 20.A
poncif . . . . . . . 18.A
ponction . . . . . 25.A
ponctualité . . . . 14.A
ponctuel . . . . . . 14.A

pondaison . . . . . 2.B
poney . . . . . . . 2.C
pont . . . . . . . . 10.C
ponte . . . . . . . 10.A
pontife . . . . . . . 10.A
pontificat . . . . . 14.A
pont(s)-levis, m . . 32
pontonnier . . . . 16.B
pool, m . . . . .26 22.A
pop . . . . . . . . 12.A
pop-corn, m . . . . 32
pope . . . . . . . 12.A
popeline, f . . . . . 26.A
popote . . . . . . 5.A
populace . . . . . 18.B
popularité . . . . . 3.A
population . . . . . 25.A
populeux . . . . . 6.B
porc . . . . . .23 27
porcelaine . . . . . 2.B
porc(s)-épic(s), m . 32
porcin . . . . . . . 8.A
pore, m . . . . .23 26.B
poreux . . . . . . . 6.B
pornographie . . . 17.C
porphyre, m . . . . 17.C
porridge, m . . . . 23.B
port . . . . . . .23 27
portail . . . . . . . 11.B
portatif . . . . . . . 17.A
porte . . . . . . . . 23.A
porte-à-faux . . . . 32
porte-à-porte . . . 32
porte-avions, m . . 32
porte-bagages, m . 32
porte-bonheur, m . 32
porte-carte(s), m . 32
porte-clefs, m . . . 32
porte-couteau(x),
   m . . . . . . . . 32
porte-documents,
   m . . . . . . . . 32
porte-drapeau(x),
   m . . . . . . . 32
portée (hors de...) 32
portée . . . . . . . 3.B
porte-enseigne(s),
   m . . . . . . . . 32
portefaix . . . . . 27
porte(s)-fenêtre(s),
   f . . . . . . . . 32

portefeuille, m . . 11.B
porte-jarretelles, m 32
porte-malheur, m . 32
porte-monnaie, m 32
porte-parole, m . . 32
porte-revues, m . . 32
porte-savon(s), m . 32
porte-serviette(s),
   m . . . . . . . . 32
porte-voix, m . . . 32
portion . . . . . . . 25.A
portique . . . . . . 14.B
portrait . . . . . . . 2.B
portrait(s)-robot(s) 32
portuaire . . . . . . 26.B
portugais . . . . . 15.A
pose . . . . . . .5 5.A
posément . . . . . 19.A
positif . . . . . . . 19.A
position . . . . . . 25.A
positivité . . . . . . 3.A
posologie . . . . . 19.A
possessif . . . . . 18.B
possession . . . . 25.A
poste . . . . . . . 18.A
postérieur . . . . . 23.A
postériorité . . . . 3.A
postérité . . . . . . 3.A
postface, f . . . . . 18.A
posthume . . . . . 13.C
postiche, m . . . . 20.A
postillon . . . . . . 11.B
post-partum . . . . 32
post-scriptum (PS) 32
postulat . . . . . . 1.C
posture . . . . . . 26.B
pot . . . . . . . .5 5.B
potable . . . . . . 26.C
potache, m . . . . 20.A
potage . . . . . . . 21.A
potager . . . . . . 3.B
potasse, f . . . . . 18.B
pot-au-feu, m . . . 32
pot(s)-de-vin, m . 32
poteau . . . . . . . 5.A
potée . . . . . . . 3.B
potelé . . . . . . . 26.A
potence, f . . . . . 18.B
potentat . . . . . . 27
potentialité . . . . 18.C
potentiel . . . . . . 25.C

potentiomètre . . . 18.C
poterie . . . . . . . 4.B
poterne, f . . . . . 16.A
potiche, f . . . . . 20.A
potier . . . . . . . 3.B
potin . . . . . . . . 8.A
potinier . . . . . . 3.B
potion . . . . . . . 25.A
potiron . . . . . . . 10.A
pot(s)-pourris, m . 32
pou . . . . . 27 12.A
pouah ! . . . . . 24 27
poubelle . . . . . . 2.C
pouce . . . . . . 18 18.B
poudre . . . . . . . 26.C
poudreux . . . . . 6.B
poudrier . . . . . . 3.B
poudrière . . . . . 26.B
poudroiement . . . 26.A
pouf . . . . . . . . 17.A
pouilleux . . . . . . 11.B
poujadisme . . . . 21.A
poulailler . . . . . 11.B
poulain . . . . . . . 8.A
poulbot . . . . . . 5.B
poule . . . . . 26 22.A
poulet . . . . . . . 2.B
poulette . . . . . . 2.C
pouliche . . . . . . 20.A
poulie . . . . . . . 4.B
poulpe, m . . . . . 22.A
pouls . . . . . 27 27
poumon . . . . . . 10.A
poupard . . . . . 23 27
poupe, f . . . . . . 12.A
poupée . . . . . . 3.B
poupin . . . . . . . 8.A
pouponnière . . . 16.B
pour . . . . . . . . 23.A
pourboire . . . . . 26.B
pourceau . . . . . 5.B
pourcentage . . . 21.A
pourparlers . . . . 31
pourpoint . . . . . 24.B
pourpre . . . . . . 26.B
pourquoi . . . 33 14.B
pourrissement . . . 18.B
pourriture . . . . . 23.B
poursuite . . . . . 18.A
pourtant . . . . . . 9.B
pourtour . . . . . . 23.A

pourvoi . . . . . . 24.A
pourvu . . . . . . . 23.A
pourvu que . . . . 32
poussa(h) . . . . . 18.B
pousse . . . . . . 18 18.B
pousse-café, m . . 32
poussée . . . . . . 3.B
poussette . . . . 18 2.C
poussier . . . . . 18 3.B
poussière . . . . . 2.A
poussiéreux . . . . 6.B
poussif . . . . . . . 18.B
poussin . . . . . . 8.A
poutre . . . . . . . 26.C
poutrelle . . . . . . 2.C
pouvoir . . . . . . 23.A
praesidium . . . . 16.A
pragmatique . . . 14.B
prag(u)ois . . . . . 15.A
praire, f . . . . . . 26.B
prairie . . . . . . . 2.B
praline, f . . . . . 16.A
praliné . . . . . . . 3.A
praticable . . . . . 26.C
praticien . . . . . . 18.A
pratique . . . . . . 14.B
praxis, f . . . . . . 18.C
pré . . . . . . . . 2* 3.A
préalable . . . . . . 26.C
préambule, m . . . 9.B
préau . . . . . . . 5.B
préavis . . . . . . 27
prébende, f . . . . 9.A
précaire . . . . . . 14.A
précarité . . . . . . 3.A
précaution . . . . 25.A
précautionneux . . 6.B
précédemment . . 1.C
précédent . . . . . 9.B
précepte . . . . . . 18.A
précepteur . . . . 23.A
prêche, m . . . . . 2.A
précieux . . . . . . 6.B
précipice, m . . . . 18.A
précipitamment . . 1.B
précis . . . . . . . 27
précisément . . . . 19.A
précision . . . . . . 19.A
précoce . . . . . . 18.B
préconçu . . . . . 18.A
précontraint . . . . 8.B

précurseur . . . . . 18.A
prédateur . . . . . 23.A
prédécesseur . . . 18.B
prédestination . . . 25.A
prédicable . . . . . 26.C
prédicat . . . . . . 27
prédiction . . . . . 25.A
prédilection . . . . 14.A
prédominance . . . 18.B
prééminence . . . 18.B
préemption . . . . 29.C
préface . . . . . . 18.B
préfectoral . . . . 14.A
préfecture . . . . . 14.A
préférence . . . . . 18.B
préférentiel . . . . 25.C
préfet . . . . . . . 2.B
préfète . . . . . . . 2.A
préfixe . . . . . . 26 18.C
prégnance, f . . . 11.B
préhensible . . . . 29.B
préhistoire . . . . . 29.B
préjudice, m . . . . 18.B
préjudiciable . . . 18.A
préjugé . . . . . . 21.A
prélat . . . . . . . 1.C
prélèvement . . . . 9.B
préliminaire . . . . 26.B
prélude, m . . . . . 3.A
prématuré . . . . . 3.A
prémices, f . . . 31 31
premier . . . . . . 3.B
premièrement . . . 2.A
premier(s)-né(s) . . 32
prémisse, f . . . 31 18.B
prémonition . . . . 25.A
prémonitoire . . . 26.B
prenant . . . . . . 9.B
prénatal . . . . . . 22.A
preneur . . . . . . 23.A
prénom . . . . . . 10.B
préoccupation . . 18.C
préparation . . . . 25.A
préparatoire . . . . 26.B
prépondérance . . 18.B
préposé . . . . . . 19.A
préposition . . . . 25.A
prépuce, m . . . . 18.B
prérogative . . . . 15.A
près . . . . . . . 2* 27
présage . . . . . . 21.B

pré(s)-salé(s), *m* . 32
presbyte . . . . . . 4.B
presbytère . . . . . 4.B
presbytérien . . . . 8.A
presbytie . . . . . 18.C
prescience . . . . . 18.C
prescription . . . . 25.A
préséance . . . . . 18.A
présélection . . . . 18.A
présence . . . . . . 19.A
présent . . . . . . 19.A
présentateur . . . . 23.A
présentement . . . 9.A
présentoir . . . . . 23.A
préservateur . . . . 23.A
préservatif . . . . . 19.A
présidence . . . . . 18.B
président . . . . . 9.B
présidentiel . . . . 25.C
présidium . . . . . 16.A
présomptif . . . . . 10.B
présomption . . . 10.B
présomptueux . . 10.B
presque . . . . . . 14.B
presqu'île, *f* . . . . 14.B
presse . . . . . . . 2.C
presse-bouton . . . 32
presse-citron, *m* . 32
presse-fruits, *m* . . 32
presse-papiers, *m*. 32
presse-purée, *m* . 32
pressentiment . . . 2.C
pressing . . . . . . 18.B
pression . . . . . . 25.A
pressoir . . . . . . 23.A
pressurisé . . . . . 18.B
prestance . . . . . 18.B
prestation . . . . . 25.A
preste . . . . . . . 13.A
prestement . . . . 9.B
prestidigitateur . . 21.A
prestidigitation . . 25.A
prestige . . . . . . 21.A
prestigieux . . . . 6.B
presto . . . . . . . 5.A
présure, *f* . . . . . 19.A
prêt . . . . . . . .2* 2.A
pretantaine
prêt(s)-à-porter, *m* 32
prétendant . . . . 9.A
prétendument . . . 9.B

pretentaine . . . . 9.A
prétentieux . . . . 25.B
prétention . . . . . 25.A
prétérit . . . . . . . 13.A
prétérition . . . . . 25.A
prêteur . . . . . . . 23.A
prétexte . . . . . . 18.C
prétoire, *m* . . . . 26.B
prêtre . . . . . . . 26.C
prêtre(s)-
ouvrier(s), *m* . . 32
prêtresse . . . . . 2.C
prêtrise . . . . . . 19.A
preuve . . . . . . . 6.A
preux . . . . . . . 6.B
prévarication . . . 25.A
prévenant . . . . . 9.B
préventif . . . . . . 17.A
prévention . . . . . 25.A
préventorium . . . 16.A
prévenu . . . . . . 3.A
prévisionnel . . . . 16.B
prévôt . . . . . . . 5.B
prévôté . . . . . . 5.B
prévoyance . . . . 11.A
prie-Dieu, *m* . . . 32
prière . . . . . . . 26.B
prieur . . . . . . . 11.A
prieuré . . . . . . . 3.A
primaire . . . . . . 26.B
primat . . . . . . . 27
primate, *m* . . . . 13.A
primauté . . . . . . 3.A
prime . . . . . . . 16.A
primesautier . . . . 26.A
primeur, *f* . . . . . 23.A
primevère . . . . . 26.A
primipare . . . . . 26.B
primitif . . . . . . . 17.A
primo . . . . . . . 5.A
primogéniture . . . 21.A
primordial . . . . . 22.A
prince . . . . . . . 18.B
prince-de-galles, *m* 32
princeps, *inv.* . . . 18.A
princesse . . . . . 2.C
principal . . . . . . 18.A
principalement . . 9.B
principauté . . . . 5.B
printanier . . . . . 9.B
printemps . . . . . 27

priorat . . . . . . . 27
prioritaire . . . . . 26.B
priorité . . . . . . . 3.A
prise . . . . . . . . 19.A
priseur . . . . . . . 23.A
prisme . . . . . . . 19.A
prisonnier . . . . . 19.A
privatif . . . . . . . 17.A
privation . . . . . . 25.A
privatisation . . . . 25.A
privauté . . . . . . 5.B
privé . . . . . . . . 3.A
privilège . . . . . . 21.A
prix . . . . . . . . . 27
probabilité . . . . . 3.A
probable . . . . . . 26.C
probant . . . . . . 9.B
probation . . . . . 25.A
probatoire . . . . . 26.B
probité . . . . . . . 3.A
problématique . . 14.B
problème . . . . . 2.A
procédé . . . . . . 3.A
procédure . . . . . 26.B
procédurier . . . . 3.B
procès . . . . . . . 27
processeur . . . . 18.B
procession . . . . 25.A
processionnaire . . 16.B
processus . . . . . 18.B
procès-verbal
(aux), *m* . . . . . 32
prochain . . . . . . 8.B
prochainement . . 9.B
proche-
oriental(aux), *m* 32
proclamation . . . 25.A
procréateur . . . . 23.A
procurateur . . . . 23.A
procuration . . . . 25.A
procureur . . . . . 23.A
prodigalité . . . . . 15.A
prodige . . . . . . 21.A
prodigieux . . . . . 6.B
prodigue . . . . . . 15.B
prodrome, *m* . . . 5.A
productif . . . . . . 14.A
production . . . . . 25.A
productivité . . . . 14.A
produit . . . . . . . 27
proéminence . . . 29.C

profanation . . . . 25.A
profane . . . . . . 16.A
professeur . . . . . 18.B
profession . . . . . 25.A
professionnel . . . 18.B
professorat . . . . 1.C
profil . . . . . . . . 22.A
profit . . . . . . . . 27
profiterole, *f* . . . . 26.A
profiteur . . . . . . 23.A
profond . . . . . . 10.C
profondément . . . 3.A
profondeur . . . . . 23.A
profusion . . . . . 19.A
progéniture . . . . 21.A
progestatif . . . . . 21.A
progestérone, *f* . . 21.A
programmateur . . 16.B
programmation . . 25.A
programme . . . . 16.B
progrès . . . . . . 27
progressif . . . . . 18.B
progression . . . . 25.A
prohibitif . . . . . . 29.B
prohibition . . . . . 29.B
proie . . . . . . . . 26.A
projectile . . . . . 22.A
projection . . . . . 25.A
projectionniste . . 16.B
projet . . . . . . . 2.B
prolapsus, *m* . . . 32
prolégomènes, *m* . 31
prolétaire . . . . . 26.B
prolétariat . . . . . 11.A
prolétarien . . . . . 8.A
prolifération . . . . 25.A
prolifique . . . . . 14.B
prolixité . . . . . . 18.C
prologue . . . . . . 15.B
prolongation . . . 15.A
promenade . . . . 13.A
promeneur . . . . . 23.A
promenoir . . . . . 23.A
promesse . . . . . 2.C
prométhéen . . . . 13.C
prometteur . . . . 2.C
promiscuité . . . . 14.A
promontoire . . . . 26.B
promoteur . . . . . 23.A
promotion . . . . . 25.A
promotionnel . . . 18.C

prompt . . . . . . 27
promulgation . . . 25.A
prône . . . . . . . 5.B
pronom . . . . . . 10.B
pronominal . . . . 22.A
prononçable . . . . 18.A
prononciation . . . 25.A
pronostic . . . . . 14.A
pronostiqueur . . . 14.B
pronunciamiento . 8.A
propagande . . . . 15.A
propagateur . . . . 23.A
propagation . . . . 25.A
propane, *m* . . . . 16.A
propédeutique, *f* . 14.B
propension . . . . 25.A
propergol . . . . . 15.A
prophète . . . . . . 17.C
prothétesse . . . . 17.C
prophétie . . . . . 18.C
prophylactique . . 4.B
prophylaxie . . . . 4.B
propice . . . . . . 18.B
propitiatoire . . . . 18.C
proportion . . . . . 25.A
proportionnalité . . 18.C
proportionnel . . . 18.C
propos . . . . . . . 5.B
proposition . . . . 25.A
propositionnel . . . 18.C
propre . . . . . . . 26.B
propre(s)-à-rien, *m* 32
propreté . . . . . . 3.A
propriétaire . . . . 11.A
propriété . . . . . . 3.A
propulseur . . . . . 18.A
propulsion . . . . . 25.A
propylée, *m* . . . . 4.B
prorata . . . . . . . 1.A
prorogatif . . . . . 15.A
prosaïque . . . . . 29.C
proscenium . . . . 18.C
proscrit . . . . . . 14.A
prose . . . . . . . . 19.A
prosélytisme . . . 4.B
prosodie . . . . . . 5.A
prospecteur . . . . 23.A
prospectif . . . . . 17.A
prospection . . . . 25.A
prospective . . . . 14.A
prospectus . . . . 18.A

prospère . . . . . . 26.B
prospérité . . . . . 3.A
prostate, *f* . . . . . 13.A
prosternation . . . 25.A
prostitution . . . . 25.A
prostration . . . . . 25.A
protagoniste . . . 15.A
prote, *m* . . . . . . 13.A
protecteur . . . . . 23.A
protection . . . . . 25.A
protection(s)-
    mémoire(s), *f* . . 32
protectionnisme . 18.C
protectorat . . . . 1.C
protège-cahier(s),
    *m* . . . . . . . . 32
protège-dents, *m* . 32
protège-tibia(s), *m* 32
protéine, *f* . . . . . 29.C
protestant . . . . . 9.B
protestataire . . . 26.B
protestation . . . . 25.A
protêt . . . . . . . 2.B
prothèse . . . . . . 13.C
protide . . . . . . . 13.A
protocolaire . . . . 26.B
protocole, *m* . . . 14.A
proton . . . . . . . 10.A
protoplasme, *m* . . 19.A
prototype, *m* . . . 4.B
protozoaire, *m* . . 19.A
protubérance . . . 18.B
prou . . . . . . . 26 12.A
proue . . . . . . . 26 26.A
prouesse . . . . . . 2.C
provenance . . . . 18.B
provençal . . . . . 18.A
provende, *f* . . . . 9.A
proverbial . . . . . 22.A
providence . . . . 18.B
providentiel . . . . 25.C
province . . . . . . 8.A
provincial . . . . . 8.A
provincialisme . . . 18.A
proviseur . . . . . 19.A
provisionnel . . . . 19.A
provisoire . . . . . 26.B
provisoirement . . 24.A
provisorat . . . . . 1.C
provocant . . . . . 14.A
provocateur . . . . 23.A

provocation . . . . 25.A
proxénète . . . . . 18.C
proxénétisme . . . 18.C
proximité . . . . . 18.C
prude . . . . . . . 13.A
prudemment . . . 1.C
prudence . . . . . 18.B
prudent . . . . . . 9.B
pruderie . . . . . . 4.B
prud'homal(le) . . . 29.C
prud'homie . . . . 4.B
prud'homme . . . 16.B
prune . . . . . . . 16.A
pruneau . . . . . . 5.B
prunelle . . . . . . 2.C
prunier . . . . . . . 3.B
prurigineux . . . . 6.B
prurit, *m* . . . . . 4.B
prytanée, *m* . . . . 4.B
psalmodie . . . . . 4.B
psaume . . . . . . 5.B
psautier . . . . . . 5.B
pseudonyme . . . 6.A
psi . . . . . . . . . 18.A
ps(it)t ! . . . . . . . 18.B
psittacisme . . . . 18.A
psittacose . . . . . 18.A
psoriasis, *m* . . . . 18.A
psychanalyse . . . 4.B
psychanalytique . 4.B
psyché, *f* . . . . . 4.B
psychédélique . . . 14.C
psychiatre . . . . . 14.C
psychiatrie . . . . . 14.C
psychisme . . . . . 20.A
psychodrame . . . 14.C
psychologie . . . . 14.C
psychologue . . . 15.B
psychomoteur . . 14.C
psychopathe . . . 14.C
psychose, *f* . . . . 14.C
psychosomatique . 18.A
psychothérapeute 13.C
psychothérapie . . 14.C
psychotique . . . . 14.C
ptérodactyle . . . . 4.B
ptôse . . . . . . . . 19.A
puanteur . . . . . . 9.A
pub . . . . . . . . . 7.C
pubère . . . . . . . 26.B
pubertaire . . . . . 26.B

puberté . . . . . . 3.A
pubescent . . . . . 18.C
pubien . . . . . . . 9.A
pubis . . . . . . . . 4.B
public . . . . . . . 14.A
publicain . . . . . . 8.B
publication . . . . 25.A
publicitaire . . . . 26.B
publicité . . . . . . 18.A
publiquement . . . 14.B
puce . . . . . . . . 18.B
puceau . . . . . . . 5.B
pucelage . . . . . . 21.A
pucelle . . . . . . . 2.C
puceron . . . . . . 18.A
pudding . . . . . . 13.B
pudeur . . . . . . . 23.A
pudibond . . . . . 10.C
pudibonderie . . . 4.B
pudicité . . . . . . 3.A
puéricultrice . . . . 18.B
puériculture . . . . 26.B
puéril . . . . . . . . 22.A
puerpéral . . . . . 2.C
pugilat . . . . . . . 1.C
pugnace . . . . . . 15.A
puîné . . . . . . . . 3.A
puis . . . . . . . . 4 27
puisque . . . . . . 14.B
puissamment . . . 1.C
puissance . . . . . 18.B
puissant . . . . . . 9.B
puits . . . . . . . 4 27
pull . . . . . . . . . 22.B
pullman . . . . . . 22.B
pull-over(s), *m* . . 32
pullulement . . . . 22.B
pulmonaire . . . . 26.B
pulpeux . . . . . . 6.B
pulque, *m* . . . . . 14.B
pulsation . . . . . 25.A
pulsion . . . . . . . 25.A
pulsionnel . . . . . 18.A
pulvérisateur . . . 19.A
pulvérisation . . . 25.A
puma, *m* . . . . . . 1.A
punaise . . . . . . 2.B
punch, *m* . . . . . 20.A
punique . . . . . . 14.B
punissable . . . . . 26.C
punitif . . . . . . . 17.A

punition . . . . . . 25.A
pupille [pypil] . . . 22.B
pupille [pypij] . . . 11.B
pupitre . . . . . . . 26.C
pur . . . . . . . . . 23.A
purée . . . . . . . 3.B
purement . . . . . 26.A
pureté . . . . . . . 26.A
purgatoire . . . . . 26.B
purge . . . . . . . 21.A
purgeur . . . . . . 21.B
purification . . . . 25.A
purin . . . . . . . . 8.A
purisme . . . . . . 18.A
puritain . . . . . . 8.B
puritanisme . . . . 18.A
pur-sang, *m* . . . . 32
purulence . . . . . 9.A
pus . . . . . . . . . 27
pusillanimité . . . . 22.B
pustule, *f* . . . . . 22.A
pustuleux . . . . . 6.B
putain . . . . . . . 8.B
putatif . . . . . . . 17.A
putois . . . . . . . 24.C
putréfaction . . . 25.A
putrescible . . . . 18.C
putridité . . . . . . 3.A
putsch, *m* . . . . . 20.B
puy . . . . . . . . 4 14.B
puzzle, *m* . . . . . 19.C
pygmée . . . . . . 4.B
pyjama . . . . . . . 4.B
pylône . . . . . . . 4.B
pyramidal . . . . . 4.B
pyramide . . . . . 4.B
pyrénéen . . . . . 8.A
pyrex . . . . . . . . 2.C
pyrite, *f* . . . . . . 4.B
pyrogravure . . . . 4.B
pyrolyse . . . . . . 4.B
pyromane . . . . . 4.B
pyromanie . . . . . 4.B
pyrotechnie . . . . 14.C
pyrotechnique . . 14.C
pythagoricien . . . 13.C
pythie . . . . . . . 13.C
python . . . . . . 4 13.C
pythonisse . . . . . 13.C

# q

quadragénaire . . . 14.B
quadrangulaire . . 14.B
quadrant . . . . 14 14.B
quadrature . . . . 14.B
quadrichromie . . 14.B
quadriennal . . . . 14.B
quadrige, *m* . . . . 14.B
quadrilatère . . . . 14.B
quadrillage . . . . 11.B
quadrille, *m* . . . . 11.B
quadripartite . . . 14.B
quadrumane . . . 14.B
quadrupède . . . . 14.B
quadruple . . . . . 14.B
quai . . . . . . . . 14.B
quaker . . . . . . 7.C
qualificatif . . . . . 14.B
qualitatif . . . . . . 14.B
qualité . . . . . . . 14.B
quand . . . . . . 9 9.C
quant . . . . . . 9 9.B
quanta, *m pl.* . . . 14.B
quantième . . . . . 2.A
quantification . . . 14.B
quantique . . . . 14 14.B
quantitatif . . . . . 14.B
quantité . . . . . . 14.B
quantum . . . . . . 16.A
quarantaine . . . . 14.B
quarante . . . . . . 14.B
quart . . . . . . 14 14.B
quart(s)-de-pouce,
    *m* . . . . . . . . 32
quart d'heure, *m* . 32
quarte . . . . . 14 14.B
quarté . . . . . . . 14.B
quarteron . . . . . 14.B
quartette, *m* . . . . 2.C
quartier . . . . 14 3.B
quartier(s)-maître(s),
    *m* . . . . . . . 32
quarto . . . . . . . 14.B
quartz, *m* . . . . . 14.B
quasi . . . . . . . . 14.B
quasiment . . . . . 14.B
quater . . . . . . . 14.B

quaternaire . . . . 14.B
quatorze . . . . . . 19.A
quatorzième . . . . 19.A
quatrain . . . . . . 8.B
quatre . . . . . . . 14.B
quatre-cent-vingt-
    et-un, *m (jeu)* . . 32
quatre-quarts, *m* . 32
quatre-saisons, *f* . 32
quatre-temps, *m* . 32
quatre-vingts . . . 32
quattrocento . . . 14.B
quatuor . . . . . . 14.B
que . . . . . . . . . 14.B
québécois . . . . . 14.B
quel . . . . . . . 33 14.B
quelconque . . . . 14.B
quelque . . . . 33 14.B
quelque chose . . 32
quelquefois . . . . 14.B
quelques-uns . . . 32
quelqu'un . . . . . 19.B
quémandeur . . . 14.B
qu'en-dira-t-on, *m* 32
quenelle . . . . . . 14.B
quenotte, *f* . . . . 14.B
quenouille . . . . . 11.B
querelle . . . . . . 2.C
question . . . . . . 14.B
questionnaire . . . 26.B
questure . . . . . . 26.B
quête . . . . . . . 2.A
quêteur . . . . . . 2.A
quetsche, *f* . . . . 14.B
queue . . . . . . 6 6.B
queue(s)-d'aronde,
    *f* . . . . . . . . . 32
queue(s)-de-
    cheval, *f* . . . . . 32
queue(s)-de-rat, *f* . 32
queue leu leu (à la) 32
queux . . . . . . 6 6.B
qui . . . . . . . 14 14.B
quiche . . . . . . . 14.B
quiconque . . . . . 14.B
quidam . . . . . . 14.B
qui est-ce qui ? . . 32
quiétude . . . . . . 14.B
quignon . . . . . . 11.A
quille . . . . . . . 11.B
quincaillerie . . . . 14.B

quincaillier . . . . . 3.B
quinconce, *m* . . . 14.A
quine, *m* . . . . . . 14.B
quinine, *f* . . . . . 14.B
quinquagénaire . . 14.B
quinquennal . . . . 14.B
quinquet . . . . . . 14.B
quintal . . . . . . . 14.B
quinte . . . . . . . 14.B
quintessence . . . 14.B
quintette, *m* . . . . 2.C
quinzaine . . . . . 19.A
quinze . . . . . . . 19.A
quiproquo . . . . . 5.A
quittance . . . . . 18.B
quitte . . . . . . . 14.B
quitus . . . . . . . 14.B
quoi . . . . . . . 14 24.A
quoique . . . . . 33 14.B
quolibet . . . . . . 14.B
quorum, *m* . . . . 5.C
quota, *m* . . . . . . 14.B
quote(s)-part(s), *f* . 32
quotidien . . . . . 8.A
quotient . . . . . . 18.C
quotité . . . . . . . 14.B

# r

ra . . . . . . . . . 1 1.A
rabâchage . . . . . 1.B
rabâcheur . . . . . 1.B
rabais . . . . . . . 2.B
rabatteur . . . . . 23.A
rabbin . . . . . . . 12.B
rab(e), *m* . . . . . 12.B
rabelaisien . . . . . 8.A
rabiot . . . . . . . 5.B
rabique . . . . . . 14.B
râble . . . . . . . . 26.C
rabot . . . . . . . 5.B
raboteux . . . . . . 6.B
rabougri . . . . . . 15.A
racaille . . . . . . 15.A
raccommodable . 16.B
raccord . . . . . . 18.C

| | | |
|---|---|---|
| raccourci | . . . . | 18.C |
| raccroc | . . . . . . | 18.C |
| race | . . . . . . . . | 18.B |
| racé | . . . . . . . . | 3.A |
| raté | . . . . . . . . | 3.A |
| rachat | . . . . . . . | 1.C |
| rachidien | . . . . . | 8.A |
| rachis | . . . . . . | 18.A |
| rachitique | . . . . . | 14.B |
| racial | . . . . . . . | 18.A |
| racine | . . . . . . | 18.A |
| racket [ɛt], *m* . . 14 | 14.C |
| raclée | . . . . . . . | 3.B |
| raclement | . . . . . | 14.A |
| raclette | . . . . . . | 2.C |
| racolage | . . . . . . | 21.A |
| racoleur | . . . . . . | 23.A |
| racontar | . . . . . . | 23.A |
| radar | . . . . . . . | 23.A |
| rade | . . . . . . . | 13.A |
| radeau | . . . . . . . | 5.B |
| radian | . . . . . . 9 | 9.A |
| radiateur | . . . . . | 23.A |
| radiation | . . . . . | 25.A |
| radical | . . . . . . | 14.A |
| radicelle | . . . . . | 2.C |
| radiesthésie | . . . . | 13.C |
| radieux | . . . . . . | 6.B |
| radin | . . . . . . . | 8.A |
| radio | . . . . . . | 5.A |
| radioactif | . . . . . | 29.C |
| radioactivité | . . . . | 3.A |
| radiodiffusion | . . . | 19.A |
| radioélément, *m* . | 32 |
| radiographie | . . . . | 17.C |
| radiologie | . . . . . | 4.B |
| radioscopie | . . . . | 4.B |
| radiothérapie | . . . | 13.C |
| radis | . . . . . . . | 27 |
| radium | . . . . . . | 16.A |
| radius | . . . . . . | 18.A |
| radjah | . . . . . . | 2.C |
| radoub | . . . . . . | 12.A |
| rafale | . . . . . . . | 22.A |
| raffermissement | . | 18.B |
| raffinerie | . . . . . | 17.B |
| raffut | . . . . . . . | 17.B |
| rafiot | . . . . . . . | 5.B |
| rafistolage | . . . . | 21.A |
| rafle | . . . . . . . | 26.C |
| rafraîchissement | . | 2.B |
| rage | . . . . . . . | 21.A |
| raglan, *m* | . . . . . | 15.A |
| ragondin | . . . . . . | 15.A |
| ragot | . . . . . . . | 5.B |
| ragoût | . . . . . . | 28.C |
| ragoûtant | . . . . . | 15.A |
| ragtime, *m* | . . . . | 15.A |
| rai, *m* | . . . . 2* | 2.B |
| raid | . . . . . . 26 | 2.B |
| raide | . . . . . . 26 | 2.B |
| raidillon | . . . . . | 11.B |
| raie | . . . . . . . 2* | 26.A |
| raifort, *m* | . . . . . | 2.B |
| rail, *m* | . . . . . . | 11.B |
| raillerie | . . . . . . | 11.B |
| railleur | . . . . . . | 11.B |
| rainette | . . . . . 2* | 2.B |
| rainure | . . . . . . | 2.B |
| raisin | . . . . . . . | 2.B |
| raison | . . . . . . . | 2.B |
| raisonnable | . . . . | 2.B |
| raisonnement | . . . | 2.B |
| rajeunissement | . . | 18.B |
| rajout | . . . . . . | 21.A |
| raki, *m* | . . . . . . | 14.C |
| râle, *m* | . . . . . . | 1.B |
| ralentissement | . . | 18.B |
| ralliement | . . . . . | 26.A |
| rallonge | . . . . . . | 21.A |
| rallye, *m* | . . . . . | 4.B |
| ramadan | . . . . . . | 9.A |
| ramage | . . . . . . | 21.A |
| ramassage | . . . . . | 18.B |
| ramassis | . . . . . . | 4.B |
| rambarde | . . . . . | 9.B |
| ramdam | . . . . . . | 15.A |
| rame | . . . . . . . | 16.A |
| rameau | . . . . . . | 5.B |
| ramequin | . . . . . | 14.B |
| rameur | . . . . . . | 23.A |
| rami | . . . . . . . 4 | 4.A |
| ramier | . . . . . . | 3.B |
| ramification | . . . . | 25.A |
| ramille | . . . . . . | 11.B |
| ramonage | . . . . . | 21.A |
| rampe | . . . . . . . | 9.B |
| rancard | . . . . . 23 | 27 |
| rancart | . . . . . 23 | 27 |
| rance | . . . . . . . | 18.B |
| ranch | . . . . . . | 20.A |
| rancœur, *f* | . . . . | 7.B |
| rançon | . . . . . . . | 18.A |
| rancune | . . . . . . | 16.A |
| rancunier | . . . . . | 3.B |
| randonnée | . . . . . | 3.B |
| rang | . . . . . . . | 27 |
| rang d'oignon (en) | 32 |
| rangée | . . . . . . . | 3.B |
| rapace | . . . . . . . | 18.B |
| rapatriement | . . . | 26.A |
| râpe | . . . . . . . | 1.B |
| râpeux | . . . . . . | 6.B |
| raphia | . . . . . . | 17.C |
| rapiat | . . . . . . . | 1.C |
| rapidité | . . . . . . | 3.A |
| rapiéçage | . . . . . | 18.A |
| rapière | . . . . . . | 26.B |
| rapine, *f* | . . . . . | 16.A |
| rappel | . . . . . . . | 22.A |
| rapport | . . . . . . . | 27 |
| rapprochement | . . | 12.B |
| rapt | . . . . . . . | 13.A |
| raquette, *f* . . . . 14 | 14.B |
| rare | . . . . . . . . | 26.B |
| raréfaction | . . . . . | 25.A |
| rarement | . . . . . . | 9.B |
| rareté | . . . . . . | 26.A |
| rarissime | . . . . . . | 18.B |
| ras | . . . . . . . 1 | 1.C |
| rasade | . . . . . . . | 19.A |
| rascasse, *f* | . . . . . | 18.B |
| rase-mottes, *m* . . | 32 |
| rasoir | . . . . . . . | 23.A |
| rassemblement | . . | 9.B |
| rassis | . . . . . . . | 4.B |
| rasta | . . . . . . . | 18.A |
| rastaquouère, *m* | . | 14.B |
| rat | . . . . . . . . 1 | 1.C |
| rata, *m* | . . . . . . | 1.A |
| ratafia, *m* | . . . . . | 1.A |
| ratatouille | . . . . . | 11.B |
| rate | . . . . . . . . | 13.A |
| râteau | . . . . . . . | 5.B |
| râtelier | . . . . . . | 3.B |
| ratification | . . . . . | 25.A |
| ration | . . . . . . | 25.A |
| rationalisme | . . . . | 18.C |
| rationnel | . . . . . . | 18.C |
| ratissage | . . . . . . | 21.A |
| raton | . . . . . . . | 10.A |
| raton laveur, *m* . . | 32 |
| rattachement | . . . | 13.B |

rattrapage . . . . . 13.B
rature . . . . . . . 26.B
rauque . . . . . .5 5.B
ravalement . . . . 9.B
ravaudage . . . . 5.B
ravier . . . . . . . 3.B
ravigote, f . . . . . 15.A
ravin . . . . . . . 8.A
ravine . . . . . . . 16.A
ravioli . . . . . . 4.A
ravissement . . . . 18.B
ravitaillement . . . 11.B
rayon . . . . . . . 11.A
rayonnage . . . . . 11.A
rayonne . . . . . . 11.A
rayure . . . . . . . 11.A
raz . . . . . . .1 27
raz de marée, m . . 32
razzia, f . . . . . . 19.C
ré . . . . . . .2* 9.A
réaction . . . . . 25.A
réactionnaire . . . 25.A
réajustement . . . 9.B
réalisateur . . . . . 23.A
réalité . . . . . . 3.A
réassortiment . . . 18.B
rébarbatif . . . . . 17.A
rebec, m . . . . . . 14.A
rebelle . . . . . . 2.C
rébellion . . . . . . 2.C
reblochon . . . . . 20.A
rebond . . . . . . . 10.C
rebondissement . . 18.B
rebord . . . . . . . 27
rebours . . . . . . 27
rebouteux . . . . . 6.B
rebuffade . . . . . 13.B
rébus . . . . . . . 18.A
rebut . . . . . . . . 27
récapitulation . . . 25.C
recel . . . . . . . 22.A
receleur . . . . . . 23.A
récemment . . . . 1.C
recensement . . . 18.A
recension . . . . . 25.A
récent . . . . . . . 9.B
récépissé . . . . . 18.B
réceptacle . . . . . 26.C
récepteur . . . . . 23.A
réception . . . . . 25.A
réceptionniste . . . 25.A

récession . . . . . 25.A
recette . . . . . . . 2.C
receveur . . . . . . 23.A
rechapage . . . . . 21.A
rechargeable . . . 21.B
réchaud . . . . . . 5.B
réchauffement . . 5.B
rêche . . . . . . . . 2.A
rechute . . . . . . 13.A
récidive . . . . . . 18.A
récif . . . . . . . . 18.A
récipiendaire . . . 26.B
récipient . . . . . . 9.B
réciprocité . . . . . 18.A
réciproque . . . . . 14.B
récit . . . . . . . . 27
récital . . . . . . . 18.A
réclame . . . . . . 16.A
reclus . . . . . . . 27
réclusion . . . . . . 19.A
recoin . . . . . . . 24.A
récolte . . . . . . . 5.A
recommandation . 25.A
récompense . . . . 10.B
réconciliation . . . 25.A
reconnaissance . . 18.B
reconversion . . . 25.A
record . . . . . .23 27
recordman . . . . 16.A
recoupement . . . 9.B
recours . . . . . . 27
recréation . . . . . 25.A
récréation . . . . . 25.A
recru . . . . . .26 14.A
recrû . . . . . .26 28
recrudescence . . 18.C
recrue . . . . .26 26.A
recrutement . . . . 9.B
rectangle . . . . . 15.A
rectangulaire . . . 26.B
recteur . . . . . . . 23.A
rectification . . . . 25.A
rectiligne . . . . . 11.A
rectitude . . . . . . 14.A
recto . . . . . . . . 14.A
rectorat . . . . . . 27
recto verso . . . . 32
rectum . . . . . . . 16.A
reçu . . . . . . . . 18.A
recueil . . . . . . . 7.B
recueillement . . . 7.B

recul . . . . . . . . 14.A
récupération . . . 25.A
récurage . . . . . . 21.A
récurrence . . . . . 18.B
récursif . . . . . . 18.A
recyclage . . . . . 4.B
rédacteur . . . . . 23.A
rédactionnel . . . . 25.A
reddition . . . . . . 25.A
rédempteur . . . . 2.B
redevance . . . . . 18.B
rédhibitoire . . . . 29.A
redingote . . . . . 15.A
redite . . . . . . . 13.A
redondance . . . . 18.B
redoute . . . . . . 13.A
redoux . . . . . . . 27
redressement . . . 2.C
réducteur . . . . . 23.A
réduit . . . . . . . 27
réécriture . . . . . 29.C
réédition . . . . . . 29.C
réel . . . . . . . . . 29.C
réélection . . . . . 29.C
réemploi . . . . . . 29.C
réfection . . . . . . 25.A
réfectoire . . . . . 26.B
référé, m . . . . . . 3.A
référence . . . . . 18.B
referendum
   aussi référendum 16.A
référentiel . . . . . 25.C
reflet . . . . . . . . 2.B
reflex . . . . . . .26 2.C
réflexe . . . . . .26 18.C
réflexion . . . . . . 25.A
reflux . . . . . . . 18.C
réformateur . . . . 23.A
réforme . . . . . . 16.A
refoulement . . . . 9.B
réfractaire . . . . . 26.B
refrain . . . . . . . 8.B
réfrigérateur . . . . 23.A
réfringence . . . . 21.A
refroidissement . . 18.B
refuge . . . . . . . 21.A
réfugié . . . . . . . 21.A
refus . . . . . . . . 27
réfutation . . . . . 25.A
regain . . . . . . . 8.B
régal . . . . . . .22 15.A

| | | |
|---|---|---|
| régalien | 8.A | |
| regard | 27 | |
| régate, *f* | 15.A | |
| régence | 18.B | |
| régent | 9.B | |
| reggae, *m* [rege] | 15.C | |
| régicide | 21.A | |
| régie | 4.B | |
| régime | 21.A | |
| régiment | 9.B | |
| régional | 21.A | |
| régisseur | 23.A | |
| registre | 26.C | |
| réglage | 21.A | |
| règle | 26.C | |
| règlement | 9.B | |
| réglementaire | 26.B | |
| réglementation | 25.A | |
| réglette | 2.C | |
| réglisse, *f* | 18.B | |
| règne | 2.A | |
| régression | 25.A | |
| regret | 2.B | |
| regrettable | 2.C | |
| régularité | 3.A | |
| réhabilitation | 29.B | |
| réimpression | 29.C | |
| rein | 8.B | |
| réincarnation | 29.C | |
| reine | 2 2.B | |
| reine(s)-claude(s), *f* | 32 | |
| reine(s)-marguerite(s), *f.* | 32 | |
| reinette | 2* 2.C | |
| réinsertion | 18.A | |
| réintégration | 25.A | |
| reître, *m* | 26.C | |
| rejet | 2.B | |
| rejeton | 10.A | |
| réjouissance | 29.C | |
| relâche, *f* | 1.A | |
| relais | 2.B | |
| relance | 18.B | |
| relation | 25.A | |
| relativité | 3.A | |
| relaxation | 18.C | |
| relaxe | 18.C | |
| relégation | 25.A | |
| relent | 9.B | |
| relève | 2.A | |
| relief | 17.A | |
| religieux | 6.B | |
| religion | 2.A | |
| reliquaire, *m* | 14.B | |
| reliquat | 14.B | |
| reliure | 26.B | |
| rem, *m* | 16.A | |
| remake [ek], *m* | 14.C | |
| rémanence | 18.B | |
| remaniement | 26.A | |
| remarquable | 14.B | |
| remblai | 2.B | |
| remblaiement | 26.A | |
| rembourrage | 23.A | |
| remboursement | 9.B | |
| remède | 2.A | |
| remembrement | 9.B | |
| remerciement | 26.A | |
| réminiscence | 18.C | |
| remise | 19.A | |
| rémission | 25.A | |
| rémittent | 9.B | |
| rémois | 24.B | |
| remonte-pente(s), *m* | 32 | |
| remontoir | 23.A | |
| remontrance | 18.B | |
| remords | 27 | |
| remorqueur | 14.B | |
| rémoulade | 3.A | |
| rémouleur | 23.A | |
| remous | 27 | |
| rempailleur | 11.B | |
| rempart | 27 | |
| remplissage | 18.B | |
| remuement | 26.A | |
| rémunération | 25.A | |
| renaissance | 18.B | |
| rénal | 22.A | |
| renard | 27 | |
| rencard | 27 | |
| renchérisseur | 18.B | |
| rencontre | 26.C | |
| rendement | 9.B | |
| rendez-vous, *m* | 32 | |
| rêne, *f* | 2 2.A | |
| renégat | 1.C | |
| renflouement | 26.A | |
| renfort | 27 | |
| rengaine | 2.B | |
| reniement | 26.A | |
| renifleur | 23.A | |
| renne | 2 16.B | |
| renom | 10.B | |
| renommée | 16.B | |
| renonciation | 25.A | |
| renoncule, *f* | 14.A | |
| renouveau | 5.B | |
| renouvelable | 26.C | |
| renouvellement | 2.C | |
| rénovateur | 23.A | |
| renseignement | 2.B | |
| rentable | 26.C | |
| rente | 9.A | |
| rentier | 3.B | |
| rentrée | 3.B | |
| renvoi | 24.A | |
| repaire | 2 2.B | |
| réparation | 25.A | |
| repartie | 4.B | |
| répartition | 25.A | |
| repas | 1.C | |
| repassage | 18.B | |
| repêchage | 2.A | |
| repentir | 8.A | |
| repérage | 2.A | |
| répercussion | 25.A | |
| repère | 2 2.A | |
| répertoire | 23.A | |
| répétiteur | 23.A | |
| répétition | 25.A | |
| répit | 4.B | |
| replet | 2.B | |
| repli | 4.A | |
| réplique | 14.B | |
| répondant | 9.B | |
| répons, *m* | 27 | |
| réponse | 18.A | |
| report | 27 | |
| reportage | 21.A | |
| reporter | 3.B | |
| repos | 5.B | |
| repose-pied, *m* | 32 | |
| repose-tête, *m* | 32 | |
| repoussoir | 23.A | |
| répréhensible | 29.B | |
| représailles | 31 | |
| répression | 25.A | |
| réprimande | 9.A | |
| repris de justice, *m* | 32 | |
| reprise | 19.A | |
| réprobation | 25.A | |
| reproche | 2.A | |

reproduction . . . 25.A
reprographie . . . 17.C
reps, *m* . . . . . 18.A
reptation . . . . . . 25.A
reptile . . . . . . . 22.A
républicain . . . . 8.B
république . . . . . 14.B
répugnance . . . . 11.A
répulsion . . . . . 25.A
réputation . . . . . 25.A
requête . . . . . . 2.A
requiem, *m* . . . . 14.B
requin . . . . . . . 14.B
requin pèlerin, *m* . 32
réquisition . . . . . 25.A
réquisitoire . . . . 23.A
rescapé . . . . . . 14.A
rescousse . . . . . 18.B
réseau . . . . . . . 5.B
réséda, *m* . . . . 19.A
réservation . . . . 25.A
réserve . . . . . . . 19.A
réservoir . . . . . . 23.A
résident . . . . . . 9 9.B
résidentiel . . . . . 25.C
résidu . . . . . . . 19.A
résignation . . . . 25.A
résiliation . . . . . 11.A
résille, *f* . . . . . 11.B
résine . . . . . . . 19.A
résineux . . . . . . 6.B
résistance . . . . . 18.B
résolument . . . . 9.B
résolution . . . . . 25.A
résonance . . . . . 18.B
résorption . . . . . 12.A
respect . . . . . . . 27
respectif . . . . . . 14.A
respectueux . . . . 6.B
respiration . . . . . 25.A
respiratoire . . . . 23.A
responsabilité . . . 3.A
resquilleur . . . . . 11.B
ressac . . . . . . . 14.A
ressaisissement . . 18.B
ressemblance . . . 9.B
ressemelage . . . . 18.B
ressentiment . . . 18.B
resserrement . . . 2.C
ressort . . . . . . . 18.B
ressortissant . . . 18.B

ressource . . . . . 18.B
restaurant . . . . . 5.B
restauration . . . . 5.B
restitution . . . . . 25.A
restoroute, *m* . . . 5.A
restriction . . . . . 25.A
résultat . . . . . . 1.C
résumé . . . . . . . 3.A
résurgence . . . . 9.A
résurrection . . . . 25.A
retable, *m* . . . . 26.C
rétablissement . . 18.B
retard . . . . . . . 27
retardataire . . . . 28.B
rétention . . . . . . 25.A
retentissement . . 18.B
retenue . . . . . . 26.A
réticence . . . . . 18.A
réticule, *m* . . . . 14.A
rétif . . . . . . . . 17.A
rétine . . . . . . . 16.A
retors . . . . . . . 2.A
rétorsion . . . . . . 25.A
retouche . . . . . . 20.A
retour . . . . . . . 23.A
rétractation . . . . 25.A
rétractile . . . . . . 22.A
retrait . . . . . . . 2.B
retraite . . . . . . . 2.B
retranchement . . 9.B
rétrécissement . . 18.A
rétribution . . . . . 25.A
rétro . . . . . . . . 5.A
rétroactif . . . . . 29.C
rétrograde . . . . . 15.A
rétrospective . . . 14.A
retrouvailles . . . . 31
rétroviseur . . . . . 19.A
rets, *m* . . . . . . 2* 27
réunion . . . . . . 11.A
réussite . . . . . . 18.B
revalorisation . . . 25.A
revanchard . . . . 27
revanche . . . . . 9.A
rêve . . . . . . . . 2.A
revêche . . . . . . 2.A
réveil . . . . . . . . 11.B
réveille-matin, *m* . 32
réveillon . . . . . . 11.B
révélation . . . . . 25.A
revendicatif . . . . 14.A

revenu . . . . . . 26 16.A
réverbération . . . 25.A
réverbère . . . . . 26.B
révérence . . . . . 18.B
révérend . . . . . . 9.C
rêverie . . . . . . . 26.A
revers . . . . . . . 27
réversible . . . . . 26.C
revêtement . . . . 2.A
rêveur . . . . . . . 2.A
revient . . . . . . . 8.A
revirement . . . . . 6.A
révisionnel . . . . 16.B
réviviscence . . . . 18.C
révocation . . . . . 25.A
révolte . . . . . . . 5.A
révolu . . . . . . . 5.A
révolution . . . . . 25.A
révolutionnaire . . 26.B
revolver . . . . . . 23.A
revue . . . . . . . 26.A
révulsif . . . . . . . 18.A
révulsion . . . . . 25.B
rewriter . . . . . . 7.C
rez-de-chaussée . 32
rhapsodie . . . . . 23.C
rhénan . . . . . . 23.C
rhéostat . . . . . . 23.C
rhésus . . . . . . . 23.C
rhétorique . . . . . 23.C
rhinite . . . . . . . 23.C
rhinocéros . . . . . 23.C
rhino-
pharyngite(s), *f* . 32
rhizome, *m* . . . . 23.C
rhô . . . . . . . . 5 23.C
rhodanien . . . . . 23.C
rhododendron . . . 23.C
rhubarbe . . . . . 23.C
rhum [rom] . . . . 23.C
rhumatisme . . . . 23.C
rhume [rym] . . . . 23.C
ria, *f* . . . . . . . 11.A
ribambelle, *f* . . . . 9.B
ribonucléique . . . 29.C
ribote, *f* . . . . . 13.A
ricanement . . . . 14.A
richard . . . . . . 27
riche . . . . . . . . 26.C
richesse . . . . . . 2.C
ricin . . . . . . . . 8.A

ricochet . . . . . . 2.B
ric-rac . . . . . . . 32
rictus . . . . . . . . 18.A
ride . . . . . . . . . 13.A
rideau . . . . . . . 5.B
ridelle . . . . . . . 2.C
ridicule . . . . . . . 14.A
riemannien . . . . 9.A
rien . . . . . . . . . 9.A
riesling . . . . . . . 26.A
rieur . . . . . . . . 23.A
rififi . . . . . . . . . 4.A
rifle, *m* . . . . . . . 26.C
rigidité . . . . . . . 3.A
rigole, *f* . . . . . . 15.A
rigolo . . . . . . 31 15.A
   *f* rigolote . . . . 15.A
rigorisme . . . . . 15.A
rigoureux . . . . . 6.B
rigueur . . . . . . . 15.B
rillettes, *f* . . . . . 11.B
rimailleur, *f* . . . . 11.B
rime, *f* . . . . . . . 16.A
rimmel . . . . . . . 16.B
rinçage . . . . . . . 18.A
rince-bouche, *m* . 32
rince-bouteilles, *m* 32
rince-doigts, *m* . . 32
ring, *m* . . . . . . . 15.A
ripaille . . . . . . . 11.B
ripolin . . . . . . . 8.A
riposte . . . . . . . 5.A
riquiqui (ou rikiki) . 32
rire . . . . . . . . . 26.B
ris . . . . . . . . 4 4.B
risée . . . . . . . . 3.B
risette . . . . . . . 2.C
risible . . . . . . . 26.C
risotto . . . . . . . 5.AB
risque . . . . . . . 14.B
risque-tout, *m* . . . 32
ristourne . . . . . . 18.A
rite . . . . . . . . . 13.A
ritournelle . . . . . 2.C
rituel . . . . . . . . 22.A
rituellement . . . . 2.C
rivage . . . . . . . 21.A
rival . . . . . . . . 22.A
rivalité . . . . . . . 3.A
riverain . . . . . . . 8.B
rivet . . . . . . . . 2.B

rivetage . . . . . . 21.A
rivière . . . . . . . 26.B
rixe . . . . . . . . . 18.C
riz . . . . . . . . 4 27
rizière . . . . . . . 19.A
robe . . . . . . 26 12.A
robinet . . . . . . . 2.B
robinetterie . . . . 2.C
robot . . . . . . . . 5.B
robotisation . . . . 25.A
robustesse . . . . . 2.C
roc . . . . . 5* 14 14.A
rocade . . . . . . . 14.A
rocaille . . . . . . . 11.B
rocailleux . . . . . 6.B
rocambolesque . . 14.B
roche . . . . . . . 26.C
rocher . . . . . . 2* 3.B
rocheux . . . . . . 6.B
rock . . . . . . . 14 14.C
rock and roll, *m*
   *(rock'n roll)* . . . 32
rocker . . . . . . . 14.C
rocking-chair, *m* . 32
rococo . . . . . . . 14.A
rodage . . . . . . . 21.A
rodéo . . . . . . . 5.A
rôdeur . . . . . . . 5.B
rogatoire . . . . . . 26.B
rogne . . . . . . . 11.B
rognon . . . . . . . 11.B
rognure, *f* . . . . . 11.B
rogue . . . . . . . 15.B
roi . . . . . . . . . 24.A
roitelet . . . . . . . 2.B
rôle . . . . . . . . . 5.B
romain . . . . . . . 8.B
roman . . . . . 9 30
roman, *m* . . . . . 9 9.A
romance . . . . . . 18.B
romanche, *m* . . . 9.A
romancier . . . . . 3.B
romand . . . . . 9 9.C
romanesque . . . . 14.B
romanichel . . . . 14.C
romantique . . . . 14.B
romantisme . . . . 9.A
romarin . . . . . . . 8.A
rombière, *f* . . . . 26.B
rompu . . . . . . . 10.B
romsteck . . . . . 14.C

ronce, *f* . . . . . . 18.B
ronchonneur . . . 23.A
rond . . . . . . . . 10.C
rond(s)-de-cuir, *m* 32
ronde . . . . . . . 10.A
rondeau . . . . . 5 5.B
rondelet . . . . . . 2.B
rondelle . . . . . 22 2.C
rondeur . . . . . . 23.A
rondin . . . . . . . 8.A
rondo . . . . . . . 5 5.A
rond(s)-point(s), *m* 32
ronéo . . . . . . . 5.A
ronflement . . . . 9.B
rongeur . . . . . . 21.A
ronronnement . . . 16.B
röntgen . . . . . . 2.C
roque, *m* . . . . 14 14.B
roquefort . . . . . 14.B
roquet . . . . . . . 2.B
roquette, *f* . . . . . 2.C
rosace . . . . . . . 19.A
rosaire . . . . . . . 26.B
rosâtre . . . . . . . 26.C
rosbif . . . . . . . 17.A
rose . . . . . . . . 19.A
rosé . . . . . . . . 3 19.A
roseau . . . . . . . 5.B
rosée . . . . . . . 3 3.B
roséole . . . . . . . 19.A
roseraie . . . . . . 26.A
rosette . . . . . . . 2.C
rosière . . . . . . . 26.B
rosse . . . . . . . . 18.B
rosserie . . . . . . 18.B
rossignol . . . . . . 18.B
rostre, *m* . . . . . . 26.C
rot . . . . . . . . 5 5.B
rôt . . . . . . . . 5 5.B
rotary . . . . . . . 4.B
rotatif . . . . . . . 17.A
rotation . . . . . . 25.A
rote, *f* . . . . . . 26 5.A
rôti . . . . . . . . 4 5.B
rôtie . . . . . . . 4 26.A
rotin . . . . . . . . 8.A
rôtisserie . . . . . . 18.B
rôtisseur . . . . . . 23.A
rôtissoire . . . . . 26.B
rotonde . . . . . . 10.A
rotor, *m* . . . . . . 23.A

rotule . . . . . . . 5.A
roturier . . . . . . . 3.B
rouage, *m* . . . . . 21.A
roublard . . . . . . 27
rouble, *m* . . . . . 26.C
roucoulade . . . . 14.A
roucoulement . . . 9.B
roue . . . . . . . 26 26.A
rouelle . . . . . . . 2.C
rouerie . . . . . . . 26.A
rouet . . . . . . . . 2.B
rouge . . . . . . . 21.A
rougeâtre . . . . . 21.B
rougeaud . . . . . 21.B
rouge(s)-gorge(s) 32
rougeoiement . . . 21.B
rougeole . . . . . . 21.B
rouget . . . . . . . 2.B
rougeur . . . . . . 21.A
rouille . . . . . . . 11.B
rouissage, *m* . . . 18.B
roulade . . . . . . 13.CB
rouleau . . . . . . 5.B
roulement . . . . . 9.B
roulette . . . . . . 2.C
roulis . . . . . . . 4.B
roulotte . . . . . . 13.B
roumi . . . . . . . 4.A
round . . . . . . . 13.CB
roupie . . . . . . . 26.A
rouquin . . . . . . 14.B
roussâtre . . . . . 26.C
roussette . . . . . 18.B
rousseur . . . . . 18.B
roussin . . . . . . 18.B
routage . . . . . . 21.A
route . . . . . . . 15.A
routier . . . . . . . 3.B
routine . . . . . . 16.A
routinier . . . . . . 3.B
roux . . . . . . 26 27
royalement . . . . 11.A
royalties, *f* . . . . 11.A
royaume . . . . . . 11.A
royauté . . . . . . 11.A
ru . . . . . . 26 23.A
ruade . . . . . . 13.CB
ruban . . . . . . . 9.A
rubato . . . . . . . 39.B
rubéole . . . . . . 5.A
rubicond . . . . . . 10.C

rubis, *m* . . . . . . 4.B
rubrique . . . . . . 14.B
rucher . . . . . . . 3.B
rude . . . . . . . 13.CB
rudement . . . . . 9.B
rudesse . . . . . . 2.C
rudimentaire . . . 26.A
rudiments . . . . . 31.B
rudoiement . . . . 26.A
rue . . . . . . 26 26.A
ruée . . . . . . . . 3.B
ruelle . . . . . . . 2.C
ruf(f)ian . . . . . . 9.A
rugby . . . . . . . 4.B
rugbyman . . . . . 4.B
rugissement . . . . 18.B
rugosité . . . . . . 15.A
rugueux . . . . . . 15.B
ruine . . . . . . . 16.A
ruineux . . . . . . 6.B
ruisseau . . . . . . 6.B
ruissellement . . . 18.B
rumba, *f* . . . . . 16.A
rumeur . . . . . . . 23.A
ruminant . . . . . . 9.B
rumination . . . . . 25.A
rumsteck . . . . . 16.A
rupestre . . . . . . 26.C
rupin . . . . . . . 8.A
rupture . . . . . . . 26.B
rural . . . . . . . 22.A
ruse . . . . . . . 19.A
rush . . . . . . . 20.B
russe . . . . . . . 18.B
rustaud . . . . . . 5.B
rustine . . . . . . 18.A
rustique . . . . . . 14.B
rustre . . . . . . . 26.C
rut, *m* . . . . . . 13.A
rutabaga, *m* . . . 15.A
rythme . . . . . . . 4.B
rythmique . . . . . 4.B

# S

sa . . . . . . . 18 1.A
sabayon . . . . . . 11.A
sabbat . . . . . . . 1.C
sabbatique . . . . 14.B
sabir . . . . . . . 23.A
sable . . . . . . . 26.C
sablier . . . . . . . 3.B
sablière . . . . . . 26.B
sablonneux . . . . 6.B
sabordage . . . . . 21.A
sabot . . . . . . . 5.B
sabotage . . . . . 21.A
saboteur . . . . . . 23.A
sabra . . . . . . . 1.A
sabre . . . . . . . 1.A
sac . . . . . . . . 14.A
saccade . . . . . . 14.B
saccage . . . . . . 2.A
saccharine . . . . . 14.C
saccharose, *m* . . 14.C
sacerdoce . . . . . 18.A
sacerdotal . . . . . 18.A
sachem . . . . . . 14.C
sachet . . . . . . 2* 2.B
sacoche . . . . . . 5.A
sacramentaire . . . 26.B
sacramental . . . . 9.A
sacre . . . . . . . 26.C
sacrement . . . . . 9.B
sacrément . . . . . 3.A
sacrifice . . . . . . 18.B
sacrificiel . . . . . 25.C
sacrilège . . . . . . 21.A
sacripant . . . . . 9.B
sacristain . . . . . 8.B
sacro-iliaque(s) . . 32
sacro-lombaires(s) 32
sacro-saint(s) . . . 32
sacrum . . . . . . . 16.A
sadique . . . . . . 14.B
sadomasochisme,
*m* . . . . . . . 32
safari, *m* . . . . . 4.A
safran . . . . . . . 9.A
saga, *f* . . . . . . 15.A
sagace . . . . . . . 18.B

sagacité . . . . . . 18.A
sagaie . . . . . . . 26.A
sage . . . . . . . . 21.A
sage(s)-femme(s) . 32
sagesse . . . . . . 2.C
sagittaire . . . . . 26.B
sagouin . . . . . . 24.B
saharien . . . . . . 29.B
sahélien . . . . . . 29.B
sahraoui . . . . . . 29.A
saie, *f* . . . . . . . 26.A
saignée . . . . . . . 2.B
saignement . . . . 2.B
saillie . . . . . . . . 11.B
sain . . . . . . . 8 8.B
saindoux . . . . . . 27
sainement . . . . . 2.B
saint . . . . . . . 8 8.B
sainte-barbe, *f* . . 32
sainte nitouche, *f* . 32
sainteté . . . . . . 3.A
saint-honoré, *m* . . 32
saint-marcellin, *m* . 32
saint-nectaire, *m* . 32
saint-paulin, *m* . . 32
saisie . . . . . . . 26.A
saisie(s)-arrêt(s), *f* 32
saisie(s)-
exécution(s), *f* . 32
saisissement . . . 18.B
saison . . . . . . . 19.A
saisonnier . . . . . 3.B
saké, *m* . . . . . . 14.C
salace . . . . . . . 18.B
salade . . . . . . . 13.CB
saladier . . . . . . 3.B
salaire . . . . . . . 26.B
salaison . . . . . . 2.B
salamalecs, *m* . . . 14.A
salamandre, *f* . . . 26.C
salami . . . . . . . 4.A
salariat . . . . . . . 1.C
salaud . . . . . . . 5.B
sale . . . . . . . 27 22.A
salement . . . . . . 9.B
salésien . . . . . . 9.A
saleté . . . . . . . 3.A
salière . . . . . . . 2.A
saligaud . . . . . . 5.B
salin . . . . . . . . 8.A
saline . . . . . . . 16.A

salinité . . . . . . . 3.A
salique . . . . . . . 14.B
salissure . . . . . . 18.B
salivaire . . . . . . 26.B
salive . . . . . . . . 26.B
salle . . . . . . . 27 22.B
salmigondis . . . . 4.B
salmis . . . . . . . 4.B
saloir . . . . . . . . 23.A
salon . . . . . . . . 10.A
saloon . . . . . . .
salopard . . . . . . 2.A
salope . . . . . . . 5.A
salopette . . . . . 2.C
salpêtre, *m* . . . . 26.C
salpingite . . . . . 8.A
salsifis, *m* . . . . . 4.B
saltimbanque . . . 8.B
salubre . . . . . . . 26.C
salubrité . . . . . . 3.A
salut . . . . . . . . 27
salutaire . . . . . . 26.B
salutation . . . . . 25.A
salve . . . . . . . . 22.A
samaritain . . . . . 8.B
samba, *f* . . . . . . 9.B
sam(o)uraï . . . . . 29.C
samovar, *m* . . . . 23.A
sampan(g) . . . . . 9.C
sana(torium) . . . 16.A
sancerre . . . . . . 2.C
sanctification . . . 25.A
sanction . . . . . . 25.A
sanctuaire, *m* . . . 26.B
sanctus . . . . . . . 9.A
sandale . . . . . . . 9.A
sandalette . . . . . 2.C
sandow, *m* . . . . 27
sandwich . . . . . 24.C
sang . . . . . . . 9 9.C
sanglant . . . . . . 9.B
sangle . . . . . . . 26.C
sanglier . . . . . . . 3.B
sanglot . . . . . . . 5.B
sang-mêlé, *m* et *f* . 32
sangria, *f* . . . . . 11.A
sangsue . . . . . . 9.C
sanguin . . . . . . . 15.B
sanguinaire . . . . 15.B
sanguine . . . . . . 15.B
sanguinolent . . . 15.B

sanhédrin . . . . . 29.B
sanitaire . . . . . . 26.B
sans . . . . . . . 9 27
sans-abri, *m* et *f* . . 32
sans-cœur, *m* et *f* . 32
sans-culotte(s), *m* 32
sanscrit . . . . . . 4.B
sans-façon, *m* . . . 32
sans-fil . . . . . . . 32
sans-gêne . . . . . 32
sanskrit . . . . . . 14.C
sans-logis, *m* et *f* . 32
sans-soin, *m* et *f* . 32
sansonnet . . . . . 2.B
sans-souci . . . . . 32
santal . . . . . . . 9.A
santé . . . . . . . . 3.A
santon . . . . . . 18 10.A
saoudien . . . . . . 8.A
saoul . . . . . . . 26 22.A
sa(pa)jou . . . . . 21.A
sape, *f* . . . . . . . 12.A
saperlipopette ! . . 23.A
sapeur . . . . . . . 23.A
sapeur(s)-
pompier(s), *m* . 32
saphique . . . . . . 17.C
saphir, *m* . . . . . 17.C
sapidité . . . . . . 3.A
sapience, *f* . . . . . 9.A
sapin . . . . . . . . 8.A
sapinière . . . . . . 11.A
sapristi ! . . . . . . 4.A
sarabande . . . . . 9.A
sarbacane, *f* . . . 14.A
sarcasme, *m* . . . 14.A
sarcastique . . . . 14.B
sarcelle . . . . . . 2.C
sarcloir . . . . . . . 23.A
sarcome, *m* . . . . 5.A
sarcophage, *m* . . 17.C
sardane, *f* . . . . . 16.A
sarde . . . . . . . . 13.CB
sardine . . . . . . . 16.A
sardinier . . . . . . 3.B
sardonique . . . . 14.B
sari, *m* . . . . . . . 4.A
sarment . . . . . . 9.B
sarrasin . . . . . . 19.A
sarrau . . . . . . . 5.B
sarriette . . . . . . 2.C

| | | | | | | | |
|---|---|---|---|---|---|---|---|
| sas | 18.A | sauvegarde | 5.B | scellés | 18.C |
| satané | 3.A | sauve-qui-peut, *m* | 32 | scénario | 18.C |
| satanique | 14.B | sauvetage | 5.B | scène | 18 18.C |
| satellisation | 2.C | sauveteur | 23.A | scénique | 18.C |
| satellite | 2.C | sauvette | 5.B | scepticisme | 18.C |
| satiété | 18.C | sauveur | 23.A | sceptique | 18 18.C |
| satin | 8.A | sauvignon | 11.A | sceptre | 18.C |
| satinette | 2.C | savamment | 1.C | schéma | 20.B |
| satire, *f* | 4 26.B | savane | 16.A | schématisation | 20.B |
| satirique | 4 14.B | savant | 9.B | schème, *m* | 20.B |
| satisfaction | 25.A | savarin | 8.A | scherzo | 14.C |
| satisfecit, *m inv.* | 14.A | savate | 13.A | schilling | 20.B |
| satrape, *m* | 13.A | savetier | 3.B | schismatique | 20.B |
| saturation | 25.A | saveur | 23.A | schisme | 20.B |
| saturnales, *f* | 31.B | savoir | 23.A | schiste | 20.B |
| saturnisme | 18.A | savoir-faire, *m* | 32 | schisteux | 20.B |
| satyre, *m* | 4 4.B | savoir-vivre, *m* | 32 | schizoïde | 29.C |
| satyrique | 4 14.B | savon | 10.A | schizophrène | 14.C |
| sauce | 5.B | savonnette | 2.C | schizophrénie | 14.C |
| saucière | 5.B | savonneux | 6.B | schlague, *f* | 20.B |
| saucisse | 5.B | savoureux | 6.B | schlitte, *f* | 20.B |
| saucisson | 5.B | savoyard | 11.A | schnaps | 20.B |
| sauf | 5.B | saxe, *m* | 18.C | schooner | 20.B |
| sauf-conduit(s), *m* | 32 | saxhorn | 29.B | schuss, *m* | 20.B |
| sauge, *f* | 5.B | saxifrage, *f* | 18.C | sciage | 18.C |
| saugrenu | 5.B | saxo | 18.C | sciatique | 18.C |
| saule | 5* 22.A | saxon | 18.C | scie | 18 18.C |
| saumâtre | 5.B | saxophone | 18.C | sciemment | 1.C |
| saumon | 5.B | saynète, *f* | 2.C | science | 18.C |
| saumoné | 5.B | sbire | 26.B | scientifique | 18.C |
| saumure | 5.B | scabreux | 6.B | scierie | 26.A |
| sauna, *m* | 5.B | scalaire | 26.B | scieur | 18 18.C |
| saupoudrage | 21.A | scalène | 2.A | scintillement | 18.C |
| saur, *m* | 5* 5.A | scalp | 14.A | scion | 18 18.C |
| sauret | 2.B | scalpel | 14.A | scission | 25.A |
| saurien | 8.A | scandale | 14.A | scissiparité | 18.C |
| saurisserie | 5.B | scandaleux | 6.B | sciure | 18.C |
| saut | 5 5.B | scandinave | 9.A | sclérose | 19.A |
| saute | 5* 5.B | scanner/scanneur | 23.A | scolaire | 26.B |
| saute-mouton, | | scanographie | 17.C | scolarisation | 25.A |
| *m sg.* | 32 | scansion | 25.A | scolarité | 3.A |
| sauterelle | 2.C | scaphandre, *m* | 17.C | scolastique, *f* | 14.B |
| sauterie | 26.A | scapulaire | 26.B | scoliose, *f* | 19.A |
| sauternes, *m* | 27 | scarabée, *m* | 3.B | scolopendre, *f* | 26.C |
| sauteur | 23.A | scarification | 25.A | scoop [u], *m* | 12.A |
| sautillement | 11.B | scarlatine | 14.A | scooter [u] | 23.A |
| sautoir | 23.A | scarole | 5.A | scorbut | 13.A |
| sauvage | 5.B | scatologie | 26.A | score | 26.B |
| sauvagement | 5.B | sceau | 5 18.C | scorie, *f* | 4.B |
| sauvageon | 21.B | scélérat | 18.C | scorpion | 11.A |
| sauvagerie | 26.A | scellement | 18.C | scotch | 20.A |

scout . . . . . . . 13.A
scoutisme . . . . . 18.A
scrabble . . . . . . 26.C
scraper . . . . . . . 23.A
scribe, *m* . . . . . 12.A
scribouillard . . . . 11.B
script, *m* . . . . . . 13.A
script, *f* . . . . . . 13.A
scriptural . . . . . 22.A
scrofule, *f* . . . . . 22.A
scrofuleux . . . . . 6.B
scrotum . . . . . . 16.A
scrupule . . . . . . 22.A
scrupuleux . . . . 6.B
scrutateur . . . . . 23.A
scrutin . . . . . . . 8.A
sculpteur . . . . . 23.A
sculpture . . . . . 26.B
scythe . . . . . . 4 18.C
se . . . . . . . 18 6.A
séance . . . . . . . 9.A
séant . . . . . . 18 9.B
seau . . . . . . . . 5 5.B
sébacé . . . . . . . 18.A
sébile, *f* . . . . . . 22.A
séborrhée, *f* . . . . 29.A
sébum . . . . . . . 16.A
sec . . . . . . . . 14.A
sécable . . . . . . 26.C
sécant . . . . . . . 9.B
sécateur . . . . . . 23.A
sécession . . . . . 25.A
sécessionniste . . 21.C
séchage . . . . . . 21.A
sèche . . . . . . 2 2.A
sèche-cheveux, *m* 32
sèche-linge, *m* . . 32
sèchement . . . . 2.A
sécheresse . . . . 2.C
séchoir . . . . . . . 23.A
second . . . . . . 27
secondaire . . . . 26.B
seconde . . . . . . 10.A
secourisme . . . . 16.A
secours . . . . . . 27
secousse . . . . . 18.B
secret . . . . . . . 2.B
secrétaire . . . . . 26.B
secrétairerie . . . . 2.B
secrétariat . . . . 1.C
secrètement . . . . 2.A

sécréteur . . . . . 3.A
*aussi* . . . . . . 5.B
sécrétion . . . . . 3.A
sectaire . . . . . . 26.B
sectateur . . . . . 23.A
secte . . . . . . . 4.A
secteur . . . . . . 23.A
section . . . . . . 25.A
sectionnement . . 9.B
sectoriel . . . . . . 11.A
séculaire . . . . . 26.B
séculier . . . . . . 3.B
secundo . . . . . . 5.A
sécurité . . . . . . 3.A
sédatif . . . . . . . 3.A
sédentaire . . . . 26.B
sédentarité . . . . 3.A
sédiment . . . . . 9.B
sédimentaire . . . 26.B
sédimentation . . . 25.A
séditieux . . . . . 25.B
sédition . . . . . . 25.A
séducteur . . . . . 23.A
séduction . . . . . 25.A
sefar(ad)di . . . . . 13.C
*pl.* sefar(ad)dim 13.B
segment . . . . . . 15.A
segmentation . . . 25.A
ségrégation . . . . 15.A
ségrégationniste . 25.A
seiche, *f* . . . . . 2 2.B
séide, *m* . . . . . . 29.C
seigle, *m* . . . . . . 2.B
seigneur . . . . . 2 2.B
seigneurie . . . . . 6.A
sein . . . . . . . 8 8.B
seine, *f* . . . . . 18 2.B
seing . . . . . . . 8 8.B
séisme . . . . . . 29.C
s(é)ismique . . . . 14.B
seize . . . . . . . 19.A
séjour . . . . . . . 21.A
sel . . . . . . . 22 22.A
sélect . . . . . . . 13.A
sélectif . . . . . . 17.A
sélection . . . . . 25.A
sélectionneur . . . 25.A
sélénium . . . . . 16.A
self, *m* . . . . . . 17.A
self, *f* . . . . . . . 17.A
self-control, *m sg.* 32

self-made-man, *m* 32
selle . . . . . . . 22 2.C
sellerie, *f* . . . . 18 2.C
sellette . . . . . . . 2.C
sellier . . . . . . 18 2.C
selon . . . . . . . 10.A
semailles . . . . . 11.B
semaine . . . . . . 2.B
semainier . . . . . 2.B
sémantique . . . . 14.B
sémaphore . . . . 17.C
semblable . . . . . 9.B
semblant . . . . . 9.B
sém(é)iotique . . . 11.A
semelle . . . . . . 2.C
semence . . . . . 18.B
semestre . . . . . 26.C
semestriel . . . . 22.A
semeur . . . . . . 23.A
semi-
   automatique(s) . 32
semi-
   auxiliaire(s) . . . 32
semi-
   conducteur(s),
   *m* . . . . . . . 32
sémillant . . . . . 11.B
séminaire . . . . . 26.B
séminal . . . . . . 3.A
séminariste . . . . 3.A
semi-public(s), *m* . 32
semi-publique(s), *f* 32
semi-remorque(s),
   *m ou f* . . . . . 32
semis, *m* . . . . . 4.B
sémite . . . . . . . 3.A
sémitique . . . . . 14.B
semi-voyelle(s), *f* . 32
semoir . . . . . . . 23.A
semonce, *f* . . . . 18.B
semoule . . . . . . 22.A
sempiternel . . . . 9.B
sénat . . . . . . . . 1.C
sénatorial . . . . . 11.A
séné . . . . . . . . 3.A
sénéchal . . . . . 3.A
sénescence . . . . 18.C
sénevé, *m* . . . . . 3.A
sénile . . . . . . . 3.A
senior . . . . . . . 11.A
senne, *f* . . . . . 18 16.B

sens . . . . . . . 18 18.A
sensation . . . . . 25.A
sensationnel . . . . 16.B
sensé . . . . . 18 18.A
sensément . . . . . . 9.B
sensibilité . . . . . 3.A
sensiblement . . . 9.B
sensiblerie . . . . . 26.A
sensitif . . . . . . . 18.A
sensoriel . . . . . . 18.A
sensorimoteur . . . 18.A
sensori-moteur(s),
  m . . . . . . . 32
sensori-motrice(s),
  f . . . . . . . . 32
sensualité . . . . . 18.A
sensuel . . . . . . 18.A
sente . . . . . . . . 8.A
sentence . . . . . . 8.A
sentencieux . . . . 25.B
senteur . . . . . . 23.A
sentier . . . . . . . 3.B
sentiment . . . . . 9.B
sentinelle . . . . . 2.C
sépale, m . . . . . 22.A
séparation . . . . . 25.A
séparatisme . . . . 3.A
séparément . . . . 9.A
sépia, f . . . . . . 11.A
sept . . . . . . . . 2.C
septante . . . . . . 9.A
septembre . . . . . 9.B
septennal . . . . . 16.B
septennat . . . . . 16.B
septentrion . . . . 11.A
septentrional . . . 11.A
septicémie . . . . . 26.A
septique . . . . . 18 14.B
septuagénaire . . . 26.B
septuor . . . . . . 2.C
sépulcral . . . . . 14.A
sépulcre, m . . . . 26.C
sépulture . . . . . 26.B
séquelle . . . . . . 14.B
séquence . . . . . 14.B
séquentiel . . . . . 25.B
séquestration . . . 14.B
séquestre, m . . . 26.C
sequin . . . . . . . 14.B
séquoia, m . . . . 11.A
sérac . . . . . . . . 14.A

sérail . . . . . . . . 11.B
séraphin . . . . . . 17.C
serbo-croate(s) . . 32
serein . . . . . 8 8.B
sereinement . . . . 2.B
sérénade . . . . . . 2.A
sérénité . . . . . . 3.A
séreux . . . . . . . 6.B
serf . . . . . . . 23 17.A
serge, f . . . . . . 21.A
sergent . . . . . . 9.B
sergent(s)-chef(s),
  m . . . . . . . 32
sergent(s)-
  major(s), m . . 32
sériciculture . . . . 18.A
série . . . . . . . . 26.A
sériel . . . . . . . . 11.A
sérieux . . . . . . . 6.B
sérigraphie . . . . 17.C
serin . . . . . . 8 8.A
seringue . . . . . . 15.B
serment . . . . . 23 9.B
sermon . . . . . . . 10.A
sermonneur . . . . 16.B
séro-agglutination,
  f . . . . . . . . 32
sérologie . . . . . . 26.A
sérothérapie . . . . 13.C
serpe . . . . . . . . 23.A
serpent . . . . . . 9.B
serpentaire, m . . . 26.B
serpentin . . . . . 8.A
serpette . . . . . . 2.C
serpillière . . . . . 2.B
serpolet . . . . . . 2.B
serrage . . . . . . . 2.C
serre . . . . . . . 23 2.C
serre-file(s), m . . 32
serre-joint(s), m . . 32
serre-livres, m . . . 32
serrement . . . . 23 2.C
serre-tête, m . . . 32
serrure . . . . . . . 2.C
serrurerie . . . . . 2.C
sérum . . . . . . . 16.A
servage . . . . . . 21.A
servante . . . . . . 9.A
serveur . . . . . . . 23.A
serviabilité . . . . . 11.A
service . . . . . . . 18.B

serviette . . . . . . 2.C
serviette(s)-
  éponge(s), f . . 32
servilité . . . . . . 3.A
serviteur . . . . . . 23.A
servitude . . . . . 13.C
servocommande . 16.B
servofrein . . . . . 8.B
servomécanisme . 14.A
ses, pl. . . . . . . 18 3.C
sésame, m . . . . . 19.A
session . . . . . 18 25.A
sesterce, m . . . . 18.B
set . . . . . . . . . 13.A
séton . . . . . . . . 10.A
setter . . . . . . . 2.C
seuil . . . . . . . . 11.B
seul . . . . . . . . . 6.A
seulement . . . . . 6.A
sève . . . . . . . . 2.A
sévère . . . . . . . 2.A
sévérité . . . . . . 3.A
sévices, m . . . . . 31
sèvres, m . . . . . 31
sexagénaire . . . . 18.C
sex-appeal, m sg. . 32
sexe . . . . . . . . 18.C
sexologie . . . . . 18.C
sex-shop(s), m . . 32
sextant . . . . . . . 2.C
sexto . . . . . . . . 2.C
sextuor . . . . . . 2.C
sexualité . . . . . . 2.C
sexuel . . . . . . . 2.C
sexy, inv. . . . . . 2.C
seyant . . . . . . . 11.A
sforzando . . . . . 19.A
sfumato, m . . . . 5.A
shah . . . . . . . 20 20.B
shaker . . . . . . . 20.B
s(c)hako . . . . . . 20.B
shampooing . . . . 20.B
shérif . . . . . . 20 20.B
sherpa . . . . . . . 20.B
sherry . . . . . 20 20.B
shetland . . . . . . 20.B
shilling . . . . . . . 20.B
shimmy, m . . . . 20.B
shintô . . . . . . . 20.B
shintoïsme . . . . . 29.C
shoot [ut] . . . . . 13.A

shop(p)ing . . . . . 20.B
short . . . . . . . . 20.B
show, *m* . . . . . 5 20.B
show-business, *m* 32
shunt, *m* . . . . . . 20.B
si . . . . . . . . . 18 4.A
sial . . . . . . . . . 22.A
siamois . . . . . . 24.B
sibylle, *f* . . . . . . 4.B
sibyllin . . . . . . . 4.B
sic . . . . . . . . . 14.A
sicaire, *m* . . . . . 26.B
siccatif . . . . . . . 18.C
side-car(s), *m* . . 32
sidéral . . . . . . . 22.A
sidérurgie . . . . . 26.A
siècle . . . . . . . . 26.C
siège . . . . . . . . 2.A
sien . . . . . . . . 8.A
sierra, *f* . . . . . . 2.C
sieste . . . . . . . 2.C
sieur . . . . . . . 18 23.R
sifflement . . . . . 17.B
sifflet . . . . . . . . 17.B
sifflotement . . . . 17.B
sigillographie . . . 17.C
sigle, *m* . . . . . . 15.A
sigma, *m* . . . . . 15.A
signal . . . . . . . 11.A
signalement . . . . 11.A
signalétique . . . . 14.B
signalisation . . . . 25.A
signataire . . . . . 26.B
signature . . . . . 11.A
signe . . . . . . . 4 11.A
signet . . . . . . . 11.A
significatif . . . . . 11.A
signification . . . . 11.A
silence . . . . . . . 18.B
silencieux . . . . . 25.B
silentbloc, *m* . . . 14.A
silex . . . . . . . . 2.C
silhouette . . . . . 29.B
silicate, *m* . . . . 14.A
silice, *f* . . . . . 18 18.B
siliceux . . . . . . . 6.B
silicium . . . . . . 16.A
silicone, *f* . . . . 14.A
silicose, *f* . . . . 19.A
sillage . . . . . . . 11.B
sillon . . . . . . . . 11.B

silo . . . . . . . . . 5.A
simagrées, *f* . . . . 31
simiesque . . . . . 14.B
similaire . . . . . . 26.B
simili . . . . . . . . 4.A
similigravure . . . 26.B
similitude . . . . . 13.C
simonie . . . . . . 26.A
simoun, *m* . . . . . 16.A
simple . . . . . . . 8.B
simplement . . . . 8.B
simplet . . . . . . . 8.B
simplexe, *m* . . . . 18.C
simplicité . . . . . 8.B
simplification . . . 25.A
simulacre, *m* . . . 26.C
simulation . . . . . 25.A
simultané . . . . . 3.A
simultanéité . . . . 29.C
simultanément . . . 9.B
sinanthrope . . . . 13.C
sinapisme . . . . . 18.A
sincère . . . . . . . 2.A
sincèrement . . . . 18.A
sincérité . . . . . . 3.A
sinécure, *f* . . . . . 26.B
sine qua non . . . 32
singe . . . . . . . . 21.A
singerie . . . . . . 26.A
single, *m* . . . . . . 8.A
singleton . . . . . 8.A
singularité . . . . . 3.A
singulier . . . . . . 3.A
sinisant . . . . . . 19.A
sinistre . . . . . . . 26.C
sinistré . . . . . . . 3.A
sinistrement . . . . 9.B
sinistrose . . . . . 19.A
sinologie . . . . . . 26.A
sinon . . . . . . . . 10.A
sinueux . . . . . . 6.B
sinuosité . . . . . . 3.A
sinus, *m* . . . . . . 18.A
sinusite . . . . . . 19.A
sinusoïde, *f* . . . . 29.C
sioniste . . . . . . 13.A
sioux, *inv* . . . . . 27
siphon . . . . . . . 17.C
siphonné . . . . . 17.C
sire . . . . . . . . 23 26.B
sirène . . . . . . . 2.A

siroc(c)o . . . . . . 18.C
sirop . . . . . . . . 5.B
sirupeux . . . . . . 6.B
sis . . . . . . . . 18 4.B
sisal, *m* . . . . . . 19.A
sismique . . . . . . 14.B
sismographe . . . 17.C
s(é)ismologie . . . 29.C
sistre, *m* . . . . . 18 26.C
site . . . . . . . . 4 13.A
sitôt . . . . . . . 33 5.B
sittelle, *f* . . . . . . 2.C
situation . . . . . . 25.A
six . . . . . . . . 18 18.C
sixième . . . . . . 19.B
skaï, *m* . . . . . . . 29.C
skateboard . . . . 5.B
sketch . . . . . . . 20.A
  *pl.* sketches . . . 26.A
ski . . . . . . . . . 14.C
skieur . . . . . . . 11.A
skif(f) . . . . . . . 17.B
skipper . . . . . . . 7.C
slalom . . . . . . . 16.A
slalomeur . . . . . 23.A
slang . . . . . . . . 9.A
slave . . . . . . . . 1.A
sleeping [i] . . . . . 4.C
slip . . . . . . . . . 4.A
slogan . . . . . . . 9.A
sloop [u] . . . . . . 5.C
slovaque . . . . . . 14.B
slovène . . . . . . 2.A
slow . . . . . . . . 27
smala(h), *f* . . . . . 27
smart . . . . . . . 13.A
smash, *m* . . . . . 20.B
smicard . . . . . . 27
smocks, *m* . . . . 14.C
smog . . . . . . . . 15.A
smoking . . . . . . 14.C
snack . . . . . . . 14.C
snob . . . . . . . . 5.A
sobrement . . . . . 9.B
sobriété . . . . . . 3.A
sobriquet . . . . . 2.B
soc . . . . . . . . 14 14.A
sociabilité . . . . . 18.A
social . . . . . . . 18.A

social-démocrate . 32
  (sociaux-
  démocrates)
socialement . . . . 18.A
socialisme . . . . . 18.A
sociétaire . . . . . 26.B
société . . . . . . . 3.A
sociodrame . . . . 18.A
sociogramme . . . 18.A
sociologie . . . . . 26.A
sociopro-
  fessionnel(les) . 32
socle . . . . . . . . 26.C
socque, *m* . . . . 14 14.C
socquette . . . . . 14.C
socratique . . . . . 14.B
soda . . . . . . . . 1.A
sodium . . . . . . . 16.A
sodomie . . . . . . 26.A
sœur . . . . . . . . 6.B
sofa . . . . . . . . . 1.A
software, *m* . . . .
soi . . . . . . . . 24 24.A
soi-disant
  (soi = se) . . . 32
soie . . . . . . 24 26.A
soierie . . . . . . . 26.A
soif . . . . . . . . . 17.A
soiffard . . . . . . 17.B
soigneux . . . . . . 6.B
soin . . . . . . . . 24.A
soir . . . . . . . . . 23.A
soirée . . . . . . . 3.B
soit . . . . . . . 24 24.B
soixantaine . . . . 18.C
soixante . . . . . . 18.C
soja . . . . . . . . 21.A
sol . . . . . . . . .5* 22.A
sol-air . . . . . . . 32
solaire . . . . . . . 26.B
solarium . . . . . . 16.A
soldat . . . . . . . 1.C
soldatesque . . . . 14.B
solde, *m* . . . . . 13.CB
solde, *f* . . . . . . 13.CB
soldes . . . . . . . 31
sole . . . . . . . .5* 5.A
solécisme . . . . . 18.A
soleil . . . . . . . . 11.B
solennel . . . . . . 16.B
solennellement . . 16.B

solennité . . . . . . 16.B
solénoïde, *m* . . . 29.C
solfatare, *f* . . . . 26.B
solfège, *m* . . . . . 2.A
solidaire . . . . . . 26.B
solidarité . . . . . . 3.A
solide . . . . . . . 13.CB
solidité . . . . . . . 3.A
soliloque, *m* . . . . 14.B
solipsisme . . . . . 18.A
soliste . . . . . . . 18.A
solitaire . . . . . . 26.B
solitude . . . . . . 13.CB
solive . . . . . . . 5.A
soliveau . . . . . . 5.B
sollicitation . . . . 25.A
solliciteur . . . . . 23.A
sollicitude . . . . . 22.B
solo . . . . . . . . 5.A
sol-sol . . . . . . . 32
solstice, *m* . . . . . 18.B
solubilité . . . . . . 3.A
soluble . . . . . . . 26.C
soluté . . . . . . . 3.A
solution . . . . . . 25.A
solvabilité . . . . . 3.A
solvant . . . . . . . 9.B
somatique . . . . . 14.B
sombre . . . . . . 10.B
sombrero . . . . . 10.B
sommaire . . . . . 16.B
sommairement . . 16.B
sommation . . . 27 16.B
somme, *m* . . . . 16.B
somme, *f* . . . . . 16.B
sommeil . . . . . . 11.B
sommelier . . . . . 3.B
sommet . . . . . . 2.B
sommier . . . . . . 3.B
sommité . . . . . . 3.A
somnambule . . . 9.B
somnifère, *m* . . . 2.A
somnolence . . . . 9.A
somnolent . . . . . 9.B
somptuaire . . . . 26.B
somptueux . . . . 6.B
somptuosité . . . . 3.A
son . . . . . . . . 10.A
sonagramme . . . 16.B
sonagraphe . . . . 17.C
sonar, *m* . . . . . . 23.A

sonate, *f* . . . . . . 13.A
sonatine . . . . . . 16.A
sondage . . . . . . 21.A
sonde . . . . . . . 10.A
sondeur . . . . . . 23.A
songe-creux, *m* . . 32
songerie . . . . . . 26.A
songeur . . . . . . 23.A
sonnaille . . . . . . 11.B
sonnerie . . . . . . 26.A
sonnet . . . . . . . 2.B
sonnette . . . . . . 2.C
sonneur . . . . . . 23.A
sonomètre . . . . . 2.A
sonore . . . . . . . 26.B
sonorisateur . . . . 23.A
sonorisation . . . 23.A
sonorité . . . . . . 3.A
sonothèque . . . . 13.C
sophisme, *m* . . . 17.C
sophistiqué . . . . 17.C
sophrologie . . . . 17.C
soporifique . . . . 14.B
soprano . . . . . . 5.AB
sorbet . . . . . . . 2.B
sorbetière . . . . . 2.A
sorbier . . . . . . . 3.B
sorbonnard . . . . 27
sorcellerie . . . . . 2.C
sorcier . . . . . . . 3.B
sordide . . . . . . 13.CB
sorgho, *m* . . . . . 15.A
sornette . . . . . . 2.C
sort . . . . . . . .5* 27
sorte . . . . . . . . 13.A
sortie . . . . . . . . 26.A
sortilège . . . . . . 2.A
sosie, *m* . . . . . . 26.A
sot . . . . . . . . 5 5.B
sottement . . . . . 13.B
sottise . . . . . . . 13.B
sotto voce . . . . . 32
sou . . . . . . . . 26 18.A
soubassement . . 18.A
soubresaut . . . . 27
soubrette . . . . . 2.C
souche . . . . . . . 20.A
souci . . . . . . . . 18.A
soucieux . . . . . . 6.B
soucoupe . . . . . 14.A
soudain . . . . . . 8.B

soudainement . . . 2.A
soudaineté . . . . 2.A
soudard . . . . . . 27
soude . . . . . . . 13.CB
soudure . . . . . 26.B
soue, *f* . . . . . . 26 26.A
soufflage . . . . . 17.B
souffle . . . . . . . 17.B
soufflerie . . . . . 17.B
soufflet . . . . . . 2.B
souffleur . . . . . . 23.A
souffrance . . . . 17.B
souffre-douleur, *m* 32
souffreteux . . . . 6.B
soufisme . . . . . . 18.A
soufrage . . . . . . 21.A
soufre . . . . . . . 26.A
soufrière . . . . . . 2.A
souhait . . . . . . . 29.B
souille . . . . . . . 11.B
souillon . . . . . . 11.B
souillure . . . . . . 11.B
souk . . . . . . . . 14.C
soûl . . . . . . . . 28
soulagement . . . 9.B
soûlerie . . . . . . 26.A
soulèvement . . . 2.A
soulier . . . . . . . 3.B
soumission . . . . 25.A
soumissionnaire . 18.B
soupape . . . . . . 12.A
soupçon . . . . . . 18.A
soupçonneux . . . 18.A
soupe . . . . . . . 12.A
soupente . . . . . 9.A
souper . . . . . . . 3.B
soupière . . . . . . 2.A
soupir . . . . . . . 23.A
soupirail . . . . . . 11.B
souplesse . . . . . 2.C
source . . . . . . . 18.B
sourcier . . . . . . 3.B
sourcil . . . . . . . 22.A
sourcilleux . . . . . 11.B
sourd . . . . . . . 27
sourdement . . . . 9.B
sourdine . . . . . . 16.A
sourd(s)-muet(s),
  *m* . . . . . . . . 32
souriceau . . . . . 5.B
souricière . . . . . 2.A

sourire . . . . . . 26.B
souris . . . . . . . 27
sournois . . . . . . 24.B
sous . . . . . . . 26 27
sous-alimentation,
  *f* . . . . . . . . 32
sous-alimenté(es) . 32
sous-bois, *m* . . . 32
sous-brigadier(s),
  *m* . . . . . . . . 32
sous-chef(s), *m* . . 32
sous-commis-
  sion(s), *f* . . . . 32
souscripteur . . . . 23.A
souscription . . . . 25.A
sous-cutané(es) . . 32
sous-développement,
  *m* . . . . . . . . 32
sous-directeur(s),
  *m* . . . . . . . . 32
sous-emploi(s), *m* 32
sous-ensemble(s),
  *m* . . . . . . . . 32
sous-entendu(s), *m* 32
sous-estimation(s),
  *f* . . . . . . . . 32
sous-fifre(s), *m* . . 32
sous-jacent(es) . . 32
sous-lieutenant(s),
  *m* . . . . . . . . 32
sous-location(s), *f* 32
sous-main, *m* . . . 32
sous-marin(es) . . 32
sous-multiple(s) . . 32
sous-officier(s), *m* 32
sous-préfecture(s),
  *f* . . . . . . . . 32
sous-préfet(s), *m* . 32
sous-produit(s), *m* 32
sous-prolétariat, *m* 32
sous-seing, *m* . . . 32
soussigné(es) . . . 32
soussigné . . . . . 18.B
sous-sol(s), *m* . . . 32
sous-tension(s), *f* . 32
sous-titrage(s), *m* . 32
soustraction . . . . 25.A
sous-traitance, *f* . 32
sous-traitant(s), *m* 32
sous-vêtement(s),
  *m* . . . . . . . . 32

soutane . . . . . . 16.A
soute . . . . . . . . 13.A
soutenance . . . . 18.B
soutènement . . . 2.A
souteneur . . . . . 23.A
souterrain . . . . . 8.B
soutien . . . . . . . 8.A
soutien(s)-gorge,
  *m* . . . . . . . . 32
souvenance . . . . 18.B
souvenir . . . . . . 23.A
souvent . . . . . . 9.B
souverain . . . . . 8.B
souverainement . . 2.B
souveraineté . . . 2.B
soviet . . . . . . . 21.A
soviétique . . . . . 14.B
soya . . . . . . . . 11.A
soyeux . . . . . . . 11.A
spacieux . . . . . . 6.B
spadassin . . . . . 18.B
spaghetti . . . . . 2.C
spahi . . . . . . . . 29.B
spalter, *m* . . . . . 23.A
sparadrap . . . . . 27
spartakisme . . . . 14.C
sparterie, *f* . . . . 26.A
spartiate . . . . . . 18.C
spasme, *m* . . . . . 18.A
spatial . . . . . . . 18.C
spatialité . . . . . . 18.C
spatio-temporel(s) 32
spatule, *f* . . . . . 22.A
speaker . . . . . . 4.C
speakerine . . . . . 4.C
spécial . . . . . . . 22.A
spécialement . . . 9.B
spécialité . . . . . 3.A
spécieux . . . . . . 6.B
spécification . . . . 25.A
spécificité . . . . . 3.A
spécifique . . . . . 14.B
spécimen . . . . . 16.A
spectacle . . . . . 26.C
spectaculaire . . . 26.B
spectateur . . . . . 23.A
spectral . . . . . . 3.A
spectre . . . . . . . 3.A
spectroscopie . . . 26.A
spéculateur . . . . 23.A
spéculatif . . . . . 14.A

| | | | | | |
|---|---|---|---|---|---|
| spéculation | 25.A | squatter | 14.B | steeple | 4.C |
| spéculum | 16.A | squaw | 14.B | steeple-chase(s), *m* | 32 |
| speech | 4.C | squelette | 14.B | stèle, *f* | 32 |
| spéléologie | 26.A | stabilisateur | 23.A | stellaire | 2.C |
| spermatozoïde, *m* | 29.C | stabilité | 3.A | stencil, *m* | 18.A |
| sperme | 18.A | stabulation | 25.A | sténodactylo | 4.B |
| sphère, *f* | 17.C | staccato | 18.C | sténographie | 17.C |
| sphéricité | 17.C | stade | 18.A | sténose, *f* | 19.A |
| sphérique | 17.C | staff | 17.B | sténotypiste | 4.B |
| sphéroïde | 17.C | stage | 21.A | stentor | 23.A |
| sphincter | 17.C | stagflation | 25.A | stéphanois | 24.B |
| sphinx | 17.C | stagiaire | 26.B | steppe | 2.C |
| spinal | 18.A | stagnation | 25.A | stère, *m* | 2.A |
| spinnaker | 7.C | stakhanovisme | 14.C | stéréophonie | 17.C |
| spiral | 22 22.A | stalactite, *f* | 14.A | stéréoscope | 14.A |
| spirale | 22 22.A | stalag | 15.A | stéréotype, *m* | 4.B |
| spire, *f* | 26.B | stalagmite, *f* | 15.A | stérile | 22.A |
| spirite | 13.A | stalinien | 8.A | stérilement | 9.B |
| spiritisme | 18.A | stalle, *f* | 22.B | stérilet | 2.B |
| spiritual, *m* | 22.A | stance, *f* | 18.B | stérilisation | 25.A |
| spiritualisme | 18.A | stand, *m* | 9.A | stérilité | 3.A |
| spiritualité | 3.A | standard | 27 | sterling | 15.A |
| spirituel | 22.A | standardisation | 25.A | sterne, *f* | 16.A |
| spiritueux | 6.B | standing | 15.C | sternum | 5.C |
| spiroïdal | 29.C | staphylococcie | 14.B | stéthoscope | 13.C |
| spleen | 4.C | staphylocoque | 17.C | steward | 24.C |
| splendeur | 23.A | star, *f* | 2.A | stick | 14.C |
| splendide | 9.A | starlette | 2.C | stigmate, *m* | 15.A |
| splendidement | 9.B | starter | 29.A | stimulation | 25.A |
| spoliation | 25.A | starting-block(s), | | stimulus, *m* | 18.A |
| spondée, *m* | 3.B | *m* | 32 | stipulation | 25.A |
| spongieux | 6.B | station | 25.A | stochastique | 20.A |
| sponsor | 18.A | stationnaire | 26.B | stock | 14.C |
| spontané | 3.A | stationnement | 16.B | stock-car(s), *m* | 32 |
| spontanéité | 3.A | station(s)-service | 32 | stoïcien | 29.C |
| spontanément | 9.B | statique | 14.B | stoïque | 29.C |
| sporadique | 14.B | statisticien | 25.E | stomacal | 14.A |
| spore, *f* | 23 26.B | statistique | 14.B | stomatite, *f* | 13.A |
| sport | 23 27 | stator | 23.A | stop | 12.A |
| sportif | 17.A | statoréacteur | 23.A | stoppage | 12.B |
| spot | 13.A | statu(quo) | 14.B | stoppeur | 23.A |
| spoutnik | 14.C | statuaire | 26.B | store, *m* | 23.A |
| sprat, *m* | 13.A | statue | 26 26.A | stout, *m* | 13.A |
| spray | 2.C | statuette | 2.C | strabisme | 18.A |
| springbok, *m* | 14.C | statu quo | 26 32 | stradivarius | 18.A |
| sprint | 13.A | stature | 26.B | strangulation | 25.A |
| sprinter | 7.C | statut | 26 27 | strapontin | 8.A |
| spumeux | 6.B | statutaire | 26.B | strasbourgeois | 21.B |
| squale, *m* | 14.B | steak | 14.C | strass, *m* | 18.B |
| square | 14.B | steamer | 4.C | stratagème, *m* | 2.A |
| squash | 20.B | stéarine, *f* | 3.A | strate, *f* | 13.A |

stratège, *m* . . . . 2.A
stratégie . . . . . . 26.A
stratification . . . . 25.A
strato-cumulus, *m* 32
stratosphère . . . . 17.C
stratus, *m* . . . . . 18.A
streptococcie . . . 18.C
streptocoque, *m* . 14.B
streptomycine, *f* . 4.B
stress, *m* . . . . . . 2.C
strict . . . . . . . . 13.A
stricto . . . . . . . 32
stridence . . . . . 18.B
strident . . . . . . 9.B
strie . . . . . . . . 26.A
strip-tease, *m sg.* . 32
strip-teaseuse(s), *f* 32
stroboscope . . . . 14.A
strombolien . . . . 8.A
strontium, *m* . . . 18.C
strophe, *f* . . . . . 17.C
structural . . . . . 22.A
structuration . . . 25.A
structure . . . . . . 23.A
strychnine . . . . . 14.C
stuc . . . . . . . . 14.A
studieux . . . . . . 6.B
studio . . . . . . . 5.A
stupéfaction . . . . 25.A
stupéfait . . . . . . 27
stupéfiant . . . . . 9.B
stupeur . . . . . . . 23.A
stupide . . . . . . . 13.C
stupidité . . . . . . 3.A
stupre, *m* . . . . . 26.C
style . . . . . . . . 4.B
stylet . . . . . . . . 4.B
styliste . . . . . . . 4.B
stylisticien . . . . . 25.C
stylo . . . . . . . . 4.B
stylo-feutre(s), *m* . 32
stylographe . . . . 17.C
su . . . . . . . . . 18.A
suaire, *m* . . . . . 26.B
suave . . . . . . . 1.A
suavité . . . . . . . 3.A
subalterne . . . . . 16.A
subconscient . . . 18.C
subit . . . . . . .4 4.B
subitement . . . . 9.B
subito . . . . . . . 5.A

subjectif . . . . . . 2.C
subjectivité . . . . 2.C
subjonctif . . . . . 21.A
sublimation . . . . 25.A
sublime . . . . . . 16.A
sublunaire . . . . . 26.B
submersion . . . . 25.A
subordination . . . 25.A
suborneur . . . . . 23.A
subreptice . . . . . 18.B
subrogatoire . . . 26.B
subséquemment . 1.C
subséquent . . . . 14.B
subside, *m* . . . . 12.C
subsidiaire . . . . 12.C
subsistance . . . . 18.B
subsonique . . . . 12.C
substance . . . . . 18.B
substantiel . . . . 25.C
substantiellement . 9.B
substantif . . . . . 9.A
substantivation . . 25.A
substitut . . . . . . 27
substitution . . . . 25.A
substrat . . . . . . 27
subterfuge, *m* . . . 21.A
subtil . . . . . . . 22.A
subtilement . . . . 26.A
subtilité . . . . . . 3.A
suburbain . . . . . 8.B
subvention . . . . 25.A
subversif . . . . . . 18.A
suc . . . . . . . . 14.A
succédané . . . . . 14.B
succès . . . . . . . 14.B
successeur . . . . 14.B
successif . . . . . . 14.B
succession . . . . 25.A
successivement . . 18.C
successoral . . . . 18.C
succinct . . . . .8 27
succinctement . . 18.C
succion . . . . . . 18.C
succulent . . . . . 14.B
succursale . . . . . 14.B
sucette . . . . . . 18.A
suçon . . . . . . . 18.A
sucre . . . . . . . 14.A
sucrerie . . . . . . 26.A
sucrier . . . . . . . 3.B
sud . . . . . . . . 13.A

sud-africain(es) . . 32
sud-américain(es) . 32
sudation . . . . . . 25.A
sud-est . . . . . . . 32
sudiste . . . . . . . 13.A
sudorifique . . . . 14.B
sudoripare . . . . . 26.B
sud-ouest . . . . . 32
suédois . . . . . . 24.B
suée . . . . . . . . 3.B
sueur . . . . . . . . 23.A
suffisamment . . . 1.C
suffisance . . . . . 19.A
suffisant . . . . . . 9.B
suffixe . . . . . . . 18.C
suffocant . . . . . 9.B
suffocation . . . . 25.A
suffrage . . . . . . 21.A
suffragette . . . . 2.C
suggestif . . . . . 15.C
suggestion . . . . 15.C
suggestivité . . . . 15.C
suicidaire . . . . . 26.B
suicide . . . . . . 18.A
suie . . . . . . . . 26.A
suif . . . . . . . . 17.A
suiffeux . . . . . . 6.B
suin(t) . . . . . . . 27
suisse . . . . . . . 18.B
suite . . . . . . . . 13.A
sujet . . . . . . . . 2.B
sujétion . . . . . . 25.A
sulfamide, *m* . . . 13.CB
sulfatage . . . . . 21.A
sulfate, *m* . . . . 13.A
sulfite, *m* . . . . . 13.A
sulfure, *m* . . . . 23.A
sulfureux . . . . . 6.B
sulfurique . . . . . 14.B
sulky, *m* . . . . . . 4.B
sultan . . . . . . . 9.A
sultanat . . . . . . 1.C
sultane . . . . . . . 16.A
sumérien . . . . . 8.A
summum . . . . . 5.C
sunlight . . . . . . 27
sunnite . . . . . . 16.B
super . . . . . .23 23.A
superbe . . . . . . 23.A
supercherie . . . . 26.A
superfétatoire . . . 26.B

| | |
|---|---|
| superficie | 25.C |
| superficiel | 25.C |
| superficiellement | 2.C |
| superflu | 18.A |
| supérieur | 23.A |
| supérieurement | 26.A |
| supériorité | 3.A |
| superlatif | 17.A |
| superman | 16.A |
| supermarché | 3.A |
| supernova, f | 5.A |
| superposition | 25.A |
| supersonique | 14.B |
| superstitieux | 25.B |
| superstition | 25.A |
| superstrat | 27 |
| superstructure | 23.A |
| supervision | 19.A |
| suppléance | 18.B |
| suppléant | 9.B |
| supplément | 9.B |
| supplémentaire | 26.B |
| supplétif | 12.B |
| supplication | 25.A |
| supplice | 18.B |
| supplique | 14.B |
| support | 27 |
| supposition | 25.A |
| suppositoire | 26.B |
| suppôt | 5.B |
| suppression | 25.A |
| suppuration | 25.A |
| supputation | 25.A |
| supra | 1.A |
| supranational | 18.C |
| supraterrestre | 2.C |
| suprématie | 18.C |
| suprême | 2.A |
| suprêmement | 2.A |
| sur | 26 23.A |
| sûr | 26 28 |
| surabondamment | 1.C |
| surabondance | 9.A |
| suraigu | 2.B |
| suralimentation | 25.A |
| suranné | 16.A |
| surate, f | 13.A |
| surchauffe, f | 17.B |
| surchoix | 24.B |
| surcompensation | 25.A |
| surcroît | 24.B |

| | |
|---|---|
| surdité | 3.A |
| surdoué | 3.A |
| sureau | 5 5.B |
| sûrement | 9.B |
| surenchère | 9.A |
| suréquipement | 14.B |
| suret | 2.B |
| sûreté | 13.A |
| surexcitation | 18.C |
| surexposition | 18.C |
| surf | 7.C |
| surface | 18.B |
| surfait | 2 27 |
| surfin | 8.A |
| surgeon | 21.B |
| surhomme | 29.B |
| surhumain | 29.B |
| surin | 8.A |
| surintendance | 9.A |
| surjection | 25.A |
| sur-le-champ | 32 |
| surlendemain | 8.B |
| surmenage | 21.A |
| surmoi | 24.A |
| sur-moi | 32 |
| surmulot | 5.B |
| surmultiplication | 25.A |
| surnaturel | 22.A |
| surnom | 10.B |
| surnombre | 10.B |
| surnuméraire | 26.B |
| suroît | 24.B |
| surpeuplement | 6.A |
| surplis | 4.B |
| surplomb | 10.B |
| surplus | 27 |
| surpopulation | 25.A |
| surprise | 19.A |
| surproduction | 25.A |
| surréalisme | 23.B |
| surréel | 23.B |
| surrégénérateur | 23.A |
| surrénal | 23.B |
| sursaut | 5.B |
| sursis | 4.B |
| sursitaire | 26.B |
| surtaxe | 18.C |
| surtout | 27 |
| surveillance | 11.B |
| survêtement | 2.A |
| survie | 4.B |

| | |
|---|---|
| survivance | 9.A |
| survol | 22.A |
| sus | 18.A |
| susceptibilité | 18.C |
| susceptible | 18.C |
| susdit | 4.B |
| sus-dominante(s), f | 32 |
| susmentionné | 18.A |
| susnommé | 16.B |
| suspect | 27 |
| suspens | 27 |
| suspense, m | 9.A |
| suspensif | 9.A |
| suspension | 25.A |
| suspicieux | 25.B |
| suspicion | 25.A |
| sustentation | 25.A |
| sus-tonique(s), f | 32 |
| susurrement | 19.C |
| suture | 26.B |
| suzerain | 19.A |
| suzeraineté | 2.B |
| svastika, m | 14.C |
| svelte | 13.A |
| sveltesse | 2.C |
| swahili | 29.B |
| sweater [i] | 4.C |
| sweatshirt, m | 32 |
| sweepstake | 4.C |
| swing | 15.A |
| sybarite | 4.B |
| sycomore, m | 4.B |
| syllabaire, m | 4.B |
| syllabe | 4.B |
| syllabique | 14.B |
| syllabus | 22.B |
| syllogisme | 21.A |
| sylphe, m | 17.C |
| sylphide, f | 4.B |
| sylvain | 8.B |
| sylvestre | 4.B |
| sylvicole | 4.B |
| sylviculture | 4.B |
| symbiose | 8.C |
| symbole | 8.C |
| symbolique | 8.C |
| symétrie | 4.B |
| symétrique | 14.B |
| sympathie | 8.C |
| sympathique | 13.C |
| symphonie | 8.C |

symphonique . . . 14.B
symphyse, *f* . . . . 8.C
symposium, *m* . . 16.A
symptomatique . . 8.C
symptôme . . . . . 8.C
synagogue . . . . 15.B
synapse, *f* . . . . . 4.B
synchrone . . . . . 8.C
synchronique . . . 14.C
synchronisme . . . 14.C
synclinal . . . . . . 8.C
syncopal . . . . . . 8.C
syncope . . . . . . 8.C
syncrétisme . . . . 8.C
syndic . . . . . . . 8.C
syndical . . . . . . 8.C
syndicat . . . . . . 1.C
syndrome . . . . . 8.C
synecdoque, *f* . . . 14.B
synesthésie . . . . 13.C
synodal . . . . . . 4.B
synode . . . . . . . 4.B
synonyme . . . . . 4.B
synonymie . . . . . 4.B
synopsis, *m ou f* . 4.B
synoptique . . . . 14.B
synovie, *f* . . . . . 4.B
syntacticien . . . . 25.E
syntactique . . . . 8.C
syntagmatique . . 8.C
syntagme, *m* . . . 15.A
syntaxe . . . . . . 8.C
syntaxique . . . . . 14.B
synthèse . . . . . . 13.C
synthétique . . . . 14.B
synthétiseur . . . . 8.C
syphilis . . . . . . . 17.C
syphilitique . . . . 4.B
syriaque . . . . . . 14.B
syrinx, *m ou f* . . . 8.A
systématicien . . . 25.E
systématique . . . 14.B
systématisation . . 25.A
système . . . . . . 4.B
systémique . . . . 14.B
systole, *f* . . . . . . 4.B
systolique . . . . . 14.B

ta . . . . . . . . . 1 1.A
tabac . . . . . . . 27
tabagie . . . . . . 26.A
tabatière . . . . . 26.B
tabellion . . . . . . 2.C
tabernacle, *m* . . . 26.C
tablature . . . . . . 26.B
table . . . . . . . . 26.C
tableau . . . . . . 5.B
tablée . . . . . . . 3.B
tabletier . . . . . . 3.B
tablette . . . . . . 2.C
tabletterie . . . . . 2.C
tablier . . . . . . . 3.B
tabou . . . . . . . 12.A
tabouret . . . . . . 2.B
tabulaire . . . . . . 26.B
tabulateur . . . . . 23.A
tabulatrice . . . . . 18.B
tac . . . . . . . . . 14.A
tache . . . . . . .1* 20.A
tâche . . . . . . .1* 28
tâcheron . . . . . . 10.A
tacheture . . . . . 26.A
tachisme . . . . . . 14.C
tachycardie, *f* . . . 14.C
tacite . . . . . . . . 18.A
taciturne . . . . . . 18.A
tacle, *m* . . . . . . 26.C
tacot . . . . . . . . 5.B
tact . . . . . . . . . 13.A
tacticien . . . . . . 25.E
tactile . . . . . . . 22.A
tactique . . . . . . 14.B
tænia, *m* . . . . . . 2.C
taffetas . . . . . . 27
tafia, *m* . . . . . . 1.A
tagliatelle . . . . . 31
tahitien . . . . . . 25.E
taïaut ! . . . . . . . 29.B
taie . . . . . . . . 2 26.A
taïga . . . . . . . . 29.C
taille . . . . . . . . 11.B
taille-crayon(s), *m* 32
taille(s)-douce(s), *f* 32
tailleur . . . . . . . 11.B

taillis . . . . . . . . 11.B
tain . . . . . . . . . 8.B
taiseux . . . . . . . 6.B
talc . . . . . . . . . 14.A
talent . . . . . . . 9.B
talentueux . . . . . 6.B
talion . . . . . . . . 11.A
talisman . . . . . . 9.A
talkie(s)-walkie(s),
*m* . . . . . . . . 32
talmud . . . . . . 15.CB
talmudique . . . . 14.B
taloche . . . . . . . 26.C
talon . . . . . . . . 10.A
talonnade . . . . . 16.B
talonnette . . . . . 2.C
talonneur . . . . . 23.A
talus . . . . . . . . 27
tamanoir . . . . . . 23.A
tamarin . . . . . . 8.A
tamaris . . . . . . . 18.A
tambouille . . . . . 11.B
tambour . . . . . . 9.B
tambourin . . . . . 8.A
tambour(s)-
major(s), *m* . . . 32
tamis . . . . . . . . 4.B
tampon . . . . . . 9.B
tamponnement . . 9.B
tamponnoir . . . . 9.B
tam(s)-tam(s), *m* . 32
tan . . . . . . . . 9 9.A
tanche . . . . . . . 9.A
tandem, *m* . . . . . 9.A
tandis . . . . . . . 4.B
tandis que . . . . . 32
tangage . . . . . . 21.A
tangence . . . . . 9.A
tangentiel . . . . . 25.C
tangibilité . . . . . 3.A
tango . . . . . . . 5.A
tangon . . . . . . . 10.A
tanière . . . . . . . 11.A
tan(n)in . . . . . . 8.A
tank . . . . . . . . 14.C
tanker . . . . . . . 23.A
tannage . . . . . . 16.B
tannerie . . . . . . 16.B
tanneur . . . . . . 16.B
tant . . . . . . . . 9 9.B
tante . . . . . . . 9 9.A

tantième . . . . . . 2.A
tantinet . . . . . . 2.B
tant mieux . . . . 32
tantôt . . . . . . . 27
tao . . . . . . . . 5.A
taoïsme . . . . . . 29.C
taon . . . . . . . 9 1.C
tapage . . . . . . . 21.A
tapageur . . . . . . 23.A
tape . . . . . . . . 12.A
tape-à-l'œil . . . . 32
tapecul . . . . . . . 27
tapinois . . . . . . 24.B
tapioca . . . . . . 14.A
tapir . . . . . . . 23.A
tapis . . . . . 4 4.B
tapis-brosse(s), m 32
tapisserie . . . . . 18.B
taque, f . . . . . . 14.B
taquet . . . . . . . 2.B
taquin . . . . . . . 8.A
taquinerie . . . . . 26.A
taratata ! . . . . . . 1.A
taraud . . . . . 5 5.B
tard . . . . . 23 27
tardif . . . . . . . 17.A
tare, f . . . . . 23 26.B
taré . . . . . . . . 3.A
tarentelle . . . . . 2.C
tarentule, f . . . . 9.A
targette . . . . . . 2.C
targui . . . . . . . 15.B
targum . . . . . . 5.C
tarière . . . . . . 26.B
tarif . . . . . . . . 17.A
tarifaire . . . . . . 26.B
tarification . . . . 25.A
tarissement . . . . 18.B
tarot . . . . . . . 5 5.B
tarse, m . . . . . 18.A
tartan . . . . . . . 9.A
tartare . . . . . . 26.B
tarte . . . . . . . 13.A
tartelette . . . . . 2.C
tartine . . . . . . 16.A
tartre, m . . . . . 26.C
tartreux . . . . . . 6.B
tartuf(f)e . . . . . 17.B
tas . . . . . . . 1 1.C
tasse . . . . . . . 18.B
tasseau . . . . . . 5.B

tassement . . . . . 18.B
taste-vin, m . . . . 32
tatar . . . . . . . 23.A
tatillon . . . . . . 11.B
tâtonnement . . . 16.B
tâtons . . . . . . . 31
tatouage . . . . . . 21.A
taudis . . . . . . . 4.B
taule . . . . . . 5 5.B
taupe . . . . . . 5* 5.B
taupinière . . . . . 11.A
taureau . . . . . . 5.B
taurillon . . . . . . 11.B
tauromachie . . . . 26.A
tautologie . . . . . 26.A
taux . . . . . . . 5 27
tavelure . . . . . . 26.A
taverne . . . . . . 16.A
tavernier . . . . . . 3.B
taxation . . . . . . 18.C
taxe . . . . . . . . 18.C
taxi . . . . . . . . 18.C
taxidermie . . . . . 26.A
taxinomie . . . . . 26.A
taxiphone . . . . . 17.C
taxonomie . . . . . 18.C
tayaut ! . . . . . . 11.A
taylorisme . . . . . 2.C
tchador . . . . . . 20.A
tchèque . . . . . . 20.A
te . . . . . . . . . 6.A
té, m . . . . . . 3 3.A
team . . . . . . . 4.C
technicien . . . . . 14.C
technicité . . . . . 14.C
technicolor . . . . 14.C
technocratie . . . . 18.C
technologie . . . . 14.C
te(c)k . . . . . . . 14.C
teckel . . . . . . . 14.C
tectonique . . . . . 14.B
tee-shirt(s), m (ou
    T-shirt(s), m) . . 32
téflon . . . . . . . 10.A
tégument . . . . . 15.A
teigne, f . . . . . . 2.B
teigneux . . . . . . 11.A
teint . . . . . . 8 8.B
teinte . . . . . . . 8.B
teinture . . . . . . 8.B
teinturier . . . . . . 3.B

tel . . . . . . . . 22 22.A
télé . . . . . . . . 3.A
télécommande . . 16.B
télécommunication 25.A
télé-enseignement 32
téléférique . . . . . 14.B
télégramme . . . . 16.B
télégraphe . . . . . 17.C
téléguidage . . . . 15.B
téléinformatique, f 32
télématique . . . . 14.B
télémètre . . . . . 26.C
téléobjectif . . . . 2.C
télépathie . . . . . 13.C
téléphérique . . . . 17.C
téléphone . . . . . 17.C
téléphonique . . . 14.C
télescope . . . . . 12.A
télescopique . . . . 14.B
télescripteur . . . . 23.A
télésiège . . . . . . 21.A
téléspectateur . . . 23.A
téléviseur . . . . . 23.A
télévisuel . . . . . 19.A
télex . . . . . . . 18.C
tell . . . . . . . . 22 2.C
tellement . . . . . 2.C
tellurique . . . . . 14.B
téméraire . . . . . 26.B
témérité . . . . . . 3.A
témoignage . . . . 11.A
témoin . . . . . . . 24.D
tempe . . . . . . . 9.B
tempera, f . . . . . 9.B
tempérament . . . 9.B
tempérance . . . . 9.A
température . . . . 9.B
tempête . . . . . . 9.B
tempétueux . . . . 6.B
temple . . . . . . . 9.B
tempo . . . . . . . 9.B
temporaire . . . . . 9.B
temporal . . . . . . 9.B
temporalité . . . . 9.B
temporel . . . . . . 9.B
temporisation . . . 25.A
temps . . . . . . . 9 27
tenable . . . . . . 26.C
tenace . . . . . . . 18.B
ténacité . . . . . . 3.A
tenaille . . . . . . 11.B

tenancier . . . . . 3.B
tendance . . . . . 9.A
tendanciel . . . . . 25.C
tendancieux . . . . 25.B
tender . . . . . . . 7.C
tendeur . . . . . . . 7.A
tendinite . . . . . . 9.A
tendon . . . . . . . 9.A
tendre . . . . . . . 26.C
tendresse . . . . . 2.C
tendron . . . . . . . 10.A
ténèbres, f . . . . . 31
ténébreux . . . . . 6.B
teneur . . . . . . . 7.A
ténia, m . . . . . . 11.A
tennis . . . . . . . 16.B
tennisman . . . . . 16.B
tenon . . . . . . . 10.A
ténor . . . . . . . 23.A
tension . . . . . . . 25.A
tensoriel . . . . . . 11.A
tentaculaire . . . . 2.B
tentacule, m . . . . 9.A
tentateur . . . . . 9.A
tentation . . . . . . 25.A
tentative . . . . . . 9.A
tente . . . . . . 9 9.A
tenture . . . . . . . 9.A
ténu . . . . . . . . 3.A
tenue . . . . . . 27
ter . . . . . . 23 23.A
tératogène . . . . . 2.A
tercet . . . . . . . 2.B
térébenthine . . . 13.C
tergal . . . . . . . 15.A
tergiversation . . . 25.A
terme . . . . . 13 16.A
terminaison . . . . 19.A
terminal . . . . . 22.A
terminologie . . . . 26.A
terminus . . . . . . 18.A
termite, m . . . . 13 13.A
termitière . . . . . 2.A
ternaire . . . . . . 2.B
terne . . . . . . . 16.A
ternissure . . . . . 18.B
terrain . . . . . . . 2.C
terrasse . . . . . . 2.C
terrassement . . . 2.C
terre . . . . . . 23 2.C

terre-à-terre (ou
  terre à terre) . . 32
terreau . . . . . . . 5.B
terre-neuvas, m . . 32
terre-plein(s), m . . 32
terrestre . . . . . . 2.C
terreur . . . . . . . 2.C
terreux . . . . . . . 6.B
terri(l) . . . . . . . 2.C
terrible . . . . . . . 2.C
terrien . . . . . . . 8.A
terrine . . . . . . . 2.C
territoire . . . . . . 26.B
territorial . . . . . . 2.C
territorialité . . . . 2.C
terroir . . . . . . . 23.A
terrorisme . . . . . 2.C
tertiaire . . . . . . 25.D
tertio . . . . . . . 18.C
tertre . . . . . . . 26.C
tes, pl. . . . . . . . 3.C
tessiture . . . . . . 18.B
tesson . . . . . . . 18.B
test . . . . . . . . . 13.A
testament . . . . . 9.B
testamentaire . . . 26.B
testateur . . . . . . 7.A
testicule, m . . . . 14.A
testimonial . . . . 2.C
testostérone, f . . 32
têt . . . . . . . . . 2 28.A
tétanos . . . . . . 18.A
têtard . . . . . . 27
tête . . . . . . . . . 2.A
tête-à-queue, m . . 32
tête-à-tête, m . . . 32
tête-bêche . . . . . 32
tétée . . . . . . . . 3.B
tétine . . . . . . . . 16.A
téton . . . . . . . . 10.A
tétraèdre . . . . . . 26.C
tétras . . . . . . . . 3.A
tette, f . . . . . . . 2.C
têtu . . . . . . . . 2.A
teuton . . . . . . . 6.A
teutonique . . . . . 6.A
texte . . . . . . . . 18.C
textile . . . . . . . 18.C
textuel . . . . . . . 22.A
texture . . . . . . . 18.C
thaï . . . . . . . . . 29.C

thalamus . . . . . . 13.C
thalassothérapie . 13.C
thaler, m . . . . . . 13.C
thalidomide . . . . 13.C
thalle, m . . . . . 13 13.C
thanatologie . . . . 13.C
thaumaturge . . . 5.B
thé . . . . . . . . 3 13.C
théâtral . . . . . . . 13.C
théâtre . . . . . . . 13.C
thébaïde . . . . . . 29.C
théier . . . . . . . . 3.B
théière . . . . . . . 13.C
théiste . . . . . . . 13.C
thématique . . . . 14.B
thème . . . . . . . 13.C
théocratie . . . . . 18.C
théodicée, f . . . . 13.C
théodolite, m . . . 13.C
théogonie . . . . . 13.C
théologal . . . . . . 13.C
théologien . . . . . 8.A
t(h)éorbe, m . . . . 13.C
théorème . . . . . 13.C
théorétique . . . . 14.B
théoricien . . . . . 8.A
théorie . . . . . . . 13.C
théorique . . . . . 14.B
théosophe . . . . . 17.C
thérapeute . . . . . 6.A
thérapeutique . . . 6.A
thérapie . . . . . . 13.C
thermal . . . . . . . 13.C
thermes, m . . . 13 31
thermie . . . . . . 13.C
thermique . . . . . 14.B
thermodynamique 13.C
thermomètre . . . 13.C
thermonucléaire . 13.C
thermos, m ou f . . 13.C
thermostat . . . . 1.C
thésaurisation . . . 5.B
thesaurus . . . . . 5.B
thèse . . . . . . . . 13.C
thêta . . . . . . . . 13.C
thibaude, f . . . . . 5.B
thon . . . . . . . 13 13.C
thonier . . . . . . . 13.C
thora(h), f . . . . . 13.C
thoraco-
  abdominal(aux) 32

thorax . . . . . . . 18.C
thrène, *m* . . . . . 13.C
thriller [iloer] . . . 7.C
thrombose . . . . . 13.C
thuriféraire . . . . 13.C
thuya, *m* . . . . . . 11.A
thym . . . . . . . 8  8.C
thymus . . . . . . 13.C
thyroïde . . . . . . 29.C
tiare, *f* . . . . . . 23.A
tibia, *m* . . . . . . 11.A
tic . . . . . . . 14 14.A
ticket . . . . . . . 14.C
tiède . . . . . . . . 2.A
tiédeur . . . . . . . 23.A
tien . . . . . . . . 8.A
tierce . . . . . . . 18.B
tiercé . . . . . . . 18.A
tiers . . . . . . . 27
   *f* tierce . . . . . 18.B
tiers-temps, *m sg.* 32
tige . . . . . . . . 21.A
tignasse . . . . . 11.A
tigre . . . . . . . 26.C
tigresse . . . . . . 2.C
tilbury . . . . . . . 4.B
tilde, *m* . . . . . . 13.CB
tilleul . . . . . . . . 11.B
tilt, *m* . . . . . . 13.A
timbale . . . . . . 8.B
timbre . . . . . . . 8.B
timbre(s)-amende(s),
   *m* . . . . . . . . 32
timbre(s)-poste, *m* 32
timide . . . . . . . 13.CB
timidité . . . . . . 3.A
timon . . . . . . . 10.A
timonerie . . . . . 26.A
timoré . . . . . . . 3.A
tinette . . . . . . . 2.C
tintamarre . . . . . 8.A
tintement . . . . . 9.B
tintouin . . . . . . 8.A
tique, *f* . . . . . 14 14.B
tir . . . . . . . . 23 23.A
tirade . . . . . . . 13.A
tirage . . . . . . . 21.A
tiraillement . . . . 11.B
tirailleur . . . . . . 11.B
tire, *f* . . . . . . 23 26.B
tire-au-flanc, *m* . . 32

tire-bouchon(s), *m* 32
tire-d'aile (à) . . . . 32
tire-fesse(s), *m* . . 32
tire-fond(s), *m* . . 32
tire-lait, *m* . . . . . 32
tirelire, *f* . . . . . . 26.B
tiret . . . . . . . . 2.A
tirette . . . . . . . 2.C
tireur . . . . . . . . 7.A
tire-veille, *m* . . . . 32
tiroir . . . . . . . . 23.A
tiroir(s)-caisse(s),
   *m* . . . . . . . . 32
tisane . . . . . . . 19.A
tison . . . . . . . . 19.A
tisonnier . . . . . . 3.B
tissage . . . . . . . 18.B
tisserand . . . . . . 9.C
tissu . . . . . . . . 18.B
titan . . . . . . . . 9.A
titane, *m* . . . . . . 16.A
titanesque . . . . . 14.B
titre . . . . . . . . 26.C
titulaire . . . . . . 26.B
toast, *m* . . . . . . 5.B
toboggan . . . . . 9.A
toc . . . . . . . 14 14.A
tocard . . . . . . . 27
toccata, *f* . . . . . 18.C
tocsin . . . . . . . 8.A
toge . . . . . . . . 21.A
tohu-bohu, *m sg.* . 32
toi . . . . . . . 24 24.A
toile . . . . . . . . 24.A
toilettage . . . . . 2.C
toilette . . . . . . . 2.C
toise, *f* . . . . . . 19.A
toison . . . . . . . 19.A
toit . . . . . . . 24 24.B
toiture . . . . . . . 26.B
tôle . . . . . . . 5  5.B
tolérance . . . . . 9.A
tôlerie . . . . . . . 26.A
tôlier . . . . . . . . 3.B
tollé . . . . . . . . 3.A
toluène, *m* . . . . . 2.A
tomahawk . . . . . 29.B
tomate . . . . . . . 13.A
tombal . . . . . . . 10.B
tombe . . . . . . . 10.B
tombeau . . . . . . 5.B

tombée . . . . . . 10.B
tombereau . . . . . 5.B
tombola, *f* . . . . . 10.B
tome, *m* . . . . . 27 5.A
tomme, *f* . . . . 27 16.B
tom(m)ette . . . . 2.C
tommy, *m* . . . . . 4.B
   *pl.* tommies . . . 31
tomographie . . . 17.C
ton . . . . . . . 13 10.A
tonal . . . . . . . . 22.A
tonalité . . . . . . 3.A
tondeur . . . . . . 23.A
tonicité . . . . . . 3.A
tonique . . . . . . 14.B
tonne . . . . . . . 16.B
tonneau . . . . . . 5.B
tonnelet . . . . . . 2.B
tonnelle . . . . . . 2.C
tonnellerie . . . . . 2.C
tonnerre . . . . . . 2.C
tonsure . . . . . . 18.A
tonte . . . . . . . . 10.A
tonus . . . . . . . 18.A
top . . . . . . . 5* 12.A
topaze, *f* . . . . . 19.A
tope ! . . . . . . 5* 12.A
topinambour . . . 9.B
topique . . . . . . 14.B
topo, *m* . . . . . . 5.A
topographie . . . . 17.C
topologie . . . . . 26.A
toponyme . . . . . 4.B
toponymie . . . . . 4.B
toquade . . . . . . 14.B
toquante . . . . . . 14.B
toquard . . . . . . 14.B
toque . . . . . . 14 14.B
torah, *f* . . . . . . 27
torche . . . . . . . 26.B
torchère . . . . . . 2.A
torchis . . . . . . . 4.B
torchon . . . . . . 10.A
tord-boyaux, *m* . . 32
tore, *m* . . . . . 23 23.A
toréador . . . . . . 23.A
torero . . . . . . . 5.A
torgnole . . . . . . 11.A
toril . . . . . . . . 22.A
tornade . . . . . . 5.A
toron . . . . . . . . 10.A

torpédo . . . . . . 5.A
torpeur . . . . . . . 23.A
torpille . . . . . . . 11.B
torpilleur . . . . . . 11.B
torréfaction . . . . 25.A
torrent . . . . . . . 9.B
torrentiel . . . . . 25.C
torride . . . . . . 23 23.B
tors . . . . . . . 23 27
torsade . . . . . . . 18.A
torse, m . . . . . . 5.A
torsion . . . . . . . 25.A
tort . . . . . . . 23 27
torticolis . . . . . . 4.B
tortillard . . . . . . 11.B
tortionnaire . . . . 18.C
tortue . . . . . . . 5.A
tortueux . . . . . . 6.B
torture . . . . . . . 26.B
torve . . . . . . . . 5.A
tory . . . . . . . . 4.B
  pl. tories . . . . 31
tôt . . . . . . . 5 33 5.B
total . . . . . . . . 22.A
totalement . . . . . 9.B
totalisateur . . . . 7.A
totalitaire . . . . . 2.B
totalité . . . . . . . 3.A
totem . . . . . . . 16.A
totémique . . . . . 14.B
toton . . . . . . . . 10.A
touareg . . . . . . 15.A
toubib . . . . . . . 12.B
toucan . . . . . . . 9.A
touche . . . . . . . 26.C
touche-à-tout . . . 32
toue, f . . . . . . . 27
touffe . . . . . . . 17.B
touffu . . . . . . . 17.B
toujours . . . . . . 27
toundra, f . . . . . 1.A
toupet . . . . . . . 2.B
toupie . . . . . . . 4.B
touque, f . . . . . 14.B
tour, m . . . . . 23 23.A
tour, f . . . . . . 23 23.A
tourangeau . . . . 5.B
tourbe, f . . . . . 12.A
tourbeux . . . . . . 6.B
tourbier . . . . . . 3.B
tourbillon . . . . . 11.B

tourbillonnement . 11.B
tourelle . . . . . . 2.C
touret . . . . . . . 2.B
tourie, f . . . . . . 26.A
tourillon . . . . . . 11.B
tourisme . . . . . . 19.A
touristique . . . . . 14.B
tourmaline, f . . . 16.A
tourment . . . . . 9.B
tourmente . . . . . 9.A
tourmentin . . . . 8.A
tournebroche, m . 26.C
tourne-disque(s),
  m . . . . . . . . 32
tournedos, m . . . 27
tournée . . . . . . 3.B
tournemain . . . . 8.B
tournesol . . . . . 18.A
tourneur . . . . . . 23.A
tournevis . . . . . 18.A
tourniquet . . . . . 14.B
tournis, m . . . . . 18.A
tournoi . . . . 24 24.A
tournoiement . . . 26.A
tournure . . . . . . 26.B
tourte . . . . . . . 13.A
tourteau . . . . . . 5.B
tourtereau . . . . . 5.B
tourterelle . . . . . 2.C
tourtière . . . . . . 11.A
tous, m pl. . . . . . 18.A
toussotement . . . 18.B
tout . . . . . . . . 27
tout à coup . . . . 32
tout à fait . . . . . 32
tout-à-l'égout, m . 32
tout à l'heure . . . 32
tout de suite . . . . 32
toutefois . . . . . . 24.B
toute-puissance, f 32
toutes, f pl. . . . . 13.A
tout fou(s) . . . . . 32
toutou . . . . . . . 13.A
tout-petit(s) . . . . 32
tout-puissant(s) . . 32
tout-venant, m sg. 32
toux . . . . . . . . 27
toxicomane . . . . 18.C
toxine, f . . . . . . 18.C
toxique . . . . . . 18.C
trac . . . . . . 14 14.A

traçage . . . . . . 18.A
tracas . . . . . . . 1.C
tracasserie . . . . 18.B
trace . . . . . . . . 18.B
traceur . . . . . . 18.A
trachée . . . . . . 3.B
trachée(s)-
  artère(s), f . . . 32
trachéite, f . . . . 14.C
trachome . . . . . 14.C
traçoir . . . . . . . 18.A
tract . . . . . . . . 13.A
tractation . . . . . 25.A
tracteur . . . . . . 23.A
traction . . . . . . 25.A
tradition . . . . . . 25.A
traditionaliste . . . 18.C
traditionnel . . . . 18.C
traditionnellement . 9.B
traducteur . . . . . 23.A
traduction . . . . . 25.A
traduisible . . . . . 19.A
trafic . . . . . . . . 14.A
tragédie . . . . . . 4.B
tragédien . . . . . 8.A
tragi-comédie(s), f 32
tragi-comique(s) . 32
tragiquement . . . 14.B
trahison . . . . . . 29.B
train . . . . . . . 8 8.B
traînard . . . . . . 27
traîne . . . . . . . 2.B
traîneau . . . . . . 2.B
traînée . . . . . . . 3.B
traîne-misère . . . 32
traîne-savates . . . 32
traîneur . . . . . . 23.A
training . . . . . . 15.A
train-train . . . . . 32
trait . . . . . . . 2 27
traite . . . . . . . ' 2.B
traité . . . . . . . 3.A
traitement . . . . . 2.B
traiteur . . . . . . 23.A
traître . . . . . . . 2.B
traîtresse . . . . . 2.C
traîtreusement . . 6.A
traîtrise . . . . . . 19.A
trajectoire . . . . . 26.B
trajet . . . . . . . 2.B
tralala, m . . . . . 1.A

tram, *m* . . . . . 26 16.A
trame, *f* . . . . . 26 16,A
tramontane, *f* . . . 10.A
tramway . . . . . . 2.C
tranche . . . . . . 9.A
tranchée . . . . . . 3.B
tranchet . . . . . . 2.B
tranchoir . . . . . 23.A
tranquille . . . . . 22.B
tranquillement . . 14.B
tranquillité . . . . . 22.B
transaction . . . . 25.A
transactionnel . . . 19.A
transafricain . . . . 8.B
transalpin . . . . . 8.A
transat, *m* . . . . . 13.A
transat, *f* . . . . . . 13.A
transatlantique . . 14.B
transbordeur . . . 23.A
transcendance . . 18.C
transcendantal . . 18.C
transcontinental . 14.A
transcripteur . . . 23.A
transcription . . . 25.A
transe, *f* . . . . . . 9.A
transept, *m* . . . . 13.A
transfert, *m* . . . . 27
transfiguration . . 25.A
transformateur . . 23.A
transformation . . 25.A
transformationnel . 22.A
transfuge . . . . . 21.A
transfusion . . . . 19.A
transgression . . . 25.A
transhumance . . . 29.B
transi . . . . . . . . 9.A
transistor . . . . . 9.A
transit . . . . . . . 13.A
transitaire . . . . . 26.B
transitif . . . . . . 9.A
transition . . . . . 25.A
transitoire . . . . . 26.B
translatif . . . . . . 9.A
translation . . . . . 25.A
translit(t)ération . 25.A
translucide . . . . 18.A
translucidité . . . . 3.A
transmetteur . . . 2.C
transmissibilité . . 18.B
transmission . . . 25.A
transocéanique . . 14.B

transparence . . . 9.A
transparent . . . . 9.B
transpiration . . . 25.A
transplant . . . . . 9.B
transplantation . . 25.A
transport . . . . . 27
transporteur . . . . 23.A
transposition . . . 25.A
transsaharien . . . 29.B
transsibérien . . . 8.A
transsubstantiation 18.C
transvasement . . 19.A
transversal . . . . 18.A
transversalement . 9.B
trapèze, *m* . . . . . 19.A
trapéziste . . . . . 19.A
trapézoïdal . . . . 29.C
trappe . . . . . . . 12.B
trappeur . . . . . . 23.A
trappiste . . . . . . 12.B
trapu . . . . . . . . 12.A
traque, *f* . . . . . 14 14.B
traquenard . . . . 14.B
traqueur . . . . . . 14.B
trattoria, *f* . . . . . 11.A
traumatisme, *m* . . 5.B
traumatologie . . . 5.B
travail . . . . . . . 11.B
*pl. aussi* travails . 31
travailleur . . . . . 11.B
travailliste . . . . . 11.B
travée . . . . . . . 3.B
travel(l)ing, *m* . . . 26.A
travers, *m* . . . . . 27
traverse . . . . . . 18.A
traversée . . . . . 3.B
traversier . . . . . 3.B
traversin . . . . . . 8.A
travestissement . . 9.B
traviole . . . . . . 5.A
trayeur . . . . . . 11.A
trébuchet . . . . . 2.B
tréfilage . . . . . . 21.A
tréfilerie . . . . . . 26.A
trèfle, *m* . . . . . . 2.A
tréfonds, *m* . . . . 27
treillage . . . . . . 11.B
treille, *f* . . . . . . 11.B
treillis . . . . . . . 11.B
treize . . . . . . . 19.A
treizième . . . . . 2.B

treizièmement . . . 19.A
trekking . . . . . . 14.C
tréma, *m* . . . . . . 3.A
tremble, *m* . . . . . 9.B
tremblement . . . 9.B
tremblote . . . . . 9.B
tremblotement . . 9.B
trémie . . . . . . . 4.B
trémolo . . . . . . 3.A
trémoussement . . 18.B
trempage . . . . . 9.B
trempe, *f* . . . . . 9 9.B
trempette . . . . . 2.C
tremplin . . . . . . 9.B
trench-coat(s), *m* . 32
trentaine . . . . . 2.B
trente . . . . . . . 9.A
trente-et-quarante,
    *m* . . . . . . . 32
trente-et-un
    (sur son) . . . . 32
trépan . . . . . . 9 9.A
trépanation . . . . 25.A
trépas . . . . . . . 1.C
trépidation . . . . 25.A
trépied . . . . . . . 3.C
trépignement . . . 11.A
très . . . . . . . . 2 27
trésor . . . . . . . 23.A
trésorerie . . . . . 4.B
trésorier . . . . . . 3.B
tressage . . . . . . 2.C
tressaillement . . . 11.B
tresse . . . . . . . 2.C
tréteau . . . . . . . 5.B
treuil . . . . . . . . 11.B
trêve . . . . . . . . 2.A
tri . . . . . . . . . . 4.A
triade . . . . . . . 11.A
triage . . . . . . . 11.A
trial, *m* . . . . . . . 11.A
triangle . . . . . . 11.A
triangulaire . . . . 26.B
triangulation . . . 25.A
triathlon . . . . . . 13.C
triatomique . . . . 14.B
tribal . . . . . . . 22 22.A
tribalisme . . . . . 16.A
tribord . . . . . . . 27
tribu . . . . . . . 27 12.A
tribulation . . . . . 25.A

tribun . . . . . . . 8.A
tribunal . . . . . . 22.A
tribune . . . . . . . 16.A
tribut . . . . . 27 27
tributaire . . . . . . 26.B
tricentenaire . . . . 18.A
tricéphale . . . . . 17.C
triceps . . . . . . . 18.A
triche, f . . . . . . 26.C
tricherie . . . . . . 4.B
tricheur . . . . . . . 23.A
trichromie . . . . . 14.C
trick, m . . . . 14 14.C
tricolore . . . . . . 26.B
tricorne . . . . . . 16.A
tricot . . . . . . . . 5.B
tricoteur . . . . . . 23.A
tricycle, m . . . . . 4.B
trident, m . . . . . 9.B
tridimensionnel . . 25.A
trièdre, f . . . . . . 26.C
triennal . . . . . . 16.B
trière . . . . . . . . 2.A
trieur . . . . . . . . 23.A
triforium . . . . . . 16.A
trigonométrie . . . 4.B
trilatéral . . . . . . 22.A
trilingue . . . . . . 15.B
trille, m . . . . . . 11.B
trillion . . . . . . . 11.B
trilogie . . . . . . . 4.B
trimaran . . . . . . 9.A
trimardeur . . . . . 23.A
trimbal(l)age . . . 8.B
trimestriel . . . . . 22.A
trimmer . . . . . . 7.C
trimoteur . . . . . 23.A
tringle . . . . . . . 8.A
trinitaire . . . . . . 26.B
trinité . . . . . . . 3.A
trinitrotoluène . . . 2.A
trinôme . . . . . . 5.B
trinquet . . . . . . 14.B
trio . . . . . . . . . 5.A
triomphal . . . . . 10.B
triomphalement . . 17.C
triomphateur . . . 10.B
triomphe, m . . . . 10.B
tripaille . . . . . . 11.B
tripartite . . . . . . 13.A
tripartition . . . . . 25.A

tripatouillage . . . 11.B
tripatouilleur . . . 11.B
trip, m . . . . . . . 12.A
tripe . . . . . . . . 12.A
triperie . . . . . . . 26.A
tripette . . . . . . . 2.C
triphasé . . . . . . 17.C
tripier . . . . . . . 3.B
triplace . . . . . . . 18.B
triple . . . . . . . . 26.C
triplement . . . . . 9.B
triplés . . . . . . . 31
triplette . . . . . . 2.C
triplex . . . . . . . 2.C
tripode . . . . . . . 5.A
triporteur . . . . . 23.A
tripot . . . . . . . . 5.B
tripotage . . . . . . 21.A
triptyque, m . . . . 4.B
trique, f . . . . 14 14.B
trirème, f . . . . . 2.A
trisaïeul . . . . . . 29.C
  pl. -ïeuls ou -ïeux 32
trisannuel . . . . . 16.B
triste . . . . . . . . 13.A
tristesse . . . . . . 2.C
triton . . . . . . . . 10.A
trituration . . . . . 25.A
triumvirat . . . . . 27
trivalent . . . . . . 9.B
trivial . . . . . . . . 22.A
trivialement . . . . 9.B
trivialité . . . . . . 3.A
troc . . . . . . 14 14.A
trocart . . . . . . . 27
troène, m . . . . . 29.B
troglodyte, m . . . 4.B
troglodytique . . . 4.B
trogne, f . . . . . . 11.A
trognon . . . . . . 11.A
troïka, f . . . . . . 29.C
trois . . . . . . . . 24.B
troisième . . . . . 2.A
troisièmement . . . 9.B
trois-mâts, m . . . 32
trois-quarts, m . . 32
troll, m . . . . . 22 22.B
trolley . . . . . . . 2.C
trolleybus . . . . . 2.C
trombe, f . . . . . 10.B
trombine . . . . 13 10.B

tromblon . . . . . 10.B
trombone, m . . . 10.B
trompe . . . . . . . 10.B
trompe-la-mort . . 32
trompe-l'œil, m . . 32
tromperie . . . . . 4.B
trompette, m . . . 2.C
trompette, f . . . . 2.C
trompettiste . . . . 10.B
trompeur . . . . . 23.A
trompeusement . . 6.A
tronc . . . . . . . . 10.C
tronçon . . . . . . 18.A
tronçonnage . . . 18.A
tronçonneuse . . . 6.A
trône . . . . . . . . 5.B
trop . . . . . . . 5 5.B
trope, m . . . . . . 5.A
trophée, m . . . . 17.C
tropical . . . . . . 14.A
tropique, m . . . . 14.B
tropisme, m . . . . 16.A
trop-perçu(s), m . 32
trop-plein(s), m . . 32
troquet . . . . . . . 2.B
trot . . . . . . . 5 5.B
trotskiste . . . . . 14.C
trotte . . . . . . . . 13.B
trotteur . . . . . . 23.A
trottinette . . . . . 2.C
trottoir . . . . . . . 23.A
trou . . . . . . . . 13.A
troubadour . . . . 23.A
trouble . . . . . . . 26.C
trouble-fête . . . . 32
trouée . . . . . . . 3.B
troufion . . . . . . 10.A
trouille . . . . . . . 11.B
troupe . . . . . . . 12.A
troupeau . . . . . . 5.B
troupier . . . . . . 3.B
troussage . . . . . 18.B
trousse . . . . . . . 18.B
trousseau . . . . . 5.B
trouvaille . . . . . 11.B
trouvère, m . . . . 26.B
troyen . . . . . . . 11.A
truand . . . . . . . 9.C
truanderie . . . . . 4.B
trublion . . . . . . 10.A
truc . . . . . . 14 14.A

trucage . . . . . . 14.A
truck . . . . . . . 14 14.C
truculence . . . . . 9.A
truculent . . . . . . 9.B
truelle . . . . . . . 2.C
truffe . . . . . . . . 17.B
truffier . . . . . . . 3.B
truie . . . . . . . . 26.A
truisme, *m* . . . . . 16.A
truite . . . . . . . . 13.A
trumeau . . . . . . 5.B
truquage . . . . . . 14.B
truqueur . . . . . . 14.B
trusquin . . . . . . 14.B
trust [œ] . . . . . . 7.C
trusteur . . . . . . 7.C
tsar . . . . . . . . . 23.A
tsarine . . . . . . . 16.A
tsigane . . . . . . . 16.A
tu . . . . . . . . . . 13.A
tub . . . . . . . . . 7.C
tuba, *m* . . . . . . 1.A
tube . . . . . . . . . 12.A
tubercule, *m* . . . 14.A
tuberculeux . . . . 6.B
tuberculine, *f* . . . 14.A
tuberculose . . . . 19.A
tubulaire . . . . . . 26.B
tubuleux . . . . . . 6.B
tubulure . . . . . . 26.B
tudesque . . . . . 2.C
tue-mouche(s), *m* 32
tuerie . . . . . . . . 26.A
tue-tête (à) . . . . 32
tueur . . . . . . . . 23.A
tuf . . . . . . . . . . 17.A
tuile . . . . . . . . . 22.A
tuilerie . . . . . . . 4.B
tulipe . . . . . . . . 12.A
tulle, *m* . . . . . . 22.B
tuméfaction . . . . 25.A
tumescence . . . . 18.C
tumescent . . . . . 18.C
tumeur . . . . . . . 23.A
tumoral . . . . . . . 22.A
tumulaire . . . . . . 26.B
tumulte . . . . . . . 13.A
tumultueux . . . . 6.B
tumulus . . . . . . . 18.A
tuner, *m* . . . . . . 2.C
tungstène, *m* . . . 8.A

tunique . . . . . . 14.B
tunisien . . . . . . 8.A
tunnel . . . . . . . 22.A
turban . . . . . . . 9.A
turbin . . . . . . . 8.A
turbine . . . . . . . 16.A
turbo, *m inv.* . . . 5 5.A
turbocompresseur 2.C
turbopropulseur . 23.A
turboréacteur . . . 23.A
turbot . . . . . . . 5 5.B
turbotière . . . . . 26.B
turbulence . . . . . 9.A
turbulent . . . . . 9.B
turc . . . . . . . . 14.A
turf . . . . . . . . . 7.C
turfiste . . . . . . . 7.C
turgescent . . . . . 18.C
turlututu ! . . . . . 13.A
turne, *f* . . . . . . 16.A
turpitude . . . . . 4.A
turquerie . . . . . 14.B
turquoise . . . . . 14.B
tussor(e), *m* . . . 18.B
tutélaire . . . . . . 26.B
tutelle . . . . . . . 2.C
tuteur . . . . . . . 23.A
tutoiement . . . . 26.A
tutti, *inv.* . . . . . 13.B
tutti quanti . . . . 32
tutu . . . . . . . . 13.A
tuyau . . . . . . . 11.A
tuyautage . . . . . 11.A
tuyauterie . . . . . 11.A
tuyère . . . . . . . 11.A
T.V.A. (taxe à la
   valeur ajoutée) . 32
tweed, *m* . . . . . 4.C
tweeter . . . . . . 4.C
twist . . . . . . . . 4.C
tympan . . . . . . 8.C
tympanon . . . . . 8.C
type . . . . . . . . 4.B
typhoïde . . . . . 29.C
typhon . . . . . . . 17.C
typhus . . . . . . . 17.C
typique . . . . . . 4.B
typiquement . . . 4.B
typographe . . . . 4.B
typologie . . . . . 4.B
tyran . . . . . . . 4 4.B

tyranneau . . . . . 5.B
tyrannicide . . . . 4.A
tyrannie . . . . . . 4.A
tyrannique . . . . . 14.B
tyrolien . . . . . . 9.A
tzar . . . . . . . . . 9.A
tzigane . . . . . . . 9.A

# u

ubac, *m* . . . . . . 14.A
ubiquité . . . . . . 14.B
ubuesque . . . . . 14.B
ukase, *m* . . . . . 14.B
ulcération . . . . . 25.A
ulcère, *m* . . . . . 2.A
ulcéreux . . . . . . 6.B
ultérieur . . . . . . 23.A
ultimatum . . . . . 16.A
ultime . . . . . . . 16.A
ultra . . . . . . . . 1.A
ultra-chic(s) . . . . 32
ultra-court(s) . . . . 32
ultramoderne . . . 5.A
ultrason . . . . . . 18.A
ultraviolet . . . . . 2.B
ululement . . . . . 9.B
un . . . . . . . . . 8.A
unanime . . . . . . 16.A
unanimement . . . 9.B
unanimité . . . . . 9.B
underground [œn] . 7.A
une, *f* . . . . . . 29 16.A
uni . . . . . . . . . 4.A
unicellulaire . . . . 2.C
unicité . . . . . . . 3.A
unidirectionnel . . . 25.A
unification . . . . . 25.A
uniformément . . . 9.B
uniformité . . . . . 3.A
unilatéralement . . 9.B
unilingue . . . . . 15.B
uniment . . . . . . 9.B
union . . . . . . . 11.A
unionisme . . . . . 11.A
unipare . . . . . . . 26.B
unique . . . . . . . 14.B

uniquement . . . . 14.B
unisson . . . . . . . 18.B
unitaire . . . . . . . 26.B
unité . . . . . . . . 3.A
univers . . . . . . . 27
universalité . . . . . 3.A
universaux . . . . . 27
universel . . . . . . 22.A
universitaire . . . . 26.B
université . . . . . . 3.A
univocité . . . . . . 18.A
univoque . . . . . . 14.B
uppercut, *m* . . . . 13.A
upsilon, *m* . . . . . 10.A
uranifère . . . . . . 2.A
uranium . . . . . . . 16.A
urbain . . . . . . . . 8.B
urbanisme . . . . . 16.A
urbanité . . . . . . . 3.A
urbi et orbi . . . . . 32
urée, *f* . . . . . . . 3.B
uretère, *m* . . . . . 26.A
urètre, *m* . . . . . . 26.C
urgence . . . . . . . 9.A
urinaire . . . . . . . 26.B
urinoir . . . . . . . 23.A
urique . . . . . . . 14.B
urne, *f* . . . . . . . 16.A
urologie . . . . . . . 26.A
urticaire, *f* . . . . . 2.B
uruguayen . . . . . 11.A
us, *m* . . . . . . . . 18.A
usage . . . . . . . . 19.A
usinage . . . . . . . 19.A
usité . . . . . . . . 3.A
ustensile . . . . . . 18.A
usuel . . . . . . . . 19.A
usufruit . . . . . . . 27
usuraire . . . . . . . 26.B
usurpateur . . . . . 23.A
usurpation . . . . . 25.A
ut . . . . . . . . 29 13.A
utéro-vaginal(aux) . 32
utérus . . . . . . . . 18.A
utilement . . . . . . 9.B
utilisateur . . . . . 23.A
utilité . . . . . . . . 3.A
utopie . . . . . . . . 26.A
uvulaire . . . . . . . 26.B
uvule, *f* . . . . . . . 22.A

vacance . . . . . . 9.A
vacancier . . . . . . 3.B
vacant . . . . . . . 9.B
vacarme . . . . . . 14.A
vacataire . . . . . . 26.B
vacation . . . . . . 25.A
vaccin . . . . . . . 18.C
vaccination . . . . . 18.C
vache . . . . . . . . 26.B
vacher . . . . . . . 3.B
vacherin . . . . . . 8.A
vachette . . . . . . 2.C
vacillement . . . . . 11.B
vacuité . . . . . . . 3.A
vadrouille . . . . . . 11.B
va-et-vient, *m* . . . 32
vagabond . . . . . . 10.C
vagabondage . . . 21.A
vagin . . . . . . . . 8.A
vaginal . . . . . . . 21.A
vague . . . . . . . . 15.B
vague à l'âme, *m* . 32
vaguelette . . . . . 15.B
vaguemestre . . . . 15.B
vahiné, *f* . . . . . . 29.B
vaillamment . . . . 1.C
vaillance . . . . . . 11.B
vaillant . . . . . . . 11.B
vaille que vaille . . . 32
vain . . . . . . . . 8 8.B
vainement . . . . . 2.B
vainqueur . . . . . 14.B
vair . . . . . . . . 23 2.B
vairon . . . . . . . 2.B
vaisseau . . . . . . 5.B
vaisselier . . . . . . 3.B
vaisselle . . . . . . 2.C
val . . . . . . . . . 22.A
  *pl.* vals *et* vaux . 31
valablement . . . . 9.B
valence, *f* . . . . . 9.A
valériane . . . . . . 11.A
valet . . . . . . . 2* 2.B
valétudinaire . . . . 26.B
valeur . . . . . . . 23.A
valeureux . . . . . . 6.B

valide . . . . . . . 22.A
valise . . . . . . . 19.A
vallée . . . . . . 2* 3.B
vallon . . . . . . . 10.A
vallonné . . . . . . 16.B
vallonnement . . . 16.B
valorisation . . . . 25.A
valse . . . . . . . 18.A
valve . . . . . . . 22.A
vamp, *f* . . . . . . 9.B
vampire, *m* . . . . 9.B
van . . . . . . . 9 9.A
vanadium . . . . . 6.A
vandale . . . . . . 9.A
vanille . . . . . . . 11.B
vanilline . . . . . . 11.B
vanité . . . . . . . 13.A
vaniteux . . . . . . 6.B
vannage . . . . . . 21.A
vanne . . . . . . . 16.B
vanneau . . . . . . 5.B
vannerie . . . . . . 4.B
vantail . . . . . . 9 11.B
vantard . . . . . . 27
va-nu-pieds . . . . 32
vapeur . . . . . . . 23.A
vaporeux . . . . . . 6.B
vaporisation . . . . 25.A
var . . . . . . . . 23.A
varan . . . . . . 9 9.A
varappe, *f* . . . . . 12.B
varech . . . . . . . 14.C
vareuse . . . . . . 6.A
variance . . . . . . 9.A
variante . . . . . . 9.A
variation . . . . . . 25.A
varice . . . . . . . 18.B
varicelle . . . . . . 2.C
variété . . . . . . . 3.A
variole . . . . . . . 5.A
variqueux . . . . . 14.B
varlope, *f* . . . . . 5.A
vasculaire . . . . . 14.A
vase . . . . . . . . 19.A
vasectomie . . . . . 4.B
vaseline . . . . . . 19.A
vaseux . . . . . . . 6.B
vasistas . . . . . . 6.B
vaso-
  constricteur(s), *m* 32

vaso-dilatateur(s),
  *m* . . . . . . . . . 32
vaso-dilatation(s),
  *f* . . . . . . . . . 32
vasque, *f* . . . . . . 14.B
vassal . . . . . . . . 18.B
vassalité . . . . . . 3.A
vaste . . . . . . . . 18.A
va-t-en-guerre, *m* . 32
vaticination . . . . 25.A
va-tout, *m* . . . . . 32
vaudeville, *m* . . . . 11.B
vaudevillesque . . . 11.B
vaudou . . . . . . . . 5.B
vau-l'eau (à) . . . 5 32
vaurien . . . . . . . 8.A
vautour . . . . . . . 5.B
va-vite (à la) . . . . 32
veau . . . . . . . . 5 5.B
vecteur . . . . . . . 2.C
vectoriel . . . . . . 2.C
vedettariat . . . . . 2.C
vedette . . . . . . . 2.C
védique . . . . . . . 14.B
végétal . . . . . . . 21.A
végétarien . . . . . 8.A
végétatif . . . . . . 17.A
véhémence . . . . . 29.B
veille . . . . . . . . 11.B
veillée . . . . . . . 11.B
veilleur . . . . . . . 11.B
veilleuse . . . . . . 11.B
veinard . . . . . . . 2.B
veine . . . . . . . 2 2.B
veineux . . . . . . . 2.B
veinule . . . . . . . 2.B
vêlage . . . . . . . 2.A
vélaire . . . . . . . 26.B
veld(t), *m* . . . . . 13.A
vélin . . . . . . . . 8.A
velléitaire . . . . . 29.C
velléité . . . . . . . 29.C
vélo . . . . . . . . 5.A
véloce . . . . . . . 5.A
vélocité . . . . . . 3.A
vélodrome . . . . . 5.A
velours . . . . . . . 27
velouté . . . . . . . 3.A
velu . . . . . . . . 6.A
velum . . . . . . . 16.A
venaison . . . . . . 2.B

vénal . . . . . . . 22.A
vénalité . . . . . . 3.A
vendangeur . . . . 23.A
vendetta . . . . . . 2.C
vendeur . . . . . . 23.A
venelle, *f* . . . . . 2.C
vénéneux . . . . . . 6.B
vénérien . . . . . . 8.A
veneur . . . . . . . 23.A
vénézuélien . . . . 19.A
vengeance . . . . . 21.B
vengeur . . . . . . 23.A
véniel . . . . . . . 11.A
venimeux . . . . . . 6.B
venin . . . . . . . . 8.A
vénitien . . . . . . 25.E
vent . . . . . . . . 9 9.B
vente . . . . . . . . 9.A
venteux . . . . . . . 6.B
ventilateur . . . . . 23.A
ventilation . . . . . 25.A
ventouse . . . . . . 19.A
ventral . . . . . . . 9.A
ventre . . . . . . . 26.B
ventricule, *m* . . . . 14.C
ventriloque . . . . . 14.B
ventripotent . . . . 9.B
venue . . . . . . 26 26.A
vêpres, *f* . . . . . . 31
ver . . . . . . . 23 23.A
véracité . . . . . . 3.A
véranda . . . . . . 9.A
verbal . . . . . . . 22.A
verbeux . . . . . . . 6.B
verbiage . . . . . . 21.A
verdâtre . . . . . . 26.C
verdeur . . . . . . 23.A
verdict . . . . . . . 13.A
verdure . . . . . . 26.B
véreux . . . . . . . 6.B
verge, *f* . . . . . . 21.A
vergé . . . . . . 3 3.A
verger . . . . . . 3 3.B
vergeture . . . . . 21.A
verglacé . . . . . . 15.A
verglas . . . . . . 1.C
vergogne, *f.* . . . . 5.A
véridique . . . . . . 14.B
vérificateur . . . . 23.A
vérification . . . . 25.A
vérin . . . . . . . . 8.A

vérisme . . . . . . 6.A
véritable . . . . . . 26.C
vérité . . . . . . . 3.A
verlan . . . . . . . 9.A
vermeil . . . . . . . 11.B
vermicelle, *m* . . . 2.C
vermifuge . . . . . 21.A
vermillon . . . . . . 11.B
vermine . . . . . . 16.A
vermisseau . . . . . 5.B
vermoulu . . . . . . 23.A
vermout(h) . . . . . 13.C
vernaculaire . . . . 26.B
verni . . . . . . . 4 4.A
vernis . . . . . . . 4 4.B
vernissage . . . . . 18.B
vérole . . . . . . . 5.A
verrat . . . . . . . 2.C
verre . . . . . . 23 2.C
verrière . . . . . . 2.C
verroterie . . . . . 2.C
verrou . . . . . . . 2.C
verrouillage . . . . 11.B
verrue . . . . . . . 26.A
vers . . . . . . . 23 27
versant . . . . . . 9.B
versatile . . . . . . 18.A
versatilité . . . . . 3.A
versement . . . . . 9.B
verset . . . . . . . 2.B
versificateur . . . . 23.A
version . . . . . . 25.A
verso . . . . . . . 5.A
vert . . . . . . . 23 27
vert-de-gris, *m* . . 32
vertèbre, *f* . . . . 26.C
vertébré . . . . . . 3.A
vertical . . . . . . 14.A
verticalement . . . 9.B
verticalité . . . . . 3.A
vertigineux . . . . . 6.B
vertu . . . . . . . 13.A
vertueux . . . . . . 6.B
verve, *f* . . . . . . 26.A
verveine . . . . . . 2.B
vésicule, *f* . . . . 19.A
vespa . . . . . . . 18.A
vespéral . . . . . . 18.A
vesse, *f* . . . . . . 2.C
vesse(s)-de-loup, *f*  32
vessie . . . . . . . 2.C

vestale, *f* . . . . . . 18.A
vestiaire . . . . . . 26.B
vestibule . . . . . . 18.A
vestige . . . . . . 21.A
vestimentaire . . . 26.B
vêtement . . . . . . 9.B
vétéran . . . . . . . 9.A
vétérinaire . . . . . 26.B
vétille . . . . . . . 11.B
veto . . . . . . . . . 5.A
vétuste . . . . . . . 18.A
vétusté . . . . . . . 3.A
veuf . . . . . . . . . 6.A
veule . . . . . . . . 7.A
veulerie . . . . . . 7.A
veuvage . . . . . . 6.A
vexation . . . . . . 2.C
vexatoire . . . . . . 2.C
viabilité . . . . . . 3.A
viable . . . . . . . . 26.C
viaduc . . . . . . . 14.A
viager . . . . . . . . 3.B
viande . . . . . . . 9.A
viatique, *m* . . . . . 14.B
vibraphone . . . . . 17.C
vibration . . . . . . 25.A
vibrato . . . . . . . 5.B
vibrion . . . . . . . 11.A
vibrisse, *f* . . . . . . 18.B
vicaire . . . . . . . 26.B
vicariat . . . . . . . 11.A
vice . . . . . . . 18 18.B
vice-amiral(aux), *m* 32
vice-présidence, *f* . 32
vice-président(s), *m* 32
vice versa . . . . . 32
vicieux . . . . . . . 6.B
vicinal . . . . . . . 18.A
vicissitude . . . . . 18.B
vicomte . . . . . . . 10.B
victime . . . . . . . 16.A
victoire . . . . . . . 26.B
victorieux . . . . . 6.B
victuailles, *f* . . . . 11.B
vidange . . . . . . . 9.A
vide . . . . . . . . . 13.A
vidéo . . . . . . . . 5.A
vidéocassette . . . 2.C
vide-ordures, *m* . . 32
vide-poches, *m* . . 32
videur . . . . . . . . 23.A

vie . . . . . . . . 4.B
vieil . . . . . . . . . 11.B
vieillard . . . . . . 11.B
vieillesse . . . . . . 11.B
vieillissement . . . 11.B
vieillot . . . . . . . 11.B
vielle . . . . . . . . 2.C
vierge . . . . . . . 21.A
vieux . . . . . . . . 6.B
vif . . . . . . . . . . 17.A
vif-argent, *m sg.* . . . 32
vigie . . . . . . . . 4.B
vigilance . . . . . . 9.A
vigile . . . . . . . . 21.A
vigne . . . . . . . . 11.A
vigneron . . . . . . 11.A
vignette . . . . . . 11.A
vignoble . . . . . . 11.A
vigogne, *f* . . . . . 15.A
vigoureux . . . . . 6.B
vigueur . . . . . . . 15.B
viking . . . . . . . . 14.C
vil . . . . . . . . 22 22.A
vilain . . . . . . . . 8.B
vilebrequin . . . . . 14.B
vilenie . . . . . . . 4.B
villa . . . . . . . . . 22.B
villageois . . . . . . 24.B
ville . . . . . . . 22 22.B
ville(s)-
   dortoir(s), *f* . . . 32
villégiature . . . . . 24.B
vin . . . . . . . . 8 8.A
vinaigrette . . . . . 2.C
vindicatif . . . . . . 8.A
vindicte, *f* . . . . . 8.A
vineux . . . . . . . 6.B
vingt . . . . . . . 8 27
vingtaine . . . . . . 27
vinicole . . . . . . . 14.A
vinylique . . . . . . 4.B
viol . . . . . . . . 22 5.A
violacé . . . . . . . 5.A
violation . . . . . . 25.A
viole, *f* . . . . . . 22 5.A
violemment . . . . . 1.C
violence . . . . . . 9.A
violent . . . . . . . 9.B
violet . . . . . . . . 2.B
violette . . . . . . . 2.C
violon . . . . . . . . 10.A

violoncelle . . . . . 2.C
vipère . . . . . . . 2.A
virage . . . . . . . 21.A
virago, *f* . . . . . . 15.A
viral . . . . . . . . . 22.A
virée . . . . . . . . 3.B
virginal . . . . . . . 21.A
virginité . . . . . . 3.A
virgule . . . . . . . 15.A
viril . . . . . . . . . 22.A
virilement . . . . . 9.B
virilité . . . . . . . 3.A
virole, *f* . . . . . . 5.A
virologie . . . . . . 4.B
virtualité . . . . . . 3.A
virtuel . . . . . . . 22.A
virtuellement . . . . 2.C
virtuosité . . . . . . 3.A
virulence . . . . . . 9.A
virus . . . . . . . . 18.A
vis . . . . . . . . 18 18.A
visa . . . . . . . . 19.A
visage . . . . . . . 21.A
vis-à-vis . . . . . . 32
viscéral . . . . . . . 18.C
viscère, *m* . . . . . 18.C
viscosité . . . . . . 3.A
visée . . . . . . . 3 3.B
viseur . . . . . . . 23.A
visibilité . . . . . . 3.A
visière . . . . . . . 2.A
vision . . . . . . . 10.A
visionnaire . . . . . 26.B
visite . . . . . . . . 19.A
visiteur . . . . . . . 23.A
vison . . . . . . . . 19.A
visqueux . . . . . . 14.B
visserie . . . . . . . 18.B
visuel . . . . . . . . 19.A
vitalité . . . . . . . 3.A
vitamine, *f* . . . . . 4.A
vite . . . . . . . . . 4.A
vitesse . . . . . . . 2.C
viticole . . . . . . . 11.B
vitrail . . . . . . . . 11.B
vitreux . . . . . . . 6.B
vitrification . . . . . 25.A
vitrine . . . . . . . 4.A
vitriol . . . . . . . . 11.A
vitupération . . . . 25.A
vivace . . . . . . . 18.B

vivacité . . . . . . . 3.A
vivarium . . . . . . 5.C
vivement . . . . . . 9.B
viveur . . . . . . . . 23.A
vivipare . . . . . . 26.B
vivisection . . . . . 25.A
vivoir . . . . . . . . 23.A
vivres, *m* . . . . . . 31
vivrier . . . . . . . . 3.B
vizir . . . . . . . . . 19.A
v(l)an ! . . . . . . . 9.A
vocable . . . . . . . 26.C
vocabulaire . . . . . 26.B
vocal . . . . . . . . 14.A
vocalique . . . . . . 14.B
vocalisateur . . . . 23.A
vocatif . . . . . . . 14.A
vocation . . . . . . 25.A
vocifération . . . . 25.A
vocodeur . . . . . . 23.A
vodka, *f* . . . . . . 14.C
vœu . . . . . . . . 7.B
vogue . . . . . . . . 15.B
voici . . . . . . . . . 18.A
voie . . . . . . . . 24 24.B
voilà . . . . . . . . 1.B
voile . . . . . . . . 24.A
voilette . . . . . . . 2.C
voilier . . . . . . . . 3.B
voilure . . . . . . . 26.B
voire . . . . . . . . 26.B
voirie . . . . . . . . 4.B
voisinage . . . . . . 19.A
voiture . . . . . . . 26.B
voiture(s)-bar(s), *f* . 32
voiture(s)-
  restaurant(s), *f* . 32
voix . . . . . . . . 24 24.B
vol . . . . . . . . 22 5.A
volage . . . . . . . 21.A
volaille . . . . . . . 11.B
volant . . . . . . . . 9.B
volatil . . . . . . . 22 5.A
volatile, *m* . . . 22 22.A
volcan . . . . . . . 9.A
volcanique . . . . . 14.B
volcanologue . . . 15.B
volée . . . . . . . . 3.B
volet . . . . . . . . 2.B
voleur . . . . . . . . 23.A
volière . . . . . . . 26.B

volition . . . . . . 25.A
volley . . . . . . . . 2.C
volley-ball, *m sg.* . 32
volleyeur . . . . . . 11.A
volontaire . . . . . 26.B
volontariat . . . . . 1.C
volonté . . . . . . . 3.A
volontiers . . . . . 27
volt, *m* . . . . . 13 13.A
voltaïque . . . . . . 29.C
voltamètre . . . . . 26.C
voltampère . . . . . 9.B
volte, *f* . . . . . 13 5.A
volte-face, *f* . . . . 32
voltige, *f* . . . . . 21.A
volubile . . . . . . . 4.A
volubilité . . . . . . 3.A
volume . . . . . . . 5.A
volupté . . . . . . . 3.A
voluptueux . . . . . 6.B
volute, *f* . . . . . 5.A
vomitif . . . . . . . 5.A
voracement . . . . 9.B
voracité . . . . . . . 3.A
vos, *pl.* . . . . . . 5 5.B
vosgien . . . . . . . 27
vote . . . . . . . . . 5.A
votif . . . . . . . . 5.A
votre . . . . . . . 5* 5.A
vôtre . . . . . . . 5* 5.B
vous . . . . . . . . 27
voussure . . . . . . 18.A
voûte . . . . . . . . 13.A
voûté . . . . . . . . 3.A
vouvoiement . . . . 26.A
vox populi, *f* . . . . 32
voyage . . . . . . . 11.A
voyageur . . . . . . 11.A
voyance . . . . . . . 11.A
voyelle . . . . . . . 11.A
voyeur . . . . . . . 11.A
voyou . . . . . . . . 11.A
vrac . . . . . . . . . 14.A
vrai . . . . . . . . 2.B
vraiment . . . . . . 2.B
vraisemblance . . . 9.B
vrille . . . . . . . . 11.B
vrombissant . . . . 10.B
vue . . . . . . . . 26 27
vulcanisation . . . . 25.A
vulgaire . . . . . . . 15.A

vulgarisation . . . . 25.A
vulgarité . . . . . . 3.A
vulnérabilité . . . . 3.A
vulnérable . . . . . 26.C
vulnéraire . . . . . 26.B
vulve, *f* . . . . . . 22.A
vumètre . . . . . . 26.C
vu que . . . . . . . 32

# W

wagnérien . . . . . 8.A
wagon(s)-bar(s), *m* 32
wagon(s)-citerne(s),
  *m* . . . . . . . . . 32
wagon(s)-lit(s), *m* . 32
wagonnet . . . . . 2.B
wagon(s)-
  restaurant(s), *m* . 32
walkman . . . . . . 24.C
wallon . . . . . . . 10.A
wapiti, *m* . . . . . 4.A
wassingue, *f* . . . 15.B
water-closet(s)
  (w.-c.), *m* . . . . 32
watergang . . . . . 9.C
wateringue, *f* . . . 15.B
water-polo, *m* . . . 32
waters . . . . . . . 24.C
watt, *m* . . . . . 24 24.C
wattman . . . . . . 24.C
  *pl.* wattmen
welter . . . . . . . . 2.C
western, *m* . . . . 2.C
westphalien . . . . 17.C
whisky . . . . . . . 24.C
  *pl.* whiskies
whist . . . . . . . . 4.A
white spirit(s), *m* . 32
wigwam, *m* . . . . 16.A
windsurf . . . . . . 7.C
wisigoth . . . . . . 13.C
wolfram, *m* . . . . 16.A

# X

xénon . . . . . . . 19.B
xénophobie . . . . 17.C
xérès . . . . . . . 19.B
xérographie . . . . 17.C
xérophtalmie . . . . 17.C
xi . . . . . . . . 18.C
xylographe . . . . 17.C
xylophage . . . . 17.C
xylophone . . . . . 17.C

# Z

zazou . . . . . . . 19.A
zèbre . . . . . . . 28.C
zébrure . . . . . . 28
zébu . . . . . . . 19.A
zélateur . . . . . . 23.A
zèle . . . . . . . . 28
zélé . . . . . . . . 28
zélote . . . . . . . 19.A
zen . . . . . . . . 19.A
zénith . . . . . . . 13.C
zéphyr . . . . . . 4.B
zeppelin . . . . . 19.A
zéro . . . . . . . . 19.A
zeste, *m* . . . . . 13.A
zêta . . . . . . . . 2. A
zézaiement . . . . 26.A
zibeline . . . . . . 19.A
zigzag . . . . . . 19.A
zinc . . . . . . . . 8.A
zincifère . . . . . 18.A
zingage . . . . . . 21.A
zingueur . . . . . 15.B
zinnia, *m* . . . . . 16.B
zinzin . . . . . . . 8.A
zizanie . . . . . . 4.B
zloty, *m* . . . . . 4.B
zodiacal . . . . . . 14.A
zodiaque, *m* . . . 14.B
zombi(e), *m* . . . 10.B
zona, *m* . . . . . 19.A
zonage . . . . . . 19.A
zonard . . . . . . 27
zone . . . . . . . 19.A
zonure . . . . . . 26.B
zoo . . . . . . . . 5.B
zoolâtre . . . . . . 5.B
zoologie . . . . . 5.B
zoom [u], *m* . . . 5.B
zoomorphe . . . . 5.B
zoophilie . . . . . 5.B
zoophobie . . . . 5.B
zouave, *m* . . . . 19.A
zut ! . . . . . . . . 19.A
zygomatique . . . . 4.B
zygote, *m* . . . . 4.B

# y

y . . . . . . . . . 4.B
yacht . . . . . . . 11.A
ya(c)k . . . . . . . 11.A
yang, *m* . . . . . 11.A
yankee . . . . . . 11.A
yaourt . . . . . . . 11.A
yard . . . . . . . . 11.A
yearling . . . . . . 4.C
yéménite . . . . . 11.A
yen . . . . . . . 2 11.A
yéti, *m* . . . . . . 11.A
yeux, *pl.* . . . . . 6.B
yiddish . . . . . . 20.B
  *aussi* yiddisch
yin, *m* . . . . . . . 11.A
yod . . . . . . . . 11.A
yoga . . . . . . . 11.A
yog(h)ourt . . . . . 11.A
yogi . . . . . . . . 11.A
yole, *f* . . . . . . 11.A
yougoslave . . . . 11.A
youyou . . . . . . 11.A
ypérite, *f* . . . . . 4.B

# LISTE DES SONS UTILISÉS
## DANS L'OUVRAGE

## VOYELLES

| | |
|---|---|
| [a] | patte |
| [ɑ] | pâte |
| [ɛ] | fête |
| [e] | fée |
| [i] | nid |
| [ɔ] | sol |
| [o] | saule |
| [ø] | jeu |
| [œ] | jeune |
| [ɛ̃] | brin |
| [œ̃] | brun |
| [ã] | banc |
| [ɔ̃] | bon |

## SEMI VOYELLES

| | |
|---|---|
| [j] | ail |
| [w] | bois |

## CONSONNES

| | |
|---|---|
| [p] | pain |
| [b] | bain |
| [t] | toit |
| [d] | doit |
| [k] | camp |
| [g] | gant |
| [m] | main |
| [n] | nain |
| [ɲ] | agneau |
| [f] | faim |
| [s] | seau |
| [z] | zoo |
| [ʃ] | chou |
| [ʒ] | joue |
| [l] | loup |
| [r] | roue |

● Imp. TARDY QUERCY S.A. Bourges - D.L. Mars 1988 - Édit. n° 10313 - Imp. n° 14350
*Imprimé en France*